D1279896

LA ESPADA DE CRISTAL

GRANTRAVESÍA

VICTORIA AVEYARD

LA ESPADA
DE CRISTAL

GRANtravesía

LA ESPADA DE CRISTAL

Título original: *Glass Sword*

© 2016, Victoria Aveyard

Traducción: Enrique Mercado

Ilustración de portada: © 2016. Toby & Pete
Diseño de portada: Sarah Nichole Kaufman
Guardas: © &™ 2014, Victoria Aveyard. Todos los derechos reservados
Ilustración de guardas: Amanda Persky

D.R. © 2016, Editorial Océano, S.L.
Milanesat 21-23, Edificio Océano
08017 Barcelona, España
www.oceano.com
www.grantravesia.es

D.R. © 2016, Editorial Océano de México, S.A. de C.V.
Homero 1500 - 402, Col. Polanco
Miguel Hidalgo, 11560, Ciudad de México
www.oceano.mx
www.grantravesia.com

Primera edición: septiembre de 2016
Cuarta reimpresión: junio de 2020

ISBN: 978-84-945517-0-3
Depósito legal: B-12068-2016

Reservados todos los derechos. Ninguna parte de esta publicación
puede ser reproducida, almacenada o transmitida por ningún medio
sin permiso del editor. Cualquier forma de reproducción, distribución,
comunicación pública o transformación de esta obra sólo puede ser
realizada con la autorización de sus titulares, salvo excepción prevista
por la ley. Diríjase a CEDRO (Centro Español de Derechos Reprográficos,
www.cedro.org) si necesita fotocopiar o escanear algún fragmento
de esta obra.

IMPRESO EN ESPAÑA / *PRINTED IN SPAIN*
9004205050620

A mis abuelos. Aquí y allá, siempre estarán en casa.

UNO

Me estremezco. El paño que ella me da está limpio, pero huele a sangre. No debería importarme. Toda mi ropa está manchada. La roja es mía, por supuesto; la plateada pertenece a muchos otros: Evangeline, Ptolemus, lord ninfo, todos los que quisieron matarme en la plaza. Supongo que un poco de ella es de Cal. Sangró profusamente en la arena, debido a los cortes y lesiones que nuestros presuntos verdugos le infligieron. Ahora está sentado delante de mí, y mira sus pies mientras permite que sus heridas inicien su lento proceso de curación natural. Yo observo uno de los numerosos cortes que recibí en los brazos, causados tal vez por Evangeline. Es reciente, y lo bastante profundo para dejar una cicatriz. A una parte de mí le complace la idea: esta cuchillada caprichosa no desaparecerá como por arte de magia entre las frías manos de un sanador. Cal y yo ya no estamos en el mundo Plateado, con alguien que borre sin rechistar nuestras cicatrices arduamente ganadas. Hemos huido. O cuando menos, yo lo hice. Sus cadenas son un firme recordatorio de su cautiverio.

Farley mueve mi mano con un roce sorpresivamente suave.

—Cubre tu rostro, Niña Relámpago. Es justo lo que ellos buscan.

Por una vez, obedezco. Los demás me imitan, y se cubren también la boca y la nariz con una tela roja. El rostro de Cal es el único que permanece a la vista, pero no dura mucho. Él no impide que Farley le amarre una pañoleta, lo que lo hace parecer uno de nosotros.

¡Si de verdad lo fuera!

Un zumbido eléctrico bulle en mi sangre, y me recuerda el tren subterráneo. Nos lleva inexorablemente adelante, a una ciudad que fue un refugio en otro tiempo. Avanza a toda prisa, y cruje sobre unos rieles antiguos como si fuera un raudo Plateado que corriese a cielo abierto. Escucho el metal chirriante, lo siento en la médula de mis huesos, donde un dolor frío se asienta. Mi cólera, mi *fuerza* en la plaza parecen recuerdos lejanos, que dejaron sólo sufrimiento y temor. Apenas puedo imaginar lo que Cal piensa en este instante. Lo ha perdido todo, *todo* lo que en algún momento tuvo un significado especial para él. Un padre, un hermano, un reino. Cómo logra mantener la compostura pese a las sacudidas de la locomotora, no lo sé.

Nadie tiene que indicarme la razón de nuestra urgencia. Farley y sus compañeros de la Guardia Escarlata, tensos como un resorte, son explicación suficiente para mí. *Aún estamos huyendo.*

Maven ya recorrió este camino, y volverá a hacerlo. Esta vez con la furia de sus soldados, su madre y su nueva corona. Ayer era un príncipe; hoy es el rey. Pensé que era mi amigo, mi prometido; ahora sé que no lo es.

Un día confié en él. Hoy sé que lo odio, que le temo. Cooperó en la muerte de su padre a cambio de una corona, e incriminó a su hermano en el crimen. Sabe que la radiación de la Ciudad de las Ruinas es una mentira, un truco, y sabe adónde lleva este tren. El santuario que Farley construyó ya no está a salvo para nosotros. *Ni para ti.* Bien podría ser que corramos ahora en dirección a una trampa.

Un brazo me rodea con fuerza cuando nota mi desasosiego. Es Shade. No puedo creer todavía que mi hermano esté vivo a mi lado ni —lo más raro de todo— que sea igual que yo: *Rojo y Plateado, y más fuerte que ambos.*

—No dejaré que vuelvan a llevarte —susurra con una voz tan baja que apenas lo oigo. Supongo que la lealtad a quienquiera que no sea la Guardia Escarlata, incluso a la familia, está prohibida—. Lo prometo.

Su presencia es tranquilizadora, y me hace viajar en el tiempo. A su conscripción, a una primavera lluviosa en la que podíamos fingir que éramos niños todavía. Lo único que existía en esos años era el lodo, la aldea y nuestra insensata costumbre de ignorar el futuro. Hoy sólo pienso en el futuro, y me pregunto a qué siniestro camino nos han arrojado mis acciones.

—¿Qué haremos ahora?

Dirijo la pregunta a Farley, pero mis ojos tropiezan con Kilorn. Está detrás de ella como un guardián consciente de sus deberes, con la mandíbula apretada y vendajes sanguinolentos. ¡Y pensar que hace muy poco era sólo un aprendiz de pescador! Lo mismo que Shade, parece fuera de lugar, un fantasma de una época previa a todo esto.

—Siempre hay un sitio adonde huir —responde Farley, más atenta a Cal que a otra cosa. Espera que se muestre belicoso, que se resista, pero no hace lo uno ni lo otro—. No le quites las manos de encima —añade en dirección a Shade, a quien se vuelve después de un largo momento. Mi hermano inclina afirmativamente la cabeza ysiento el peso de su palma en mi hombro—. No la podemos perder.

No soy un general ni un estratega, pero el razonamiento de Farley resulta claro. Soy la Niña Relámpago, electricidad viviente, un rayo en forma humana. La gente conoce mi nombre, mi rostro y mis habilidades. Soy un bien preciado, poderosa, y Maven hará lo imposible por impedir que yo ataque una vez más. No sé cómo podría mi hermano protegerme del nuevo y retorcido monarca, aunque Shade sea igual que, aunque sea la criatura más veloz que he visto en mi vida. Pero debo confiar, incluso si se requiere de un milagro. Después de todo, he sido testigo de muchas cosas imposibles. Una escapada más será la menor de ellas.

El chasquido y movimiento de unos cañones de rifle retumba en el tren conforme la Guardia se prepara. Kilorn cambia de posición para vigilarme; se balancea un poco y empuña con fuerza el arma que le atraviesa el pecho. Baja la mirada con una expresión indulgente. Intenta esbozar una sonrisa, hacerme reír, pero sus brillantes ojos verdes tienen un aspecto grave y asustadizo.

En contraste, Cal permanece tranquilo, casi en paz. Aunque es quien más tiene que temer —encadenado como está, rodeado de enemigos, perseguido por su propio hermano—, tiene un aspecto sereno. No me sorprende. Es un soldado nato. La guerra es algo que entiende, y es un hecho que ahora estamos en guerra.

—Espero que no penséis pelear —habla por vez primera después de varios minutos. Aunque no me quita los ojos de encima, sus mordaces palabras se dirigen a Farley—. Confío en que vuestros planes sean huir.

—No gastes saliva, Plateado —ella se incorpora—. Sé lo que tenemos que hacer.

No consigo contener estas palabras:

—Él también lo sabe —Farley posa en mí una mirada que quema, pero las he soportado peores, y no me acobardo—. Cal conoce la forma en que ellos combaten, lo que harán para detenernos. Úsalo.

¿Qué se siente cuando te utilizan? Él me escupió estas palabras en la cárcel oculta bajo el Cuenco de los Huesos, y quise morir. Ahora apenas duelen.

Farley no dice nada, y eso es suficiente para Cal.

—Traerán Bocas de Dragón —afirma muy serio.

Kilorn suelta una carcajada.

—¿Te refieres a las flores?

—Me refiero a los aviones —replica, con ojos que chispean de disgusto—. Esos con alas anaranjadas, fuselaje plateado y un solo piloto. Son fáciles de maniobrar, perfectos para el ataque urbano. Cada uno de ellos transporta cuatro misiles. Multiplicad esto por el número de aeroplanos en un escuadrón y os dará un total de cuarenta y ocho misiles que eludir, aparte de las municiones ligeras. ¿Podéis contrarrestar esto?

Lo único que recibe en respuesta es silencio. *No, no podemos.*

—Y los Bocas de Dragón son la menor de nuestras preocupaciones. Sobrevolarán en círculo, defenderán un perímetro y nos mantendrán sitiados hasta que lleguen las tropas de tierra —Cal baja los ojos para pensar rápido. Se pregunta qué haría si estuviera en el otro bando. Si fuera el rey en lugar de Maven—. Nos rodearán y fijarán sus condiciones. Mare y yo a cambio de la libertad de todos vosotros.

Otro sacrificio. Tomo un poco de aire lentamente. Esta mañana, ayer, antes de toda esta locura, me habría entregado con gusto sólo para salvar a Kilorn y a mi hermano. Pero ahora... ahora sé que soy especial. También tengo que proteger a otros. Ahora no me pueden perder.

—Eso es inaceptable —digo.

Una verdad amarga. Siento el peso de la mirada de Kilorn, pero no alzo la vista. No podría soportar su condena.

Cal no es tan severo. Asiente, está de acuerdo conmigo.

—El rey no espera que nos demos por vencidos —protesta—. Los jets nos echarán las ruinas encima, y el resto reducirá a los supervivientes. Será poco menos que una masacre.

Farley es de naturaleza orgullosa, aun ahora que está terriblemente acorralada.

—¿Qué sugieres? —pregunta, y se inclina sobre el cautivo. Sus palabras rezuman desdén—. ¿La rendición incondicional?

Algo parecido a la indignación atraviesa la cara del príncipe.

—Maven acabará con vosotros de todas formas. En una celda o en el campo de batalla, no dejará vivo a ninguno de nosotros.

—Entonces moriremos en la lucha.

La voz de Kilorn suena más fuerte de lo que debería, pero los dedos le tiemblan. Su deseo de hacer lo que sea por la causa lo asemeja al resto de los rebeldes, pero, de cualquier modo, mi amigo tiene miedo. Es un muchacho todavía, de no más de dieciocho años, con toda la vida por delante y muy pocas razones para morir.

Cal se ríe de la forzada aunque atrevida declaración de Kilorn, pero no añade nada. Sabe que una descripción más vívida de nuestra muerte inminente no sería de utilidad.

Farley no comparte su sentir y agita una mano en señal de rechazo. Detrás de mí, mi hermano reproduce esa determinación.

Ellos saben algo que nosotros ignoramos, algo que no dirán aún. Maven nos ha enseñado a todos el precio de depositar la confianza en quien no lo merece.

—No seremos nosotros los que caigamos hoy —es todo lo que dice Farley antes de dirigirse con determinación a la parte delantera del convoy.

Sus botas restallan como un martillo que cayera sobre el suelo de metal, como si cada una de ellas rebosara una intrepidez testaruda.

Noto que el tren aminora su marcha antes de que pueda sentirlo. La electricidad disminuye y se debilita mientras arribamos a la estación subterránea. No sé qué hallaremos en el cielo allá arriba, la blanca niebla o unos aviones de alas color naranja. Esto no parece importarles a los demás, quienes descienden del tren subterráneo con firmeza absoluta. En su silencio, los miembros armados y embozados de la Guardia tienen el aspecto de soldados de verdad, pero sé que no lo son. No son dignos rivales de lo que está por venir.

—Prepárate —sisea Cal en mi oído, y me hace estremecer; evoca días remotos, cuando bailábamos a la luz de la luna—. Recuerda que eres fuerte.

Kilorn se abre paso hasta mí y nos separa antes de que yo pueda decirle al príncipe que mi fuerza y mi habilidad son ya lo único de lo que estoy segura. La electricidad que corre por mis venas podría ser lo único en lo que confío en el mundo.

Quiero creer en la Guardia Escarlata, y también en Shade y Kilorn, pero no me lo permitiré; no después del lío en que mi confianza, mi *ceguera* hacia Maven, nos ha metido. Y Cal es un caso irresoluble. Es un prisionero, un Plateado, el enemigo que nos traicionaría si pudiera, si tuviese otro sitio adonde huir.

De todas formas, no sé por qué siento una fuerza que me atrae hacia él. Recuerdo al chico apesadumbrado que me obsequió una moneda de plata cuando yo no era nadie. Con ese solo gesto cambió mi futuro y destruyó el suyo. Compartimos además una alianza incómoda, forjada en la sangre y la traición. Estamos entrelazados, unidos: contra Maven, contra todos los que nos engañaron, contra el mundo que está punto de caerse a pedazos.

El silencio nos espera. Una neblina húmeda y gris flota sobre las ruinas de Naercey, y causa que el cielo bajé tanto que podría tocarlo. Hace frío, con el frescor del otoño, la estación del cambio y la muerte. Nada aparece en el cielo todavía, ningún jet que colme de devastación una ciudad ya destruida. Farley fija un paso rápido y enérgico para conducirnos desde las vías hasta el paso amplio y abandonado. Los despojos se abren ante nuestra vista como un cañón, y tienen una apariencia más grisácea y decrépita de lo que yo recordaba.

Marchamos al este calle abajo, hacia la velada zona ribereña. Las altas estructuras semiderruidas se inclinan sobre nosotros con ventanas que parecen ojos que nos miran pasar. Algunos Plateados podrían estar alerta en los huecos irregulares y los arcos ocultos bajo las sombras, listos para acabar con la Guardia Escarlata. Maven podría ordenar que se me vigilase mientras él siega a los rebeldes uno por uno. No me concedería el lujo de una muerte rápida e incruenta. *Peor todavía*, pienso. *Ni siquiera me permitiría morir.*

Esta idea me hiela la sangre como lo haría el tacto de un escalofrío Plateado. Pese a sus muchas mentiras, conozco una pequeña parte del corazón de Maven. Recuerdo que me sujetó con dedos trémulos a través de las rejas de una celda. Y recuerdo el nombre que carga sobre sus espaldas, y que trae a mi memoria la certeza de un corazón que palpita aún dentro de él. *Se llamaba Thomas y lo vi morir.* Maven no pudo salvar a ese muchacho. Pero puede salvarme a mí, a su muy peculiar y retorcida manera.

No. No le daré nunca esa satisfacción. Antes preferiría morir. Pero por más que lo intento, no puedo olvidar la sombra que me forjé de él, el príncipe perdido y olvidado. ¡Cómo querría que esa persona fuera real! ¡Cómo quisiera que existiese en otra parte además de mis recuerdos!

Las ruinas de Naercey devuelven un eco extraño, porque son más silenciosas de lo que debieran. Con un sobresalto, comprendo el motivo. *Los refugiados ya no están aquí.* La mujer que barría montones de cenizas, los niños que se ocultaban en el drenaje, la sombra de mis hermanos y hermanas Rojos: todos huyeron. Nosotros somos los únicos que quedamos.

—Piensa lo que quieras de Farley, pero tienes que admitir que no es ninguna tonta —responde Shade a mi pregunta antes de que pueda formularla siquiera—. Ella dio anoche la orden de evacuar, después de que escapó de Arcón. Pensó que Maven o tú confesaríais bajo tortura.

Estaba equivocada. No fue necesario torturar a Maven. Él cedió con completa libertad su información y su mente. Abrió su cabeza para que su madre entrara en ella, y le permitió manosear todo lo que encontró ahí. El tren subterráneo, la ciudad secreta, *la lista.* Todo esto es suyo ahora, como él siempre lo fue.

La fila de soldados de la Guardia Escarlata se prolonga a nuestras espaldas como una caótica muchedumbre de hombres y mujeres armados. Kilorn camina justo detrás de mí, con ojos como flechas, mientras Farley dirige. Cal le pisa los talones, fuertemente prendido de los brazos por dos soldados musculosos. Con sus pañoletas rojas, parecen estar hechos del material que nutre las pesadillas. Pero ya somos pocos los que quedamos, quizá treinta, todos heridos, pese a lo cual continuamos nuestra marcha. Apenas unos cuantos de nosotros hemos sobrevivido.

—No somos suficientes para sostener esta rebelión, aunque escapáramos una vez más —le susurro a mi hermano.

La neblina flota tan abajo que apaga mi voz, pero él me oye de todas formas. Frunce las comisuras de los labios como si quisiera sonreír.

—Eso no es asunto tuyo.

Antes de que yo pueda volver a la carga, el soldado que desfila frente a nosotros se detiene. No es el único. A la cabeza de la línea, Farley levanta un puño, que relumbra bajo el cielo gris pizarra. Los demás la imitan, en pos de algo que nosotros no podemos ver. Cal es el único que no eleva la cabeza. Ya sabe lo que nos tiene deparada la suerte.

Un alarido distante e inhumano se extiende por la niebla. Es un ruido mecánico y constante, que da vueltas en lo alto. Y no está solo. Doce sombras a manera de flechas cruzan el cielo a toda velocidad, con alas anaranjadas que entran y salen de las nubes. Nunca he visto bien un avión, no de cerca o sin el manto de la noche, así que no puedo evitar quedarme boquiabierta cuando miro éstos. Farley da órdenes a la Guardia, pero no la oigo. Estoy demasiado atareada con la vista fija en el cielo, donde la muerte alada forma un arco. Igual que la motocicleta de Cal, estas máquinas voladoras son hermosas, de acero y cristal increíblemente curvados. Supongo que algún magnetrón fue el responsable de su diseño; ¿de qué otro modo el metal podría *volar*? Motores teñidos de azul chisporrotean bajo sus alas, el indicio que revela la electricidad. Siento apenas su punzada, como un suspiro contra la piel, pero están demasiado lejos para afectarme. Lo único que puedo hacer es mirar horrorizada. Ellos chirrían y giran en torno a la isla de Naercey, sin alterar jamás su formación en círculo. Casi puedo fingir que son inofensivos, meras aves curiosas que han venido a mirar los desdibujados vestigios de una rebelión. En este momento, un dardo de metal gris que arrastra una estela de humo surca el cielo, y se mueve casi demasiado rápido para que pueda verse. Choca con un edificio y desaparece en una ventana rota. Una florescencia roja y naranja hace explosión menos de un segundo después, y destruye el piso entero de un edificio ya derruido. Cae hecho pedazos por sí solo, hasta desplomarse sobre soportes de mil años de antigüedad que se parten como si fueran mondadientes. Toda la estructura se vuelca al suelo, donde se desparrama tan despacio que el espectáculo no puede ser real. Cuando va a dar a la calle, y bloquea el camino delante de nosotros, siento la estridencia en lo más profundo de mi ser. Una nube de humo y polvo nos pega de frente, pero no me asusta. Hace falta más que eso para atemorizarme ahora.

En medio de la bruma gris parduzca, Cal permanece a mi lado, pese a que sus captores se encogen. Nuestros ojos se encuentran un instante, y él baja los hombros. Éste es el único signo de derrota que me permitirá ver.

Farley se apoya en el guardia más cercano y se pone en pie.

—¡Dispersaos! —grita, y señala los callejones que se abren a nuestros costados—. ¡Al norte, a los túneles! —les dice a sus lugartenientes, hacia quienes apunta—. ¡Shade, al área del parque!

Mi hermano asiente, sabe a qué se refiere. Otro misil se abate sobre un edificio próximo, y ahoga la voz de Farley. Pero es fácil saber qué exclama.

¡Corred!

Una parte de mí quisiera mantenerse firme, resistir, luchar. Sin duda mi rayo violáceo haría de mí un blanco tentador y apartaría los jets de la Guardia en fuga. Incluso, podría tomar para mí uno o dos aviones. Pero eso no puede ser. Valgo más que el resto, más que las pañoletas y vendas rojas. Shade y yo debemos sobrevivir, si no es por la causa, al menos por los demás. Por la lista de los cientos de individuos como nosotros, híbridos, anomalías, fenómenos, imposibilidades Rojas y Plateadas, que seguro que morirán si fracasamos.

Shade sabe esto tan bien como yo. Enreda su brazo en el mío, con tanta fuerza que me lastima. Es casi demasiado fácil que corra a su paso, y que permita que él me saque del camino para meterme en una maraña de color de color verde grisáceo de árboles enmalezados cuyas ramas se desbordan sobre la calle. Cuanto más nos internamos entre ellos, más densos se vuelven, retorcidos unos junto a otros como dedos deformes. Un millar de años de abandono convirtió este pequeño solar en una selva muerta. Nos resguarda del cielo, hasta que sólo oímos los jets que giran cada vez más cerca. Kilorn nunca se rezaga demasiado. Por un momento puedo simular que estamos nuevamente en casa, que vagamos por Los Pilares en busca de diversión y dificultades. Al parecer, lo único que hallamos son dificultades.

Cuando por fin Shade se detiene de golpe y sus talones dejan una marca en la tierra, arriesgo a echar una mirada a mi alrededor. Kilorn se para junto a nosotros, con su rifle inútilmente apuntado al cielo, aunque nadie lo sigue. Ya ni siquiera puedo ver la calle, ni los paños rojos que huyen hacia las ruinas. Mi hermano otea entre las ramas, a la espera de que los jets se alejen.

—¿Adónde vamos? —le pregunto sin aliento.

Kilorn responde por él:

—Al río. Y después al mar. ¿Tú puedes llevarnos?

Mira las manos de Shade como si pudiera ver su habilidad directamente en su piel. Pero la fortaleza de Shade está tan escondida como la mía, y permanecerá invisible hasta que él decida revelarla.

Mi hermano sacude la cabeza.

—No de un salto, el río está demasiado lejos. Además, preferiría correr, guardar mi fuerza —sus ojos se ensombrecen—, hasta que la necesitemos realmente.

Hago una señal de comprensión. Sé por experiencia qué se siente cuando tu habilidad se desgasta, te quedas agotado y apenas puedes moverte, y menos todavía combatir.

—¿Adónde llevan a Cal?

Mi pregunta da origen a una mueca en el rostro de Kilorn.

—Me importa un bledo.

—Pues debería importarte —digo cortante, aunque mi voz tiembla de vacilación. *No, no debería importarle. Y tampoco a ti. Si el príncipe se aparta, debes dejar que se vaya*—. Él puede ayudarnos a salir de ésta. Puede luchar *con* nosotros.

—Escapará o nos matará tan pronto como le demos la oportunidad de hacerlo —espeta Kilorn, y se retira la pañoleta para mostrar una cara de pocos amigos.

Veo el fuego de Cal en mi mente. Quema todo a su paso, desde el metal hasta la carne.

—Podría haberte matado ya —digo. No es una exageración, y Kilorn lo sabe.

—Pensé que habíais dejado vuestras peleas atrás —dice Shade y se interpone entre nosotros—. ¡Qué ingenuo he sido! Kilorn suelta una disculpa entre dientes, pero yo no. Toda mi atención está puesta en los aeroplanos, cuyos corazones eléctricos dejo que palpiten con el mío. Se debilitan un segundo tras otro, cada vez más distantes.

—Los aviones se alejan ya. Si vamos a marcharnos, debemos hacerlo ahora.

Tanto mi hermano como Kilorn me miran con extrañeza, pero ninguno de los dos discute.

—Por aquí —dice Shade y señala hacia los árboles.

Un reducido y casi invisible sendero serpentea entre ellos, donde la ausente tierra deja ver un camino de piedra y asfalto. Mientras Shade vuelve a enredar su brazo en el mío, Kilorn emprende la retirada a paso veloz.

Las ramas nos rozan todo el cuerpo, dobladas como están sobre la cada vez más estrecha vereda, hasta que nos resulta imposible correr uno al lado del otro. Pero en lugar de soltarme, Shade me aprieta más fuerte todavía. Me doy cuenta entonces de que no me ciñe en absoluto. Es el aire, el *mundo*. Todo se tensa en un segundo aciago y vertiginoso. Y de repente, en un abrir y cerrar de ojos, ya estamos al otro lado de los árboles, desde donde vemos que Kilorn emerge del bosque gris.

—Pero si él iba adelante de nosotros... —murmuro ruidosamente, y miro por turnos a Shade y la vereda. Cruzamos a mitad de la calle, con el cielo y el humo a la deriva en las alturas—. Tú...

Shade sonríe. Su acción parece fuera de lugar contra el lejano alarido de los aviones.

—Digamos que... di un salto. Mientras no te sueltes, podrás venir conmigo —dice antes de que nos precipitemos en la callejuela siguiente.

Mi corazón se acelera cuando reparo en que acabo de ser *teletransportada*, al punto casi de olvidar nuestro aprieto.

Los jets me lo recuerdan en el acto. Otro misil estalla al norte, donde derriba un edificio con el estrépito de un terremoto. El callejón es devorado por una ola de polvo que nos cubre con otra bocanada gris. El fuego y el humo ya me son tan familiares que apenas los huelo, aunque ha empezado a caer ceniza como si fuera nieve. Dejamos impresas nuestras huellas ahí. Quizá sean las últimas marcas que hagamos.

Shade sabe adónde ir y cómo correr. Kilorn le sigue el paso sin problemas, pese al rifle que carga. Para este momento, ya hemos dado una vuelta completa y regresado al camino. Al este, un remolino de luz rasga el polvo y la tierra, acompañado por una ráfaga salada de aire de mar. Al oeste, el primer edificio derrumbado se tiende como un gigante herido e impide todo repliegue al tren. Vidrios rotos, los esqueletos de hierro de los edificios y paneles extraños de desvaídas mamparas blancas nos rodean, un palacio en ruinas.

¿Qué era esto?, me pregunto vagamente. *Julian lo sabría.* El solo hecho de pensar en su nombre me duele, y aparto esta sensación.

Otros paños rojos vuelan por el aire ceniciento, y busco una silueta conocida. Pero Cal no aparece por ningún lado, lo que me hace temer lo peor.

—No me iré sin él.

Shade no se molesta en preguntar de quién hablo. Ya lo sabe.

—El príncipe vendrá con nosotros. Te doy mi palabra.

Mi respuesta me desgarra las entrañas:

—No confío en tu palabra.

Shade es un soldado. Su vida ha sido todo menos fácil, y él no es ajeno al dolor. De todas formas, mi declaración lo hiere en lo más profundo. Lo veo en su rostro.

Ofreceré mis disculpas después, me digo.

Si acaso hay un después.

Otro misil atraviesa el cielo y cae unas calles adelante. El remoto estruendo de un fogonazo no apaga un redoble más fuerte y terrorífico a nuestro alrededor.

El rítmico fragor de un millar de soldados en movimiento.

DOS

El aire se vuelve más denso a causa de un manto de cenizas, lo que nos ofrece unos segundos para mirar la fatalidad que se nos aproxima. Las siluetas de los soldados avanzan por las calles desde el norte. No puedo ver sus armas todavía, pero un ejército Plateado no necesita armas para matar. Otros miembros de la Guardia huyen frente a nosotros, y corren como locos. Por ahora parece que podrán escapar, pero ¿adónde? Los únicos destinos posibles son el río y, más allá, el mar. No hay ninguna otra parte adonde ir, donde ocultarse. Curiosamente, el ejército marcha a paso lento, como si arrastrara los pies. Entrecierro los ojos bajo el polvo y fuerzo la vista para observarlo. Apenas en ese momento me doy cuenta de lo que ocurre, de lo que Maven ha hecho. El impacto es tal que hace surgir chispas en mí, *a través de* mí, lo que obliga a Shade y a Kilorn a alejarse de un salto.

—¡Mare! —grita mi hermano, entre sorprendido y molesto.

Kilorn no dice nada, sólo me ve tambalearme en mi sitio.

Mi mano se cierra en su brazo y él no se amedrenta. Mis chispas han desaparecido ya; él sabe que no le haré daño.

—Mirad —les digo, y señalo al frente.

Sabíamos que los soldados llegarían. Cal nos lo dijo, *nos advirtió*, que Maven enviaría una legión después de los aviones. Pero ni siquiera él podría haber predicho esto. Sólo un corazón tan torcido como el de Maven es capaz de soñar esta pesadilla. Las figuras de la primera línea de batalla no visten el gris oscuro de los soldados Plateados de Cal, a los que él mismo adiestró con extremo rigor. Ni siquiera son soldados. Son sirvientes con abrigos rojos, pañuelos rojos, túnicas rojas, pantalones rojos y zapatos rojos. Tan rojos que se diría que sangran. Y alrededor de sus tobillos, donde producen un retintín cuando chocan con el suelo, hay cadenas de hierro. Ese ruido se restriega contra mí y ahoga el de los aviones y los misiles, e incluso las ásperas órdenes de los oficiales Plateados que se esconden detrás de su muralla Roja. Las cadenas son lo único que escucho.

Kilorn lanza un alarido de cólera. Da un paso y alza el rifle para disparar, pero el arma le tiembla en las manos. El ejército está todavía en el otro extremo del camino, demasiado lejos hasta para que un experto dispare, aun en *ausencia* de un escudo humano. Es imposible hacerlo en este momento.

—Tenemos que seguir avanzando —masculla Shade, con los ojos llameantes de ira, pero él sabe lo que debemos hacer, lo que debemos *ignorar* para seguir vivos—. Ven con nosotros, Kilorn, o te dejaremos.

Las palabras de mi hermano son tan punzantes que me sacan de mi horrible aturdimiento. Como Kilorn no se mueve, lo cojo del brazo, y susurro algo en su oído con la esperanza de apagar el rumor de las cadenas.

—Kilorn —le digo, con la misma voz que empleaba con mamá cuando mis hermanos se iban a la guerra, cuando papá resollaba, cuando las cosas se venían abajo—. Kilorn, no podemos hacer nada por ellos.

—No es cierto —sisea él entre dientes, y me mira por encima del hombro—. Tienes que hacer *algo*. Tú puedes salvarlos...

Para mi infinita vergüenza, sacudo la cabeza.

—No, no puedo.

Echamos a correr. Y Kilorn nos sigue.

Nuevos misiles hacen explosión, cada vez más rápido y más cerca, pero casi no puedo escuchar otra cosa que el zumbido en mis oídos. Acero y cristal se mecen como carrizos al viento, y se doblan y rompen hasta que una penetrante lluvia argentina cae sobre nosotros. Correr implica pronto demasiado peligro, y Shade me agarra con fuerza, sujeta a Kilorn y salta llevándonos consigo, mientras el mundo se desploma. A mí se me revuelve el estómago cada vez que la oscuridad se cierne sobre nosotros, y cada vez, la ciudad devastada está más cerca. Ceniza y polvo de cemento nublan nuestra visión y nos dificultan respirar. Al romperse, los vidrios producen una tormenta luminosa, que deja heridas poco profundas en mi cara y manos, y rasga mis ropas. Kilorn tiene peor aspecto que yo, sus vendas están enrojecidas de sangre fresca, pero sigue en marcha y procura no dejarnos atrás. Aunque mi hermano no me suelta, empieza a cansarse y palidece con cada nuevo salto. No estoy inutilizada, así que me sirvo de mis chispas para desviar la metralla de metal dentado de la que ni siquiera Shade nos puede librar con sus saltos. Pero no somos lo bastante hábiles para defendernos.

—¿Cuánto falta? —pregunto con un hilo de voz, ahogada por la oleada bélica.

Debido a la bruma, no puedo ver más allá de un par de metros, pero todavía puedo *sentir*. Y lo que siento son alas, motores, *electricidad* que crepita en las alturas, de donde

27

desciende en forma cada vez más abrupta. Podríamos ser simples ratones, a la espera de que las aves nos arranquen del suelo.

Shade se para en seco, con sus ojos color miel que miran en todas direcciones. Por un segundo sobrecogedor, temo perderlo.

—Aguardad —dice, en conocimiento de algo que nosotros ignoramos.

Observa el esqueleto de lo que antes fue una gran estructura. Es inmensa, más alta que la punta más descollante de la Mansión del Sol, más ancha que la majestuosa Plaza del César en Arcón. Siento un escalofrío cuando me percato de que se *mueve*. Adelante y atrás, de un lado a otro, oscila sobre retorcidos soportes desgastados por siglos de abandono. Mientras miramos, comienza a ladearse, lentamente al principio, como un viejo que se arrellanara en su sillón, y luego cada vez más rápido, hasta caer en torno nuestro.

—¡Sujetaos bien! —grita Shade por encima del barullo, y nos aprieta a ambos.

Envuelve mis hombros con su brazo y me estruja contra él, casi demasiado fuerte para soportarlo. Cuando supongo que llegará la ya desagradable sensación del salto, percibo un sonido más familiar.

Disparos.

Lo que me salva la vida ahora no es la habilidad de Shade, sino su cuerpo. Una bala dirigida a mí lo alcanza en pleno brazo mientras otras descargas castigan su pierna. Él gime de dolor, y casi cae en el terreno agrietado bajo sus pies. Siento cómo la bala lo traspasa, pero no tengo tiempo para sufrir. Más balas cruzan el aire, demasiado veloces y numerosas para repelerlas. Lo único que podemos hacer es correr, y huimos tanto del edificio en ruinas como del ejército que se avecina. Uno anula al otro, ya que el acero torcido cae entre la legión y nosotros, o al menos así debería ser. La gravedad y el fuego hicieron caer la estructura, pero el poderío de los magnetrones le impide resguardarnos. Cuando miro atrás, veo que una docena de ellos, con cabello plateado y armadura negra, remolcan a un lado cada viga y soporte de hierro. No estoy tan cerca para distinguir sus rostros, pero conozco bastante bien a la Casa de Samos. Evangeline y Ptolemus encabezan a su familia, y despejan la calle para que la legión pueda continuar. Ellos podrán terminar lo que comenzaron y matarnos a todos.

Si Cal hubiera acabado con Ptolemus en la plaza y yo hubiese sido tan amable con Evangeline como ella lo fue conmigo, quizá tendríamos una oportunidad. Pero nuestra piedad tiene un precio, y podría ser nuestras vidas.

Me engancho a mi hermano, a quien sostengo lo mejor que puedo. Kilorn se lleva la peor parte y carga sobre sí casi todo el peso de Shade, a quien prácticamente arrastra hacia el todavía humeante cráter que dejó un impacto. Nos arrojamos gustosamente a él, en busca de un refugio. Pero no es muy efectivo, ni durará mucho tiempo.

Jadeante y con la frente cubierta de sudor, Kilorn desprende una manga de sus ropas, que usa para vendar la pierna de Shade. La tela se mancha de sangre rápidamente.

—¿Puedes saltar?

Mi hermano arruga la frente, pero no porque sienta dolor, sino porque busca su fuerza, algo que entiendo muy bien. Sacude despacio la cabeza, al tiempo que los ojos se le oscurecen.

—Todavía no.

Kilorn maldice para sí.

—¿Qué hacemos entonces?

Tardo un segundo en darme cuenta de que me lo pregunta a mí y no a mi hermano. No al soldado que conoce la batalla mejor que nosotros. Aunque en realidad tampoco me lo pregunta a mí, a Mare Barrow de Los Pilares, la ladrona, su amiga. Mira a otra persona, a aquélla en la que me convertí en los salones de un palacio y las arenas de un ruedo.

Se lo pregunta a la Niña Relámpago.

—¿Qué hacemos, Mare?

—¡Dejarme, eso es lo que debéis hacer! —dice Shade entre dientes antes de que pueda contestar—. Corred hasta el río, buscad a Farley. Os alcanzaré de un salto en cuanto pueda.

—No te atrevas a mentirle a un embustero —digo, y hago todo lo posible por no temblar. Mi hermano acaba de volver a mi lado, es un fantasma que ha regresado de entre los muertos. Por nada del mundo dejaré que se escabulla de nuevo—. Saldremos de esto juntos.

La marcha de la legión sacude el suelo. Una mirada sobre la orilla del cráter me indica que está a menos de cien metros, y que avanza con presteza. Consigo ver a los Plateados entre las rendijas de la línea Roja. Los soldados de infantería visten los uniformes gris oscuro del ejército, pero algunos llevan armaduras, con placas cinceladas con conocidos colores. Son los guerreros de las Grandes Casas. Veo destellos de azul, amarillo, negro, marrón y otros matices. Ninfos, telquis, sedas y colosos, los combatientes más eficaces que los Plateados pueden lanzar contra nosotros. Están convencidos de que Cal es el asesino del rey, de que yo soy una terrorista, y destrozarán toda la ciudad para aniquilarnos.

Cal.

Solamente la sangre de mi hermano y la respiración desacompasada de Kilorn me impiden salir de un salto del cráter. Debo buscar a Cal, *debo* hacerlo. Si no por mí, al menos por la causa, para proteger el repliegue. Él vale un centenar de buenos soldados. Es un escudo magnífico. Pero probablemente ha escapado ya, tras derretir sus cadenas mientras la ciudad empezaba a desmoronarse.

No, él no escaparía. Jamás huiría de ese ejército, de Maven ni de mí.

Espero no estar equivocada.

Espero que no haya muerto ya.

—Levántalo, Kilorn.

En la Mansión del Sol, la difunta Lady Blonos me enseñó a hablar como una princesa. Es una voz fría, implacable, que no deja lugar a negativas.

Kilorn obedece, pero Shade tiene fuerzas para protestar todavía.

—Sólo os causaré problemas.

—Ya te disculparás de eso más tarde —replico, y lo ayudo a ponerse en pie. Pero apenas les presto atención, estoy concentrada en otra cosa—. ¡Andando!

—Mare, si crees que vamos a dejarte...

Cuando miro hacia Kilorn, tengo chispas en las manos y determinación en el corazón. Sus palabras se extinguen en sus labios. Mira más allá de mí, hacia el ejército que avanza a cada segundo. Telquis y magnetrones retiran escombros de la calle, para sortear el bloqueado camino en medio de los chirridos resonantes del metal contra la roca.

—¡Corred!

Kilorn obedece de nuevo, Shade no tiene otra opción que cojear junto a él y ambos me dejan atrás. Mientras salen trabajosamente del cráter en dirección al oeste, doy pasos mesurados al este. El ejército se detendrá por mí. Tendrá que hacerlo.

Después de un segundo aterrador, los Rojos aminoran la marcha hasta hacer alto entre el tintineo de sus cadenas. A sus espaldas, los Plateados balancean sus rifles negros en sus hombros, como si fuesen plumas. Los transportes de guerra, las magníficas máquinas con neumáticos de dibujo dentado, se detienen con un gran chirrido de frenos detrás del ejército. Siento que su poder repiquetea en mis venas.

El ejército está tan cerca ahora que oigo a los oficiales dar órdenes.

—¡La Niña Relámpago!

—¡Mantengan la formación, no se muevan!

—¡Apunten!

—¡No disparen!

La peor de ellas llega al final, y resuena en la calle repentinamente quieta. Reconozco la voz de Ptolemus, llena de odio y ferocidad.

—¡Abran paso al rey! —vocifera.

Doy un paso atrás, tambaleante. Esperaba los ejércitos de Maven, pero no lo esperaba a él. No es un soldado como su hermano, y no tiene derecho a dirigir un ejército. Pero aquí está, al acecho entre las tropas, seguido por Ptolemus y Evangeline. Cuando emerge detrás de la línea Roja, las rodillas casi se me doblan. Su armadura es de negro acero, y su capa de color carmesí. En cierto modo, parece más alto que esta mañana. Trae puesta todavía la corona de llamas de su padre, pese a ser algo que está fuera de lugar en un campo de batalla. Supongo que desea mostrarle al mundo lo que ha ganado con sus mentiras, el espléndido premio que ha robado. Aunque está muy lejos de mí, siento el calor de su mirada y de su furia hirviente. Me quema desde adentro.

Sólo los jets resuenan en el cielo; ése es el único sonido en el mundo.

—Veo que todavía eres valiente —la voz de Maven hace eco entre las ruinas, como si se burlara de mí—. Y tonta.

Lo mismo que en la plaza, no le daré la satisfacción de mostrar mi ira y mi temor.

—Deberían llamarte la Niña Muda —suelta una risa fingida, y su ejército ríe con él. Los Rojos guardan silencio, con los ojos fijos en el suelo; no quieren ver lo que está a punto de suceder—. Bueno, Niña Muda, diles a tus miserables amigos que todo ha terminado. Están rodeados. Llámalos, y les concederé la misericordia de morir en paz.

Aunque yo pudiera emitir esa orden, jamás la daría.

—Ya no están aquí.

No te atrevas a mentirle a un embustero, y nadie es más embustero que Maven.

Pero parece inseguro. La Guardia Escarlata ya ha escapado muchas veces, en la Plaza del César, en Arcón. Quizá podría volver a hacerlo ahora. ¡Qué vergonzoso sería! ¡Qué fatídico comienzo para el reinado de Maven!

—¿Y el traidor? —su voz se vuelve más aguda, y Evangeline se aproxima. El cabello plateado de ella brilla como el filo de una navaja, más destellante que su armadura de oropel. Pero Maven la aparta de un golpe, como un gato a un juguete—. ¿Qué hay de mi infeliz hermano, el príncipe envilecido?

No oye mi respuesta, porque no la tengo.

Maven ríe de nuevo, y esta vez me traspasa el corazón.

—¿Te abandonó a ti también? ¿Huyó? ¿El cobarde mata a nuestro padre e intenta robarme mi trono sólo para correr a esconderse?

Finge encolerizarse, por consideración a sus nobles y soldados. Ante ellos, él debe seguir pareciendo el hijo desgraciado, un rey que no estaba destinado a la corona, que no quiere más que justicia para el caído.

Alzo la frente en señal de desafío.

—¿Crees que Cal haría algo así?

Maven dista de ser un necio. Es malvado, pero no tonto, y conoce a su hermano mejor que nadie. Cal no es ningún cobarde, y no lo será nunca. Aunque Maven les mienta a sus súbditos, aquello no cambiará jamás. Sus ojos delatan su verdadero sentir y él desvía la mirada, a las calles y callejones que salen del ruinoso camino. Cal podría estar oculto en cualquiera de ellos, a la espera del mejor momento para atacar. Incluso puede que yo sea la trampa, el cebo para atraer a la rata a la que alguna vez llamé amigo, mi prometido. Cuando él se vuelve, la corona resbala sobre su cabeza; le queda grande. Hasta el metal sabe que no debería estar ahí.

—Creo que te han dejado sola, Mare —dice en voz baja. A pesar de todo lo que me ha hecho, mi nombre en su boca me hace estremecer, pues me recuerda los días pasados. Pero antes lo pronunciaba con bondad y afecto, y ahora suena como una maldición—. Tus amigos se han marchado. Has perdido. Eres una abominación, la única en tu desgraciado género. Será una bendición borrarte de este mundo.

Más mentiras, y ambos lo sabemos. Imito su risa forzada. Durante un segundo, parecemos amigos nuevamente. Nada está más lejos de la verdad.

Un jet pasa volando arriba, y sus alas casi rozan la punta de una ruina próxima. Está muy cerca. *Demasiado cerca.* Puedo sentir su corazón eléctrico, sus ronroneantes motores que de algún modo lo mantienen en el aire. Señalo en su dirección lo mejor que puedo, como lo he hecho tantas veces. Igual que de las lámparas, las cámaras, cada cable y cada circuito desde que me convertí en la Niña Relámpago, me apodero de él y *lo detengo.*

El avión cae en picado, planea un momento apoyado en sus pesadas alas. Su trayectoria original perseguía elevarlo sobre el camino, por encima de la legión, para proteger al rey. Ahora se dirige precipitadamente contra ella, y surca la línea Roja hasta estrellarse contra cientos de Plateados. Los magnetrones de la Casa de Samos y los telquis de la de Provos no son lo bastante rápidos para detener el jet, que estalla en la calle, donde lanza por los aires cuerpos y asfalto. Su estridente y cercana explosión me hace alejarme de un salto. La detonación es ensordecedora e hiriente. *No tengo tiempo para sufrir,* escucho en mi cabeza. No me molesto en comprobar el caos que esto ha causado en el ejército de Maven. Ya he echado a correr, y mi rayo está conmigo.

Chispas purpúreas protegen mi espalda, con lo que me mantengo a salvo de los raudos que intentan darme alcance. Algunos de ellos chocan con mi rayo. Caen sobre pilas de carne ahumada y huesos que se retuercen con movimientos espasmódicos. Luego llegan las balas, pero la carrera en zigzag hace de mí un blanco difícil. Los escasos disparos que me tocan se parten en mi escudo entre crujidos, como debió ocurrir con mi cuerpo cuando caí en la red eléctrica durante la prueba de las reinas. Ese momento parece muy lejano ahora. En lo alto, los jets vuelven a aullar, aunque esta vez procuran mantener su distancia. Pero sus misiles no son tan corteses.

Las ruinas de Naercey resistieron el paso de cientos de años, pero no sobrevivirán a este día. Edificios y calles se desmoronan, destruidos en igual medida por poderes y proyectiles Plateados. Todo y todos han sido liberados. Los magnetrones tuercen y parten soportes de acero mientras los telquis y los colosos lanzan escombros al cielo ceniciento. El agua mana de las cloacas porque los ninfos intentan inundar la ciudad, y hacer salir de los túneles a los últimos miembros de la Guardia. El viento brama con la fuerza de un huracán desde los forjadores de vientos que integran el ejército. El agua y los vestigios hieren mis ojos, con ráfagas tan intensas que resultan casi cegadoras. Las explosiones de los olvidos sacuden el suelo bajo mis pies y tropiezo, confundida. Mi cara se raspa en el asfalto y deja sangre a mi paso. Cuando me levanto, el grito capaz de romper cristales de un gemido Plateado me derriba de nuevo y me obliga a cubrirme los oídos. Más sangre gotea rápida y abundantemente entre mis dedos. Pero el gemido que me derribó, me ha salvado accidentalmente. Mientras caigo, otro misil vuela sobre mi cabeza, y casi lo siento ondular en el aire.

Estalla demasiado cerca, y su calor perfora mi presuroso escudo de rayos. Me pregunto vagamente si moriré sin cejas. Pero en lugar de consumirme, el calor permanece, incómodo pero no insoportable. Unas manos ásperas y fuertes me ponen en pie de un tirón, y sus cabellos rubios refulgen a la luz del fuego. Apenas distingo el rostro en medio de la cortante ventisca. *Farley*. Su arma ha desaparecido, sus prendas están hechas jirones y sus músculos tiemblan, pero me sostiene en pie.

Detrás de ella, la negra silueta de una figura alta y conocida se perfila sobre la explosión, que contiene con una mano extendida. Sus grilletes se han esfumado, tras haber sido derretidos o rotos. Cuando se vuelve, las llamas aumentan y lamen el cielo y la calle, pero sin acercarse a nosotros. Cal sabe exactamente lo que hace: fija la quemazón en torno nuestro como agua alrededor de una roca. De igual manera que en la plaza, forma una muralla ardiente de un lado a otro del camino, para protegernos de su hermano y la legión. Pero sus llamas son ahora más fuertes, avivadas por el oxígeno y la ira. Se abalanzan sobre el aire, tan calientes que la base crepita con un azul fantasmal.

Caen más misiles, pero Cal contiene el impacto que usa para alimentar sus llamas. Es casi hermoso ver que sus largos brazos componen un arco y giran, hasta transformar la destrucción en protección a un ritmo constante.

Farley intenta arrancarme de ahí con un gesto imperioso. Defendida por el fuego, me giro hacia el río, a cien metros de distancia. Incluso logro ver las sombras descomunales de Kilorn y mi hermano, quien cojea en dirección al sitio supuestamente seguro.

—¡Vamos, Mare! —ruge ella, y casi arrastra mi cuerpo amoratado y débil.

Por un segundo, permito que me lleve con ella. Hace mucho daño pensar claramente. Pero me basta con lanzar una mirada para comprender lo que ella hace, lo que quiere obligarme a hacer.

—¡No me iré sin él! —grito por segunda vez en este día.

—Parece que no le va mal solo —dice ella, y en sus ojos azules se refleja el fuego.

Antes pensaba como Farley. Que los Plateados eran invencibles, dioses sobre la Tierra, demasiado poderosos para ser destruidos. Pero justo esta mañana he matado a tres de ellos: a Arven, al coloso de la Casa de Rhambos y al ninfo Lord Osanos. Y quizá con la tormenta eléctrica eliminé a más todavía. Aunque es cierto que ellos estuvieron a punto de matarnos a Cal y a mí. Tuvimos que salvarnos juntos en la plaza. Y debemos hacerlo otra vez.

Farley es más fornida que yo, y más alta, pero yo soy más ágil, aun vapuleada y semisorda. Con un vaivén de mi tobillo y un empujón oportuno, ella da un paso atrás y me suelta. Impulsada por el mismo movimiento, extiendo las palmas, en busca de lo que necesito. En Naercey hay mucho menos electricidad que en Arcón, e incluso que en Los Pilares, pero no tengo que tomar energía de nada. Genero la mía propia.

La primera ola de agua de los ninfos bate contra las llamas con la fuerza de un maremoto. Casi toda se convierte al momento en vapor, pero el resto cae sobre la muralla, cuyas grandiosas lenguas de fuego extingue. Respondo al agua con mi electricidad, y apunto hacia las olas que se encrespan y colapsan en pleno vuelo. Detrás de ellas avanza la legión Plateada, que arremete contra nosotros. Al menos los Rojos encadenados han sido destituidos, relegados al final de la línea. Esto es obra de Maven. No permitirá que ellos le estorben.

Sus soldados reciben mi rayo en vez de aire inocuo y atrás el fuego de Cal renace de sus cenizas.

—Retrocede poco a poco —me dice él, y me hace señas con la mano extendida hacia mí.

Copio sus mesurados pasos mientras procuro no perder de vista la amenaza venidera. Nos turnamos para proteger nuestra retirada. Cuando su llama decae, mi rayo crece, y así sucesivamente. Juntos, tenemos una oportunidad de salir ilesos.

Él da órdenes escuetas: cuándo adelantar, cuándo erigir un muro, cuándo dejarlo caer. Nunca lo había visto tan fatigado, con venas de un azul muy oscuro bajo su pálida piel y círculos grises alrededor de sus ojos. Seguro que mi aspecto es peor, lo sé. Pero su ritmo acompasado impide que nos agotemos por completo, pues permite que parte de nuestra fuerza retorne justo cuando más la necesitamos.

—¡Ya falta poco! —exclama Farley a nuestras espaldas, pero no corre; permanece a nuestro lado, a pesar de que es sólo humana. *Es más valiente de lo que yo estaba dispuesta a reconocer.*

—¿Para qué? —digo entre dientes, y arrojo otra red de electricidad.

Pese a las órdenes de Cal, pierdo impulso, y un montón de escombros pasa junto a mí. Se estrella unos metros adelante, donde se hace polvo. Nos queda poco tiempo.

Pero a Maven también.

Huelo el río, y el mar. Impetuoso y salado, nos atrae, aunque ignoro con qué fin. Sólo sé que Farley y Shade creen que nos librará de las garras de Maven. Cuando me doy la vuelta, lo único que veo es el paso, que termina justo al borde del río. Mientras Farley se detiene a esperarnos, su cabello corto ondea en el viento cálido. ¡Saltad!, nos dice con muecas antes de arrojarse al vacío desde el filo de la calle destrozada.

¿Acaso está loca para lanzarse a un abismo?

—¡Quiere que saltemos! —le digo a Cal, y me vuelvo justo a tiempo para reemplazar su muralla.

Él resopla en señal de asentimiento, demasiado concentrado para hablar. Al igual que mi rayo, sus llamas se debilitan y desgastan. Ahora casi podemos ver a los soldados a través de ellas. Una llama trémula distorsiona sus rasgos y convierte sus ojos en tizones calcinantes, sus bocas en sonrisas con colmillos y a los hombres en demonios.

Uno de ellos camina hasta la pared de fuego, tan cerca que podría quemarse. Pero no arde. En cambio, descorre las llamas como si fueran una cortina.

Sólo una persona puede hacer eso.

Maven sacude los rescoldos de su ridícula capa, aunque permite que la seda se consuma mientras su armadura permanece impoluta. Tiene el descaro de sonreír.

Y Cal tiene la fuerza de apartarse. En vez de destrozar a Maven sólo con sus manos, me coge por la muñeca y casi me chamusca con su piel. Corremos juntos, sin molestarnos en defender nuestras espaldas. Maven no es digno rival para nosotros, y lo sabe. Así que vocifera. Pese a su corona y la sangre que mancha sus manos, es muy joven todavía.

—¡Huye, asesino! ¡Huye, Niña Relámpago! ¡Escapad tan lejos como podáis! —su risa resuena en las ruinas, como si me persiguiese—. ¡Daré con vosotros dondequiera que vayáis!

Me doy cuenta a medias de que mi rayo declina, que mengua a medida que me alejo. También la llama de Cal se desvanece, lo que nos deja a merced del resto de la legión. Pero justo en ese instante saltamos al río, que está tres metros abajo de nosotros.

No caemos en el agua, sino en un sonoro metal. Tengo que rodar para no romperme los tobillos, aunque de todas formas siento un dolor agudo e incontenible que me sube por los huesos. ¿Qué pasa? Hundida en el río helado hasta las rodillas, Farley nos espera junto a un tubo cilíndrico de metal con una tapa abierta. Sin decir palabra, se encarama en el tubo y se introduce en él, hasta desaparecer en lo que está bajo nuestras plantas, sea lo que sea. Nosotros no tenemos tiempo para discutir ni para hacer preguntas, así que la seguimos ciegamente.

Cal tiene al menos la prudencia de sellar el tubo a nuestras espaldas, para impedir el paso del río y la guerra. El tubo se cierra herméticamente. Pero esto no nos protegerá mucho tiempo de la legión.

—¿Más túneles? —pregunto sin aliento mientras giro hacia Farley.

Mi visión se turba a causa del movimiento, y tengo que recostarme en la pared con las piernas temblorosas.

Tal como hizo también en la calle, Farley mete un brazo bajo mi hombro para cargar conmigo.

—No, esto no es un túnel —responde con una sonrisa desconcertante.

Y entonces lo siento. Una especie de batería que zumba en algún lado, aunque más grande. Más fuerte. Vibra a nuestro alrededor en el extraño pasillo lleno de botones intermitentes y bajas lámparas amarillas. Alcanzo a ver un destello de pañoletas rojas que se desplazan por el corredor, y que ocultan rostros de la Guardia. Parecen difusos, como sombras carmesíes. Con un crujido, el pasaje se zarandea, y se *suelta* en dirección descendente. *Hacia el agua*.

—Un submarino —dice Cal.

Su voz suena apagada, poco firme y débil. Justo como me siento.

Ninguno de nosotros puede dar más de unos pasos sin caer sobre las paredes inclinadas.

TRES

En los últimos días he despertado en una celda, y después en un tren. Ahora, en un submarino. ¿Dónde despertaré mañana?

Empiezo a pensar que todo ha sido un sueño, una alucinación, o algo peor. Pero ¿es posible que uno se canse en sueños? Porque a mí me sucede. Mi fatiga llega hasta la médula de mis huesos, a cada músculo y cada nervio. Y mi corazón es sin duda una herida más, que aún supura a causa de la traición y el fracaso. Cuando abro los ojos y veo las paredes grises y apretujadas entre sí, todo lo que quiero olvidar regresa de golpe. Es como si la reina Elara estuviera de nuevo en mi cabeza y me obligara a revivir mis peores recuerdos. Por más que lo intento, no puedo detenerlos.

Mis discretas doncellas fueron ejecutadas pese a que su única culpa era que pintaban mi piel. A Tristan lo trincharon como a un cerdo. Walsh era de la misma edad de mi hermana, y una ayudante originaria de Los Pilares, mi amiga: *una de nosotros.* Murió cruelmente, por su propia mano, para proteger a la Guardia, a nuestro propósito y a mí. En los túneles de la Plaza del César cayeron más todavía, los miembros de la Guardia extinguidos por los soldados de Cal, quienes murieron por culpa de nuestro plan insensato. El recuerdo de la sangre roja lastima, pero el de la plateada también. Lucas, un amigo, un protector, un Plateado de buen corazón, fue ejecutado debido a lo que Julian y yo le obligamos hacer. A Lady Blonos la decapitaron porque me enseñó a sentarme con propiedad. Y la coronel Macanthos, Reynald Iral y Belicos Lerolan fueron sacrificados por la causa. Casi me da náuseas cuando recuerdo a los gemelos de Lerolan, de apenas cuatro años de edad, y que perdieron la vida en la explosión que siguió a los disparos. Maven me dijo que esto fue un accidente provocado por la perforación de una tubería de gas, pero ahora sé que no es cierto. Él es demasiado perverso para que haya sido una simple coincidencia. Dudo que le importara arrojar algunos cadáveres más a la hoguera, así haya sido sólo para convencer al mundo de que la Guardia estaba formada por monstruos. Y matará también a Julian, y a Sara, si no es que están muertos ya. No puedo pensar en ellos ni un minuto; es demasiado doloroso. Ahora mis pensamientos vuelven a Maven, a esos ojos fríos y azules y al momento en que comprendí que su encantadora sonrisa ocultaba a una fiera.

La litera bajo mi cuerpo es dura; las mantas, livianas, y no tengo una almohada que pueda consultar, pero una parte de mí desearía volver a acostarse. Mi dolor de cabeza retorna, y late con la pulsación eléctrica de este milagroso navío. Es un firme recordatorio de que aquí no habrá paz para mí. Aún no, mientras queden tantas cosas por hacer. *La lista. Los nombres. Debo hallarlos. Debo ponerlos a salvo de Maven y su madre.* Siento que el rostro se me calienta y que mi piel se enrojece cuando recuerdo el librito de los secretos que Julian tan arduamente ganó. Un registro de otras personas iguales a mí, poseedoras de la extraña mutación que nos dota de sangre Roja y habilidades Plateadas. Esta lista es el legado de Julian. Y el mío también.

Mientras columpio las piernas en el borde de la cama y casi me golpeo en la cabeza con la litera de arriba, miro en el suelo una muda de ropa bien doblada: unos pantalones negros demasiado largos, una camisa de color rojo oscuro con los codos raídos y unas botas sin cordones. No son en nada comparables a las finas prendas que encontré en una celda plateada, pero producen una sensación agradable en mi piel.

Apenas me estoy metiendo la camisa por la cabeza cuando la puerta de mi compartimento se abre de golpe sobre grandes bisagras de hierro. Kilorn aguarda con expectación al otro lado, donde muestra una sonrisa forzada y deprimente. No debería ruborizarse, porque durante muchos veranos me ha visto ya en grados diversos de desnudez, pero sus mejillas se ponen rojas.

—¡Qué raro que hayas dormido tanto! —dice, y percibo preocupación en su voz.

Hago caso omiso de sus palabras y me levanto sostenida por mis débiles piernas.

—Supongo que lo necesitaba.

Un extraño retintín toma posesión de mis oídos pero, pese a su intensidad, no duele. Agito la cabeza para librarme de él, y adopto entre tanto el aspecto de un perro mojado.

—Debe de ser el grito del gemido —Kilorn se acerca a mí y toma mi cabeza con manos delicadas aunque encallecidas. Me someto a su inspección y suspiro enfadada. Me vuelve de lado para mirar unas orejas que enrojecían de sangre desde tiempos inmemoriales—. Tuviste suerte de que no te golpeara de frente.

—Tengo muchas cosas, pero creo que la suerte no es una de ellas.

45

—Estás viva, Mare —dice con tono incisivo y se aparta—. Eso es más que muchos.

Su mirada me devuelve a Naercey, al momento en que le dije a mi hermano que no confiaba en su palabra. En lo más hondo de mi corazón, sé que es verdad.

—Lo siento —mascullo rápidamente.

Sé desde luego que otros han muerto por la causa y por mí. Pero yo he muerto también. La Mare de Los Pilares murió el día que cayó sobre un escudo de rayos. Mareena, la princesa Plateada perdida, falleció en el Cuenco de los Huesos. Y no sé qué nueva persona abrió los ojos en el tren subterráneo. Sólo sé lo que ella ha sido y lo que ha perdido, y el peso de esto es casi apabullante.

—¿Vas a decirme adónde iremos, o eso es otro secreto?

Quiero evitar un tono de resentimiento, pero fracaso miserablemente. Kilorn es lo bastante cortés para ignorarlo y se recarga en la puerta.

—Salimos de Naercey hace cinco horas y nos dirigimos al noreste. Eso es todo lo que sé, sinceramente.

—¿Y no te molesta?

Todo lo que hace es alzar los hombros.

—¿Qué te hace pensar que el alto mando confía en mí, o en ti, para acabar pronto? Sabes mejor que nadie que hemos sido unos tontos, y que hemos pagado un alto precio por ello —siento otra vez el aguijón del recuerdo—. Tú misma dijiste que ni siquiera confías en Shade. Dudo que alguien tenga ganas de compartirnos secretos en las próximas horas.

La pulla no duele tanto como hubiera esperado.

—¿Cómo está él?

Kilorn inclina la cabeza en dirección al pasillo.

—Farley reservó un pequeño puesto médico para los heridos, y Shade se recupera más rápido que los otros. Maldice mucho, pero es un hecho que está mejor —sus ojos verdes se ensombrecen, y él aparta la mirada—. Su pierna, sin embargo...

Respiro sobresaltada.

—¿Se le infectó?

En Los Pilares una infección era tan mala como un brazo amputado. No teníamos muchas medicinas, y una vez que la sangre se echaba a perder lo único que podía hacerse era seguir adelante, con la esperanza de superar la fiebre y las venas ennegrecidas.

Para mi alivio, Kilorn sacude la cabeza.

—No, Farley lo medicó bien, y los Plateados usan balas libres de impurezas, lo cual es muy generoso de su parte —lanza una risa siniestra, y en lo que supone que me sumaré a él, me estremezco. El aire es muy frío aquí—. Pero es indudable que cojeará por un tiempo.

—¿Me llevarás con él o tendré que encontrar el camino yo sola?

Emite otra risa siniestra y me tiende el brazo. Para mi sorpresa, descubro que necesito su apoyo para caminar. Las secuelas de Naercey y el Cuenco de los Huesos ciertamente se dejan sentir.

Mergible. Kilorn llama así a este submarino extraño. Ninguno de los dos sabe cómo logra esta cosa navegar *bajo* el océano, aunque estoy segura de que Cal resolverá el enigma. Él es el siguiente en mi lista de visitas. Lo buscaré después de que confirme que mi hermano se cuenta todavía entre los vivos. Recuerdo que Cal estaba casi inconsciente cuando escapamos, igual que yo. Pero supongo que Farley no lo instaló en el puesto médico, donde estaría rodeado por heridos de la Guardia. Privan aún demasiadas pasiones, y nadie quiere vivir un infierno en un tubo de metal cerrado herméticamente. El clamor del gemido repica todavía en mi cabeza, como una queja sorda que intento ignorar. Y a cada paso que doy, siento nuevos achaques y moretones. Kilorn percibe cada una de mis muecas y aminora la marcha, para permitir que me apoye en su brazo. Se desentiende de sus propias heridas, tajadas que se ocultan bajo un nuevo juego de vendas limpias. Siempre tuvo manos muy maltratadas, con las cortaduras y contusiones que los anzuelos y la cuerda de pescar le producían, pero ésas eran heridas de rutina. Indicaban que él se hallaba a salvo, tenía trabajo y estaba libre del alistamiento. De no haber sido por la muerte de su patrón, ahora su única carga serían unas cuantas cicatrices.

Antes, pensar en esto me habría entristecido. Ahora sólo siento rabia.

El pasillo central del mergible es largo pero angosto y está dividido por varias puertas de metal provistas de grandes bisagras y sellos presurizados, que permiten clausurar ciertas secciones en caso de necesidad para impedir que la nave se inunde y se hunda. Pero esas puertas no me tranquilizan. No puedo evitar pensar que moriré en el fondo del océano y que el mar será mi tumba. Hasta el propio Kilorn, que creció junto al agua, se muestra incómodo. Las débiles luces engastadas en el techo se filtran de una manera extraña, y proyectan en su rostro sombras que lo hacen ver viejo y demacrado.

Los demás integrantes de la Guardia no parecen tan afectados, y van y vienen con franca resolución. Han abandonado sus pañoletas y mascadas rojas, lo que deja al descubierto caras dotadas de una determinación adusta. Llevan por el pasillo al-

48

gunos mapas, charolas de suministros médicos, vendas, comida y hasta alguna ocasional escopeta, siempre apurados y parlanchines. Pero se detienen cuando me ven, para pegarse a las paredes a fin de que disponga del mayor espacio posible en esta estrecha área. Los más atrevidos me miran a los ojos y me ven pasar renqueando, pero la mayoría voltea al suelo. Unos cuantos incluso parecen temer.

A mí.

Quisiera darles las gracias, expresar de algún modo lo endeudada que estoy con cada hombre y cada mujer a bordo de este estrambótico barco. *Gracias por sus servicios* casi resbala por mis labios, pero aprieto los dientes para impedirlo. *Gracias por sus servicios.* Así dicen las notificaciones, las cartas que te mandan para avisarte que tus hijos han muerto en nombre de una guerra inútil. ¿Cuántos padres vi llorar a causa de esas palabras? ¿Cuántos más las recibirán cuando chicos todavía más jóvenes sean enviados al frente por cuenta de las Medidas?

Ninguno, me digo. *Farley tendrá un plan contra eso, así como idearemos la forma de dar con los* nuevasangre, *los otros que son como yo. Haremos algo.* Debemos *hacer algo.*

Los soldados de la Guardia que se pegan a la pared farfullan entre sí a mi paso. Hasta los que no se arriesgan a mirarme murmuran unos con otros, sin molestarse en disimular sus palabras. Supongo que creen que lo que dicen es un cumplido.

La Niña Relámpago, suena como un eco entre ellos y rebota en las paredes de metal. Eso me envuelve como los infames susurros de Elara, y ronda como un fantasma en mi cerebro. *La Niña Relámpago. Así me llamaba ella, y ellos también.*

No, no, nunca volverá a ser igual.

Pese al dolor, me enderezo, me yergo cuan alta soy.

Ya no soy una niña.

Los murmullos nos siguen hasta el puesto médico, donde un par de vigilantes hacen guardia frente a la puerta cerrada. Cuidan también la escalera, un pesado armatoste de metal que llega al techo, la única entrada y salida de este lento y curioso bote bala. Uno de los vigilantes tiene el pelo de color rojo oscuro, justo como Tristan, aunque no es ni por asomo tan alto. La complexión del otro es como la de una roca, y tiene una piel morena, unos ojos angulosos, un pecho amplio y unas manos enormes, propias más bien de un coloso. Ambos bajan la cabeza cuando me ven pero, para mi alivio, no me dedican mucho más que una mirada. Dirigen su atención a Kilorn, a quien le sonríen como si fuese un amigo de la infancia.

—¿Estás de regreso tan pronto, Warren? —pregunta el pelirrojo entre risas mientras mueve las cejas de manera insinuante—. Lena ya salió.

¿Lena? Kilorn se pone tenso bajo mi brazo, pero no dice nada que delate su incomodidad. En cambio, ríe con ellos hasta adoptar una sonrisa burlona. Lo conozco mejor que nadie, lo suficiente para saber que esa sonrisa es forzada. ¡Y pensar que se la pasó *coqueteando* mientras yo estaba inconsciente y Shade yacía herido y ensangrentado!

—El chico tiene ya bastantes problemas como para perseguir a enfermeras bonitas —dice el de cuerpo de roca con una voz grave que resuena en el pasillo, y que tal vez llega hasta las habitaciones de Lena—. Farley continúa de visita aquí, si la buscas a ella.

Apunta a la puerta con un pulgar.

—¿Y mi hermano? —alzo la voz y me zafo de Kilorn. Las rodillas casi se me doblan pero no cedo—. ¿Shade Barrow?

Sus sonrisas se disuelven para dar paso a algo más formal. Es casi como si estuviera de nuevo en la corte Plateada. El de cuerpo como de roca se aproxima a la puerta y le da varias vueltas a la enorme llave giratoria, así que ni siquiera tiene que mirarme.

—Está muy recuperado, señorita, digo, *milady*.

Este tratamiento me desalienta. Creí que ya había terminado con estas cosas.

—Llámeme Mare, por favor.

—Claro —responde sin firmeza alguna.

Aunque los dos formamos parte de la Guardia Escarlata y somos soldados de la misma causa, no somos iguales. Este hombre, y muchos otros, no me llamará nunca por mi nombre de pila, por más que yo lo quiera.

Abre con un leve tirón la puerta, que revela un amplio y poco profundo compartimento atiborrado de literas. Esto fue un dormitorio en otro tiempo, pero ahora las camas apiladas están llenas de pacientes, y el único pasillo es un hervidero de hombres y mujeres que visten de blanco. Las ropas de muchos de ellos exhiben manchas de sangre carmesí, y todos están demasiado absortos en vendar una pierna o administrar medicamentos como para prestarme atención mientras cojeo entre ellos.

La mano de Kilorn ronda mi cintura, lista para atraparme si la necesito de nuevo, pero me apoyo en las literas. Si todos van a mirarme, bien puedo tratar de caminar sola.

Shade está recostado en una almohada ligera, sostenido principalmente por la inclinada pared de metal. Es imposible que esté cómodo, pero tiene los ojos cerrados, y su pecho sube y baja con el ritmo pausado del sueño. A juzgar por su pierna — que cuelga de una eslinga improvisada en lo alto de su cama— y su hombro vendado, seguro que le han hecho ya varias curaciones. Verlo tan alicaído, aunque apenas ayer creía que estaba muerto, es algo sorprendentemente difícil de soportar.

—Deberíamos dejar que duerma otro rato —murmuro a nadie en particular, y no espero respuesta.

—Sí, por favor, hacedlo —dice él sin abrir los ojos.

Pero sus labios se curvan en una de sus clásicas sonrisas maliciosas. Pese a su estropeada figura, me veo obligada a reír.

Es una jugarreta conocida. Shade fingía dormir en clases o durante las conversaciones en voz baja de nuestros padres. Tengo que reír por el recuerdo, y hago memoria de cuántos secretitos pillaba de esta peculiar manera. Puede que yo sea una ladrona de nacimiento, pero él es un espía desde la cuna. No es de sorprender que haya parado en la Guardia Escarlata.

—¡Así que oyes a escondidas las conversaciones de las enfermeras...! —mi rodilla cruje cuando me siento sobre el borde de su cama, y procuro no empujarlo—. ¿Ya sabes cuántas vendas han puesto a buen recaudo?

En lugar de reír por la broma, abre los ojos y nos hace señas para que nos acerquemos.

—Las enfermeras saben más de lo que os imagináis —dice mientras lanza la mirada al otro extremo del compartimento.

Cuando giro, veo que Farley se entretiene en una litera. La mujer que la ocupa está fuera de combate, probablemente drogada, y ella monitorea su pulso con suma atención. Desde aquí, su cicatriz se destaca toscamente y frunce un lado de su boca en una mueca, antes de descender por la clavícula hasta su escote. Una parte se le descosió, y fue vuelta a suturar a toda prisa. Ahora lo único rojo que lleva es la franja de sangre que cruza su ajustado vestido blanco de enfermera, y las manchas a medio lavar que le llegan a los codos. Un enfermero se encuentra a su lado, pero su camisa está limpia, y le susurra algo al oído con urgencia. Ella asiente de vez en cuando, aunque su cara está tensa de ira.

—¿Qué has oído? —pregunta Kilorn mientras se recorre para cubrir con su cuerpo a Shade por completo. Cualquiera diría que ajustamos sus vendas.

—Vamos camino a otra base, esta vez a cierta distancia de la costa. Fuera del territorio de Norta.

Me esfuerzo por recordar el viejo mapa de Julian, pero casi no puedo pensar en otra cosa que en el litoral.

—¿Una isla?

Shade asiente.

—Se llama Tuck. No debe ser muy importante, porque los Plateados ni siquiera tienen un puesto de avanzada ahí.

Una sensación de pavor ataca mis nervios. La perspectiva de apartarme en una isla sin vía de escape me asusta más que el sumergible.

—Pero saben que existe, y con eso basta.

—Farley parecía muy confiada en esa base.

Kilorn se mofa sin remilgos.

—Si mal no recuerdo, también creyó que Naercey era segura.

—No fue culpa suya que perdiéramos Naercey —digo. *Fue mía.*

—Maven nos engañó a todos, Mare —protesta Kilorn, y me da un empujoncito en el hombro—. A mí, a ti y a Farley. Todos creímos en él.

Con la ayuda de su madre, que nos leía la mente y lo amoldó a nuestras esperanzas, no es de sorprender que Maven nos haya embaucado a todos. Y ahora es el rey. Ahora engañará y controlará todo nuestro mundo. ¡Qué mundo será ése con un monstruo por rey, cuya madre sostiene *su correa!*

Aparto esos pensamientos. Pueden esperar.

—¿Farley añadió algo más? ¿Qué hay de la lista? Todavía la tiene, ¿no?

Shade la mira por encima de mi hombro y procura no alzar la voz.

—Sí, pero lo que realmente le preocupa son los *demás* que hallaremos en Tuck, entre ellos, mamá y papá —me invade de súbito un torrente de afecto, una estimulante onda de felicidad. Shade se ilumina cuando ve mi insinuada pero genuina sonrisa, y toma mis dedos entre los suyos—. También Gisa, y los zoquetes que llamamos hermanos.

Una cuerda de tensión se suelta en mi pecho, pero pronto es reemplazada por otra. Me aferro a Shade y alzo una ceja en señal de pregunta.

—¿Los *demás*? ¿Quiénes? ¿Cómo es posible eso?

Después de la masacre en la Plaza del César y del desalojo de Naercey, pensé que no había sobrevivido nadie.

Kilorn y Shade no comparten mi confusión y optan por intercambiar miradas furtivas. Una vez más estoy a ciegas, y no me gusta nada. Aunque esta vez son mi propio hermano y mi mejor amigo quienes guardan secretos, no una reina malvada y un príncipe embustero.

En cierto modo, esto duele más. Pongo mala cara y los miro hasta que entienden que espero respuestas.

Kilorn aprieta los dientes y tiene la sensatez de parecer apenado. Le hace gestos a Shade *para pasarle la responsabilidad.*

—Tú sabes más que yo.

—A la Guardia no le gusta soltar prenda, y con justa razón —se incorpora. Bufa por este acto y aprieta su hombro herido, pero me aparta con un gesto antes de que pueda ayudarle—. Nos agrada dar la impresión de que somos modestos, lastimosos, desorganizados...

No puedo menos que resoplar mientras paso revista a sus vendas.

—Pues tú estás haciendo un trabajo excelente.

—No seas cruel, Mare —replica, y es como si oyera a nuestra madre—. Lo que quiero decir es que las cosas no están tan mal como parecen. Naercey no era nuestro único baluarte, ni Farley es nuestro único líder. De hecho, no es ni siquiera la verdadera autoridad, sino apenas una capitana. Hay otros como ella, e incluso arriba de ella.

A juzgar por la forma en que da órdenes a sus soldados, pensaría que Farley es una emperatriz. Cuando arriesgo otra mirada en su dirección, ella está ocupada en rehacer un vendaje y reprender a la enfermera que lo aplicó. Pero la convicción de mi hermano no es para ser ignorada. Él sabe mucho más que yo acerca de la Guardia Escarlata, y me inclino a creer que lo que dice de ella es cierto. Hay cosas más importantes en esta organización que lo que veo aquí. Esto es alentador, y espantoso.

—Los Plateados creen que están dos pasos adelante de nosotros, pero ni siquiera saben dónde estamos —continúa Shade con voz vehemente—. Parecemos débiles porque queremos.

Respingo en el acto.

—Parecéis débiles porque lo sois. Maven os engañó, os atrapó, os dio una paliza y os echó de su propia casa. ¿O me vas a decir que todo esto formaba parte de otro plan?

—Mare... —farfulla Kilorn y aproxima su hombro al mío para serenarme. Pero lo aparto de un empujón. Tiene que oír esto también.

—No me importa cuántos túneles secretos, barcos y bases tengáis. No venceréis a Maven de esta manera.

Lágrimas que no sabía que tenía hacen que los ojos me ardan, en recuerdo de Maven. Es difícil no evocarlo tal como era. *No. Como fingía ser.* El chico bueno y olvidado. La sombra detrás del fuego.

—¿Qué sugieres entonces, Niña Relámpago?

La voz de Farley me sacude tanto como mis chispas y me pone los nervios de punta. Durante un breve y vertiginoso segundo, miro mis manos enredadas en las sábanas de Shade. Tal vez ella se vaya si no me doy la vuelta. Tal vez me deje en paz. *No seas tonta, Mare Barrow.*

—Responder fuego con fuego —contesto mientras me pongo en pie. Antes me intimidaba su estatura. Ahora fulminarla con la mirada es algo normal y natural.

—¿Ésa es una broma Plateada o algo así? —pregunta con desdén y cruza los brazos.

—¿Te parece que estoy bromeando?

No contesta, y eso es respuesta suficiente. En medio de su mutismo, me doy cuenta de que el resto del compartimento también se ha sumido en el silencio. Todos los heridos contienen su dolor para ver de qué modo la Niña Relámpago reta a su capitana.

—A vosotros os beneficia parecer débiles y golpear fuerte, ¿no? Pues ellos hacen todo lo posible por parecer fuertes e invencibles, pero en la plaza demostré que no lo son —*repítelo, más alto esta vez, para que todos puedan oírte.* Apelo a la voz firme que Lady Blonos hizo nacer en mí—. Los Plateados *no* son invencibles.

Farley no es tonta, y encuentra fácil seguir mi razonamiento.

—Tú eres más fuerte que ellos —dice con toda naturalidad. Mira a Shade, quien se ha puesto tenso en su litera—. Y no eres la única.

Asiento con énfasis, complacida de que ya sepa lo que soy.

—Sí, hay muchos otros nombres, cientos de Rojos con habilidades. Más fuertes, más rápidos, mejores que ellos, con sangre tan roja como el amanecer —el aire se me acaba, como si él mismo supiera que está a la puerta del futuro—. Maven intentará eliminarlos, pero si nos adelantamos, ellos podrían ser…

—El ejército más grande que el mundo haya visto jamás —la mirada de Farley se vuelve vidriosa ante la sola idea—. Un ejército de nuevasangre.

Cuando sonríe, su cicatriz fuerza los puntos, que amenazan con volver a soltarse. Su sonrisa se ensancha. No le importa el dolor.

Pero a mí sí. Supongo que me importará siempre.

CUATRO

Farley no es tan alta como Kilorn, pero sus pasos son más rápidos, intencionados y difíciles de seguir. Hago todo lo que puedo por alcanzarla, hasta casi trotar por el pasillo del sumergible para igualar su ritmo. Como en la ocasión anterior, los soldados de la Guardia se apartan de nuestro camino, pero ahora saludan a Farley cuando pasamos, y se llevan la mano al pecho o a la frente. Debo decir que ella tiene mucha presencia y que porta sus cicatrices y heridas como si fueran joyas. Se limpia distraídamente las manos en el vestido, cuyas manchas de sangre parece que no le importan. Una parte de ésta pertenece a Shade; ella le sacó la bala del hombro sin pestañear.

—No lo encerramos, si eso es lo que tú piensas —dice con obvia despreocupación, como si hablar del confinamiento de Cal fuera un chismorreo sin importancia.

Ya no soy tan tonta como para morder el anzuelo. Me está tanteando, pone a prueba mi reacción, mi *lealtad*. Pero ya no soy la niña que imploraba su ayuda. Ya no soy tan fácil de intuir. He vivido caminando sobre un alambre de púas; he tenido que equilibrar una mentira tras otra y ocultarme. Hacer lo mismo ahora y esconder profundamente mis pensamientos es fácil para mí.

Así que me río, y adopto la sonrisa que perfeccioné en la corte de Elara.

—Se nota. No hay nada derretido por aquí —digo, al tiempo que señalo las paredes de metal.

Intento descifrarla mientras ella intenta descifrarme a mí. Encubre muy bien sus expresiones, pese a lo cual la sorpresa no deja de asomarse en sus ojos. La sorpresa y la *curiosidad*. No he olvidado cómo trató a Cal en el tren, con grilletes, vigilantes armados y displicencia. Y él lo soportó todo como un perro apaleado. Después de la traición de su hermano y el asesinato de su padre, no le quedaban arrestos para pelear. No lo culpé por eso. Pero Farley no conoce su corazón ni su fuerza tan bien como yo. No sabe que, en realidad, él es sumamente peligroso. *Y que, de hecho, yo también lo soy.* Aun ahora, a pesar de mis innumerables lesiones, siento una profunda energía que invoca la electricidad que vibra en el sumergible. Podría controlarlo si quisiera. Podría desactivar por completo esta cosa. Hacer que todos nos ahogáramos. Esta idea letal me ruboriza, por la vergüenza que esos pensamientos ocasionan en mí. Pero, en todo caso, son un consuelo. Soy el arma más poderosa de todas en un navío lleno de guerreros, y da la impresión de que ellos no lo saben.

Parecemos débiles porque queremos. Shade hablaba de la Guardia cuando dijo eso, para explicar los motivos de esta organización. Ahora me pregunto si no quería también transmitir un mensaje. Como el de las palabras que disfrazó en una carta hace mucho tiempo.

El cuarto de Cal se encuentra al fondo del submarino, apartado del bullicio del resto de la nave. Su puerta está casi oculta detrás de un amasijo de tubos y cajas vacías, que muestran sellos en los que se lee *Arcón, Haven, Corvium, Harbor Bay,*

Delphie y hasta *Belleum*, localidad de las Tierras Bajas. Ignoro qué contuvieron esas cajas alguna vez, pero los nombres de aquellas ciudades Plateadas me provocan escalofrío. Estas cajas fueron *robadas*. Farley me observa mirándolas, pero no se toma la molestia de explicar nada. Pese a nuestro precario acuerdo sobre lo que ella llama los *nuevasangre*, no tengo acceso todavía al círculo íntimo de sus secretos. Supongo que Cal tiene algo que ver con eso.

Lo que sea que propulse a esta barcaza, un generador inmenso, a juzgar por la sensación que produce, ruge bajo mis pies y hace que mis huesos vibren. Arrugo la nariz de disgusto. Puede que Farley no haya encerrado a Cal, pero lo cierto es que tampoco lo ha tratado con gentileza. Entre el barullo y la inestabilidad, me pregunto si a él le fue posible siquiera conciliar el sueño.

—¿No habéis podido asignarle otro rincón? —inquiero mientras examino la abarrotada esquina.

Ella se encoge de hombros y llama a la puerta con un golpe.

—El príncipe no se ha quejado.

No esperamos mucho tiempo, aunque hubiera querido disponer de un momento para calmarme. La llave gira en cuestión de segundos y traquetea a gran velocidad. Las bisagras de hierro pitan y rechinan cuando Cal abre la puerta de un tirón.

No me sorprende hallarlo con la cabeza en alto, como si disimulara sus lesiones. Tras haberse preparado toda una vida para ser un guerrero, está acostumbrado a los moretones y los cortes. Pero las cicatrices de adentro son algo que él no sabe esconder. Evita mis ojos y mira a Farley, para quien el príncipe con el corazón destrozado pasa inadvertido o no le importa. Mis heridas parecen de súbito un poco más sencillas de soportar.

—Capitana Farley —dice Cal como si ella hubiera interrumpido su cena, y se sirve del enfado para encubrir su dolor. Farley no tolera esto; agita su cabello corto, suelta un resoplido y hasta alarga la mano para cerrar la puerta.

—¿No esperabas visitas? Ay, ¡qué desconsiderada soy! Me alegro en secreto de no haber dejado que Kilorn me acompañara. Habría hecho la situación todavía más difícil para Cal, a quien odia desde que se conocieron en Los Pilares.

—Farley —digo entre dientes mientras detengo la puerta con la mano. Para mi deleite y mi disgusto, ella evita todo contacto conmigo. Se ruboriza en exceso, avergonzada de sí misma y de su temor. Pese a su apariencia severa, es igual que sus soldados: le teme a la Niña Relámpago—. Creo que estaremos bien.

El rostro se le descompone en un pinchazo de irritación con ella y conmigo. Pero asiente, como si agradeciera la posibilidad de alejarse de mí. Después de lanzarle a Cal una última mirada salvaje, da media vuelta y desaparece por el corredor. Las órdenes que da a gritos producen un eco momentáneo, y aunque son indescifrables, causan mucho ruido.

Cal y yo la vemos marcharse, después las paredes, más tarde el suelo y al final nuestros pies, por temor a mirarnos uno a otro. Por miedo a recordar los días pasados. La última vez que nos vimos cara a cara en una puerta terminamos en unas lecciones de baile y un beso robado. Ésa bien podría ser otra vida. *Porque lo fue. Él bailó con Mareena, la princesa perdida, y Mareena está muerta ya.*

Pero sus recuerdos permanecen. Cuando paso junto a Cal y rozo un brazo firme con mi hombro, recuerdo cómo olía su cuerpo y a qué sabía. A calor y humo de leños y amanecer. Ya no es así. Ahora huele a sangre, su piel es de hielo y me digo que no quiero volver a probarla nunca.

—¿Te tratan bien?

Soy la primera en hablar, y elijo un tema fácil. Pese a que una mirada a su pequeño pero limpio compartimento sea respuesta suficiente, es necesario romper el hielo.

—Sí —responde, todavía inmóvil junto a la puerta abierta, que se debate entre cerrar o no.

Mis ojos van a dar a una maraña de cables e interruptores visibles en la pared, de donde un tablero fue arrancado. No puedo menos que sonreír. Cal ha estado esforzándose por buscar alternativas.

—¿Crees que es prudente hacer eso? Un cable equivocado...

Esto le provoca una sonrisa frágil pero reconfortante.

—He jugado con hilos la mitad de mi vida. No te preocupes, sé lo que hago.

Ambos dejamos pasar el doble sentido.

Cierra por fin la puerta, aunque no echa la llave. Posa una mano en la pared de metal y separa los dedos, como si buscara algo que asir. La pulsera flamígera cintila todavía en su puño, hecha de plata brillante sobre un gris duro y apagado. Al darse cuenta de mi mirada, se baja una manga manchada; supongo que hasta ahora no se les ha ocurrido ofrecerle una muda de ropa.

—Nadie reparará en mí mientras permanezca oculto —dice, y se pone a juguetear con los cables descubiertos—. De fábula, ¿no?

No estoy para bromas.

—Me encargaré de que sea así. Si eso es lo que deseas —agrego rápidamente.

En realidad ignoro qué desea Cal ahora. *Aparte de venganza. Esto es lo único que todavía tenemos en común.*

Alza una ceja en dirección a mí, casi divertido.

—¿La Niña Relámpago ya ejerce el mando en este lugar? —acorta la distancia entre los dos con un paso largo, de manera que no me da la oportunidad de responder a la pulla—. Tengo la impresión de que estás tan acorralada como yo —añade, y entrecierra los ojos—. Pero eres la única que parece no saberlo.

Me ruborizo de rabia. Y de vergüenza.

—¿Acorralada? No soy yo quien está escondido en un armario.

—No, porque estás demasiado ocupada permitiendo que te muestren como una pieza de exhibición —se inclina hacia delante, con lo que vuelve el conocido calor entre nosotros—. *Otra vez.*

Una parte de mí querría abofetearlo.

—Mi hermano sería *incapaz*...

—Yo también creí que mi hermano sería *incapaz* de hacer lo que hizo, ¡y mira adónde nos ha llevado todo eso! —vocifera, abriendo los brazos.

Toca los muros con las puntas de los dedos, y así araña las paredes de la cárcel donde se encuentra. *La cárcel a la que yo lo conduje.* Y me ha enjaulado con él, lo sepa o no.

Un calor infernal hace erupción en su cuerpo, y tengo que retroceder. Él no pasa esto por alto y se contiene, hasta bajar los ojos y los brazos.

—Perdón —suelta, y se retira un mechón de cabello negro de la frente.

—No me pidas perdón. No lo merezco.

Me mira de soslayo, con los ojos negros muy abiertos, pero no discute.

Dejo escapar un suspiro y me dejo caer en la pared del fondo. El espacio entre nosotros se ensancha como unas fauces abiertas.

—¿Qué sabes acerca de un lugar llamado Tuck?

Acepta agradecido el cambio de tema, recupera la compostura y se refugia en su imagen de príncipe. Incluso sin corona, tiene un aspecto señorial, con una postura perfecta y las manos unidas en la espalda.

—¿Tuck? —repite, concentrado en sus pensamientos. Frunce el ceño, y una arruga se forma entre sus cejas oscuras y abultadas. Cuanto más tarda en hablar, tanto mejor me siento. Si no sabe de la isla, pocos sabrán de ella—. ¿Es ése el rumbo que seguimos?

—Sí —*Eso creo*. Una lóbrega idea me invade de pronto, que me recuerda las lecciones de Julian que tan arduamente aprendí en la corte y en el ruedo. *Todo el mundo puede traicionar a cualquiera*—. O al menos eso dice Shade.

Deja suspendida en el aire mi incertidumbre; es tan bondadoso que no la aguijonea.

—Creo que es una isla —dice por fin—. Una de las varias que hay frente a la costa. No es territorio de Norta. Pero no posee nada que justifique fijar ahí un poblado o una base, ni siquiera con propósitos de defensa. Todo allá es mar abierto.

Siento que me quitan un peso de encima. Estamos a salvo, por el momento.

—Bien, bien.

—Tu hermano es como tú —no es una pregunta—. Diferente.

—Sí.

¿Qué otra cosa puedo decir?

—¿Se encuentra bien? Creo recordar que lo hirieron.

Aun sin un ejército, Cal no deja de ser un general; se preocupa por los soldados y los heridos.

—Está bien, gracias. Recibió algunos disparos en mi lugar, pero se está recuperando.

A la sola mención de los disparos, Cal me mira un instante y se permite al fin contemplarme de lleno. Se detiene en los rasguños de mi rostro y las costras alrededor de mis orejas.

—¿Y tú?

—Me las he visto en peores circunstancias.

—Sí, nos las hemos visto en peores circunstancias.

Guardamos silencio, sin atrevernos a decir nada más. Pero no dejamos de mirarnos. De repente su presencia es difícil de soportar. Pero no quiero irme.

El submarino decide otra cosa.

El generador se estremece bajo mis pies, y su pulso galopante cambia de ritmo.

—Ya casi hemos llegado —balbuceo mientras percibo el flujo y reflujo de la electricidad en diferentes partes de la nave.

Cal no lo siente todavía, porque no puede, pero no pone en duda mi intuición. Conoce mis habilidades, mejor que cualquier otro en esta embarcación, mejor que mi propia familia, al menos por ahora. Mamá, papá, Gisa y los chicos me esperan en la isla. Los veré pronto. Están aquí. Están *a salvo*.

Pero no sé cuánto tiempo permaneceré con ellos. No podré quedarme en la isla si quiero hacer algo por los nuevasangre. Tendré que regresar a Norta, valerme de todas las cosas y personas que Farley pueda ofrecerme, y buscarlos. Esto parece imposible. Ni siquiera tengo ganas de pensar en ello. Sin embargo, mi mente zumba, con el ansia de idear un plan.

Suena una alarma sobre nosotros, en sincronía con la luz amarilla que se enciende sobre la puerta de Cal.

—¡Asombroso! —lo oigo balbucir, distraído un momento en la grandiosa máquina que nos rodea.

No dudo que querría ponerse a explorar, pero en este medio no hay espacio para el príncipe inquisitivo. El chico que se sumergía en manuales y montaba motocicletas no tiene cabida en este mundo. *Yo lo maté, así como eliminé a Mareena.* Pese a la afición de Cal por las máquinas y mi sentido eléctrico, ninguno de los dos tiene idea de qué va a suceder. Cuando el sumergible se inclina para salir de las profundidades del océano, el cuarto se ladea. Esto nos coge desprevenidos y tenemos que buscar la forma de no caer. Nos estrellamos contra el muro y entre nosotros. Nuestras heridas se frotan unas con otras, lo cual nos arranca quejas de dolor. Lo que más me duele es tocarlo a él, porque despierta un recuerdo punzante, así que me alejo a toda prisa.

Cuando fricciono uno de mis muchos moretones, hago una mueca.

—¿Dónde está Sara Skonos ahora que tanta falta nos hace? —refunfuño, con el deseo de que la sanadora de la piel pudiera curarnos a ambos. Podría ahuyentar el dolor con sólo pasar la mano por nuestras heridas, y nos dejaría listos para volver a la lucha.

Nuevas congojas cruzan el rostro de Cal, aunque no debido a sus heridas. *Bien hecho, Mare. Has hecho un magnífico trabajo al mencionar a la mujer que sabía que la madre de Cal fue asesinada por la reina. A la mujer en quien nadie confió.*

—Lo siento, no fue mi intención...

Él me aparta con un gesto e intenta no desplomarse; con un brazo en la pared, busca mantener el equilibrio.

—No es nada. Ella... —las palabras se le hacen un nudo en la garganta y tiene que sacarlas a la fuerza—. Yo tomé la decisión de no escucharla. No *quería* escuchar. Fue culpa mía.

Vi a Sara Skonos una sola vez, cuando Evangeline estuvo a punto de ponerme en evidencia frente a todo el grupo de entrenamiento. Julian la mandó llamar —Julian, quien la *amaba*— y la vio sanar mi rostro ensangrentado y mi espalda herida. Sus ojos eran tristes; sus mejillas, flácidas, y no tenía lengua. Le fue arrancada por hablar contra la reina, por decir una verdad que nadie creyó. *Elara mató a la madre de Cal, Coriane, la reina arrulladora, la hermana de Julian, la mejor amiga de Sara. Y esto pareció no importarle a nadie. Era mucho más fácil apartar la mirada.*

Maven también estuvo ahí, pero aborrecía a Sara con todo su ser. Ahora sé que ésa fue una debilidad en su coraza, que reveló quién era él detrás de sus palabras estudiadas y sus dulces sonrisas. Así como Cal, tampoco vi lo que estaba frente a mis ojos.

Como Julian, es probable que ella esté muerta ya.

De repente las paredes de metal, el barullo y la explosión en mis oídos son demasiado.

—Tengo que bajarme de esta cosa.

Pese al extraño ángulo del cuarto y el zumbido persistente en mi cabeza, mis pies saben qué hacer. No han olvidado el lodo de Los Pilares, las noches que pasaron en las callejuelas ni las pistas de obstáculos en el entrenamiento. Abro de golpe la puerta y respiro con dificultad, como si me ahogara. Pero el aire viciado del sumergible no me brinda alivio. Necesito el olor de los árboles, el agua, las lluvias de primavera e incluso el calor del verano o la nieve invernal. *Algo* que me recuerde el mundo que hay más allá de este asfixiante bote de hojalata.

Cal me cede el paso antes de seguirme, con pisadas fuertes y lentas. No pretende alcanzarme, sino darme espacio. ¡Si Kilorn pudiera hacer lo mismo!

Él se aproxima desde el otro extremo del pasillo, donde se sirve de asideros y llaves giratorias para abrirse camino por la nave inclinada. Su sonrisa se desvanece cuando ve a Cal, aunque no es reemplazada por un ceño fruncido, sino por una indiferencia fría. Supongo que cree que el desprecio enfadará al príncipe más que la franca hostilidad. O tal vez no quiere poner a prueba a un lanzallamas en aposentos tan reducidos como éstos.

—Estamos saliendo a la superficie —dice cuando llega hasta mí.

Me sostengo de una caja próxima para no perder el equilibrio.

—¡No me digas!

Sonríe y se recuesta en la pared que hay frente a mí. Planta sus pies al lado de los míos, lo cual es un reto si alguna vez hubo alguno. Siento el calor de Cal a mis espaldas, pero el príncipe parece optar también por la actitud indiferente y no dice nada.

No seré una pieza en el tablero de ambos, sea cual sea. Ya lo he sido bastante durante toda la vida.

—¿Qué tal está esa muchacha... cómo se llama... Lena?

El nombre tiene en Kilorn el efecto de una bofetada. La sonrisa se le descompone, un lado de la boca se le viene abajo.

—Supongo que está bien.

—¡Vaya, me alegro, Kilorn! —le palmeo la espalda con amabilidad condescendiente. La distracción surte efecto—. Harías bien en presentármela.

La nave se endereza debajo de nosotros, pero nadie se tambalea. Ni siquiera Cal, que no tiene ni mi buen sentido del equilibrio ni las piernas de marinero que Kilorn adquirió en un bote de pesca. Está tenso como un alambre, a la espera de que yo me ponga a la cabeza. Que un príncipe tenga deferencias conmigo debería causarme risa, pero siento demasiado frío y estoy muy cansada para hacer otra cosa que no sea emprender la marcha. Eso hago. Seguida por Cal y Kilorn, avanzo por el corredor hasta el tropel de soldados de la Guardia que esperan junto a la escalera por la que descendimos al llegar aquí. Los heridos son los primeros en bajar, atados a improvisadas camillas y expuestos a la inmensidad de la noche. Farley supervisa; su vestido está más manchado de sangre que antes. Ofrece un espectáculo penoso, con una jeringa apretada entre los dientes mientras ajusta vendas. Algunos de los heridos más graves reciben inyecciones cuando pasan a su lado, para prevenir el dolor de su ascenso por el angosto tubo. Shade es el último de ellos. Llega prácticamente cargado por los dos vigilantes que se burlaron de Kilorn a propósito de la enfermera. Me abriría paso hasta él, pero hay mucha gente y no quiero más atención por hoy. Demasiado débil todavía para teletransportarse, tiene que apoyarse en una torpe pierna, y se sonroja en extremo cuando Farley lo sujeta a una camilla. No oigo lo que le dice, pero lo tranquiliza un poco. Él aparta su jeringa con un gesto y aprieta los dientes cuando lo suben por la escalera, atacado sin duda por un dolor agudo. Una vez puesto a salvo, el proceso avanza mucho más rápido. El resto de los miembros de la Guardia se suceden unos a otros por la escalera, hasta vaciar el pasillo casi por completo. Muchos son enfermeros, hombres y mujeres evidenciados por sus blancas prendas con manchas de sangre de grados diversos.

No pierdo el tiempo en indicar con ademanes que los demás deben continuar, para fingir una cortesía propia de una dama. Todos vamos al mismo punto. Cuando el grupo se reduce un poco y la escalera está a mi disposición, la subo a toda prisa. Cal me sigue, y la combinación de su presencia con la mía divide como un cuchillo a los integrantes de la Guardia, que retroceden ágilmente, y hasta tropiezan, para abrirnos paso. Sólo Farley permanece inmóvil, con una mano en torno al soporte de la escalera. Para mi asombro, se inclina en dirección a Cal y a mí. A los *dos*.

Debería haberme dado cuenta de que era la primera advertencia.

Los pasos que doy en la escalera hacen arder mis músculos, tensos aún por lo ocurrido en Naercey, la plaza y mi captura. Oigo arriba un aullido raro, pero eso no me hace desistir en lo más mínimo de mi propósito. Tengo que bajar del sumergible tan pronto como pueda.

Mi último destello del submarino, cuando me vuelvo para mirar por encima del hombro, resulta extraño, y abarca desde Farley hasta el puesto médico. Todavía hay heridos ahí, inertes bajo sus cobijas. *No, no son heridos*, comprendo mientras prosigo mi escalada. *Son muertos*.

En lo alto de los peldaños se oye el murmullo del viento y se sienten gotas de agua contra la piel. Doy por hecho que esto no es motivo de alarma hasta que llego a la proa, al círculo vasto de la oscuridad. Una tormenta ruge con tanta fuerza que empuja la lluvia a un lado, lejos de gran parte del tubo y la escalera. Azota contra mi rostro rasguñado y me empapa en segundos. Es una clásica *tormenta otoñal*, aunque no recuerdo haber presenciado ninguna tan impetuosa como ésta. Se ensaña conmigo; llena mi boca de agua y de un rocío puntiagudo y salado. Por suerte, el submarino está bien uncido a un muelle que apenas logro ver, y se mantiene entero contra las turbulentas olas grises.

—¡Por aquí! —grita en mi oído una voz que reconozco, la cual me aparta de la escalera y me conduce por el resbaladizo casco del sumergible, bañado de lluvia y agua de mar.

En medio de la oscuridad, apenas consigo ver al soldado que me guía, pero su gran tamaño y su voz lo vuelven fácil de identificar.

—¡Bree!

Cuando cierro mi mano en la suya, siento las callosidades de mi hermano mayor. Camina como un ancla, con gravedad y lentitud, y me ayuda a bajar del submarino al muelle. Éste no es mucho mejor que aquél, de metal corroído por la herrumbre, pero llega a tierra, y eso es lo único que importa. Tierra y *calor*, un agradable respiro tras las frías profundidades del mar y de mis recuerdos.

Nadie ayuda a Cal a descender del submarino, pero se las arregla solo. De nuevo procura mantener cierta distancia y camina a respetables pasos de nosotros. Estoy segura de que no ha olvidado su primer encuentro con Bree en Los Pilares, cuando mi hermano fue todo menos cortés. En realidad, ninguno de los Barrow se preocupó por él, salvo mamá y tal vez Gisa. Pero en ese tiempo desconocían su identidad. ¡Vaya si aquélla fue una reunión interesante!

La tormenta dificulta hacerse una idea de Tuck, pero me doy cuenta de que se trata de una pequeña isla cubierta de dunas y altas hierbas tan agitadas como las olas. Un rayo que estalla sobre el agua ilumina la noche un momento y muestra el camino que se abre frente a nosotros. Ahora está por completo al aire libre, sin las estrechas paredes del submarino y el tren subterráneo, veo que sumamos menos de treinta personas, incluyendo a los heridos. Nos dirigimos hacia dos bajos edificios de cemento que se sitúan donde el muelle se une con la tierra. En la poco empinada colina que se eleva sobre nosotros se distinguen unas estructuras, con aspecto de búnkeres o cuarteles, pero es imposible saber qué hay más allá de ellas. El rayo siguiente, que cae más cerca esta vez, hace tiritar deliciosamente mis nervios. Bree cree que tengo frío y me aprieta más fuerte para rodear mis hombros con su macizo brazo. Su peso complica mi avance, pero lo soporto.

El muelle parece no terminar nunca. Pronto estaré bajo techo, seca, en tierra firme y de nuevo junto a los Barrow, después de tanto tiempo. Esta ilusión me basta para decidirme a sortear el trajín que bulle bajo la lluvia. Los enfermeros suben a los heridos a antiguos transportes, cuya cama de reserva está cubierta con una lona impermeable. Ésta es sin duda producto del robo, como todo lo demás que hay aquí. Los dos edificios en tierra son hangares, y sus puertas entreabiertas dejan ver más transportes a la espera. En el muelle hay incluso unos botes anclados, que cabecean sobre las grises olas para sobrellevar la tormenta. Todo es desigual en este sitio: transportes anticuados de tamaños diversos y botes nuevos y relucientes, algunos pintados de plata o de negro, y uno de verde. Robados, *prestados* o ambas cosas. En uno de ellos hasta reconozco los colores de la Marina de Norta, gris oscuro y azul. Tuck es como una versión aumentada del viejo carromato de Will Whistle, repleto de enseres salidos del comercio y el pillaje.

Un transporte médico arranca cansinamente antes de que lleguemos hasta él, y se abre camino a la fuerza bajo la lluvia para subir por una calle arenosa. El desenfado de Bree es lo único que me impide apurar el paso. A él no le preocupa Shade o lo que está en la cumbre de la colina, así que intento imitarlo.

Cal no comparte mi sentir, y por fin acelera para caminar a mi lado. No sé si es la tormenta o la oscuridad, o simplemente su sangre plateada, pero algo le confiere una apariencia demasiado pálida y temerosa.

—Esto no puede durar —farfulla, con una voz lo bastante baja para que sólo yo pueda oírlo.

—¿Qué sucede, príncipe? —pregunta Bree, con un clamor contenido. Le doy un ligero codazo en las costillas, que no hace más que mellar mi piel—. ¡Vaya, qué importa! Pronto lo sabremos.

Su tono es más ominoso que sus palabras. Frío, brutal, muy diferente al del hermano risueño que conocí. La Guardia lo ha hecho cambiar a él también.

—¿A qué te refieres, Bree?

Cal ya lo sabe y se para en seco mientras me mira. El viento despeina sus cabellos y los arroja sobre su frente. Sus ojos broncíneos se ensombrecen de miedo, y el estómago se me revuelve de sólo verlo. ¡Otra vez, no!, suplico. *Dime que no he venido a caer en otra trampa.*

Uno de los hangares se alza detrás de él, y sus puertas se abren de par en par sobre goznes curiosamente silenciosos. Demasiados soldados para contarlos avanzan al unísono, tan disciplinados como cualquier otra legión, con las armas listas y los ojos brillantes bajo la lluvia. Su líder bien podría ser un escalofrío, con un cabello rubio casi blanco y un temperamento glacial. Pero su sangre es tan roja como la mía; uno de sus ojos es de un carmesí oscuro y despide fulgores de sangre bajo la lente.

—¡¿Qué es esto, Bree?! —grito, y me vuelvo contra mi hermano en medio de un gruñido visceral.

Él toma mis manos en la suya, y no lo hace con delicadeza. Me sujeta firmemente, usando la superioridad de su fuerza para impedir que me zafe. Si fuera cualquier otro, le propinaría una buena descarga. Pero es mi hermano. No puedo tratarlo así. *No lo haré.*

—¡*Suéltame*, Bree!

—No le pasará nada malo —dice él, y lo repite sin cesar—. Te lo prometo.

Resulta entonces que esta jaula no es para mí. Pero eso no me tranquiliza en absoluto. Si acaso, me altera y desespera más.

Cuando me vuelvo, veo que los puños de Cal ya se han encendido y que él abre los brazos para hacer frente al sujeto del ojo inyectado en sangre.

—¡Venga! —brama con un tono de desafío, aunque suena como un animal más que como un hombre. *Un animal acorralado.*

Son demasiadas armas, aun para Cal. Ellos le dispararán si deben hacerlo. Incluso, esto podría ser lo que quieren, tener un pretexto para matar al príncipe deshonrado. Una parte de mí, la mayor, sabe que les sobrarían motivos para hacerlo. Cal fue un perseguidor de la Guardia Escarlata, y avaló en esencia la muerte de Tristan, el suicidio de Walsh y la tortura de Farley. Tenía bajo sus órdenes a soldados entrenados para matar, que exterminaron a casi toda la fuerza rebelde de Farley. Y quién sabe a cuántos más no habrá enviado a morir en el frente, para intercambiar soldados Rojos por unos miserables kilómetros de los Lacustres. No le debe lealtad a la causa. Es un peligro para la Guardia Escarlata.

Pero es un arma, lo mismo que yo, que podemos utilizar en los días venideros. A favor de los nuevasangre, contra Maven, una antorcha que ayude a disipar la oscuridad.

—Es inútil que se resista, Mare —éste es Kilorn, quien ha elegido el peor momento para acercarse furtivamente por la espalda. Murmura en mi oído como si, gracias a su proximidad, pudiera influir en mí—. Morirá si lo intenta.

Su lógica es difícil de ignorar.

—¡De rodillas, Tiberias! —ordena el hombre del ojo inyectado en sangre mientras da pasos decididos hacia el príncipe en llamas, de cuyo fuego se desprende vapor como si la tormenta quisiera aplastarlo—. ¡Las manos en la nuca!

Cal no hace ninguna de ambas cosas, y respinga al oírse llamar por su nombre. Alza la frente con vigor, firmeza y orgullo, aunque sabe que la batalla está perdida. Puede que en otro tiempo se hubiese rendido para salvar el pellejo; ahora cree que ese pellejo no vale nada. Todo indica que soy la única que piensa lo contrario.

—Haz lo que te dicen, Cal —el viento recoge mi voz para que todos en el hangar la oigan. Temo que escuchen también mi corazón, que late como un tambor en mi pecho—. ¡Cal!

Despacio y de mala gana, como si fuera una estatua que se desmorona hasta reducirse a polvo, cae de rodillas, y su fuego se extingue entre petardeos. Hizo lo mismo ayer, cuando se postró junto al cadáver sin cabeza de su padre.

El hombre del ojo inyectado en sangre sonríe, y deja ver sus flamantes dientes alineados. Vigila a Cal con diligencia. Disfruta del espectáculo de tener un príncipe a sus pies; disfruta del *poder* que esto le otorga.

Pero yo soy la Niña Relámpago, y puedo asegurar que él ignora el verdadero poder.

CINCO

Intentan convencerme de que es lo mejor, pero sus endebles excusas caen en oídos indolentes. Kilorn y Bree agotan pronto los argumentos que se les instruyó utilizar. *Es peligroso, incluso para ti.* Yo sé mejor que nadie que él no me haría daño nunca. Aunque Cal tuviera razones para hacerlo, no temería nada de él. *Es uno de ellos. No podemos confiar en él.* Después de lo que Maven hizo con su legado y su reputación, Cal no tiene nada ni a nadie; sólo nos tiene a nosotros, por más que se resista a admitirlo. *Es valioso. Un general, un príncipe de Norta, el hombre más buscado del reino.* Esto me da qué pensar, y toca una profunda cuerda de temor. Si el hombre del ojo inyectado en sangre decide usar a Cal contra Maven, para intercambiarlo por alguien o sacrificarlo, empeñaré todo lo que tengo para impedirlo. Toda mi influencia, todo mi *poder*, pero ignoro si esto será suficiente.

Así que no hago más que aprobar lo que ellos me dicen, con algo de renuencia al principio, y aparentar que estoy de acuerdo con ellos, que estoy bajo su control, que soy *débil*. Estaba en lo cierto: Shade tenía la intención de advertírmelo.

Una vez más, vio subir la marea antes de tiempo. Cal es poder, fuego hecho carne, algo que temer y derrotar. Y yo soy el rayo. ¿Qué querrán hacer conmigo si no desempeño el papel que me corresponde?

No he venido a caer en otra cárcel, aún no, pero siento la llave en la cerradura, que amenaza con girar. Por suerte, tengo experiencia en estas cosas.

El hombre del ojo inyectado en sangre y sus soldados obligan al príncipe a introducirse en el hangar, aunque no son tan tontos como para intentar atarlo de manos. Pero no bajan sus armas ni la guardia en ningún momento, y procuran mantener su distancia, no sea que alguno acabe calcinado por su osadía. Lo único que puedo hacer es ver, con los ojos muy abiertos y la boca cerrada, cuando la puerta corrediza del hangar vuelve a sellarse y nos separa. Ellos no lo matarán si no les da motivo. Sólo espero que Cal se comporte.

—No seáis muy severos con él —musito mientras me acurruco en el pecho de Bree.

Incluso bajo la fresca lluvia otoñal, él parece un horno. Largos años de combate en el frente del norte lo han vuelto inmune a la humedad y al frío. Recuerdo la vieja máxima de papá: *La guerra no cesa nunca.* Ahora lo sé por experiencia, aunque mi guerra sea muy diferente a la suya.

Bree finge no oírme y me hace abandonar el puerto a toda prisa. Kilorn nos sigue de cerca, y una o dos veces me pisa los talones con sus botas. Contengo el impulso de patearlo y pongo toda mi atención en subir los escalones de madera que conducen al cuartel colina arriba. Los peldaños están deshechos, tras haber sido abatidos por demasiados pies para ser contados. ¿Cuántas personas más han seguido este camino?, me pregunto. ¿Cuántas están aquí ahora?

Llegamos a la cumbre de la colina y la isla se extiende ante nosotros para dejarnos ver una base militar más grande de lo que esperaba. El cuartel que se levanta en la cresta es uno entre al menos una docena que veo ahora, dispuesta en dos filas uniformes a las que las separa un largo patio de cemento. Es un edificio bajo y bien conservado, no como los peldaños o el muelle. Una raya blanca, perfectamente recta, está pintada en el centro del patio y se pierde en la noche tempestuosa. No tengo ni idea de adónde lleva.

La isla posee un aire de quietud, paralizada como está momentáneamente por la tormenta. Al llegar la mañana, cuando deje de llover y la oscuridad se haya disipado, supongo que veré la base en todo su esplendor, y al fin sabré con qué clase de personas estoy tratando. He adoptado la mala costumbre de subestimar a los demás, particularmente en lo que se refiere a la Guardia Escarlata.

Al igual que Naercey, Tuck es mucho más de lo que parece.

Todavía hace tanto frío como el que sentí en el submarino y bajo la lluvia, pese a que soy conducida a la entrada del cuartel con un 3 pintado en negro. El frío me cala los huesos y el corazón. Pero no puedo permitir que mis padres vean esto, por su bien. Tengo una obligación de gratitud con ellos. Deben creer que estoy intacta e ilesa, que la prisión de Cal y mis suplicios en un palacio y un ruedo no me afectan. Y la Guardia debe creer que soy partidaria suya, que me siento aliviada por estar *a salvo*.

Pero ¿acaso no lo estoy? ¿No hice un juramento a Farley y la Guardia Escarlata?

Ellos creen, como yo, en el fin de los reyes Plateados y los esclavos Rojos. Sacrificaron a algunos de los suyos en mi lugar, por mi causa. Son mis *aliados*, mis hermanos y hermanas en armas, pero el hombre del ojo inyectado en sangre me da que pensar. No es Farley. Tal vez ella sea tosca y testaruda, pero sabe por lo que he tenido que pasar. Es posible razonar con ella. Dudo que haya buen juicio en el corazón del hombre del ojo inyectado en sangre.

Es raro que Kilorn esté tan callado. Este silencio es impropio de nosotros. Estamos acostumbrados a llenar el tiempo con bromas e insultos o, en el caso de él, con francos disparates. Aunque no somos reservados por naturaleza, ahora no tenemos nada que decir. Él estaba al tanto de lo que pensaban hacer con Cal y lo aceptó. Peor todavía, ni siquiera me lo dijo. Estaría enfadada de no ser porque hace mucho frío. Esto corroe mis emociones y las embota hasta convertirlas en algo similar al canturreo eléctrico que surca el aire.

Bree no advierte la extrañeza que se ha afincado entre nosotros, ni tendría por qué hacerlo. Aparte de ser deliciosamente simple, mi hermano mayor se marchó de casa cuando yo era apenas una niña larguirucha de trece años de edad, que robaba por diversión, no por necesidad, y no era tan cruel como lo es ahora. Bree no me conoce como soy, se perdió casi cinco años de mi vida. Pero mi existencia ha cambiado en los dos últimos meses más que nunca antes. Y sólo dos individuos pasaron ese tiempo conmigo. El primero está preso y el segundo porta una corona de sangre.

Cualquier persona razonable los llamaría mis enemigos. Curiosamente, mis enemigos me conocen mejor que mi familia, que no me conoce en absoluto.

El cuartel está completamente seco, y zumba con las lámparas y los cables enrollados arriba. El grueso cemento de las paredes convierte el pasillo en un laberinto, sin señales que indiquen la ruta a seguir. Ordinarias y de color gris acero, todas las puertas están cerradas, aunque algunas dan indicios de ocultar un poco de vida. Unas plantas de playa entretejidas adornan el pomo de una puerta, un collar roto cuelga de una entrada y así sucesivamente. Este lugar aloja no sólo a temibles guerreros, sino también a los refugiados de Naercey y quién sabe de qué otras ciudades. Tras la promulgación de las Medidas que mis labios impusieron, muchos Rojos y miembros de la Guardia por igual huyeron del continente. ¿Cómo habrían podido quedarse, amenazados como estaban por el alistamiento y la ejecución? *Pero ¿cómo se las arreglaron para escapar? ¿Y cómo llegaron hasta aquí?*

Un par de preguntas más para mi lista, cada vez mayor.

Pese a mi distracción, permanezco especialmente atenta a las vueltas que da mi hermano. Aquí a la derecha; una, dos, tres esquinas; a la izquierda en la puerta en que está grabado el rótulo PRADERA. Una parte de mí se pregunta si está dando un rodeo a propósito, pero Bree no es tan listo para eso. Supongo que debería estar agradecida. Shade no tendría ningún problema para hacerse el gracioso, pero Bree no. Él es fuerza bruta, una roca bamboleante fácil de eludir. Es también un soldado de la Guardia, liberado de un ejército sólo para unirse a otro. Y a juzgar por la forma en que me sujetó en el puerto, debe su lealtad a la Guardia y nada más. Es probable que Tramy sea igual, siempre deseoso de seguir, y ocasionalmente de guiar, a nuestro hermano mayor. Sólo Shade tiene la cordura de mantener los ojos bien abiertos y aguardar a ver qué nos depara el destino a nosotros, los *nuevasangre*.

La puerta que tenemos enfrente está entornada, como si se hallase a la espera. No es necesario que Bree me indique que éste es el cuarto de nuestra familia, porque hay un retazo violeta atado al pomo. Está raído por los bordes y toscamente bordado. Rayos de hilo estallan en la superficie de la tela, un símbolo que no es ni Rojo ni Plateado sino *mío*. Una combinación de los colores de la Casa de Titanos, mi máscara y el rayo que surge en mi interior, mi escudo.

Cuando nos acercamos, algo gira detrás de la puerta, y a mí me recorre una cálida emoción. Reconocería en cualquier lugar el sonido de la silla de ruedas de mi padre.

Bree no llama a la puerta. Sabe que todos están despiertos todavía, porque me esperan.

Aquí hay más espacio que en el sumergible, pero la habitación no deja de ser estrecha y reducida. Cuando menos hay sitio para moverse, gran número de camas para los Barrow y hasta un área pequeña para una sala en la entrada. Una única ventana, erigida en lo alto de la pared del fondo, está bien cerrada contra la lluvia, y el cielo parece un poco más claro. El amanecer está cerca.

En efecto, pienso, mientras trato de abarcar con la mirada la apabullante cantidad de objetos rojos que hay en este recinto. Pañoletas, trapos, retazos, banderas, estandartes; rojo en cada superficie y colgado de cada pared. Debí haber sabido que sería así. En otro tiempo, Gisa hacía ropa para los Plateados; ahora se esmera en confeccionar pendones para la Guardia Escarlata, y decora todo lo que encuentra a su paso con el sol dividido de la resistencia. No son hermosos, con sus puntadas torcidas y sus motivos simples. Y tampoco son nada en comparación con las obras de arte que tejía en el pasado. Esto también es culpa mía.

Ella está sentada en la pequeña mesa metálica, inmóvil y con una aguja en el muñón a medio sanar. Me mira fijamente un instante, y los demás también. Mamá, papá, Tramy miran sin reconocer a la joven que contemplan. La última vez que me vieron, no me pude controlar. Me sentía atrapada, débil, confundida. Ahora estoy maltrecha, sanando heridas y traiciones, pero sé lo que soy y lo que debo hacer.

Me he convertido en mucho más de lo que los Barrow habríamos podido soñar nunca. Esto me alarma.

—Mare.

Apenas oigo la voz de mi madre. Mi nombre tiembla en sus labios.

Del mismo modo que en Los Pilares, donde mis chispas amenazaron con destruir nuestro hogar, es la primera en estrecharme. Tras un abrazo que no dura, ni con mucho, tanto como debería, me lleva hasta una silla libre.

—Siéntate, nena, siéntate —dice, con sus manos trémulas sobre mí.

Nena. No me han llamado de esa forma en años. Es extraño que este mote reaparezca ahora, cuando soy todo menos una niña.

Sus dedos vagan por mi ropa nueva, en busca de mis moratones, como si pudiera ver a través del tejido.

—Estás herida —masculla y agita la cabeza—. No puedo creer que ellos te hayan permitido venir... bueno, después de todo lo sucedido.

Me alegra en secreto que no mencione a Naercey, la plaza ni los lugares previos. No creo ser lo bastante fuerte para revivir todo eso, al menos no tan pronto.

Papá ríe lúgubremente.

—Ella puede hacer lo que le plazca. No hay necesidad de que *pida permiso* —cambia de posición y noto su cabello más gris que antes. Está más delgado también, y parece pequeño en su silla de costumbre—. Igual que Shade.

Shade es materia de interés mutuo, de la que me resulta más fácil hablar.

—¿Lo habéis visto? —pregunto, y me relajo en el frío asiento metálico.

¡Qué agradable sensación es estar sentada!

Tramy se levanta de su litera y su cabeza casi toca el techo.

—Voy a la enfermería. Sólo quería confirmar que estabas...

Bien ya no es una palabra que forme parte de mi vocabulario.

—... de pie todavía.

Lo único que puedo hacer es asentir. Si abro la boca, me arriesgaría a contarles todo. El dolor, el frío, el príncipe que me traicionó, el príncipe que me salvó, las personas que maté. Y aunque quizá ya lo sepan, no admito aún lo que he hecho. Verlos desilusionados, asqueados, *temerosos* de mí. Eso será más de lo que pueda soportar esta noche.

Bree se marcha con Tramy, y me palmea bruscamente la espalda antes de seguir a nuestro hermano por la puerta. Kilorn permanece en su sitio, sin hablar todavía; se apoya en el muro como si quisiera que se lo tragara y lo hiciera desaparecer.

—¿Tienes hambre? —pregunta mamá, para entretenerse en una excusa lo suficientemente pequeña para un armario como éste—. Guardamos algunas raciones de la cena, si quieres.

Aunque no he comido en no sé cuánto tiempo, sacudo la cabeza. Mi fatiga me dificulta pensar en nada que no sea dormir.

Tras entrecerrar sus ojos brillantes, Gisa repara en mi estado. Se recoge un mechón de cabello opulento y rojo, el color de nuestra sangre.

—Deberías descansar —dice tan convencida, que me pregunto quién es la hermana mayor—. Dejémosla dormir.

—Claro, tienes razón.

Mamá me guía de nuevo, esta vez de la silla a una litera con más almohadas que las demás. Se esmera, alisa las livianas mantas y me somete a sus movimientos. Apenas tengo fuerzas para seguirla, y dejo que me arrope como no lo ha hecho jamás.

—Aquí estamos, nena, duerme.

Nena.

Estoy más protegida de lo que lo he estado en años y las personas que más quiero me rodean, pero nunca había sentido tantas ganas de llorar. Me contengo por ellas. Me enrosco y me desahogo sola, por dentro, donde nadie pueda verme.

No pasa mucho tiempo antes de que caiga dormida, pese a las deslumbrantes lámparas en el techo y los murmullos. Kilorn hace oír su voz grave; ha vuelto a hablar ahora que estoy fuera de la jugada.

—Miradla —es lo último que escucho antes de sumergirme en la oscuridad.

En algún momento durante la noche, en algún lugar entre el sueño y la vigilia, papá me coge de la mano. No para despertarme, sino para sostenerla simplemente. Pienso un instante que esto es un sueño y que estoy de vuelta en una celda bajo el Cuenco de los Huesos. Que la huida, la plaza, las ejecuciones fueron una pesadilla que pronto tendré que revivir. Pero la mano de papá es cálida, rugosa, conocida, y cierro mis dedos en los suyos. Él es real.

—Sé lo que es matar a una persona —susurra con ojos ausentes, como dos agujeros de luz en la negrura de nuestra habitación. Su voz es diferente, igual que él mismo en este momento: el reflejo de un soldado que sobrevivió mucho tiempo en las entrañas de la guerra—. Sé lo que eso crea en ti.

Intento hablar. Lo intento de verdad.

Pero lo suelto y me dejo perder en el sueño.

El penetrante olor del aire salado me despierta a la mañana siguiente. Alguien abrió la ventana, por la que entran una fresca brisa de otoño y la radiante luz del sol. La tormenta ya ha pasado. Antes de abrir los ojos, intento imaginar que estoy acostada en mi catre, que la brisa viene del río y que todo lo que tengo que decidir es si ir a la escuela o no. Pero no es un consuelo. A pesar de que esa vida era más fácil, no volvería a ella aunque pudiera.

Tengo muchas cosas que hacer. Debo ver la lista de Julian, comenzar los preparativos para esa gran tarea. Y si pido a Cal para esto, ¿me lo negarán? ¿Quién podría decir que no ante la posibilidad de salvar a tantas personas de la sentencia de muerte de Maven?

Algo me dice que el hombre del ojo inyectado en sangre podría hacer eso, pero descarto en seguida esta idea.

Gisa está tumbada en la litera que se encuentra frente a mí y usa su mano sana para deshilar un paño negro. No se molesta en mirarme mientras me estiro y hago crujir algunos de mis huesos.

—Buenos días, *nena* —dice, y apenas puede contener una sonrisa burlona.

Recibe una almohada en la cara por su atención.

—¡No empieces! —refunfuño, aunque en el fondo me siento feliz por la broma. ¡Si Kilorn actuara de esta manera y volviera a ser un poco el pescador que recuerdo!

—Todos están en el comedor. No han terminado de desayunar.

—¿Dónde está la enfermería? —pregunto, y pienso en Shade y Farley. Ella es por el momento uno de los mejores aliados que tengo aquí.

—Debes comer algo, Mare —dice Gisa con un tono categórico, y por fin se incorpora—. En serio.

La preocupación en sus ojos me refrena. Seguro que tengo peor aspecto de lo que creo para que Gisa me trate con gentileza.

—¿Dónde está el comedor, entonces?

Ella resopla al tiempo que se pone en pie y arroja su trabajo a la litera.

—¡Sabía que iba a acabar de niñera! —farfulla, y es casi como si oyera hablar a nuestra exasperada madre.

Esta vez esquiva la almohada.

El laberinto del cuartel es más fácil de recorrer ahora. Al menos recuerdo el camino, y tomo nota mental de las puertas cuando pasamos frente a ellas. Algunas están abiertas, y ponen al descubierto cuartos vacíos o algunos Rojos ociosos. Ambas cosas indican el uso al que está dedicado el Cuartel 3, que parece ser la estructura *familiar* designada. Sus ocupantes no tienen el aspecto de soldados de la Guardia, y dudo que la mayoría de ellos haya estado alguna vez en una batalla. Veo pruebas de la presencia de niños, e incluso de algunos bebés, que huyeron con sus familias o fueron traídos a Tuck. Un cuarto en particular luce rebosante de juguetes viejos o rotos, y tiene paredes presurosamente pintadas de un amarillo horrible en afán de alegrar el cemento. Aunque no hay nada escrito en la puerta, comprendo a quiénes está destinada esta habitación. *A los huérfanos*. Desvío la mirada de inmediato y veo todo menos la jaula de fantasmas vivientes.

Atraviesan el techo unos tubos que acarrean una lenta pero sostenida pulsación eléctrica. No sé qué mueve a esta isla, pero ese zumbido grave es un consuelo que me recuerda quién soy. Cuando menos esto es algo que nadie puede quitarme aquí, tan lejos de la habilidad silenciadora del difunto Arven, el Plateado. Ayer estuvo a punto de matarme y de sofocar mi habilidad con la suya, con lo que me hizo volver a ser la chica Roja que sólo tenía tierra bajo las uñas. Aunque en la plaza apenas dispuse de tiempo para asustarme de ese peligro, ahora me obsesiona. Mi habilidad es mi bien más preciado, pese a que me separe de todos. Pero por el poder, por mi *propio* poder, estoy dispuesta a pagar ese precio.

—¿Qué ocurre? —pregunta Gisa mientras sigue mi mirada a las alturas. Repara en el cableado y trata de percibir lo que siento, pero le es imposible—. ¿La electricidad?

No sé qué decirle. Julian lo explicaría con facilidad, y puede que debatiera consigo mismo entre tanto, todo ello mientras detallara la historia de mis habilidades y el modo en que surgieron. Pero Maven me reveló ayer que mi viejo maestro no pudo escapar. Fue capturado. Y conociendo a Maven, por no mencionar a Elara, lo más probable es que Julian esté muerto ya; que haya sido ejecutado a causa de todo lo que me dio, y por crímenes cometidos hace mucho tiempo. Por ser el hermano de la mujer a la que el antiguo monarca amaba de verdad.

—Poder —digo, al fin, mientras abro de golpe la puerta al mundo exterior. El aire del mar me da de frente y juega con mi maltratado cabello—. Fuerza.

Palabras Plateadas, pero ciertas de todas formas.

Aunque Gisa no es de las que me dejarían salir fácilmente de un apuro, guarda silencio. Comprende que sus preguntas no son algo que yo quiera contestar.

De día, Tuck es al mismo tiempo menos y más ominosa. El sol brilla radiante en el cielo y calienta el aire de otoño; más allá del cuartel, la vegetación marina da paso a un escaso conjunto de árboles. No se parecen en nada a los robles y pinos de Los Pilares, pero por ahora me bastan. Gisa me lleva por el patio de cemento, cuyo ajetreo sorteamos. Miembros de la Guardia con sus fajas rojas descargan las unidades móviles y apilan más cajas como las que vi en el submarino. Me detengo un poco, con la esperanza de echar un vistazo a su cargamento, pero extraños soldados con uniformes nuevos me dan qué pensar. Visten de azul, pero no del vivo color de la Casa de Osanos, sino de una tonalidad mate y oscura. Aunque me resulta familiar, no puedo identificarla. Se parecen a Farley, altos y pálidos y con el cabello rubio muy corto y refulgente. Me doy cuenta de que son *extranjeros*. Vigilan las pilas de carga, rifle en mano, como si protegieran las cajas.

Pero ¿protegerlas de quién?

—No los mires —sisea Gisa y me agarra de la manga. Me arrastra consigo, ansiosa de huir de los soldados azules. Uno en particular nos ve alejarnos, con los ojos entrecerrados.

—¿Por qué no? ¿Quiénes son ellos?

Sacude la cabeza y me tira de ella otra vez.

—Aquí no.

Como es natural, quiero detenerme para mirar al soldado hasta que se percate de quién y qué soy. Pero ésta es una necesidad absurda e infantil. Debo mantener mi máscara, debo conservar el aspecto de la pobre chiquilla destrozada por el mundo. Permito que Gisa siga adelante para marcharme con ella.

—Son los hombres del coronel —susurra tan pronto como nadie puede oírnos—. Llegaron con él del norte.

El norte.

—¿Son Lacustres? —casi exclamo de sorpresa.

Ella asiente, imperturbable.

Los uniformes del color de un lago frío cobran sentido ahora. Son soldados de otro ejército, de *otro* rey, pero están aquí, con nosotros. Norta ha estado en guerra con la comarca de los Lagos durante un siglo, enfrascada en una disputa por territorio, alimentos y gloria. Los reyes del fuego contra los reyes del invierno, con sangre roja y plateada entre unos y otros. Pero da la impresión de que el amanecer está llegando para todos.

—El coronel es un Lacustre. Después de lo que sucedió en Arcón... —la cara se le crispa de congoja, aunque desconoce la mitad de lo que fue mi suplicio ahí— vino *a poner orden*, como dice Tramy.

Algo no marcha bien aquí, y tira de mi cerebro como mi hermana lo hizo de mi manga.

—¿Quién es ese coronel, Gisa?

Tardo un minuto en darme cuenta de que hemos llegado al comedor, un edificio de baja altura idéntico al cuartel. El alboroto del desayuno retumba detrás de las puertas, pero no entramos. Aunque el olor a comida hace que mi estómago ruja, espero la respuesta de Gisa.

—El hombre del ojo inyectado en sangre —dice al fin y señala su propia cara—. Él está al mando.

El mando. Shade susurró esta palabra en el sumergible, pero no le presté mucha atención. ¿Era a esto a lo que se refería? ¿Era del coronel de quien quería prevenirme? Después de la forma siniestra en que trató a Cal anoche, debo pensar de esa manera. Y saber que ese hombre está a cargo de esta isla y de todos los que se encuentran en ella no es particularmente reconfortante.

—Así que han destituido a Farley.

Ella se alza de hombros.

—La capitana Farley falló. Y eso no fue del agrado de él.

Entonces me odia.

Gisa extiende una mano pequeña para abrir la puerta. La otra ha sanado más de lo que había pensado; sólo el cuarto y quinto dedos siguen extrañamente retorcidos y enroscados. Sus huesos se han atrofiado, en castigo por confiar en su hermana una vez, hace mucho tiempo.

—¿Adónde han llevado a Cal, Gisa?

Lo digo en voz tan baja que temo que no me escuche, pero su mano se aquieta en ese momento.

—Hablaron de él anoche, cuando dormías. Kilorn no sabía nada, pero Tramy fue a verlo. A vigilar.

Un dolor intenso atraviesa mi corazón.

—¿A vigilar *qué*?

—Dijo que por ahora sólo fueron unas preguntas. Nada perjudicial.

Frunzo el ceño en mi interior. Se me ocurren muchas preguntas que le harían a Cal más daño que cualquier herida.

—¿Dónde está? —inquiero de nuevo. Pongo un poco de aplomo en mi voz para hablar como debería hacerlo una princesa Plateada de nacimiento.

—En el Cuartel 1 —susurra—. Les oí decir que en el Cuartel 1.

Mientras abre la puerta del comedor, miro más allá de su hombro, hacia la fila de cuarteles en dirección a los árboles. Sus números están claramente pintados de negro contra el cemento blanqueado por el sol: *2, 3, 4...*

Un súbito escalofrío recorre mi espalda.

El Cuartel 1 no existe.

SEIS

La comida es casi toda insípida, una papilla gris y agua tibia. Sólo el pescado está bueno: bacalao traído directamente del mar. Tiene un sabor picante a sal y océano, igual que el aire. A Kilorn le maravilla este plato, y se pregunta ociosamente qué tipo de redes usará la Guardia. *Para redes, ¡en la que estamos atrapados, idiota!*, quisiera gritarle, pero el comedor no es el lugar apropiado para palabras como ésas. También hay Lacustres aquí, y se muestran impasibles en sus uniformes de color azul oscuro. Mientras los miembros de la Guardia, uniformados de rojo, comen con el resto de los refugiados, los Lacustres no descansan. Están constantemente al acecho. Me recuerdan a los agentes de seguridad, y siento el consabido escalofrío. Tuck no se diferencia mucho de Arcón. Diversas facciones se disputan el mando, y estoy justo en el centro. Tal vez Kilorn, mi amigo, mi más viejo amigo, no crea que esto sea peligroso. O peor todavía, lo sabe y no le importa.

Mi silencio persiste, sólo roto por las continuas dentelladas al pescado. Me observan con atención, tal como se les instruyó hacer. Mamá, papá, Kilorn, Gisa: todos fingen no mirar, y fracasan. Los chicos se han marchado; no se apartan de la cama de Shade. Lo mismo que yo, creyeron que estaba muerto, y compensan el tiempo perdido.

—¿Cómo llegasteis hasta aquí?

Ya que no puedo articular estas palabras, las digo rápido. Es mejor que sea yo quien formule las preguntas antes de que ellos empiecen a hacérmelas a mí.

—En un buque —contesta papá rudamente, en tanto sorbe su papilla.

Se ríe de su broma, complacido consigo mismo. Esbozo una sonrisa por consideración a él. Mamá le da un leve codazo al tiempo que produce con la lengua un chasquido de exasperación.

—Sabes lo que ha querido decir, Daniel.

—No soy tonto —rezonga él, y se mete otra cucharada en la boca—. Hace dos días, a medianoche, Shade apareció en un instante frente al zaguán. En un instante: has oído bien —hace señas con las manos y chasquea los dedos—. Tú sabes de esas cosas, ¿no?

—Sí.

—Casi nos da un ataque, por ese salto y porque él estaba... bueno... vivo.

—Me imagino —murmuro mientras recuerdo la forma en que reaccioné cuando volví a ver a Shade.

Pensé que los dos estábamos muertos, en algún lugar más allá de esta locura. Pero de la misma manera que yo, él se había convertido simplemente en alguien —*algo*— más para poder sobrevivir.

Papá continúa, animado ya. Su silla se mece sobre sus llantas chirriantes al compás de sus gestos descomedidos.

—Bueno, cuando tu madre acabó de llorar, él fue al grano. Se puso a meter cosas en una maleta, cosas inservibles: la bandera del zaguán, las fotos, tu caja de cartas. Era absurdo, de verdad, pero no es fácil preguntarle algo a un hijo que ha vuelto a la vida. Cuando agregó que debíamos irnos ya, en *ese* instante, supe que hablaba en serio. Así que lo hicimos.

—¿Y no pensasteis en el toque de queda? —las Medidas siguen indeleblemente grabadas en mi cabeza, como si fueran uñas en mi piel. ¿Cómo podría haberlas olvidado cuando me obligaron a anunciarlas?—. ¡Pudieron haberos matado!

—Teníamos a Shade y su... su... —papá no encuentra la palabra correcta y hace gestos otra vez.

Gisa entorna los ojos. Ya está aburrida de las gracias de nuestro padre.

—Él le llama *salto*, ¿recuerdas?

—¡Eso es! —asiente papá—. Shade nos hizo pasar de un *salto* sobre las patrullas hasta el bosque. De ahí llegamos al río y a un barco. Todavía permiten que los buques cargueros viajen de noche, así que terminamos sentados sobre una caja de manzanas durante quién sabe cuánto tiempo.

El recuerdo hace estremecer a mamá.

—¡Manzanas *podridas*! —se queja.

Gisa suelta una risita y papá casi sonríe. Por un momento, la papilla gris es el horrible estofado de mamá; las paredes de cemento, madera burdamente tallada, y los Barrow estamos cenando. Nos hallamos en casa otra vez. Aquí soy sencillamente Mare.

Dejo pasar los segundos mientras escucho y sonrío. Mamá parlotea sobre nada en particular, de modo que no tengo que intervenir y esto me permite comer en paz. Ella ahuyenta incluso la vista de otros comensales y a cada ojo que se desvía hacia mí le dirige una mirada malévola que conozco a la perfección. Gisa hace su parte también y distrae a Kilorn con noticias de Los Pilares. Él la escucha con curiosidad y ella se muerde el labio, complacida con su atención; supongo que aún está enamorada de él. Eso deja únicamente a papá, quien deglute como loco su segundo tazón de papilla. Me mira por encima del borde de su plato, y vislumbro al hombre que fue alguna vez. Un soldado alto, fuerte y orgulloso. Una persona a la que apenas recuerdo, muy distinta a la que es ahora. Pero igual que yo, que Shade y la Guardia, él no es la ruina y el ridículo que parece. Pese a su silla, su pierna desaparecida y el artefacto que chasquea en su pecho, ha visto más batallas y sobrevivido más tiempo que la mayoría. Perdió la pierna y el pulmón apenas tres meses antes de que recibiera su baja definitiva, tras casi veinte años de alistamiento. ¿Cuántos consiguen llegar tan lejos?

Parecemos débiles porque queremos. Quizás estas palabras no sean de Shade, sino de nuestro padre. Aunque apenas acabo de adueñarme de mi fuerza, él se ha escondido desde que llegó a casa. Me acuerdo de lo que dijo anoche, semioculto en mis sueños. *Sé lo que es matar a alguien.* No lo dudo.

Curiosamente, es la comida lo que me recuerda a Maven. No el sabor, sino el acto de comer. La última vez que me llevé algo a la boca lo hice a su lado, en el palacio de su padre. Bebimos en copas de cristal, y mi tenedor tenía un mango nacarado. Estábamos rodeados de sirvientes, pero, en gran medida, solos de todas formas. No podíamos hablar de la noche que se avecinaba, pero no cesaba de robarle miraditas, en afán de no perder mi temple. Él me dio una fuerza enorme en ese momento.

Creí que había optado por mí y por mi revolución. Creí que sería mi salvador, una bendición. Creí en lo que podía ayudarnos a hacer.

Sus ojos eran muy azules y desbordaban un fuego de otra clase. Una llama ansiosa, intensa y extrañamente fría, teñida de temor. Pensé que temíamos juntos, por nuestra causa, el uno por el otro. ¡Qué equivocada estaba!

Aparto lentamente el plato de pescado, que arrastro sobre la mesa. *Ya basta.*

El ruido llama la atención de Kilorn como si se tratase de una alarma, y gira para mirarme de frente.

—¿Has terminado? —pregunta mientras lanza un vistazo a mi desayuno, consumido a medias.

Me incorporo en respuesta y se pone en pie conmigo, de un salto. Como un perro que obedeciera órdenes. *Pero no las mías.*

—¿Podemos ir a la enfermería?

Podemos, el tácito nosotros. Elijo cuidadosamente las palabras, una cortina de humo para que olvide quién y qué soy ahora.

Asiente con una sonrisa.

—Shade está cada vez mejor. Bueno, clan Barrow, ¿quién quiere ir a dar un paseo? —añade, y posa su mirada en lo más parecido a una familia que él tiene a su disposición.

Abro mucho los ojos. Debo hablar con Shade, para saber dónde está Cal y qué piensa hacerle el coronel. Aunque echaba de menos demasiado a mi familia, no hará más que interponerse en mi camino. Papá lo comprende, por fortuna. Su mano se mueve velozmente bajo la mesa para darse a entender sin palabras y detener a mamá antes de que diga algo. Ella cambia de actitud y adopta una sonrisa de disculpa que no llega hasta sus ojos.

—Os acompañaremos después —dice, aunque sugiere mucho más que eso—. Ya casi es hora de un cambio de batería, ¿verdad?

—¡Diantres! —refunfuña papá ruidosamente, tras lo cual arroja su cuchara en su tazón de inmundicia.

Gisa posa un instante sus ojos en los míos para adivinar lo que necesito. *Tiempo, espacio, una oportunidad para empezar a desenredar este embrollo.*

—Tengo estandartes que terminar —suspira—. Vosotros los estropeáis muy pronto.

Kilorn se desembaraza de la inocente pulla con una carcajada y una sonrisa torcida, como lo ha hecho en miles de ocasiones.

—Bueno, como queráis. Es por aquí, Mare.

Con la mayor condescendencia posible, dejo que me guíe por la sala. Para llamar la atención, me hago pasar por coja, con los ojos fijos en el suelo. Contengo el impulso de volverme mientras todos me miran: los miembros de la Guardia, los Lacustres, incluso los refugiados. Mi periodo en la corte del rey difunto me es útil también en una base militar, donde otra vez debo encubrir quién soy. En ese tiempo fingí ser una Plateada, inquebrantable, sin temor a nada; un baluarte de fuerza y poder llamado Mareena. Pero esa joven estaría ahora junto a Cal, quien se halla confinado en el desaparecido Cuartel 1. Así que debo ser Roja de nuevo, una chica llamada Mare Barrow, una muchacha de la que nadie debería temer ni sospechar, que confía en un joven Rojo y no en ella misma.

La advertencia de papá y de Shade jamás había sido tan clara.

—¿La pierna te molesta todavía?

Pongo tanta atención en fingirme coja que apenas si escucho la preocupada pregunta de Kilorn.

—No es nada —respondo al fin, y aprieto los labios para formar una delgada línea de dolor forzado—. Me las he visto peores.

—Como tener que saltar del zaguán de Ernie Wick.

El recuerdo hace que sus ojos brillen. Me rompí la pierna ese día, y pasé varios meses con un yeso que nos costó a ambos la mitad de nuestros ahorros.

—No fue culpa mía.

—Creo recordar que fuiste tú quien decidió hacerlo.

—Me *desafiaron*.

—¿Quién pudo hacer algo así?

Estalla en carcajadas mientras se abre camino por varias puertas dobles. El pasillo tras la segunda es obviamente una incorporación reciente; la pintura parece húmeda en algunas partes todavía. Y en lo alto, la luz parpadea. *Mal cableado*, lo sé en seguida, gracias a que siento los lugares donde la electricidad se debilita y extingue. Pero uno de los cables de energía se mantiene entero, y corre por el pasaje de la izquierda. Para mi desilusión, Kilorn da la vuelta a la derecha.

—¿Qué es eso? —pregunto, y señalo el camino contrario.

Él no miente.

—No sé.

La enfermería de Tuck no es tan tétrica como el puesto médico del sumergible. Las altas y angostas ventanas están abiertas de par en par e inundan de luz y aire fresco el recinto. Prendas blancas van y vienen entre los enfermos con vendas totalmente libres de sangre roja. Algunas conversaciones en voz baja, unas toses secas, incluso un estornudo, llenan la habitación. Ninguna queja de dolor ni un solo hueso al crujir interrumpen ese suave murmullo. Nadie está muriendo aquí. *O simplemente ya murió*.

Encontrar a Shade no es difícil, y esta vez no finge dormir. Su pierna está elevada todavía, sostenida por una eslinga bastante profesional, y el vendaje de su hombro ofrece un limpio aspecto. Está tumbado a la derecha y mira la cama que hay junto a él con una expresión imperturbable. No sé aún con quién habla. Una cortina cubre dos lados de la cama, así que el ocupante queda oculto del resto de la enfermería. Mientras nos aproximamos, Shade mueve la boca deprisa y susurra palabras que no puedo descifrar.

Hace un alto súbito cuando me ve, y siento eso como una traición.

—¡Te has perdido a los brutos! —exclama, al tiempo que se acomoda para hacerme sitio en su lecho.

Un enfermero se acerca para ayudarlo, pero él lo aparta agitando una mano herida.

Los brutos, el viejo sobrenombre de nuestros hermanos. Shade fue siempre de baja estatura, y solía ser el saco de boxeo de Bree. Tramy era más indulgente, aunque seguía sin falta los torpes pasos de Bree. Shade se volvió después lo bastante rápido y listo para eludir a ambos, y me enseñó a hacer lo mismo. No dudo que los haya echado de su lado para disponer de suficiente privacidad para hablar conmigo, y con quienquiera que se halle detrás de la cortina.

—¡Qué bien, me sacan de quicio! —profiero con una sonrisa bonachona.

Para los extraños, daríamos la apariencia de ser un par de hermanos cascarrabias. Pero Shade sabe que eso no es cierto, y sus ojos se ensombrecen cuando llego hasta el pie de su cama. Nota mi cojera forzada y hace con la cabeza una levísima inclinación. Imito su acto. *He entendido claramente tu mensaje, Shade.*

Antes de que pueda insinuar siquiera una pregunta sobre Cal, una voz me interrumpe. Aprieto los dientes tan pronto como la oigo, con el deseo de mantener la calma.

—¿Qué te parece Tuck, Niña Relámpago? —pregunta Farley desde la cama aislada que hay junto a Shade.

Mece las piernas en el borde, me mira de frente y tiene ambos puños apretados bajo las sábanas. Un gesto de dolor surca su hermoso rostro, estropeado por una cicatriz. La interrogante es fácil de esquivar.

—No lo he decidido todavía.

—¿Y el coronel qué te parece? —continúa en voz baja.

Exhibe unos ojos cautelosos, indescifrables. No puede saberse qué quiere oír, así que levanto los hombros y me ocupo en colocar las mantas de Shade.

Algo semejante a una sonrisa frunce sus labios.

—Él causa al principio muy buena impresión. Debe demostrar que tiene el control en todo momento, especialmente ante personas como vosotros dos.

Rodeo la cama de Shade en un segundo y me planto entre Farley y él. Estoy tan desesperada que se me olvida renquear.

—¿Por eso se ha llevado a Cal? —pregunto, con palabras rápidas y cortantes—. ¿No puede tener un guerrero como él a su lado, porque lo haría quedar en ridículo?

Ella baja los ojos, como si se avergonzara.

—No —murmura. Parece una disculpa, pero no sé todavía de qué—. No se ha llevado al príncipe por eso.

Un brote de temor surge en mi pecho.

—¿Por qué entonces? ¿Qué ha hecho él?

No tiene la oportunidad de decírmelo.

Un silencio extraño se abate sobre la enfermería, los enfermeros, mi corazón y las palabras de Farley. Las cortinas de ésta nos impiden ver la puerta, pero escucho fuertes pisadas de botas que marchan a paso corto. Nadie habla, aunque algunos soldados saludan desde sus lechos conforme las botas

101

se aproximan. Puedo verlas por la separación que hay entre la cortina y el suelo. Son de piel negra, están cubiertas por arena húmeda y se acercan cada vez más. Hasta Farley se estremece cuando las ve, y clava sus uñas en la cama. Kilorn da un paso hacia mí y me cubre a medias con su pesado cuerpo, en tanto que Shade hace todo lo posible por incorporarse.

Aunque ésta es una unidad médica llena de Rojos heridos y mis supuestos aliados, una pequeña parte de mí invoca al rayo. La electricidad estalla en mi sangre, lo bastante cerca para que recurra a ella si la necesito.

El coronel rodea la cortina, con el ojo rojo inmóvil en una mirada constante. Para mi sorpresa, se posa en Farley, así que me relega por lo pronto. Sus escoltas, Lacustres a juzgar por su apariencia, parecen versiones pálidas y sombrías de mi hermano Bree: con músculos labrados, altos como árboles y obedientes. Flanquean al coronel con movimientos estudiados y toman posiciones al pie de las camas de Shade y Farley. El coronel se sitúa en el centro y nos cierra el paso a Kilorn y a mí. *Para demostrar que tiene el control.*

—¿Así que ha preferido esconderse aquí, capitana? —pregunta en lo que retira la cortina alrededor del lecho de Farley. Ella se eriza con tan sólo escuchar ese título y la insinuación. Cuando él continúa hablando con fuerza, ella se encoge visiblemente—. Usted es lo bastante lista para saber que la presencia de público no la protegerá.

—Intenté hacer todo lo que pidió, por difícil e imposible que fuera —protesta. Sus manos tiemblan bajo las mantas, pero no de temor sino de ira—. Usted me dejó apenas cien soldados para derrotar a Norta, un reino entero. ¿Qué esperaba, coronel?

—Esperaba que volviera con más de veintiséis de ellos — la réplica cala hondo—. Esperaba que fuera más lista que un *principito* de diecisiete años. Esperaba que protegiera a sus soldados, no que los arrojara a una guarida de lobos Plateados. Esperaba mucho más de usted, Diana, mucho más de lo que ha logrado.

Diana. Este nombre es su golpe maestro. *Su verdadero nombre.* Los temblores de ira de Farley se tornan vergüenza, lo que la reduce a un mero caparazón vacío. Mira sus pies y fija la vista en el suelo. Conozco bien esa mirada. Es la de un alma hecha pedazos. Si hablas, si te mueves, te derrumbarás. Ella empieza ya a desmoronarse, arrasada como ha sido por el coronel, sus palabras y su nombre.

—Yo la convencí, coronel.

Una parte de mí querría que me temblara la voz, para que este hombre creyera que le temo. Pero me he enfrentado a cosas peores que un soldado con un ojo inyectado en sangre y mal genio. Mucho peores.

Aparto a Kilorn y doy un paso al frente.

—Respondo por Maven y su plan. De no haber sido por mí, sus hombres y mujeres estarían vivos, coronel. Son mis manos las que están manchadas de sangre, no las de ella.

Para mi sorpresa, el coronel se limita a reír de mi arrebato.

—No todo gira alrededor de usted, señorita Barrow. El mundo no sube y baja a su antojo.

No es eso lo que he querido decir. Suena absurdo, incluso en mi propia cabeza.

—Estos errores son de ella y de nadie más —continúa, y se vuelve hacia Farley—. La relevo de su mando, Diana. ¿Se opone a ello?

Durante un breve y explosivo momento, da la impresión de que ella podría hacerlo. Pero baja la cabeza y la mirada y se repliega en sus adentros.

—No, señor.

—Ésta es la mejor decisión que ha tomado en semanas —espeta, y se da la vuelta para marcharse.

Pero ella no ha terminado todavía. Eleva la mirada una vez más.

—¿Qué hay de mi misión?

—¿Su misión? ¿Qué misión? —el coronel está más intrigado que molesto, y su ojo sano se le desorbita—. No he sido enterado de nuevas órdenes.

Cuando Farley me lanza una mirada, siento una rara afinidad con ella. Incluso derrotada, no ceja en su lucha.

—La señorita Barrow tenía una propuesta interesante, que pienso poner en práctica. Creo que la comandancia estará de acuerdo.

Casi le sonrío, envalentonada por su declaración ante tan formidable adversario.

—¿Qué propuesta es ésa? —pregunta el coronel, y se yergue en mi dirección.

Lo tengo tan cerca que puedo ver que las marcadas espirales de sangre de su ojo se mueven lentamente, como si fueran nubes al viento.

—Recibí una lista de nombres. De Rojos como mi hermano y como yo, nacidos con la mutación que hace posibles nuestras… habilidades —tengo que convencerlo, lo *tengo* que lograr—. Tienen que ser encontrados, protegidos, *adiestrados*. Son Rojos igual que nosotros, pero fuertes como los Plateados, capaces de combatirlos de frente. Tal vez incluso tan poderosos como para ganar la guerra —tiemblo y resuello al pensar en Maven—. El rey está al tanto de esta lista, y seguro que los matará a todos si nosotros no los encontramos primero. No dejará escapar un arma tan efectiva.

El coronel guarda silencio un segundo, con su mandíbula en movimiento mientras piensa. Hasta se atreve a juguetear con una hermosa cadena que el cuello de su camisa oculta a la vista. Alcanzo a ver eslabones de oro entre sus dedos, una prenda selecta que ningún soldado debería portar. Me pregunto a quién se la habrá robado.

—¿Y quién le dio esos nombres? —inquiere por fin, con voz desapasionada y difícil de descifrar. Para ser tan ordinario, es asombrosamente bueno para ocultar lo que piensa.

—Julian Jacos.

Mis ojos se anegan en lágrimas cuando oigo ese nombre, pero no les permitiré desbordarse.

—Un Plateado —dice el coronel con sorna.

—Un simpatizante —replico, irritada por su tono—. Él fue arrestado por rescatar a la capitana Farley, a Kilorn Warren y a Ann Walsh. *Ayudó* a la Guardia Escarlata, se puso de *nuestra* parte. Y probablemente esté muerto por eso.

El coronel se sostiene sobre sus talones y no abandona su ceño fruncido.

—Su Julian está vivo.

—¿Vivo? ¿Todavía? —exclamo sorprendida—. Pero Maven dijo que iba a matarlo...

—Extraño, ¿verdad?, que el rey Maven permita que un traidor como él siga respirando —se deleita con mi azoro—. A mi manera de ver, su Julian nunca estuvo de su parte. Le dio la lista para que nos la entregara, y nosotros, a nuestra vez, lanzáramos a la Guardia en una caza de necios que culminaría en otra trampa.

Todo el mundo puede traicionar a cualquiera. Pero me niego a creer eso de Julian. Lo conozco lo suficiente para saber dónde están sus lealtades: conmigo, con Sara y con quienquiera que se oponga a la reina que le quitó la vida a su hermana.

—E incluso si, y sólo *si*, la lista fuera verdadera y los nombres que contiene nos llevaran hasta otros —busca la palabra correcta sin molestarse en ser cortés— *objetos* como usted, ¿qué sucedería? ¿Evadiremos a los peores agentes del reino, cazadores mejores y más rápidos que nosotros, para buscarlos? ¿Intentaremos un éxodo masivo de aquéllos que podamos *salvar*? ¿Fundaremos la Escuela Barrow de Bichos Raros y dedicaremos años enteros a prepararlos para la lucha? ¿Ignoraremos por ellos todo lo demás, a los que sufren, a los niños soldados, las ejecuciones? —sacude la cabeza, y los músculos gruesos de su cuello se dilatan—. Esta guerra terminará y nuestros cuerpos se habrán enfriado antes de que ganemos siquiera un poco de terreno con su propuesta —mira a Farley con indignación—. El resto de la comandancia dirá lo mismo, Diana, así que, a menos que quiera hacer el ridículo otra vez, le sugiero guardar silencio a este respecto.

Cada argumento se deja sentir como el golpe de un martillo, y me baja los humos. Tiene razón en algunas cosas. Maven enviará a sus mejores elementos a perseguir y matar a quienes aparecen en la lista. Tratará de mantenerlo en secreto, lo que le provocará retrasos, aunque no muchos. Es indudable que tenemos ante nosotros una labor sumamente difícil. Pero si hay siquiera una sola oportunidad de reclutar otro soldado como yo, como Shade, ¿no vale la pena pagar el precio?

Pese a que abro la boca para decir justamente eso, él levanta una mano.

—No oiré nada más acerca de este asunto, señorita Barrow. Y antes de que usted haga un comentario insidioso en el sentido de que intento detenerla, recuerde su juramento. Juró lealtad a la Guardia Escarlata, no a sus motivos egoístas —hace una seña hacia la sala de soldados heridos, todos ellos heridos por haber combatido por mí—. Y si estos rostros no bastan para mantenerla a raya, recuerde entonces a su amigo y la situación en que se encuentra en esta base.

Cal.

—Usted no se atrevería a hacerle daño.

Su ojo inyectado en sangre se ensombrece, y remolinea con un carmesí oscuro, el color de la rabia.

—Si con ello protegiera a los míos, lo haría sin vacilar —las comisuras de sus ojos se elevan y delatan una sonrisa—. Tal como usted lo hizo. No le quepa la menor duda, señorita Barrow: le ha hecho daño a muchas personas con tal de cumplir sus propios fines, y al príncipe más que a ninguna otra.

Por un momento, es como si mis propios ojos se empañaran de sangre. Todo lo que veo es rojo, una cólera lívida. Las chispas acuden presurosas a las yemas de mis dedos y respingan justo bajo mi piel, pero cierro los puños para contenerlas. Cuando mi visión se aclara, las luces parpadean en el techo, la única indicación de mi furia. Y el coronel se ha marchado, para dejarnos arder solos a fuego lento.

—¡Tranquila, Niña Relámpago! —murmura Farley, con una voz más baja que nunca—. No todo va mal.

—¿Ah, no? —suelto entre dientes. Nada deseo más en este momento que explotar, dejar que salga mi verdadero ser y enseñarles a estos cobardes con quién tratan. Pero en el mejor de los casos, eso me haría merecedora de una celda. De una bala, en el peor de los casos. Además, moriría sabiendo que el coronel está en lo cierto. Ya he hecho mucho daño, y siempre a las personas que están más cerca de mí. *Por aquello que creía correcto*, me digo. *Por algo mejor.*

En lugar de compadecerme, Farley se endereza y se recuesta mientras me ve bullir. La niña avergonzada que era hace apenas un instante desaparece con una facilidad sorprendente. *Una máscara más.* Se lleva la mano al cuello, de donde extrae una cadena de oro idéntica a la que porta el coronel. No tengo tiempo para preguntarme sobre la relación que existe entre ambos, porque algo relumbra en el collar. Una llave de hierro de forma puntiaguda. No me hace falta preguntar dónde se encuentra el cerrojo. En el *Cuartel 1*.

Me la arroja con obvia despreocupación, acompañada de una sonrisa perezosa.

—Ya verás que soy muy buena para dar órdenes, pero pésima para obedecerlas.

SIETE

Kilorn no para de quejarse mientras salimos de la enfermería en dirección al patio de cemento. Incluso camina despacio y *me* obliga a reducir la marcha. Intento ignorarlo, por el bien de Cal, por la causa, pero cuando oigo la palabra *idiota* por tercera vez, tengo que detenerme en seco.

Se estrella contra mi espalda.

—Lo lamento —dice, aunque no parece para nada una disculpa.

—No, quien lo lamenta soy yo —replico, y me vuelvo para hacerle frente. Algo del enojo que el coronel provocó en mí hace explosión ahora, y mis mejillas enrojecen de furia—. Lamento que no puedas dejar de ser un tonto ni siquiera durante *dos minutos* para enterarte de lo que sucede.

Creo que me contestará a gritos, para devolver un golpe por otro como de costumbre, pero toma aire, retrocede y hace cuanto puede por calmarse.

—¿Me crees tan bruto? —pregunta—. ¡Ilústrame, Mare, por favor! Muéstrame la luz. ¿Qué sabes tú que yo ignoro?

La respuesta exige salir, pero el patio es demasiado público, repleto como está de soldados del coronel, integrantes de la Guardia y refugiados que van y vienen por doquier. Y aunque aquí no hay susurros Plateados que me lean la mente ni cámaras que vigilen cada uno de mis pasos, no cederé. Kilorn sigue mi mirada hasta una compañía de la Guardia que corre a unos metros de nosotros.

—¿Crees que te espían? —pregunta casi con sorna, y con una voz tan baja que parece un susurro burlón—. ¡Vamos, Mare! ¡Todos los que estamos aquí pertenecemos al mismo bando!

—¿Estás seguro? —lo cuestiono, para dar tiempo a que sus palabras adquieran sentido—. Has oído cómo me ha llamado el coronel. Un *objeto*. Un *bicho raro*.

Se ruboriza.

—No lo dijo en serio.

—¿Lo conoces tan bien como para asegurarlo? —por fortuna, para esto no tiene réplica—. Me mira como si yo fuera el enemigo, una especie de *bomba* a punto de estallar.

—No está… —titubea, indeciso entre pronunciar o no las palabras que por fin salen de sus labios—. No está muy lejos de la verdad, ¿no es así?

Giro tan rápido que los tacones de mis botas dejan marcas negras en el suelo. ¡Ojalá pudiera dejar un moretón igual en la cara del cretino de Kilorn!

—¡Eh, vamos! —exclama tras de mí, y acorta la distancia entre nosotros con unos pasos rápidos, pero no me detengo y lo obligo a perseguirme—. ¡Alto, Mare! No he sabido explicarme…

—¡*Eres* un idiota, Kilorn Warren! —le digo por encima del hombro. El Cuartel 3 se alza ante mí y me brinda una tentadora protección—. ¡Un tonto, ciego y cruel!

—¡Tú tampoco eres nada fácil! —reclama, para convertirse al fin en el zafio pendenciero que es.

Como no contesto y casi corro hasta la puerta del cuartel, su mano se cierra en mi brazo y me para en seco. Intento zafarme, pero él conoce todos mis trucos. Me aleja a rastras de la puerta, hacia el callejón sombreado que hay entre los cuarteles 3 y 4.

—¡Suéltame! —le ordeno indignada. En el frío y perentorio tono de mi voz, oigo que algo de Mareena vuelve a la vida.

—¡Ahí está! —explota y apunta un dedo a mi rostro.

Lo aparto con un fuerte empujón y me suelto. Suspira enfurecido, tras lo cual se pasa los dedos por su erizado cabello.

—Sé que has tenido que soportar muchas cosas, Mare. *Todos* lo sabemos. Lo que debiste hacer para sobrevivir entre *ellos* mientras nos ayudabas y descubrías lo que eres. No sé cómo pudiste sobrellevarlo, pero eso te cambió —*¡qué perspicaz, Kilorn!*—. Que Maven te haya traicionado no significa que debas dejar de confiar en la gente —baja los ojos y juguetea nerviosamente con las manos—. En especial en mí. No sólo soy alguien que pueda cubrirte, también soy tu amigo, y te ayudaré tanto como pueda en todo lo que necesites. Por favor, confía en mí.

Ojalá pudiera.

—¡Madura, Kilorn! —exclamo en cambio, con tanta severidad que me asusta—. En lugar de decirme lo que ellos pensaban hacer, me volviste su cómplice, me obligaste *a mirar* cuando se llevaron a Cal *a punta de pistola.* ¿Y ahora me pides que confíe en ti? ¡Si estás involucrado con estas personas que sólo buscan una excusa para encerrarme! ¿Qué clase de tonta crees que soy?

Algo cobra vida en sus ojos, la vulnerabilidad oculta tras la relajada imagen que él se empeña en mantener. He aquí al muchacho que lloró al pie de mi ventana. Al chico que era en esa época, quien se resistía al llamado a combatir y morir. Intenté salvarlo de eso, pero no hice sino acercarlo más al peligro, a la Guardia Escarlata, a la muerte.

—Ya veo —dice al fin. Da un par de rápidos pasos atrás hasta que el callejón se abre entre nosotros—. Es lógico —añade y levanta los hombros—. ¿Por qué habrías de confiar en mí? Sólo soy un pescador. Nada comparado contigo, ¿verdad? Comparado con Shade. Y con *él...*

—¡Kilorn Warren! —lo reprendo como si fuera un niño, como lo hacía su madre antes de que lo abandonara. Ella ponía el grito en el cielo si él se rasguñaba las rodillas o hablaba cuando no debía hacerlo. No recuerdo mucho más, pero sí que recuerdo su voz, y las miradas fulminantes y desencantadas que reservaba para su único hijo—. Sabes que eso no es verdad.

Son palabras duras, una queja grave y visceral. Él se endereza, con los puños cerrados en los costados.

—Demuéstramelo.

No tengo respuesta para eso. Ignoro qué quiere de mí.

—Lo siento —consigo decir, y esta vez hablo en serio—. Lamento ser...

—¡Mare...! —una mano tibia que me agarra del brazo impide que tropiece. Él está sobre mí, tan cerca que puedo olerlo. Por suerte, el olor a sangre se ha evaporado, sustituido por el de la sal. *Seguro que ya ha nadado varias veces—.* No tienes que disculparte por lo que te hicieron —balbucea—. No tendrás que hacerlo jamás.

—No... no creo que seas ningún tonto.

—Ése es tal vez el mejor cumplido que me hayas hecho nunca —ríe después de una larga pausa y adopta una sonrisa fingida, con lo que pone fin a la conversación—. ¿Debo suponer que tienes un plan?

—Sí. ¿Me ayudarás?

Tras encogerse de hombros, abre los brazos y señala el resto de la base.

—Un pescador no tiene mucho más que hacer.

Lo empujo de nuevo y le arranco una sonrisa de verdad. Pero no perdura.

Farley me dio, junto con la llave, detalladas indicaciones para llegar al Cuartel 1. Del mismo modo que en el continente, aquí también la Guardia Escarlata tiene predilección por los túneles, y la cárcel de Cal es subterránea, desde luego.

Técnicamente, es submarina. *La prisión perfecta para un quemador como él*: construida bajo el muelle, escondida por el océano y protegida por las azules olas y los uniformes color zafiro del coronel. No sólo es la cárcel de la isla; también el arsenal, las habitaciones de los Lacustres y el cuartel general. El acceso más importante es un túnel que arranca de los hangares en la playa, pero Farley me aseguró que hay otra vía. *Podrías mojarte*, me advirtió, con una sonrisa sardónica. Y mientras a mí me desconcierta la idea de meterme en el mar, ya sea muy cerca de la playa, Kilorn está insoportablemente tranquilo. De hecho, es probable que esté emocionado, feliz de poder sacarle provecho a los largos años que pasó en el río.

La protección del mar modera a la Guardia, usualmente alerta, e incluso los Lacustres se relajan a medida que el día transcurre. Los soldados prestan más atención a las faenas de carga y descarga, y a los hangares de almacenamiento que a sus deberes de patrullaje. Los pocos que se mantienen en su puesto, y que dan vueltas en el patio de cemento con las armas al hombro, caminan lenta y holgadamente, y suelen detenerse a charlar entre sí.

Los observo un largo rato mientras simulo escuchar lo que mamá o Gisa dicen durante sus labores. Ambas ordenan la ropa y las sábanas en pilas aparte, y vacían junto con otros refugiados una serie de cajas sin rotular. Se supone que debería ayudarles, pero es obvio que mi atención está en otra parte. Bree y Tramy han vuelto con Shade a la enfermería y papá está sentado cerca. No puede descargar nada, pese a lo cual da órdenes. No ha doblado ropa en su vida nunca.

Él llama mi atención una o dos veces, pues repara en mis nerviosos dedos y miradas inquietas. Siempre parece saber en qué estoy metida, y hoy no es la excepción. Hasta se mueve con su silla para que yo pueda ver mejor el patio. Inclino la cabeza en su dirección y le doy las gracias en silencio.

Estos vigilantes me recuerdan a los Plateados que enviaban a Los Pilares antes de que se promulgaran las Medidas, antes de la celebración de la prueba de las reinas. Eran unos holgazanes y se mostraban satisfechos en mi pacífica aldea, donde era raro que hubiese insurrecciones. ¡Qué equivocados estaban! Esos hombres y mujeres permanecían ciegos a mis robos, el mercado negro, Will Whistle y el lento avance de la Guardia Escarlata. Y estos vigilantes también son ciegos, a mi favor.

No perciben que los observo, como no lo hace Kilorn tampoco, quien se aproxima con una bandeja con un guiso de pescado. Mi familia come con gratitud, Gisa más que nadie. Se ensortija el cabello cuando Kilorn se distrae, para ondularlo sobre su hombro en una cascada de granate rubí.

—¿Pescado fresco? —pregunta mientras señala el tazón.

Él arruga la nariz y finge una mueca ante aquellas plastas grises de pescado.

—No lo atrapé yo, Gee. El viejo Cully jamás habría vendido esto, salvo a las ratas, quizá.

Reímos juntos, aunque lo hago por mero hábito, medio segundo más tarde. Por una vez, Gisa se muestra menos refinada que yo y ríe con ganas, feliz. Antes envidiaba sus perfectos y estudiados modales. Ahora quisiera no ser tan correcta y librarme de mi forzada cortesía con igual facilidad que ella.

Mientras tragamos el almuerzo a duras penas, papá vacía su plato en el suelo cuando cree que no lo veo. No es de sorprender que esté tan delgado. Antes de que pueda regañarlo (o, peor todavía, de que mamá pueda hacerlo), desliza una mano por una manta, como para sentir la tela.

—Éstas las hacen en las Tierras Bajas. Son de algodón nuevo, y muy caras —masculla cuando se da cuenta de que estoy junto a él.

Incluso en la corte Plateada se estimaba que el algodón de las Tierras Bajas era muy fino, una alternativa común a la seda, que se reservaba a los uniformes de los agentes de seguridad, centinelas y militares de alto rango. Recuerdo que Lucas lo usó hasta su muerte. Ahora reparo en que no lo vi nunca vestido de civil; ni siquiera puedo imaginarlo ataviado de ese modo. Y su cara se desdibuja ya. Han pasado apenas unos días y empiezo a olvidar a un hombre cuya muerte he provocado yo.

—¿Habrán sido robadas? —pregunto en voz alta al tiempo que paso una mano sobre la manta, así sea sólo para distraerme.

Papá continúa su investigación y desliza los dedos por el costado de una caja, compuesta por anchos y sólidos tablones a los que se les pintó de blanco en fecha reciente. La única marca distintiva en ellos es un triángulo verde oscuro, más pequeño que mi mano, estampado en la esquina. Qué significa eso, no lo sé.

—Tal vez sean regaladas —contesta papá.

No hace falta que me diga nada más para que yo sepa que pensamos lo mismo. Si hay Lacustres con nosotros aquí, en esta isla, es posible que la Guardia Escarlata tenga también amigos en otras partes, en diferentes naciones y reinos. *Parecemos débiles porque queremos.*

Con un sigilo que desconocía de él, papá me coge de la mano veloz y calladamente.

—Cuídate, mi niña.

Aunque él teme, yo siento esperanza. La Guardia Escarlata tiene raíces más profundas que las que conozco, que las que cualquier Plateado podría imaginar. Y el coronel es apenas uno entre un centenar de jefes, lo mismo que Farley. Se trata sin duda de una oposición, pero que soy capaz de derrotar. Después de todo, no es un rey. Y ya he tenido de éstos lo que en justicia me corresponde.

Igual que papá, vierto mi guiso en una grieta del cemento.

—Ya he terminado —digo, y Kilorn se pone en pie de un salto. Sabe en qué momento entrar en acción.

Iremos a visitar a Shade, o al menos eso es lo que anunciamos públicamente, por el bien de quienes están cerca. Mi familia sabe que no es así, incluso mamá. Ella me lanza un beso cuando me retiro, y lo guardo junto a mi corazón.

Tan pronto como me subo el cuello, me convierto en un refugiado más, y Kilorn es un auténtico don nadie. Los soldados no nos prestan la menor atención. Cruzar el patio de cemento, lejos del puerto y la playa, es sencillo. Basta con seguir la gruesa línea blanca.

A la luz del mediodía, veo que el cemento se extiende hacia unas colinas poco empinadas, lo que le otorga la marcada apariencia de un camino amplio que no conduce a parte alguna. La línea pintada sigue su curso, pero una más angosta y difusa se desprende de ella en ángulo recto. Ésta une la línea central con otra estructura, situada en un extremo de los cuarteles, que se eleva sobre todo lo demás en la isla. Da la impresión de ser una versión más grande de los hangares en la playa, tan alta y ancha como para dar cabida a seis transportes apilados. Me pregunto qué contendrá, pues sé que la Guardia tiene también su parte de ladrona. Pero las puertas están firmemente cerradas, y algunos Lacustres haraganean en la sombra. Charlan entre ellos y no se separan de sus armas, así que mi curiosidad tendrá que aguardar, quizá para siempre.

Kilorn y yo damos la vuelta a la derecha, hacia el pasadizo entre los cuarteles 8 y 9. Sus altas ventanas se ven oscuras y abandonadas. Los edificios están vacíos, a la espera de más soldados, más refugiados o, peor todavía, más huérfanos. Tiemblo mientras atravesamos sus tinieblas.

El arribo a la playa no es difícil. Después de todo, esto es una isla. Y aunque la base está muy urbanizada, el resto de Tuck se encuentra vacío, cubierto únicamente por dunas, colinas envueltas por hierbas altas y algunas arboledas aisladas. Ni siquiera hay senderos que crucen la hierba, en ausencia de animales lo bastante grandes para abrirlos. Nosotros desaparecemos discretamente, y serpenteamos entre plantas bamboleantes hasta que llegamos a la playa. El muelle está a apenas cien metros, como una vasta cuchilla que se adentra en las olas. A esta distancia, los Lacustres que patrullan el área son sólo manchones de un azul oscuro que van y vienen sin cesar. La mayoría se concentra en el buque carguero que se aproxima al extremo contrario del muelle. Me quedo boquiabierta cuando veo una embarcación tan grande, obviamente controlada por Rojos. Kilorn no se distrae.

—Una tapadera perfecta —dice, antes de empezar a quitarse los zapatos.

Sigo su ejemplo, y me quito con los pies mis botas sin cordones y los calcetines gastados. Pero cuando él se desprende de la camisa por la cabeza y deja al descubierto sus conocidos músculos magros, forjados al calor del tirar de las redes, no me siento tan inclinada a imitarlo. No me hace gracia la idea de andar corriendo sin blusa por un búnker secreto.

Dobla su camisa sobre sus zapatos y la manosea como si estuviera un poco nervioso.

—Supongo que esto no es una misión de rescate.

¿Cómo podría serlo? No hay ningún sitio adonde huir.

—Lo único que necesito es verlo. Hablarle de Julian. Ponerlo al tanto de lo que ocurre.

Hace una mueca, pero asiente de todas formas.

—Entrar y salir no debería ser tan difícil, sobre todo porque ellos no esperan que aparezca nadie.

Se estira adelante y atrás y sacude los pies y las manos preparándose para nadar. Repasa entre tanto las instrucciones que Farley nos murmuró. Hay una piscina circular en el fondo del búnker, que da a un laboratorio de investigación. Anteriormente utilizado para estudiar la vida marina, ahora aloja los aposentos del coronel, aunque no los visita nunca durante el día. Estará cerrado por dentro, es fácil de abrir y los pasillos pueden atravesarse sin ningún problema. A esta hora del día las habitaciones estarán vacías, el pasaje desde el puerto permanecerá cerrado y habrá unos cuantos vigilantes.

De niños, Kilorn y yo hicimos frente a algo peor, cuando de un puesto de seguridad robamos una caja de baterías para mi padre.

—Trata de no salpicar —añade Kilorn antes de meterse en el agua.

La piel se le pone de gallina en reacción al fresco mar otoñal, pero apenas lo resiente. Yo sí lo percibo, y cuando el agua me llega a la cintura, mis dientes ya están castañeando. Tras lanzar una última mirada al muelle, me sumerjo bajo una ola y permito que me cale hasta los huesos.

Kilorn se abre camino por el agua sin el menor esfuerzo. Nada como una rana, prácticamente sin hacer ruido. Intento reproducir sus movimientos, y me mantengo junto a él a medida que progresamos. Algo en el agua agudiza mi sentido eléctrico, lo que me facilita sentir la tubería que corre desde la playa. Podría seguirla con una mano si quisiera, y deducir la trayectoria de la electricidad desde el puerto, por el agua y hasta el Cuartel 1. Kilorn se vuelve al fin hacia éste; se dirige en diagonal a la orilla, y luego en paralelo. Su avance es magistral, gracias a que los botes robados que están anclados en el puerto ocultan nuestra aproximación. Toca una o dos veces mi brazo bajo las olas, para comunicarse conmigo mediante una presión ligera. De esta forma me transmite mensajes. *Detente. Continúa. Despacio. Rápido*, todo mientras mantiene la mirada fija adelante, en el muelle. Por fortuna, están vaciando el carguero, lo que distrae la atención de los soldados que pudieran ver nuestras cabezas sobre el agua. Se descargan más cajas, blancas todas ellas, estampadas con el triángulo verde. ¿Éstas contendrán también ropa?

No, descubro cuando una de ellas cae, se abre y cubre de armas el muelle. Son escopetas, pistolas y municiones, hasta sumar probablemente una docena. Destellan bajo el sol, con lo que revelan que son nuevas. Otro regalo para la Guardia Escarlata, otro giro inesperado de raíces muy profundas cuya existencia ignoraba.

El conocimiento de esto hace que nade más rápido, hasta rebasar a Kilorn, a pesar de que me duelen los músculos. Me escondo bajo el muelle, para ponerme a salvo al menos de los ojos que se hallan encima de él, y Kilorn me sigue muy de cerca.

—Está justo debajo de nosotros —susurra con un eco extraño que resuena en el muelle de metal y en el agua que nos rodea—. Puedo sentirlo con los dedos de los pies.

Casi me río cuando lo veo estirarse, con las cejas en pose de concentración, para tratar de rozar con un pie el búnker oculto del Cuartel 1.

—¿He dicho algo gracioso? —refunfuña.

—¡Eres tan bueno…! —contesto con una sonrisa maliciosa.

¡Qué agradable es estar así con él y compartir de nuevo una meta secreta! Aunque esta vez irrumpiremos en un búnker militar, no en la casa a medio cerrar de alguien.

—¡Aquí! —dice finalmente antes de que su cabeza desaparezca bajo el agua. Cuando emerge, abre los brazos para mantenerse a flote—. En el borde.

La parte difícil viene ahora: la zambullida en la sofocante oscuridad en la que sientes como si te ahogaras.

Kilorn descifra de forma certera el miedo que se refleja en mi rostro.

—Sujeta mi pierna.

Apenas puedo asentir.

La piscina redonda está en el fondo del búnker, a sólo siete metros y medio de profundidad.

No es nada, dijo Farley. *La verdad es que sí parece algo*, pienso mientras escudriño el agua negra a mis pies.

—Kilorn, a Maven no le complacerá saber que el mar acabó conmigo antes de que él pudiera hacerlo.

Esta broma sería de mal gusto para cualquier otro, pero a Kilorn le hace gracia, y su sonrisa centellea al contrastar con el agua.

—Aunque me encantaría fastidiar al rey —suspira—, evitemos ahogarnos, ¿de acuerdo?

Con un guiño, se sumerge de cabeza bajo la superficie y me aferro a él.

La sal hace que me ardan los ojos, pero el ambiente submarino no está tan oscuro como creía. Llega luz de arriba, y divide la sombra que el muelle proyecta. Kilorn baja con celeridad por un costado del cuartel. La luz que escarola el agua marca su espalda desnuda y lo motea como a una criatura marina. Me dedico a patalear cuando puedo, y a no encallarme con nada. Éstos no son siete metros y medio, protesta mi mente cuando la punzada de privación del oxígeno se deja sentir.

Exhalo poco a poco y las burbujas pasan frente a mí en su ascenso a la superficie. La respiración de Kilorn fluye en torrentes, única prueba de su esfuerzo. Cuando halla el borde en el fondo, siento que sus músculos se tensan y que patea al mismo tiempo, lo que nos hace hundirnos bajo el búnker encubierto. Me pregunto vagamente si la piscina circular tendrá una puerta y si estará cerrada. ¡Qué buena broma sería que así fuera!

Antes de que sepa qué ocurre, Kilorn sube y pasa por algo de forma repentina, y me arrastra consigo. Un aire viciado pero placentero me golpea en la cara, y aspiro con ansia y hondura.

Sentado ya en la orilla de la piscina, con las piernas metidas en el agua, Kilorn sonríe.

—No aguantarías una mañana desenrollando redes —dice mientras sacude la cabeza—. Esto ha sido un simple chapuzón comparado con lo que el viejo Cully me pedía.

—¡Vaya si sabes darme donde más duele! —replico de manera mordaz, tras lo cual me levanto y entro en la alcoba del coronel.

El compartimento es frío, lo iluminan luces bajas y está tan bien organizado que ofende. Un equipamiento antiguo se halla cuidadosamente adosado a la pared derecha, mientras que un escritorio ocupa la totalidad de la izquierda. Columnas de carpetas y documentos se esparcen sobre la superficie en filas ordenadas, hasta casi consumir el espacio. Al principio ni siquiera veo una cama, pero ahí está, una litera estrecha que se desliza bajo el escritorio. Es evidente que el coronel no duerme mucho.

Kilorn fue siempre un esclavo de su curiosidad, y lo sigue siendo. Goteando todavía, se abre camino hasta el escritorio, listo para explorarlo.

—No toques nada —siseo mientras dejo escurrir mis mangas y mis pantalones—. Si una gota cayera en esos papeles, sabrá que alguien ha estado aquí.

Kilorn asiente y retira la mano.

—Deberías ver esto —dice con tono imperioso.

Me acerco a su lado en un instante. Temo lo peor.

—¿Qué?

Con suma prudencia, señala el único objeto que decora los muros del compartimento. Se trata de una fotografía que el tiempo y la humedad han curvado, pero en la que los rostros son visibles todavía. Cuatro figuras, todas rubias, posan

122

con expresiones serias aunque sinceras. El coronel está ahí, apenas reconocible sin su ojo ensangrentado, y rodea con un brazo a una mujer alta y huesuda mientras posa una mano en el hombró de una niña. Ambas visten ropa manchada de tierra, lo que les da un aire de agricultoras, pero las cadenas de oro en su cuello dicen otra cosa. Sin hacer ruido, saco la cadena de oro de mi bolsillo y comparo el fino metal con los collares de la foto. Pese a la llave dispareja que cuelga del extremo, son idénticos. Kilorn coge suavemente la llave de mi mano, como si cavilara en el posible significado de esto.

La cuarta figura lo explica todo. Una adolescente con una trenza larga y dorada aparece codo con codo junto al coronel y exhibe una sonrisa de satisfacción. Su apariencia es muy joven, muy diferente, sin su cabello corto y sus cicatrices. *Farley*.

—¡Es su hija! —suelta Kilorn en voz alta, demasiado impactado para añadir algo más.

Resisto el impulso de tocar la fotografía para confirmar que es real. Por la forma en que la trató en la enfermería, no es posible que sea cierto. Pero la llamó Diana. Conocía su verdadero nombre. *Y ambos tenían los collares, de una hermana y una esposa.*

—¡Vamos! —murmuro, y aparto a Kilorn de la foto—. No nos molestemos en eso ahora.

—¿Por qué no nos dijo nada? —pregunta con una voz en la que percibo un poco de la traición que he sentido durante días.

—No sé.

No me separo de él mientras nos dirigimos a la puerta del compartimento. *Bajad las escaleras a la izquierda, seguid por la derecha en el descansillo y dad la vuelta a la izquierda otra vez.*

La puerta gira sobre unos goznes aceitados y deja ver un pasaje vacío muy similar a los del submarino: limpio y desahogado, con paredes de metal y una tubería en el techo. La electricidad circula transportada por una red en la que unos cables hacen las veces de capilares. Procede de la costa y alimenta las lámparas y otros mecanismos.

Como dijo Farley, no hay nadie aquí. Nadie que nos detenga. Supongo que, en su carácter de hija del coronel, lo sabe por experiencia. Tan furtivos como si fuéramos unos gatos, seguimos sus instrucciones, atentos a cada paso que damos. Esto me recuerda las celdas que hay bajo la Mansión del Sol, donde Julian y yo incapacitamos a una escuadra de centinelas de caretas negras para dejar en libertad a Kilorn, Farley y la malograda Walsh. Parece algo remoto, pero sucedió hace unos días. Una semana. Hace apenas una semana.

Tiemblo al pensar dónde estaré dentro de siete días.

Llegamos por fin a un pasillo más corto, un callejón sin salida con tres puertas a la izquierda, tres a la derecha y otras tantas ventanas de vigilancia entre ellas. El cristal de cada una de ellas es oscuro, excepto el de la ventana del fondo. Titila levemente, y proyecta por el vidrio una intensa luz blanca. Justo en el momento en que un puño se estrella contra el vidrio, retrocedo, pues supongo que va a romperse bajo el influjo de los nudillos de Cal. Pero la ventana se mantiene firme y deja oír un rumor apagado con cada estruendo de los golpes del príncipe, al tiempo que muestra solamente unas manchas de sangre plateada.

Sin duda me ha oído llegar y piensa que soy uno de *ellos*.

Cuando me coloco frente a la ventana, él se paraliza, con un puño cerrado y sangrante dispuesto a atacar. Su pulsera flamígera resbala por su gruesa muñeca, donde gira aún por efecto del impulso. Esto es un consuelo al menos. Al ignorar lo que es, no lo despojaron de su principal arma. Pero ¿por qué sigue preso? ¿No podría haber derretido ya la ventana para terminar con todo?

Durante un suspiro abrasador, nuestros ojos se encuentran a través del cristal, y pienso que nuestra mirada combinada podría hacerlo añicos. Unas gotas de espesa sangre plateada se derraman desde el punto del impacto y se mezclan con manchas secas. Cal se ha golpeado hasta sangrar desde hace ya tiempo, en su afán de salir o de quemar un poco de su furia.

—Está cerrado —dice con voz apagada detrás del vidrio.

—No me había dado cuenta —replico y sonrío.

Junto a mí, Kilorn sostiene en alto la llave.

Cal se sobresalta, como si no hubiera visto a mi amigo hasta ese segundo. Sonríe agradecido, pero Kilorn no corresponde su gesto. Ni siquiera lo mira a los ojos.

Escucho gritos en el corredor. Pisadas. Emiten un eco extraño en el búnker, pero se acercan a cada instante. Y vienen hacia nosotros.

—Ya saben que estamos aquí —murmura Kilorn mientras mira atrás.

Mete rápidamente la llave en la cerradura y la hace girar. Pero como ésta no se mueve, me apoyo en la puerta, donde choco con el hierro frío y despiadado.

Kilorn fuerza la llave de nuevo. Esta vez estoy tan cerca que oigo chasquear el mecanismo. La puerta se abre justo cuando el primer soldado da la vuelta en la esquina, pero ya sólo pienso en Cal.

Todo indica que los príncipes me ciegan.

La cortina invisible cae tan pronto como Kilorn me mete con un empujón en la celda. Es una sensación conocida pero que no puedo precisar. La he experimentado antes, lo sé, aunque ignoro dónde. No tengo tiempo para preguntármelo. Cal explota frente a mí con un grito contenido que hace erupción en sus labios mientras extiende sus largos brazos. No hacia mí ni hacia la ventana. A la puerta que se cierra de golpe. El chasquido de la cerradura retumba en mi cráneo una y otra y otra vez.

—¿Qué ocurre? —pregunto al percibir el aire denso y viciado.

Pero la única respuesta que necesito es el rostro de Kilorn, quien me mira desde la otra cara del cristal. La llave cuelga de un puño cerrado y su rostro se tuerce hasta adoptar una expresión que está entre un aspecto ceñudo y un sollozo.

Lo siento, dice moviendo sólo los labios, y en ese momento el primer soldado Lacustre aparece en la ventana. Le siguen otros más, quienes flanquean al coronel. La sonrisa de satisfacción de éste es igual a la que su hija mostró en la fotografía, y caigo en la cuenta de lo que ha sucedido. El coronel tiene incluso el descaro de reír.

Cal se arroja en vano contra la puerta, donde su hombro hace impacto con el hierro sólido. Suelta insultos en medio de su dolor. Maldice a Kilorn, a mí, este lugar, a sí mismo. Apenas puedo oírlo por encima de la voz de Julian que resuena en mi cabeza.

Todo el mundo puede traicionar a cualquiera.

Llamo al rayo sin pensar. Mis chispas me liberarán y tornarán en gemidos las risas del coronel.

Pero no se presentan. Ninguna. Absolutamente ninguna.

Igual que en las celdas y el ruedo.

—Roca silente —dice Cal mientras se recuesta pesadamente en la puerta. Señala con un puño ensangrentado las esquinas traseras del suelo y el techo—. Tienen roca silente.

Para debilitarte. Para volverte como ellos.

Ahora es a mí a quien le toca azotar los puños contra la ventana, como si golpease la cabeza de Kilorn. Pero lo que rompo es vidrio, no carne, y solamente oigo resquebrajarse mis nudillos, no su maldito cráneo. Pese a la pared que se eleva entre nosotros, él da un paso atrás.

Apenas puede mirarme. Tiembla cuando el coronel pone una mano en su hombro y le susurra algo al oído. Se limita a observar mientras lanzo un indescifrable rugido de frustración y mi sangre se une a la de Cal en el vidrio.

El rojo se funde con el plateado hasta convertirse en un color más oscuro.

OCHO

Las patas de la silla de metal se arrastran en el suelo, donde provocan el único ruido que es posible oír en la celda cuadrada. Dejo la otra silla donde está, tirada y maltrecha después de haber sido arrojada contra el muro. Cal ya había armado un gran jaleo antes de que yo llegara. Había lanzado contra las paredes ambas sillas y una mesa ahora mellada. Hay una abertura en el muro bajo la ventana, donde la esquina de la mesa se estampó. Pero a mí no me servirá de nada lanzar muebles. En vez de desperdiciar mi energía, la conservo y me siento en el centro de la habitación. Cal da vueltas frente a la ventana, más como un animal que como un hombre. Cada palmo de su ser añora el fuego.

Kilorn se marchó hace rato con su nuevo amigo, el coronel.

Y quedé en evidencia como lo que soy: un pez particularmente tonto, que no cesa de pasar de un anzuelo a otro sin aprender nunca su lección. Pero junto a la Mansión del Sol, Arcón y el Cuenco de los Huesos, éstas bien podrían ser unas vacaciones, y el coronel un pelele en comparación con la reina o una fila de verdugos.

—Deberías sentarte —le digo a Cal, hastiada por fin de

la intensidad de su sed de venganza—. A menos que quieras abrir una zanja en el suelo.

Frunce el ceño, pero deja de moverse. En vez de levantar la otra silla, se recuesta en la pared, en un acto infantil de desafío.

—Comienzo a creer que las cárceles te gustan —dice mientras golpea ociosamente la pared con los nudillos—. Y que tienes un pésimo gusto en cuestión de hombres.

Esto duele más de lo que quisiera. Sí, quise a Maven, mucho más de lo que me gustaría admitir, y Kilorn es mi mejor amigo. Los dos son unos traidores.

—Tú tampoco eres muy bueno para elegir amigos —replico, pero mi juicio resbala por su cuerpo sin hacerle daño—. Y no tengo —se me embrollan las palabras, que terminan por sonar forzadas— ningún gusto particular en hombres. Eso no tiene nada que ver con este asunto.

—No, nada —ríe, casi divertido—. ¿Quiénes han sido los dos últimos que nos encerraron en una celda? —como no contesto, por vergüenza, insiste—. Admítelo, Mare, te cuesta mucho trabajo mantener separada tu cabeza de tu corazón.

Me pongo en pie tan rápido que tiro la silla, la cual repiquetea al impactar contra el suelo.

—No finjas que no quisiste a Maven. Que no dejaste que tu corazón tomara decisiones sobre él.

—¡Es mi hermano! ¡Por supuesto que no veía muchas cosas de él! Jamás pensé que mataría a nuestro… nuestro padre —el recuerdo le quiebra la voz, lo que me permite ver un destello del niño abatido y desgarrado que se esconde bajo la fachada del guerrero—. Cometí errores por su culpa. Y —añade tranquilamente— también por la tuya.

Yo hice lo mismo. El peor de todos esos errores ocurrió

cuando puse mi mano en la de él para permitir que me sacara de mi habitación y me llevara a bailar, y a precipitarme en una espiral descendente. También permití que la Guardia matara a inocentes por él, para que no tuviera que partir a la guerra. Para que permaneciera junto a mí.

Mi egoísmo tuvo un precio terrible.

—Ya no podemos hacer esto. Cometer errores por culpa del otro —susurro, sin atreverme a mencionar lo que realmente querría decir, lo que he tratado de reconocer desde hace varios días: Cal no es una opción que yo deba elegir o querer. Es tan sólo un arma, algo de lo que puedo valerme, o de lo que los demás pueden valerse contra mí. Debo estar preparada para ambas posibilidades.

Después de un largo momento, asiente. Tengo la impresión de que me ve de la misma manera en que yo lo veo.

La humedad del cuartel se hace sentir, hasta combinarse con el frío que todavía me cala los huesos. En condiciones normales, temblaría, pero me estoy acostumbrando a esta sensación. Supongo que también debería acostumbrarme a estar sola.

No en el mundo, sino aquí, en mi corazón.

Una parte de mí quisiera reírse de nuestro apuro. Estoy otra vez en una celda junto a Cal, a la espera de lo que el destino nos tenga deparado. Pero en esta ocasión, mi temor está menguado por la cólera. No será Maven quien venga a regodearse, sino el coronel, algo que agradezco infinitamente. No quiero volver a sufrir nunca más los insultos de Maven. Incluso pensar en él me hace daño.

El Cuenco de los Huesos era una prisión oscura, vacía, más honda que ésta. Maven destacaba nítidamente ahí, con su piel pálida, sus brillantes ojos y sus manos, con que trataba de prender las mías. En el emponzoñado recuerdo, ellas oscilan entre dedos suaves y garras astrosas. Unos y otras desean desangrarme. *Una vez te dije que ocultaras tu corazón. Debiste haberme escuchado.* Fueron las últimas palabras que me dirigió, antes de que nos sentenciara a Cal y a mí a ser ejecutados. ¡Cómo querría que ese consejo no hubiera sido tan bueno!

Exhalo lentamente, como si esperara expulsar mis recuerdos junto con el aire. No surte efecto.

—¿Qué haremos entonces, general Calore? —pregunto, y señalo las cuatro paredes que nos tienen presos.

Ya consigo ver los leves contornos en las esquinas, los bloques cuadrados que son un poco más oscuros que el resto, y que fueron introducidos en los paneles de los muros.

Tras un momento prolongado, Cal se desprende de pensamientos tan dolorosos como los míos. Encantado por la distracción, levanta de inmediato la otra silla y la empuja a una esquina. Se sube en ella, casi se da con la cabeza en el techo y pasa una mano sobre la roca silente. Ésta es más peligrosa para nosotros que cualquier otro objeto de la isla, más nociva que cualquier arma.

—Por mis colores, ¿cómo consiguieron esto? —masculla mientras busca el borde con los dedos. Pero la piedra permanece lisa, perfectamente incrustada en el muro. Con un suspiro, baja de un salto y se coloca frente a la ventana de vigilancia—. Nuestra mejor opción es romper el vidrio. Aquí será imposible que nos libremos de esa roca.

—Pero es más débil —digo mientras miro la roca silente, y ella me devuelve la mirada—. En el Cuenco de los Huesos sentí que me ahogaba. Ésta no es para nada tan grave.

Cal se encoge de hombros.

—Aunque no haya muchos bloques, son suficientes.

—¿Los habrán robado?

—¡Claro! La roca silente es un producto escaso que sólo el gobierno puede utilizar, por obvias razones.

—Eso es cierto... en Norta.

Ladea la cabeza, perplejo.

—¿Crees que estos bloques provengan de otro sitio?

—Hay remesas de contrabando de todas partes. De las Tierras Bajas, la comarca de los Lagos y otras regiones. ¿Y no has visto aquí a los soldados? ¿Sus uniformes?

Sacude la cabeza.

—No. No desde que ese bastardo del ojo rojo me encerró ayer.

—Lo llaman el coronel, y es el padre de Farley.

—La compadecería, pero mi familia es mucho peor.

Me río, un tanto divertida.

—Son *Lacustres*, Cal. Farley y el coronel y todos sus soldados. Lo cual quiere decir que hay más en el lugar de donde ellos vinieron.

La confusión descompone su rostro.

—Eso... eso no puede ser. Yo mismo he visto el frente de batalla, es imposible penetrarlo.

Se mira las manos y dibuja inadvertidamente un mapa en el aire. No tiene sentido para mí, pero él lo conoce íntimamente.

—Los lagos están bloqueados por ambos lados. Y del Obturador, ni hablar. Transportar bienes y provisiones es una cosa, pero hacerlo con personas es muy distinto, más todavía en esta magnitud. Sería necesario que tuvieran alas para cruzar.

Comprendo lo que esto significa con la misma celeridad con la que tomo aire. El patio de cemento, el inmenso hangar al final de la base, el amplio camino que no conduce a ningún lado.

No es un simple camino.

Es una pista de aterrizaje.

—Creo que las tienen.

Para mi sorpresa, una sonrisa genuina atraviesa el rostro de Cal. Se vuelve a la ventana y mira el pasillo vacío.

—Sus modales dejan mucho que desear, pero la Guardia Escarlata le causará muchos dolores de cabeza a mi hermano.

Entonces también sonrío. Si es así como el coronel trata a sus supuestos aliados, me encantaría saber qué hace con sus enemigos.

La hora de la comida llega y se va, indicada únicamente por un Lacustre viejo y canoso que porta una bandeja con alimentos. Nos hace señas a ambos para que retrocedamos y nos volvamos contra la pared, a fin de que pueda deslizar la bandeja por una rendija abierta en la puerta. Ninguno de los dos reacciona. Ambos permanecemos obstinadamente quietos en nuestro lugar junto a la ventana. Tras un prolongado punto muerto, se marcha a paso firme, y sonríe mientras consume nuestras raciones. Esto no me molesta lo más mínimo. Crecí con hambre. Puedo pasar varias horas sin probar bocado. Cal, por su parte, palidece cuando la comida se esfuma y sigue con los ojos el plato de pescado gris.

—Si querías comer, debiste habérmelo dicho —me quejo, y vuelvo a sentarme—. Hambriento no sirves para nada.

—Eso es lo que quiero que ellos piensen —replica, con un brillo en la mirada—. Supongo que me desmayaré después del desayuno de mañana, y veré en ese momento lo bien que sus médicos resisten un puñetazo.

En el mejor de los casos, ése es un plan endeble, y arrugo la nariz como muestra de reprobación.

—¿Se te ocurre algo mejor?

—No —respondo huraña.

—Eso pensaba.

—¡Uf!

La roca silente tiene un efecto extraño en nosotros. Nos quita aquello de lo que más dependemos, nuestras habilidades, la celda nos obliga a ser otros. A Cal lo vuelve más listo, más calculador. No puede apoyarse en infiernos, así que recurre a su inteligencia. Aunque a juzgar por la idea del desmayo, no es precisamente la espada más aguda del arsenal.

El cambio en mí no es tan evidente. Después de todo, viví diecisiete años sumida en el silencio, sin conocer el poder que habitaba en mi interior. Ahora recuerdo de nuevo a esa chica, a la muchacha egoísta y cruel que era capaz de hacer lo que fuera con tal de salvar el pellejo. Si el Lacustre regresa con otra bandeja, más le valdrá estar preparado para sentir mis manos en su cuello y, si logramos salir de esta celda, mi rayo en la médula de sus huesos.

—Julian está vivo.

No sé de dónde salen estas palabras, pero de repente flotan en el aire, tan frágiles como copos de nieve.

Cal alza la cabeza, con sus ojos súbitamente radiantes. La idea de que su tío respire todavía en este mundo lo anima casi tanto como la libertad.

—¿Quién te lo ha dicho?

—El coronel —ahora es su turno de bufar—. Y le creo —esto me merece una mirada despreciativa, pero insisto—. Él cree que Julian formaba parte de la trampa de Maven, que era otro Plateado dispuesto a traicionarme. Por eso no cree en la lista.

Cal asiente, con la mirada perdida.

—En los que son como tú.

—Farley los llama *nuevasangre*. Digo, nos llama.

—Bueno —suspira—, el único nombre con que les llamarán será el de muertos si tú no sales pronto de aquí. Maven los perseguirá a todos.

Brusco pero cierto.

—¿Por venganza?

Para mi asombro, sacude la cabeza.

—Es el sucesor de un padre asesinado. Ése no es precisamente el fundamento más sólido para iniciar un reinado. Las Grandes Casas, las de Samos e Iral en particular, no dejarán pasar la ocasión de debilitarlo. Y el descubrimiento de su existencia, después de que él te denunciara públicamente, sin duda alguna lo debilitará.

Aunque se le educó como soldado y se le instruyó en los cuarteles de una guerra de verdad, Cal también nació para ser rey. Puede que no sea tan astuto como Maven, pero conoce el arte de gobernar mejor que la mayoría.

—Así que cada persona que salvemos lo perjudicará, no sólo en el campo de batalla, sino en su trono también.

Esboza una sonrisa torcida y apoya la cabeza en el muro.

—Creo que ya has abusado demasiado del *nosotros*.

—¿Te molesta? —pregunto, para tantear el terreno.

Si puedo comprometer a Cal a averiguar conmigo el paradero de los nuevasangre, podríamos dejar atrás a Maven.

Le tiembla la mejilla, el único signo de su indecisión. No tiene la oportunidad de responder antes de que el conocido pisar de botas lo interrumpa. Refunfuña para sí, molesto por el retorno del coronel. Cuando se dispone a levantarse, extiendo el brazo rápidamente y lo empujo hacia su asiento.

—No te levantes —balbuceo mientras me recuesto en mi silla.

Obedece y se arrellana en la suya, con los brazos cruzados sobre su amplio pecho. Ahora, en vez de golpear la ventana y arrojar mesas contra las paredes, tiene una apariencia imperturbable, serena, de una mole lista para aplastar a quien se acerque demasiado. ¡Si realmente pudiera hacerlo! De no ser por la roca silente, él sería un infierno calcinante, y brillaría y ardería más que el sol. Y yo sería una tormenta. Por el contrario, nos vemos reducidos a esqueletos, a un par de adolescentes que rezongan dentro de una jaula.

Hago todo lo posible por no moverme cuando el coronel aparece en la ventana. No quiero darle la satisfacción de mi enfado. Pero cuando Kilorn se presenta a su lado, con una expresión fría y seria, mi cuerpo no puede menos que reaccionar con una sacudida. Ahora es el turno de Cal de contenerme. Con una mano, ejerce una ligera presión sobre mi muslo para que siga sentada.

El coronel se nos queda mirando un momento, como si memorizara el espectáculo de la prisión del príncipe y la Niña Relámpago. Siento unas ganas irresistibles de escupir el cristal manchado de sangre, pero me aguanto. Él aparta la mirada y mueve unos dedos largos y torcidos. Se agitan una, dos veces para indicar a alguien que se acerque. O que sea llevado hasta ahí.

Se defiende como un león, con lo que obliga a los guardaespaldas del coronel a sostenerla sobre el suelo. El puño de Farley alcanza a uno en la mandíbula, de manera que lo derriba y se desprende de él. Azota al otro contra el muro del pasillo, hasta aplastarle el cuello entre el codo y la ventana de una celda contigua. Sus golpes son brutales, destinados a infligir el mayor daño posible, y veo que brotan moraduras en sus captores. Pero los guardaespaldas procuran no lastimarla. Hacen cuanto pueden únicamente por mantenerla bajo control.

Órdenes del coronel, supongo. Le dará una celda a su hija, no golpes.

Para mi consternación, Kilorn no permanece quieto. Cuando los guardias levantan a Farley contra la pared, para lo cual cada uno de ellos le sujeta un hombro y una pierna, el coronel le hace señas al pescador. Con manos temblorosas, éste saca una caja gris mate, dentro de la cual relucen algunas jeringas.

No oigo la voz de Farley a través del cristal, pero es fácil leer sus labios. ¡No! ¡No lo hagáis!

—¡Detente, Kilorn! —siento la ventana repentinamente fría y suave bajo mi mano. La golpeo para tratar de llamar la atención de mi amigo—. ¡Kilorn!

Pero en vez de escuchar, se endereza y me vuelve la espalda para que no pueda ver su rostro. El coronel hace lo contrario, y me mira a mí en lugar de mirar la jeringa que se hunde en el cuello de su hija. Algo extraño titila en lo hondo de su ojo sano, ¿será pesar? No, no es un hombre de dudas. Hará lo que deba a quien deba.

Kilorn da un paso atrás después de consumar el acto y la jeringa vacía es visible en su mano. Mira a Farley retorcerse contra sus captores, pero sus movimientos son cada vez más lentos y sus párpados se cierran a medida que las drogas hacen efecto. Por fin, se ladea y cae inconsciente sobre los vigilantes Lacustres, quienes la arrastran a la celda que está frente a la nuestra. La tienden antes de cerrar la puerta, para apresarla como a Cal y a mí.

Cuando su puerta se cierra con un estruendo, la chapa de la nuestra se abre en medio de un chasquido.

—¿Así que habéis decidido redecorar la habitación? —pregunta el coronel con un resoplido mientras mira al entrar la mesa mellada.

Kilorn lo sigue y guarda la caja de jeringas en su cazadora, a modo de advertencia. *Para ti, si intentas algo.* Evita mirarme y se entretiene con la caja al tiempo que la puerta se cierra detrás de ellos. Han dejado a los dos vigilantes a cargo del pasillo.

Cal mira desde su asiento con una expresión mortífera. No dudo que esté pensando en todas las formas en que podría matar al coronel, y en cuál de ellas le infligiría más dolor. El coronel lo sabe y desenfunda una pistola pequeña pero letal que vibra en su mano, una serpiente enrollada a la espera de morder.

—Siéntese por favor, señorita Barrow —dice, y hace señas con el arma.

Obedecer su orden parece una claudicación, pero no tengo otra alternativa. Tomo asiento y permito que Kilorn y el coronel caigan sobre nosotros. Si no fuera por el arma y los vigilantes del pasillo, que observan atentamente, tendríamos una oportunidad. El coronel es alto pero viejo, y las manos de Cal encajarían a la perfección en su garganta. Tendría que ocuparme de Kilorn, y confiaría en mi conocimiento de sus heridas aún sin sanar para derrotar al traidor. Pero una vez que los venciéramos, la puerta seguiría cerrada, y los vigilantes atentos. No ganaríamos nada con pelear.

El coronel sonríe, como si leyera mis pensamientos.

—Más le vale permanecer en su silla.

—¿Necesita una pistola para mantener a raya a dos chiquillos? —le devuelvo la ironía mientras dirijo el mentón hacia el arma que trae en la mano.

Ni un solo ser sobre la Tierra se atrevería a llamar *chiquillo* a Cal, incluso sin sus habilidades. Su mera instrucción militar lo vuelve mortífero, algo que el coronel sabe muy bien.

Él ignora el comentario y se planta ante mí. Su ojo inyectado en sangre perfora los míos.

—¿Sabe usted una cosa? Tiene la suerte de que yo sea un hombre progresista. No muchos lo dejarían vivo —se inclina hacia Cal y vuelve enseguida hacia mí—, ni pocos querrían matarla a usted.

Miro a Kilorn con la esperanza de que advierta de qué lado está. Juguetea con sus manos como un niño. Si fuéramos niños de nuevo, de la misma estatura todavía, le daría un golpe en pleno estómago.

—Usted no me mantiene a su lado por el placer de mi compañía —interrumpe Cal el teatrito del coronel—. ¿A cambio de qué me entregará?

La reacción del viejo es la única confirmación que necesito. Aprieta la mandíbula para contener su ira. Quería decirlo él mismo, pero Cal le ha cortado las alas.

—Entregarlo —murmuro, aunque más bien siseo—. ¿Va a deshacerse de una de las mejores armas que tiene? ¿Acaso *es* tan idiota para hacer algo así?

—No tanto como para pensar que él peleará por nosotros —contesta—. Le dejo esa esperanza ridícula a usted, Niña Relámpago.

No muerdas el anzuelo. Eso es lo que él quiere. De todas formas, tengo que hacer un esfuerzo enorme para observar hacia el frente y evitar la mirada de Cal. Es cierto que no sé dónde está su lealtad ni para quién pelea. Sólo sé contra quién combatirá... a Maven. Algunos pensarían que eso nos coloca en el mismo bando, pero sé que no es así. La vida y la guerra no son tan simples.

—Muy bien, coronel Farley.

Se estremece cuando me oye mencionar su apellido. Vuelve ligeramente la cabeza, aunque resiste el impulso de darse la vuelta por completo hacia su hija, quien yace inconsciente en su celda. *Hay dolor ahí*, lo percibo, y archivo esto para su uso posterior.

Pero responde mi golpe con otro.

—El rey ha propuesto un trato —dice, y sus palabras oprimen como un cuchillo que estuviese a punto de sacar sangre—. A cambio del príncipe exiliado, el rey Maven estaría dispuesto a restablecer la edad tradicional de alistamiento. A restituir la de dieciocho años y cancelar la de quince —baja los ojos, y la voz junto con ellos. Durante un momento breve y desgarrador, consigo ver al padre bajo la apariencia brutal. Piensa en los chicos que serían enviados a su muerte—. Es una buena propuesta.

—Demasiado buena —reacciono en el acto, con un tono lo bastante fuerte y duro para esconder mi temor—. Maven nunca cumplirá un intercambio así. *Nunca.*

A mi izquierda, Cal exhala lentamente. Une las manos, extiende los dedos y deja ver los innumerables cortes y heridas que se ha ganado en los últimos días. Mueve los dedos progresivamente, uno detrás de otro. Se distrae así de la verdad, sea cual fuere, que no se atreve a acometer.

—Pero no tiene otra opción —dice, y detiene sus manos al fin—. El rechazo de ese trato condenaría a todos aquellos jóvenes.

El coronel asiente.

—Así es. Pero no te desanimes, Tiberias. Tu muerte salvará a miles de muchachos inocentes. Ellos son la única razón de que sigas vivo. *Miles.* Ciertamente valen el precio que Cal pagaría con su vida. Pero en el fondo de mi corazón, en la parte fría y retorcida de mí que ya comienzo a conocer, algo se resiste. *Cal es un combatiente, un líder, un asesino, un cazador. Y usted lo necesita. En más de un sentido.* Hay una centella en la mirada de Cal. De no ser por la roca silente, sé que sus manos crepitarían de fuego. Se inclina un poco hacia delante, y al abrir los labios exhibe sus dientes blancos y uniformes. Su gesto es tan agresivo y tan bestial que imagino que en cualquier momento contemplaré un par de colmillos.

—Yo soy su legítimo rey Plateado, de linaje centenario —replica al mismo tiempo que hierve de furia—. La única razón de que *usted* siga vivo es que no puedo quemar el oxígeno que hay en esta habitación.

Nunca había oído a Cal proferir una amenaza como ésa, tan visceral que me hiela la sangre. Y el coronel, quien suele guardar un porte tranquilo e impasible, también la siente. Retrocede tan rápido que casi tropieza con Kilorn. Su temor lo avergüenza, como a Farley. Por un segundo, su semblante se iguala con su ojo ensangrentado, y él parece un tomate con patas. Pero es fuerte y ahuyenta su miedo con aplomo. Alisa su cabello rubio pálido para fijarlo sobre su cráneo, y enfunda su arma con un suspiro de satisfacción.

—Su barco parte esta noche, su real majestad —dice, en consonancia con un crujido que sale de su cuello—. Le aconsejo que se despida de la señorita Barrow. Dudo que vuelva a verla.

Mi mano se cierra sobre mi silla, en cuyo metal tosco y frío se clava. Si me llamara Evangeline Samos, enrollaría esta silla en la garganta del coronel hasta que él probara el hierro y viera sangre en sus dos ojos.

—¿Y qué hay de Mare?

Incluso ahora, justo después de recibir su sentencia de muerte, Cal es tan tonto como para preocuparse por mí.

—Se le mantendrá bajo vigilancia —interviene Kilorn, quien habla por primera vez desde que entró en la jaula. Le tiembla la voz, como debe ser. El cobarde tiene todo que temer, incluida a mí—. Se le protegerá. No se le hará daño.

El rostro del coronel trasluce disgusto. Supongo que me quiere muerta también. Ignoro quién podría anular su decisión. La misteriosa comandancia de Farley, quizá, sean quienes sean.

—¿Eso es lo que ustedes les harán a las personas que son como yo? —pregunto mientras me levanto de mi silla—. ¿A los nuevasangre? ¿Shade será el siguiente que traigan aquí, para meterlo en una jaula como si fuera una *mascota*, hasta que aprendamos a obedecer?

—Eso depende de él —contesta el viejo sin alterarse, y cada una de sus palabras es una patada implacable en el vientre—. Ha sido un buen soldado hasta ahora. Igual que el amigo de usted, aquí presente —añade, y extiende una mano sobre el hombro de Kilorn. Desborda orgullo paternal, algo que Kilorn no recibió nunca. Después de tanto tiempo huérfano, hasta un padre tan terrible como el coronel debe causar una sensación agradable—. Sin él, no habría tenido la excusa, o la oportunidad, de encerrarla.

Lo único que puedo hacer es mirar a Kilorn, con la esperanza de que mis ojos lo hieran tanto como él me ha herido a mí.

—¡Qué orgulloso debe sentirse!

—Todavía no —rebate el pescador.

Si no fuera por los muchos años que pasamos juntos en Los Pilares, por las incontables horas que dedicamos a robar y a escabullirnos como ratas de asfalto, no me habría dado cuenta de eso. Pero Kilorn es fácil de predecir, para mí al menos. Cuando tuerce el cuerpo y al mismo tiempo arquea la espalda y levanta la cadera, todo tiene una apariencia de naturalidad, pero no hay nada natural en lo que quiere hacer. La parte inferior de su cazadora se curva, y contornea la caja con las jeringas, que resbala peligrosamente hasta deslizarse cada vez más rápido entre la tela y su abdomen.

—¡Ah! —exclama él, y se zafa del viejo mientras la caja cae, se abre de golpe en el aire y arroja agujas en el suelo, donde, al impactarse, las jeringas se hacen pedazos y derraman su líquido entre nuestros pies.

La mayoría pensaría que todas se han roto, pero mis ágiles ojos perciben una jeringa todavía intacta, semioculta en el puño enroscado de Kilorn.

—¡Maldición, muchacho! —suelta el coronel, y se agacha sin pensar.

Intenta recoger la caja, en su afán de rescatar una parte de su contenido, pero a cambio de su preocupación recibe una aguja en el cuello.

La sorpresa que esto causa le otorga a Kilorn el segundo que necesita para pinchar la jeringa y vaciar su fluido en las venas del coronel. Del mismo modo que Farley, él se resiste y golpea a Kilorn en la cara, pero trastabilla hasta estrellarse contra la pared del fondo.

Antes de que pueda dar otro paso, Cal se levanta como un bólido de su silla y azota al viejo contra la ventana de vigilancia. Los soldados Lacustres miran desde el otro lado del vidrio sin poder actuar, con sus armas listas pero inútiles. Después de todo, no pueden abrir la puerta. No pueden arriesgarse a permitir que los monstruos salgan de su jaula.

La combinación de las drogas y el peso de Cal deja fuera de combate al coronel. Resbala sobre la ventana cuando las rodillas se le doblan, y cae hasta adoptar una forma por lo demás indecorosa. Con los ojos cerrados, ofrece un aspecto mucho menos amenazador. Normal, incluso.

—¡Ay! —se deja oír desde la pared donde Kilorn masajea su mejilla. Drogado o no, el coronel golpea con fuerza. Ya ha comenzado a dibujarse un moretón. Sin pensarlo dos veces, doy unos rápidos pasos hacia Kilorn—. No es nada, Mare, no te alarmes...

Pero no me acerco para atenderlo. Mi puño encuentra su otra mejilla, contra cuyo hueso impactan mis nudillos. Él suelta un alarido y se agita al ritmo de mi puñetazo, hasta perder el equilibrio casi por completo.

Hago caso omiso al dolor de mi puño y me froto las manos.

—Ésa me la debías.

Y después lo estrecho entre mis brazos, que aprieto alrededor de su cintura. Él se estremece, cree que le infligiré más dolor, pero se relaja cuando siente mis manos.

—Iban a encerrarte aquí de todos modos. Supuse que sería más útil si no me encontraba a tu lado en la celda —suspira—. Te dije que confiaras en mí. ¿Por qué no lo hiciste?

No tengo una respuesta para eso.

En la ventana de vigilancia, Cal carraspea ruidosamente para llamar nuestra atención a la tarea que debería ocuparnos.

145

—Tu valentía ha sido irreprochable, pero ¿este plan no llega más allá de arrullar a ese saco de patatas?

Mueve con un pie el cuerpo del anciano mientras estampa en la ventana un pulgar en dirección a los vigilantes, quienes no dejan de observarnos.

—Que no sepa leer no quiere decir que sea tonto —reclama Kilorn, con un dejo agresivo—. Si miras la ventana, lo verás suceder en cualquier momento.

Diez segundos, para ser exactos. Miramos justamente diez segundos antes de que aparezca una figura conocida, que cobra forma en un abrir y cerrar de ojos. Shade tiene mucho mejor aspecto que el que le vi esta mañana en la enfermería. Se vale por sí mismo, con un vendaje en la pierna herida y algunas vendas alrededor de su hombro. Con la muleta que empuña como si fuese un mazo, golpea a ambos vigilantes, sin que tengan la posibilidad de saber qué sucede. Caen al suelo como si fueran fardos de martillos, con la mirada ausente.

La cerradura de la celda se abre en medio de un eco jubiloso y Cal se traslada a la puerta en un instante, para abrirla de golpe. Sale al pasillo y respira hondo. No puedo seguirlo con igual celeridad, y lanzo un suspiro sonoro cuando el peso de la roca silente se evapora. Con una sonrisa, atraigo chispas a mis dedos, donde crepitan y vetean mi piel.

—Ya os echaba de menos —les susurro a mis más queridas amigas.

—¡Vaya si eres un ser peculiar, Niña Relámpago!

Para mi sorpresa, Farley está recostada en la puerta abierta de su celda, y es la imagen misma de la tranquilidad. No parece que las drogas le hayan afectado en absoluto, si acaso le han dado más energías.

—La ventaja de hacerse amigo de las enfermeras —dice Kilorn al tiempo que me palmea el hombro—. Una hermosa sonrisa fue todo lo que hizo falta para distraer a Lena y agregar algo inofensivo a la caja.

—Estará de un ánimo inconsolable cuando se entere de que te fuiste —replica Farley, y hace con los labios algo semejante a un mohín—. ¡Pobre muchacha!

Kilorn se limita a reír y agrega, en tanto me mira de reojo:

—Ése no es mi problema.

—¿Qué haremos ahora? —pregunta Cal, como si diera paso al soldado que habita en él.

Tensa los hombros bajo su ropa raída y hace girar el cuello en ambas direcciones, para no perder de vista cada rincón del pasaje.

Shade extiende su brazo en respuesta, con la palma hacia el techo.

—Saltar —contesta.

Soy la primera en agarrarme de su brazo. Pese a que no puedo confiar en Kilorn, Cal ni ningún otro, sí puedo hacerlo en la habilidad. En la fuerza. En el poder. Con el fuego de Cal, mi tormenta y la velocidad de Shade, nada ni nadie podrá tocarnos.

Mientras estemos juntos, jamás volverán a atraparme.

NUEVE

El búnker pasa a nuestro lado en ráfagas de luz y color. Veo sólo unos destellos mientras Shade gira en el aire para hacernos cruzar a saltos esa estructura. Sus manos y brazos se agitan en busca de un lugar al que asirse y nos dan espacio suficiente para sujetarnos. Es tan fuerte que puede llevarnos a todos.

Veo que una puerta, una pared y el suelo se inclinan hacia mí. Los vigilantes nos persiguen sin tregua, en medio de gritos y disparos, pero nunca estamos mucho tiempo en el mismo sitio. En una ocasión, llegamos a una sala abarrotada que desborda electricidad, recubierta por pantallas de vídeo y equipos de radio. Logro ver incluso algunas cámaras apiladas en la esquina antes de que los ocupantes reaccionen y nos alejemos de un salto. Después entrecierro los ojos bajo el sol en el muelle; esta vez los Lacustres se acercan tanto que distingo sus rostros, pálidos contra la luz del atardecer. Después encuentro arena bajo mis pies, y tras otro salto, cemento. Damos un gran salto desde un extremo de la pista de aterrizaje hasta el hangar. Shade hace una mueca debido al esfuerzo. Los músculos se le tensan y los tendones del cuello se le abultan. Un último salto nos conduce dentro del hangar, donde encontramos aire fresco y relativo silencio. Cuando el mundo deja al fin de girar y dar tirones, siento que me desplomo, o que vomito. Pero Kilorn me impide flaquear, y me sostiene para que vea por qué hemos venido tan lejos.

Dos aviones dominan el hangar, con alas anchas y oscuras. Uno es más pequeño que el otro, hecho como está para un único ocupante, y es de fuselaje plateado y alas con puntas anaranjadas. *Boca de dragón*, recuerdo cuando hago memoria de Naercey y los jets veloces y letales que hicieron llover fuego sobre nosotros. El mayor es de un amenazador negro azabache, de fuselaje más grande y sin colores distintivos. Nunca había visto nada semejante, y me pregunto vagamente si Cal los conoce. Después de todo, él será quien lo conduzca, a menos que Farley tenga una destreza más en su colección de artimañas. A juzgar por la forma en que mira el jet, con los ojos muy abiertos, lo dudo.

—¿Qué hacen aquí?

Una voz resuena extrañamente en el hangar, en cuyas paredes retumba. El hombre que aparece bajo el ala del Boca de Dragón no tiene el aspecto de un soldado, vestido con un mono gris y no un uniforme como el que llevan los Lacustres. Sus manos están negras debido a la grasa, lo que indica que es un mecánico. Pasea la mirada entre nosotros y advierte las mejillas heridas de Kilorn y la muleta de Shade.

—Ten… tendré que reportarlos a sus superiores.

—¡Hágalo! —le grita Farley, quien se muestra de pies a cabeza como la capitana que alguna vez fue. Junto a su cicatriz y la tensa disposición de su mandíbula, me sorprende que el mecánico no se desmaye ahí mismo—. Cumplimos órdenes estrictas del coronel —hace un rápido gesto en dirección a Cal, quien ya se encamina al jet negro—. Abra la puerta del hangar.

El mecánico continúa tartamudeando mientras Cal nos guía a la parte trasera del avión. Cuando pasamos bajo el ala, levanta la mano y la arrastra por el frío metal.

—Un Blackrun —explica tranquilamente—. Grande y veloz.

—Y robado —añado.

Asiente con un rostro inmutable y llega a la misma conclusión que yo.

—Del campo de aviación de Delphie.

Un ejercicio de entrenamiento, dijo hace mucho la reina Elara en una comida. Con un gesto de su tenedor restó importancia a los rumores acerca de las aeronaves robadas y humilló ante su caudal de damas a la ya desaparecida coronel Macanthos. En ese tiempo creí que ella mentía para disimular nuevos actos de la Guardia, pero aquello me pareció imposible también. ¿Quién podía robar un jet, y mucho menos dos? Es obvio que la Guardia Escarlata podía hacerlo. Y lo hizo.

El fondo del Blackrun, bajo el ala, se abre como una boca, lo que da lugar a una rampa para la carga y descarga de fletes, es decir, de nosotros. Shade es el primero en subir, firmemente apoyado en su muleta y reflejando una cara húmeda y pálida tras el esfuerzo. Tantos saltos le han impuesto un alto precio. Le sigue Kilorn, quien me arrastra consigo. Cal permanece justo atrás. Oigo todavía el eco de la voz de Farley mientras subimos a la nave y sorteamos la penumbra.

Varios asientos cubren las dos paredes curvadas, de cada una de las cuales cuelgan resistentes correas. Esto basta para transportar a dos docenas de hombres cuando menos. Me pregunto adónde voló este jet la última vez, y a quiénes transportó. ¿Sobrevivieron esas personas o murieron? ¿Nosotros compartiremos su destino?

—Te necesito aquí, Mare —dice Cal y me da un empujón cuando pasa junto a mí hacia el frente del aparato.

Se deja caer pesadamente en el asiento del piloto, ante el cual se extiende un insondable tablero de botones, palancas e instrumentos. Todos los cuadrantes e indicadores apuntan a cero. Por ahora, el jet vibra únicamente con el latido de nuestros corazones. A través del grueso cristal de la cabina veo la puerta del hangar, todavía cerrada, y que Farley discute aún con el mecánico.

Lanzo un suspiro, tomo asiento junto a Cal y procedo a ponerme los cinturones de seguridad.

—¿Para qué puedo serte de utilidad?

Los broches chasquean cuando los ajusto uno por uno. Si vamos a volar, no quiero rebotar por todas partes.

—Esta cosa tiene baterías pero necesitan un chispazo, y no creo que ese mecánico vaya a dárnoslo —responde, con un brillo en la mirada—. Haz lo que mejor sabes hacer.

—De acuerdo.

La determinación se apodera de mí con la misma fuerza con que mis chispas lo hacen. *Esto es como encender una lámpara o una cámara*, me digo, *sólo que se trata de algo un poco más grande y complicado, y más importante.* Me pregunto brevemente si será posible, si en verdad puedo hacer que este enorme Blackrun arranque. Pero el recuerdo del rayo purpúreo y poderoso que cruzó el cielo para abalanzarse sobre el Cuenco de los Huesos me dice que sí. Si soy capaz de provocar una tormenta, no cabe duda de que también lo soy de lograr que este avión cobre vida.

Extiendo los brazos y pongo mis manos en el panel. No sé lo que debo buscar, sólo sé que no siento nada. Mis dedos resbalan sobre la placa metálica, en pos de algo que asir, de cualquier cosa que pueda serme útil. Mis chispas ascienden por mi piel, listas para ser invocadas.

—Cal... —digo entre dientes, reacia a dejar que el grito escape.

Él comprende y se pone a trabajar en seguida, en busca de algo bajo el tablero de control. Piezas de metal estallan en medio de un chirrido penetrante, suavizado en los límites, cuando Cal desprende la cubierta del tablero, con lo que deja ver un sinfín de alambres que se cruzan en montones entrelazados y que me recuerdan las venas bajo la piel. Todo lo que tengo que hacer es activarlos. Sin pensar, hundo una mano en ellos, para permitir que mis chispas encuentren su cadencia. Ellas lo registran todo por sí solas, en pos de un destino. Cuando mis dedos rozan un cable particularmente grueso, un cordel liso y redondo que empalma a la perfección en mi mano, no puedo menos que sonreír. Mis ojos se cierran, lo que me permite concentrarme. Pujo con vigor para que mi fuerza fluya por la línea eléctrica. Ésta recorre el jet entero, donde se divide y ramifica en cursos diferentes, pero persisto en la excitación de mis chispas. Cuando alcanzan el motor y las inmensas baterías, cierro más fuerte el puño y mis uñas se hunden en mi piel. ¡Vamos! Siento como si me derramara en las baterías, como si las inundase, hasta que toco la energía que almacenan. Mi cabeza cae, inclinada sobre el tablero, y dejo que el fresco metal calme mi piel enrojecida. Con un último empujón, el dique que hay en el jet se rompe y la energía se desborda por las paredes y los cables. No veo que el Blackrun cobre vida con especial potencia, pero lo siento por los cuatro costados.

—¡Bien hecho! —dice Cal, y se da un segundo para apretar mi hombro.

Pero su mano no se queda ahí mucho tiempo, conforme a lo que acordamos: ninguna distracción, y ahora menos que nunca. Abro los ojos y veo que sus manos se desplazan con singular ánimo por los controles, donde encienden interruptores y ajustan clavijas aparentemente al azar.

Cuando me recuesto, otra mano toca mi hombro. Kilorn ha posado ahí la suya, suave como nunca antes. Ni siquiera me mira a mí sino al jet, con un gesto que va de la admiración al temor. Boquiabierto y con los ojos llenos de asombro, casi parece un niño. Me siento pequeña, sentada en las entrañas de un avión justo en el momento previo a la consumación de algo que ni siquiera en sueños creímos que fuera posible obtener. *Un pescador y la Niña Relámpago a punto de volar.*

—¿Farley quiere que estrelle este armatoste contra el muro? —masculla Cal, ya sin su sonrisa. Mira por encima del hombro pero no me busca a mí, sino a mi hermano—. ¿Shade?

Él parece estar al borde del desmayo y agita de mala gana la cabeza.

—No puedo saltar con cosas tan grandes como ésta, tan... complicadas. Ni siquiera en un buen día —le apena decirlo, pese a que no hay razón para que sienta vergüenza. Pero Shade es un Barrow, y a los Barrow no nos gusta admitir nuestra debilidad—. Aunque puedo ir por Farley —continúa, y se lleva las manos a los broches.

Kilorn conoce a mi hermano tan bien como yo y lo empuja en su asiento.

—Muerto no sirves para nada, Barrow —fuerza una sonrisa torcida—. Yo haré abrir esa puerta.

—No te molestes —suelto, con los ojos fijos fuera de la cabina.

Proyecto al exterior mi poder y la puerta del hangar comienza a abrirse en medio de un rugido grandioso y rechinante, y a elevarse del suelo en un movimiento fluido y continuo. El mecánico adopta una apariencia de perplejidad y ve pulverizarse el mecanismo que controla la puerta mientras Farley echa a correr. La perdemos de vista porque se dirige hacia la puerta seguida por el resplandor del atardecer, al que atraviesan unas largas sombras. Las siluetas de dos docenas de soldados bloquean la salida. No son sólo Lacustres, sino también miembros de la Guardia de Farley, a los que identifican sus bandas y pañoletas rojas. Cada cual apunta su arma al Blackrun, pero todos titubean, renuentes a disparar. Para mi alivio, no veo a Bree ni a Tramy entre ellos.

Uno de los Lacustres da un paso adelante. Es un capitán o teniente, a juzgar por los galones blancos que decoran su uniforme. Grita algo, extiende una palma y sus labios forman la palabra *Alto*. Pero nosotros no podemos oírlo sobre la creciente estridencia de los motores.

—¡Avanza! —grita Farley cuando aparece en el fondo del avión y se precipita en el asiento más próximo, en el que se abrocha con manos tremulantes.

Cal no se lo hace repetir dos veces. Sus dedos operan a toda máquina y giran y aprietan cosas con gran naturalidad. Pero lo oigo susurrar una especie de rezo, con el que se recuerda lo que tiene que hacer. El Blackrun arremete a sacudidas sobre sus ruedas mientras la rampa se eleva para ocupar su sitio y sellar el interior de la nave con un satisfactorio silbido neumático. *Ya no hay marcha atrás.*

—Bueno, mantengamos esta cosa en movimiento —dice Cal al tiempo que, casi emocionado, se acomoda en su sillón de piloto.

Sin previo aviso, empuña una palanca en el tablero y la empuja. El jet obedece.

Rueda hacia el frente en un curso de colisión contra la fila de soldados. Aprieto los dientes, supongo que tendré que presenciar una escena salvaje, pero ellos huyen a toda prisa del Blackrun y su vengativo piloto. Salimos del hangar y ganamos velocidad a cada segundo, en busca de la pista. Unos vehículos escandalosos abandonan los cuarteles en nuestra dirección, en tanto que una compañía de soldados dispara osadamente desde el tejado del hangar. Las balas tintinean en el casco metálico pero no lo perforan. El Blackrun resiste y continúa su marcha, y al dar una forzada vuelta a la derecha nos devuelve estrepitosamente a nuestros asientos.

Kilorn se lleva la peor parte en esto, ya que no aseguró correctamente sus cinturones. Se da de cabeza contra la pared curvada y suelta maldiciones en lo que intenta proteger sus mejillas lastimadas.

—¿Seguro que sabes conducir esta cosa? —brama como si vaciase toda su ira contra Cal.

Con una expresión desdeñosa, éste persevera en su embestida y demanda del jet su velocidad máxima. Veo por la ventana que los transportes se disipan, incapaces de darnos alcance. Pero al frente la pista, que no es otra cosa que una insulsa calle de color gris, se aproxima sin cesar a su conclusión. Nunca antes esas verdes y poco empinadas colinas y aquellos árboles raquíticos habían parecido tan amenazadores.

—Cal —musito con la esperanza de que me escuche sobre el alarido de los motores—. ¡Cal!

Detrás de mí, Kilorn intenta abrocharse los cinturones, pero sus dedos tiemblan demasiado para lograrlo.

—¿Te queda todavía un último salto, Barrow? —grita en dirección a Shade.

Todo indica que mi hermano no lo oye, porque mantiene los ojos fijos al frente y la cara pálida de temor. Las colinas están cada vez más cerca, las habremos alcanzado en unos segundos. Imagino que el jet se abate sobre ellas con momentánea estabilidad antes de caer en picado y que explota en un desastre abrasador. *Al menos Cal sobrevivirá a esto.*

Pero él no nos dejará morir hoy. Se inclina con tanta fuerza sobre otra palanca que las venas del puño se le resaltan. Justo en ese instante las colinas se disuelven, como un mantel cuando se quita de la mesa. Lo que veo no es la isla ya, sino el intenso cielo azul del otoño. Mi aliento desaparece junto con la tierra firme, sustraído por la sensación de ascenso en el aire. La presión me fija en mi silla y hace algo casi doloroso en mis oídos: *reventarlos.* Detrás de mí, Kilorn ahoga un grito y Shade maldice para sus adentros. Farley no reacciona en absoluto. Está paralizada, con los ojos abiertos de espanto.

En estos últimos meses he experimentado muchas cosas peculiares, pero ninguna se compara con volar. Sentir el dinámico empuje del avión al elevarse y que cada golpe de los motores nos sumerja en el cielo al mismo tiempo que mi cuerpo se muestra tan impotente, tan pasivo, tan dependiente de la nave que me rodea, crea un agudo contraste. Esto es peor que la vertiginosa motocicleta de Cal, aunque también mejor. Me muerdo el labio para no olvidar que no debo cerrar los ojos.

Estamos cada vez más alto, y lo único que escuchamos son los rugientes motores y nuestros corazones palpitantes. Jirones de nubes pasan junto a nosotros y cruzan la cabina como si fueran cortinas blancas. Me adelanto sin remedio hasta casi apretar mi nariz contra el vidrio, para conseguir una buena vista del mundo exterior. La isla revolotea abajo, con un verde apagado contra el mar azul acero, cada vez más pequeña hasta que me es imposible distinguir la pista y los cuarteles.

Cuando el avión se endereza una vez que ha alcanzado la altura por la que Cal se decide, él se gira desde su asiento. Su mirada de petulancia honraría a Maven.

—¿Qué dices? —pregunta en dirección a Kilorn—. ¿Puedo pilotar esta cosa?

Un *sí* quejumbroso es lo único que obtiene en respuesta, pero con eso le basta. Se vuelve hacia el tablero y posa las manos en un mecanismo en forma de U que se halla ante él. El avión responde a su mando, y desciende levemente cuando él le da la vuelta a la U. Satisfecho, aprieta en la consola unos botones más y se arrellana en su sillón, como si dejara a la nave volar sola. Incluso se desabrocha los cinturones, para quitárselos y sentirse más cómodo en su asiento.

—¿Adónde vamos? —interroga al silencio—. ¿O sólo hemos venido aquí a darnos un aleteo?

Hago una mueca por su juego de palabras.

Un golpe resonante se extiende en el avión cuando Kilorn deja caer una pila de papeles sobre sus rodillas. *Mapas.*

—Del coronel —explica mientras perfora mis ojos con los suyos, *con el propósito de hacerme entender*—. Hay una pista de aterrizaje cerca de Harbor Bay.

Cal sacude la cabeza como un maestro enfadado con un alumno cada vez más necio.

—¿Te refieres a Fort Patriot? —pregunta con sorna—. ¿Quieres que aterricemos en una base aérea de Norta?

Farley abandona su asiento tan súbitamente que casi rompe los broches de sus cinturones de seguridad. Estudia los mapas con movimientos categóricos e intencionados.

—Sí, somos incorregiblemente tontos, su alteza —dice con frialdad y desdobla un mapa antes de ponérselo a Cal frente a las narices—. La idea no es aterrizar en el fuerte, sino en el Campo Nueve-Cinco.

El príncipe aprieta los dientes para contener una réplica y toma con cautela el mapa, a fin de examinar aquella cuadrícula de líneas y colores. Un momento después, estalla en una carcajada.

—¿Qué sucede? —pregunto mientras le quito el mapa de la mano.

A diferencia del gigantesco, indescifrable y antiguo pergamino en la vieja aula de Julian, este mapa exhibe nombres y lugares conocidos. La ciudad de Harbor Bay domina en el sur y colinda con la costa oceánica, en tanto que Fort Patriot ocupa una península que se adentra en las aguas. Una gruesa franja marrón en torno a la urbe, demasiado uniforme para ser natural, no puede ser sino otro tramo de la barrera de árboles. Como en Arcón, los extraños bosques creados por los *guardafloras* protegen a Harbor Bay de la contaminación. En este caso, quizá lo hagan de la que procede de Ciudad Nueva, el área que en el mapa rodea como una cinta la barrera de árboles y forma una muralla alrededor de Harbor Bay.

Otro suburbio, comprendo. Como Gray Town, donde un gran número de Rojos viven y mueren bajo un cielo lleno de humo y se les obliga a fabricar vehículos, lámparas, aviones, todo aquello que los Plateados mismos no entienden. A los tecnos no se les permite dejar sus pretendidas ciudades ni siquiera para enrolarse en el ejército. Sus destrezas son demasiado valiosas para ser cedidas a la guerra, o a su propia voluntad. El recuerdo de Gray Town duele, pero saber que no es la única abominación de este tipo cala más hondo. ¿Cuántas personas viven en los confines de ese suburbio, o de éste? ¿Cuántas *como yo*, a decir verdad?

Una sensación de náusea me sube hasta la garganta, pero trago saliva y me fuerzo a apartar la vista. Analizo los territorios circundantes, que en su mayoría son poblados fabriles, aunque también están la aldea ocasional y el denso bosque salpicado de ruinas desoladas. Pero el Campo Nueve-Cinco no aparece en el mapa por ningún lado. Tal vez su existencia sea un secreto, como todo lo que tiene que ver con la Guardia Escarlata.

Cal nota mi confusión y se permite una última carcajada.

—Tu amigo quiere que haga aterrizar un Blackrun en una ruina —dice al fin, mientras tamborilea el mapa.

Su dedo señala a una línea punteada, el símbolo que identifica a los vastos caminos de antaño. Vi uno en una ocasión, cuando Shade y yo nos perdimos en el bosque que se halla cerca de Los Pilares. Estaba agrietado por el hielo de mil inviernos y blanqueado por siglos de sol, lo que le daba un aspecto de rocas escarpadas más que de una vía pública antigua. Algunos árboles se erguían en sus flancos, donde se abrían paso a través del asfalto. La idea de hacer aterrizar un avión en uno de esos caminos me revuelve el estómago.

—Eso es imposible —tartamudeo al tiempo que imagino todas las formas en que podríamos estrellarnos y morir por tratar de tomar tierra en un paso antiguo.

Cal asiente y me arrebata el mapa. Lo extiende bien, y en su búsqueda desliza los dedos por diversas ciudades y ríos.

—Con Mare a nuestro lado, no estamos obligados a descender ahí. Podemos tomarnos nuestro tiempo, recargar las baterías cuando lo necesitemos y volar tan lejos y tanto como queramos —y añade, encogiéndose de hombros—, o hasta que las baterías no den más.

Me sacude otro golpe de pánico.

—¿Y eso cuánto tiempo podría representar?

Responde con una sonrisa torcida:

—Los Blackruns entraron en operación hace dos años. En el peor de los casos, esta cosa tendría otros dos en su haber.

—¿Te has vuelto loco? —refunfuño.

Dos años, pienso. *En ese lapso podríamos dar la vuelta al mundo. Ver la Pradera, Tiraxes, Montfort, Ciron, naciones que son únicamente nombres en el mapa. Podríamos conocerlas todas.*

Pero no es más que un sueño. Tengo una misión propia, nuevasangres que proteger y una majestuosa cuenta pendiente.

—¿Dónde empezamos? —pregunta Farley.

—Dejemos que la lista decida. Tú la tienes, ¿no?

Hago todo lo posible por no dar la impresión de que estoy asustada. Si el libro de nombres de Julian se quedó en Tuck, este pequeño paseo habrá terminado antes de comenzar siquiera. Porque sin él, no daré un paso más.

El que reacciona es Kilorn, quien saca de la camisa el ya conocido cuaderno. Lo lanza en mi dirección, y lo atrapo hábilmente. Conserva todavía el calor del cuerpo de mi amigo, lo siento tibio en mis manos.

—Recuperado del coronel —dice y hace cuanto puede por mostrarse indiferente. Pero rezuma orgullo, por escaso que sea.

—¿De sus aposentos? —pregunto mientras recuerdo el austero búnker bajo el mar.

Pero Kilorn sacude la cabeza.

—¡No es tan idiota! Lo tenía en una caja fuerte en el arsenal de los cuarteles, y la llave en su cuello.

—¿Y tú...?

Con una sonrisa de satisfacción, se ajusta la camisa y deja ver la cadena de oro debajo.

—Puede que no sea tan buen carterista como tú, pero...

Farley asiente.

—Ya habíamos pensado robarlo, pero cuando te encerraron tuvimos que *improvisar*. Y hacerlo rápido.

—¡Vaya!

Así que esto fue lo que compraron mis breves horas en la celda. *Puedes confiar en mí*, me dijo Kilorn antes de meterme con engaños en una jaula. Ahora comprendo que lo hizo por la lista, por los nuevasangre y por mí.

—Bien hecho —susurro.

Finge indiferencia, pero su sonrisa delata que está complacido.

—Bueno, me quedaré con esto, si no les importa —dice Farley, con la voz más suave que nunca le he escuchado.

No espera a que Kilorn reaccione y alarga el brazo para coger la cadena con un movimiento veloz y decidido. El oro refulge en su mano pero desaparece pronto, oculto en un bolsillo. Ella frunce un tanto la boca, el único indicio de lo mucho que el collar de su padre le afecta. *No, no es de él en realidad.* La fotografía en las habitaciones del coronel da prueba de ello. Esa cadena era de la madre o la hermana de Farley, y por alguna razón ha dejado de serlo.

Cuando alza de nuevo la cabeza, el puchero ha desaparecido, reemplazado por sus toscos modales de siempre.

—Bueno, Niña Relámpago, ¿quién es el que está más cerca del Nueve-Cinco? —pregunta y sume la barbilla en el cuaderno.

—*No* aterrizaremos en el Nueve-Cinco —dice Cal, cortés pero tajantemente.

No me queda más que estar de acuerdo con él.

Callado hasta ahora, Shade se queja en su asiento. Ya no está pálido, sino vagamente verde. Esto resulta casi humorístico. Puede manejar muy bien la teletransportación, pero da la impresión de que volar lo aniquila.

—El Nueve-Cinco *no está* en ruinas —dice mientras hace lo posible por no vomitar—. ¿Os habéis olvidado de Naercey?

Cal exhala poco a poco y se frota el mentón con una mano. La barba ha empezado a salirle. Una sombra oscura atraviesa su mandíbula y sus mejillas.

—Fue repavimentado.

Farley asiente con lentitud y una sonrisa.

—¿Y no podías haberlo dicho antes? —la tomo contra ella, para borrar de su rostro ese gesto de presunción—. Sabes que el dramatismo no nos consigue puntos extra, Diana. Cada segundo que pierdes con tu autosuficiencia podría significar otro nuevasangre muerto.

—Y cada segundo que *tú* pierdes preguntándonos a Kilorn, a Shade o a mí sobre todo lo que vuela por el aire que respiras tiene ese mismo efecto, Niña Relámpago —dice ella al tiempo que acorta la distancia que nos separa.

Es mucho más alta que yo, pero no me siento pequeña. Con la fría seguridad que Lady Blonos y la corte Plateada forjaron en mí, enfrento su mirada sin la menor traza de temblor.

—Dame una razón para confiar en ti y lo haré.

Es mentira.

Un momento después, sacude la cabeza y retrocede para darme espacio suficiente para respirar.

—El Nueve-Cinco estaba en ruinas —explica—. Y para cualquiera lo bastante curioso para visitarlo, parece todavía como un tramo abandonado, un kilómetro de asfalto que no se ha deshecho aún —señala en el mapa otros decrépitos caminos—. Y no es el único.

Una red variada se esparce por el plano, siempre escondida entre las viejas ruinas pero cerca de pequeños poblados y aldeas. *Protección*, los llama ella, porque la presencia de la seguridad es mínima ahí y porque los Rojos del campo están más inclinados que los demás a mirar para otra parte. Quizá menos ahora, con las Medidas en vigor, pero sin duda antes de que el rey decidiera quitarles un mayor número de sus hijos.

—El Blackrun y el Boca de Dragón fueron los primeros jets que robamos, pero vendrán más —añade con velado orgullo.

—Yo no estaría tan seguro —replica Cal, aunque no lo hace con hostilidad, sino con pragmatismo—. Después del hurto en Delphie, será más difícil entrar a una base, por no hablar de una cabina.

Farley sonríe otra vez, totalmente convencida de sus propios secretos duramente ganados.

—Eso será en Norta. Pero la vigilancia de los campos de aviación en las Tierras Bajas es deplorable.

—¿En las Tierras Bajas? —soltamos Cal y yo al unísono, sorprendidos.

La nación aliada al sur está muy lejos, incluso más que la comarca de los Lagos. Debería estar fuera del alcance de los agentes de la Guardia Escarlata. Es fácil suponer que aquí llega contrabando de esa región, he visto las cajas con mis propios ojos, pero ¿que haya infiltración declarada? Eso parece... imposible.

Todo indica que Farley no lo cree así.

—Los príncipes de las Tierras Bajas están persuadidos de que la Guardia Escarlata es un problema de Norta. Para nuestra fortuna, se equivocan. Esta serpiente tiene muchas cabezas.

Me muerdo el labio para contener una exclamación, y

preservar lo poco que queda de mi máscara. ¿La comarca de los Lagos, Norta y ahora las Tierras Bajas? Vacilo entre la admiración y el temor a una organización lo bastante grande y paciente para infiltrarse no en una, sino en tres naciones soberanas gobernadas por reyes y príncipes Plateados.

Ésta no es la turba simple y variopinta de fieles creyentes que había imaginado.

Es una máquina grande y bien engrasada, que lleva en marcha mucho más tiempo del que cualquiera hubiera pensado.

¿Adónde diablos he venido a parar?

Para impedir que mis pensamientos aneguen mis ojos en lágrimas, hojeo el cuaderno de nombres. El estudio de Julian acerca de diversos artefactos, aderezado con el nombre y localidad de cada uno de los nuevasangre que residen en Norta, me tranquiliza. Si puedo reclutarlos e instruirlos, y demostrarle al coronel que no somos Plateados, que no somos de temer, podríamos tener la oportunidad de cambiar el mundo.

Y Maven no podría matar a nadie más en mi nombre. No cargaré sobre mis espaldas el peso de una sola lápida más.

Cal se inclina a mi lado, pero no tiene fija la mirada en las hojas. Observa mis manos, mis dedos que recorren la lista. Roza mi rodilla con la suya, caliente aun a través de sus pantalones andrajosos. Y pese a que no dice nada, entiendo lo que trata de comunicarme. Como yo, él sabe también que todo es siempre más complicado de lo que parece, más de lo que incluso podemos empezar a comprender.

No bajes la guardia, dice su mano.

Respondo con un codazo:

Ya lo sé.

—Coraunt —digo en voz alta y detengo de súbito mi dedo—. ¿A qué distancia está Coraunt de la pista de aterrizaje Nueve-Cinco?

Farley no se toma la molestia de buscar en el mapa esa aldea. No necesita hacerlo.

—Muy cerca.

—¿Qué hay en Coraunt, Mare? —pregunta Kilorn, tras desplazarse sigilosamente hasta mi hombro.

Como procura mantener su distancia de Cal, me coloca entre ambos como si fuera una pared.

Siento el peso de las palabras. Mis acciones podrían liberar a este hombre. O condenarlo.

—Se llama Nix Marsten.

DIEZ

El Blackrun era el jet de uso personal del coronel, que empleaba para ir y venir entre Norta y la comarca de los Lagos lo más rápido posible. Para nosotros es más que un transporte. Es un tesoro, cargado todavía con las armas, los suministros médicos y hasta las raciones de alimentos de su vuelo más reciente. Farley y Kilorn ordenan las provisiones en columnas para separar las armas de las vendas, mientras Shade cambia los vendajes de su hombro. Estira la pierna de forma curiosa, ya que es incapaz de doblarla en el entablillado, pero no da muestra alguna de dolor. Pese a su baja estatura, siempre ha sido el más resistente de la familia, después de papá, quien no ha sucumbido a su constante tormento.

Entrecortada de súbito, mi respiración punza las paredes de mi garganta y clava agujas en mis pulmones. *Papá, mamá, Gisa, los chicos.* En el torbellino de mi huida, me olvidé de ellos por completo. Lo mismo ocurrió en la ocasión anterior, cuando me convertí en Mareena, cuando el rey Tiberias y la reina Elara cambiaron por seda mis harapos. Tardé horas en recordar a mis padres, quienes esperaban en casa a una hija que no regresaría nunca. Y ahora los he dejado otra vez en espera. Podrían estar en peligro por lo que hice, sujetos a la ira del coronel. Escondo la cabeza entre mis manos y suelto un ramillete de maldiciones. *¿Cómo es posible que me haya olvidado de ellos? ¡Apenas acabo de recuperarlos! ¿Cómo he podido dejarlos así?*

—¿Mare? —balbucea Cal e intenta no llamar la atención sobre mí.

No hace falta que los demás me vean enroscada en mis propios sufrimientos, y que me castigo hasta por lo más insignificante.

Eres egoísta, Mare Barrow. Una niña tonta y egoísta.

El grave zumbido de los motores, que en otro tiempo era un consuelo continuo y pausado, se convierte en un peso oneroso. Se abate sobre mí como las olas en la playa de Tuck, infinito, envolvente, asfixiante. Por un momento quiero permitir que me consuma, y así ya no sentiré más que el relámpago. Ni dolor ni recuerdo, sólo poder.

Una mano en mi nuca reduce un poco mi ansiedad, al insuflar calor en mi piel para que se oponga al frío. El pulgar describe lentos círculos en busca de un punto de presión que yo no sabía que existiera. Eso me brinda cierta ayuda.

—Tienes que tranquilizarte —prosigue Cal y me habla mucho más cerca esta vez. Veo de reojo que se inclina junto a mí y que sus labios casi rozan mi oído—. Los jets son un poco sensibles a las tormentas eléctricas.

—Así es —admito con dificultad—. Está bien.

No mueve la mano. La mantiene sobre mi piel.

—Inhala por la nariz, exhala por la boca —me instruye en voz baja y relajante, como si hablara con un animal asustado.

Supongo que no está del todo equivocado.

Aunque me hace sentir una niña, sigo el consejo. Cada vez que respiro, me libero de otro pensamiento, uno más hostil que el anterior. *Te has olvidado de ellos.* Inhalo. *Has ma-*

tado a varias personas. Exhalo. *Dejaste que otras más murieran.* Inhalo. *Estás sola.* Exhalo.

Esto último no es cierto, y Cal es la prueba de ello. Lo mismo que Kilorn, Shade y Farley. Pero no puedo sacudirme la sensación de que, aunque están conmigo, en realidad no hay nadie a *mi lado.* Pese a que tengo un ejército a mis espaldas, estoy sola todavía.

Quizá los nuevasangre vengan a cambiar eso. Comoquiera que sea, tendré que descubrirlo.

Me incorporo lentamente en mi asiento, y las manos de Cal me siguen. Él se aparta después de un largo momento, cuando está seguro de que ya no lo necesito. Una vez que su tibieza se retira, siento de pronto frío en el cuello, pero tengo demasiado orgullo para decírselo. Miro afuera y me concentro en las nubes que pasan en indefinidas figuras, el sol poniente y el mar abajo. Olas de blancas crestas chocan con una larga sucesión de islas, unidas entre sí por franjas alternas de arena, pantanos o un puente derruido. Algunos pueblos pesqueros y unos cuantos faros salpican el archipiélago, y al parecer son inofensivos, aunque mis puños se cierran con tan sólo verlos. *Podría haber un vigía en lo alto de uno de ellos. Podríamos ser vistos.*

El puerto de la mayor de las islas está lleno de embarcaciones, pertenecientes a la Marina, a juzgar por su tamaño, y las franjas de azul y plata que decoran sus cascos.

—Supongo que sabes lo que haces, ¿verdad? —le digo a Cal, sin perder de vista las islas.

¿Quién sabe cuántos Plateados estarán buscándonos ahí? Y el puerto, repleto de barcos, podría ocultar una infinidad de cosas. O de personas. *Como Maven.*

Parece que a Cal no le preocupa nada de eso. Rasca una

vez más su creciente barba, con sus dedos que frotan una piel áspera.

—Ésas son las islas Bahrn, y no dan problemas. Fort Patriot, en cambio... —dice y señala vagamente al noroeste. Sólo puedo distinguir entre la costa y la tierra firme, que está brumosa bajo la luz dorada—. Me mantendré lejos de sus sensores tanto como pueda.

—¿Y cuando no puedas? —Kilorn aparece de súbito sobre nosotros, inclinado en el respaldo de mi asiento. Sus ojos viajan como saetas entre Cal y las islas—. ¿Crees poder volar más rápido que ellos?

Cal exhibe un rostro tranquilo y confiado.

—Desde luego —tengo que esconder mi sonrisa bajo la manga, porque sé que esto sólo indignará a Kilorn. Aunque no he volado con Cal nunca, lo he visto en acción sobre una motocicleta. Y si es la mitad de bueno para conducir aviones como lo es para manejar esa máquina de la muerte de dos ruedas, estamos sin duda en manos muy capaces—. Pero no será necesario que lo haga —continúa, satisfecho del silencio de Kilorn—. Cada nave tiene un código de identificación, para hacer saber con exactitud a los fuertes qué pájaro se dirige a ellos. Cuando estemos cerca, emitiré un código viejo; si tenemos suerte, a nadie se le ocurrirá verificarlo.

—Parece arriesgado —refunfuña Kilorn, como si quisiera echar por tierra el plan de Cal, pero el pescador se ve lamentablemente superado.

—Surte efecto —interviene Farley—. Así es como el coronel consigue sus permisos si no puede volar entre los sensores.

—Que nadie espere que los rebeldes sepan volar, ha de ser útil —añado, a fin de reducir el bochorno de Kilorn—. No buscan jets robados en el aire.

Para mi sorpresa, Cal se tensa de repente. Se levanta de su sillón con un movimiento rápido y brusco que lo deja girando.

—Los instrumentos responden muy lento —explica de forma apresurada.

Una mentira mal hecha, a juzgar por su entrecejo fruncido.

—¿Cal? —lo llamo, pero no se da la vuelta.

Ni siquiera me escucha, y se precipita al fondo del avión. Los demás lo observan con ojos entrecerrados. Son todavía muy prudentes con él.

Sólo puedo mirar, atónita. *¿Ahora qué?*

Lo dejo con sus pensamientos y me aproximo a Shade, quien se halla tendido en el suelo todavía. Su pierna está mejor de lo esperado, sostenida por un recio entablillado, pese a lo cual aún necesita junto a él la muleta de curvado metal. Después de todo, recibió dos balas en Naercey y no tenemos sanadores de la piel que lo curen con sólo tocarlo.

—¿Puedo traerte algo? —pregunto.

—No diría que no a un poco de agua —responde afectado—. Y de comida.

Feliz de poder hacer al menos algo por él, cojo de las reservas de Farley una cantimplora y dos paquetes de víveres sin abrir. Imagino que ella armará un escándalo sobre la necesidad de racionar la comida, pero apenas me dedica una mirada. Ha ocupado mi lugar en la cabina y se asoma por el cristal, embelesada por el mundo que pasa bajo nosotros. Kilorn holgazanea a su lado, pero no toca la silla vacía de Cal. No quiere que el príncipe lo reprenda, y procura no acercar las manos al tablero de instrumentos. Me parece un niño rodeado de vidrios rotos, que quisiera tocar pero sabe que no debe hacerlo.

Estoy a punto de coger un tercer paquete de provisiones, pues Cal no ha comido desde que el coronel lo apresó, pero una mirada al fondo del jet aquieta mis dedos. Cal está solo, manosea un panel abierto y finge que arregla algo. Se enfunda velozmente uno de los uniformes reservados a bordo, un traje de vuelo plateado y negro. Las prendas andrajosas que vistió en la plaza y la ejecución forman un montículo a sus pies. Recupera de esta forma la apariencia que le es propia: la de un príncipe de fuego, un guerrero nato. Si no fuera por las inconfundibles paredes del Blackrun, pensaría que estamos de nuevo en un palacio, donde bailamos uno en torno del otro como polillas alrededor de una vela. Hay una insignia estampada encima de su corazón, un emblema rojinegro al que flanquean un par de alas argentinas. Pese a la distancia, reconozco las puntas oscuras, torcidas a imagen y semejanza de una llama. *La Corona Ardiente*. Era de su padre y de su abuelo, y su derecho de primogenitura. Pero le fue arrebatada del peor de los modos, y pagada con la sangre de su padre y el alma de su hermano. Por más que odie al rey, el trono y todo lo que éste representa, no puedo menos que sentir lástima por Cal. Lo ha perdido todo: una vida entera, aunque fuese una vida equivocada.

Él siente mi vista y se da la vuelta, así sea sólo un instante. Después se lleva la mano a la insignia y recorre el perímetro del reino que le escamotearon. En un giro violento que me hace estremecer, la arranca del traje y la arroja al suelo. La furia centellea en sus ojos, muy por debajo de su sereno aspecto. Aunque intenta ocultarlo, su ira bulle siempre en la superficie y cintila entre las hendiduras de su máscara gastada. Lo dejo con su aflicción, sabedora de que el funcionamiento de la nave lo calmará mejor que cualquier cosa que pueda decir.

Shade se encoge para hacerme espacio a su lado y me dejo caer sin mucha gracia. El silencio flota entre nosotros como una nube oscura mientras nos pasamos la cantimplora uno a otro, para compartir una extraña comida familiar en el suelo de un Blackrun que ha sido robado dos veces.

—Hemos hecho lo correcto, ¿verdad? —susurro, con la esperanza de recibir algo semejante a una absolución.

Aunque Shade es sólo un año mayor que yo, he confiado siempre en sus consejos.

Para mi alivio, asiente.

—Tarde o temprano ellos iban a encerrarme contigo. El coronel no sabe tratar a personas como nosotros. Nos teme.

—No es el único —replico con tristeza mientras recuerdo los susurros y las miradas evasivas de todas las personas con las que me he encontrado hasta ahora. Incluso en la Mansión del Sol, donde me rodeaban habilidades increíbles, yo era diferente. Y en Tuck era la Niña Relámpago. Respetada, reconocida, *temida*—. Al menos los demás son normales.

—¿Mamá y papá?

Asiento y hago una mueca cuando los oigo mencionar.

—Gisa también, y los chicos. Son Rojos de verdad, así que él no puede... no les hará nada.

Parece más bien una pregunta.

Shade asesta un buen mordisco a su refrigerio, una barra de avena hojaldrada que se le desmigaja encima.

—Las cosas serían distintas si nos hubieran ayudado, pero no supieron nada acerca de nuestra fuga, así que yo no me preocuparía. Partir como lo hicimos —se queda sin aliento, igual que yo— fue mejor para ellos. De lo contrario, papá habría ayudado, y mamá también. Cuando menos Bree y Tramy son lo bastante leales a la causa para escapar a toda sospecha.

Por no decir que ninguno es tan listo para lograr algo como esto —hace una pausa, muy serio—. Incluso dudo que los Lacustres quieran lanzar a una celda a una anciana, un tullido y la pequeña Gisa.

—Es cierto —digo, sumamente aliviada. Y como me siento mejor, le sacudo las hojuelas que caen sobre su camisa.

—No me gusta que les llames normales —agrega, y me aprieta la muñeca. De pronto ha bajado la voz—. Lo que nos pasa no es nada malo. Somos diferentes, sí, pero no malos. Y ciertamente, no mejores.

Somos todo menos normales, quiero decirle, pero sus severas palabras me disuaden.

—Tienes razón, Shade —asiento, y espero que crea mi endeble mentira—. Como de costumbre.

Ríe y termina su ración con un gran bocado.

—¿Me podrías poner eso por escrito?

Vuelve a reír y me suelta. Su sonrisa me es tan familiar que empiezo a sufrir. Finjo la mía por su bien, pero las fuertes pisadas de Cal la borran al instante.

Pasa a zancadas junto a nosotros, sin rozar la pierna extendida de Shade, con los ojos fijos en la cabina.

—Ya estamos cerca —dice a nadie en particular, y esto nos hace entrar en acción.

Kilorn abandona apresuradamente la cabina, como un niño asustado. Cal lo ignora por completo. Tiene puesta su atención en el jet y nada más. Por ahora, al menos, su rencor se subordina a los obstáculos que están por venir.

—Yo me abrocharía el cinturón —añade por encima del hombro y me hace una seña mientras se hunde en su asiento.

Se coloca los cinturones con precisión indiferente y ajusta cada uno de ellos con tirones fuertes y veloces. Farley hace lo mismo a su lado; sin decir nada, ha reclamado mi silla por lo pronto. No me molesta. Ver despegar el jet fue aterrador. Sólo puedo imaginar cómo será el aterrizaje.

Shade es orgulloso pero no tonto, y deja que le ayude a ponerse en pie. Kilorn se coloca al otro lado y juntos hacemos una ágil maniobra para levantarlo. Una vez erguido, Shade se desplaza con facilidad y se abrocha los cinturones en su asiento, con una muleta bajo un brazo. Ocupo el asiento contiguo, y Kilorn el que se halla junto a mí. Esta vez, mi amigo sí se ajusta bien al asiento, y se agarra de sus correas con sombría previsión.

Me concentro en mis cinturones y me siento extrañamente a salvo cuando me ciñen. *Acabas de atarte a una pieza metálica voladora.* Es cierto pero, al menos durante los minutos siguientes, la vida y la muerte dependen exclusivamente del piloto. He colaborado hasta ahora sólo para tener algo que hacer.

Cal se entretiene en la cabina con una docena de interruptores y palancas, y prepara el jet para lo que sea que venga. Entrecierra los ojos. Así los protege del atardecer y su llamarada luminosa, que prende fuego a su silueta y lo ilumina con lenguas rojas y naranjas que podrían ser sus propias llamas. Esto me recuerda Naercey, el Cuenco de los Huesos e incluso nuestros combates en el entrenamiento, cuando él dejaba de ser un príncipe y se tornaba un infierno. Me asustaba en aquellos días, sorprendida cada vez que él ponía de manifiesto su brutalidad, pero ya no. Nunca olvidaré lo que crepita bajo su piel, la cólera que lo alimenta y lo intensas que ambas cosas son.

Todo el mundo puede traicionar a cualquiera, y Cal no es la excepción.

Una mano en mi oreja me hace saltar de mi asiento y agitarme contra mis correas. Cuando me vuelvo, veo que la mano de Kilorn flota en el aire y que su rostro se curva en una sonrisa divertida.

—Todavía los tienes —dice y hace señas en dirección a mi cabeza.

Sí, Kilorn, tengo oídos todavía, quiero responder. Pero en un pestañeo entiendo a lo que se refiere. Cuatro piedras, rosa, roja, morada y verde: mis pendientes. Los tres primeros me los dieron mis hermanos y forman parte de un solo juego que Gisa y yo nos dividimos. Fueron regalos agridulces, hechos cuando ellos se alistaron en el ejército y abandonaron a nuestra familia en un adiós que podía ser para siempre. El último es un obsequio de Kilorn, realizado al borde del abismo, antes de que la Guardia Escarlata atacara Arcón, antes de la traición que aún nos ronda a todos. Estos pendientes han estado conmigo todo este tiempo, desde el enrolamiento de Bree hasta el pérfido acto de Maven, y se diría que cada una de esas piedras está cargada de recuerdos.

Kilorn se detiene en el pendiente verde, que hace juego con sus ojos. Verlo lo ablanda, y lima la dureza que ha adquirido en los últimos meses.

—Por supuesto —respondo—. Me los llevaré a la tumba.

—No hablemos de tumbas, especialmente en este momento —masculla y mira sus correas otra vez.

Desde este ángulo veo más de cerca su rostro herido. Un ojo negro que el coronel le propinó, una mejilla amoratada por mí.

—Perdón por eso —digo, para disculpar mis palabras y la herida.

—Me has hecho cosas peores —ríe.

No le falta razón.

El silbido estridente de la electricidad estática de la radio destruye la tranquilidad del momento. Cuando me doy la vuelta veo que Cal tiene una mano en el instrumento de dirección y que con la otra aferra la bocina de la radio.

—Control de Fort Patriot, aquí BR uno ocho guión siete dos. Origen Delphie, destino Fort Lencasser.

Su acento monótono y reposado resuena en el jet. Nada en su voz parece impropio, o siquiera levemente interesante. Es de esperar que Fort Patriot acepte nuestra solicitud. Cal repite el código de identificación dos veces más, y hasta tiene un aspecto aburrido cuando termina. Pero su cuerpo es un manojo de nervios, y se muerde el labio con inquietud mientras espera una respuesta.

Los segundos parecen volverse horas, aunque sólo oímos el chirrido de la electricidad estática en el otro extremo de la radio. Junto a mí, Kilorn ajusta sus cinturones y se prepara para lo peor. Hago discretamente lo mismo.

Cuando la radio chisporrotea en previsión de una respuesta, aprieto las manos en el borde de mi asiento. Puede que tenga fe en las habilidades de vuelo de Cal, pero eso no significa que quiera ver que un escuadrón de combate las ponga a prueba.

—Entendido, BR uno ocho guión siete dos —contesta al fin una voz seria y enérgica—. La siguiente llamada será al control de Cancorda, ¿entendido?

Cal exhala lentamente y es incapaz de reprimir una amplia sonrisa.

—Entendido, control de Fort Patriot.

Antes de que pueda relajarme, la radio continúa silbando y Cal endurece la mandíbula. Dirige sus manos al instrumento de dirección, para ajustar cada punta con atención extrema. Ese solo acto basta para alarmarnos a todos, incluso a Farley. En la silla junto a él, mira con los ojos y la boca abiertos, como si pudiera catar las palabras por venir. Shade hace lo mismo, con la mirada fija en la radio sobre el tablero y la muleta situada cerca.

—Tormentas en Lencasser, proceda con precaución —dice la voz después de un largo y angustioso momento. Suena aburrida, disciplinada y sin ningún interés en nosotros—. ¿Entendido?

Esta vez Cal baja la cabeza, con los ojos entrecerrados de alivio. Apenas puedo evitar hacer lo mismo.

—Entendido —repite él.

El siseo de la electricidad se extingue con un chasquido satisfactorio, que marca el final de la transmisión. *Esto ha sido todo. Estamos libres de toda sospecha.*

Nadie habla antes que Cal, que se da la vuelta por encima del hombro y ostenta una sonrisa torcida.

—¿Cuál era el problema? —pregunta, y se seca el fino lustre en la frente.

Cuando veo sudar a este príncipe de fuego, río sin reserva. No parece que eso le importe a Cal. Tan es así que su sonrisa se ensancha antes de que gire hacia los controles. Hasta Farley se permite insinuar un gesto alegre, y Kilorn sacude la cabeza y separa su mano de la mía.

—Bien hecho, su alteza —dice Shade.

Kilorn usa este título para ofender, pero en boca de mi hermano es una muestra de profundo respeto.

Supongo que por eso el príncipe sonríe y agita la cabeza.

—Me llamo Cal y nada más.

Kilorn emite una risa ahogada, la cual es lo bastante grave para que sólo yo la oiga, y le clavo un codo en las costillas.

—¿Te vas a herniar si eres un poco más cortés?

Él se aparta de mí para evitar otro moretón.

—No quiero correr ese riesgo —susurra en respuesta, y añade con voz más fuerte y en dirección a Cal—: Supongo que no llamaremos a Cancorda, ¿no es así, su alteza? Esta vez dejo caer mi tacón en su pie y obtengo un aullido que me deja satisfecha.

Veinte minutos más tarde el sol se ha puesto ya, hemos dejado atrás Harbor Bay y los suburbios de Ciudad Nueva, y volamos cada vez más bajo. Farley apenas puede mantenerse en su asiento y estira el cuello para ver lo más posible. Ahora, debajo de nosotros hay únicamente árboles apelmazados en el extenso bosque que ocupa la mayor parte de Norta. Esto es muy parecido a casa, como si Los Pilares aguardaran sólo más allá de la siguiente colina. Pero mi hogar está al oeste, a más de ciento cincuenta kilómetros. Aquí los ríos son desconocidos; los caminos, extraños, y no sé nada acerca de las aldeas en las riberas de los canales. El nuevasangre Nix Marsten vive en una de ellas, donde ignora lo que él mismo es y el tipo de peligro en que se encuentra. *Si acaso vive todavía.*

Debería preguntarme sobre una trampa, pero no lo hago. No puedo. Lo único que me impulsa es la idea de hallar a otros nuevasangre. No sólo por la causa, sino también por *mí*, para que compruebe que no estoy sola en mi mutación y que mi hermano no es la única persona a mi lado.

Me equivoqué al confiar en Maven, pero no en Julian Jacos. Lo conozco mejor que la mayoría, lo mismo que Cal. Como yo, él sabe que la lista de nombres es verdadera, y que si los demás discrepan, no lo dicen. Porque pienso que ellos quieren creer también. La lista les ofrece la esperanza de un arma, una oportunidad, una vía para librar una guerra. Es un ancla para todos nosotros, que le da a cada uno algo a lo cual aferrarse.

Cuando el jet se orienta hacia el bosque, fijo mi atención en el mapa más próximo, para distraerme, pero siento todavía que me muero de miedo.

—¿Quién lo habría creído? —farfulla Cal mientras mira por la ventana lo que supongo que son las ruinas convertidas en una pista de aterrizaje. Cuando tira de otro interruptor, los paneles bajo mis pies vibran, en consonancia con el *ronroneo* inconfundible que se esparce por el cuerpo del avión—. Preparaos para aterrizar.

—¿Y eso qué significa exactamente? —pregunto entre dientes, y al darme la vuelta lo que veo por la ventana no es el cielo sino una infinidad de copas de árboles.

El avión se zarandea antes de que Cal pueda responder, ya que hemos golpeado contra algo sólido. Rebotamos en los asientos y nos prendemos de nuestros cinturones, mecidos por el empuje de la nave. La muleta de Shade sale disparada hasta impactar en el respaldo del sillón de Farley. Da la impresión de que ella no lo nota, pues sus nudillos, que reposan en los brazos de su asiento, se le han puesto blancos. Pero sus ojos están muy abiertos y no parpadean.

—Estamos bajando —dice, aunque su voz se deja oír apenas, ahogada por el rugido ensordecedor de los motores.

La noche cae sobre la llamada ruina en medio de un magnífico silencio, interrumpido sólo por el distante canto de las aves y el gemido en sordina del avión. Sus motores giran cada vez más lento y se apagan cuando nuestro viaje al norte llega a su fin. El imponente matiz azul de la electricidad bajo cada ala se disipa hasta que toda la luz procede del interior del jet y de las estrellas que hay en el cielo.

Aguardamos sin hablar, con la esperanza de que nuestro aterrizaje haya pasado inadvertido.

Huele a otoño. Perfuman el aire las hojas secas y la humedad de las remotas tempestades, y respiro hondo al pie de la rampa. Lo único que quebranta el silencio aquí son los ronquidos lejanos de Kilorn, quien aprovecha los muy necesarios y escasos ratos de sueño. Farley ha desaparecido ya, arma en mano, para hacer un reconocimiento del resto de la pista oculta. Se ha llevado consigo a Shade, por precaución. Por primera vez en semanas, e incluso en meses, no estoy bajo custodia ni estrechamente vigilada. Me pertenezco de nuevo.

Claro que esto no dura mucho.

Cal baja la rampa a toda prisa con un rifle al hombro, pistola al cinto y una mochila que cuelga de su mano. Con su cabello negro y su mono oscuro, se diría que está hecho de sombras, algo que estoy segura que piensa usar en su favor.

—¿Y tú qué haces? —le pregunto mientras agarro hábilmente su brazo. Podría soltarse en un segundo, pero omite esa acción.

—No te preocupes, no he cogido gran cosa —responde y señala la mochila—. De todas formas, puedo robar casi todo lo que necesito.

—¿Tú? ¿Robar? —me mofo de la idea de que un príncipe, y un bruto descocado, además, pueda hacer algo de esa índole—. En el mejor de los casos, perderás los dedos. La cabeza, en el peor.

Levanta los hombros. No quiere parecer preocupado.

—¿Y eso te importa?

—Sí —contesto tranquilamente, y hago cuanto puedo por impedir que en mi voz se trasluzca el dolor—. Te necesitamos aquí y tú lo sabes.

Frunce la boca, pero no para sonreír.

—¿Y eso me importa a *mí*?

Quisiera hacerlo entrar en razón a manotazos, pero él no es Kilorn. Agarraría mi puño con un mohín y seguiría su camino. El príncipe debe ser motivado, convencido, *manipulado*.

—Dijiste que cada nuevasangre que salvemos será un golpe más contra Maven. Eso es cierto todavía, ¿verdad? —no lo confirma pero tampoco discute. Al menos escucha—. Sabes lo que puedo hacer, lo que Shade puede hacer. Y Nix podría ser más fuerte, *mejor* que nosotros dos, ¿no es así? —más silencio—. Sé que lo quieres muerto —pese a la oscuridad, una luz extraña titila en sus ojos—. Yo quiero eso también. Quiero sentir mis manos en su cuello. Quiero ver que se desangra por lo que hizo, por cada persona que mató.

¡Qué bien me sienta decir esto en voz alta y admitir lo que más me asusta ante la única persona que lo comprende! *Quiero hacerle daño a Maven de la peor de las formas. Quiero hacer que sus huesos chillen por la acción de mis rayos hasta que ya ni siquiera pueda gritar.* Quiero destruir al monstruo en que se convirtió.

Pero cuando pienso en matarlo, una parte de mi mente recuerda al chico que creí que era. Y me repito que no era real. El Maven que conocí y quise era una fantasía, hecha precisamente a mi medida. Elara contorsionó a su hijo hasta transformarlo en una persona a la que yo debía querer, e hizo su trabajo inmejorablemente. Por algún motivo, esa persona que no existió me obsesiona mucho más que el resto de mis fantasmas.

—Él está fuera de nuestro alcance —digo, para Cal y por mi bien—. Si le damos caza ahora, nos sepultará a los dos. Tú lo *sabes*.

Alguna vez un general ,y todavía un formidable guerrero, Cal conoce la batalla. Y a pesar de su furia, a pesar de que cada palmo de su ser clama venganza, sabe que ésta no es una batalla que él pueda ganar. *Al menos no ahora.*

—No formo parte de tu revolución —susurra, y su voz casi se pierde en la noche—. No soy de la Guardia Escarlata. *No* pertenezco a esto.

Imagino que dará una patada de exasperación en el suelo.

—*¿Qué eres* entonces, Cal?

Abre la boca, a la espera de que salga una respuesta. Pero guarda silencio.

Comprendo su confusión, aunque no me guste. Fue educado para ser todo aquello contra lo que le rodea. No sabe cómo ser de otra manera, incluso ahora que se halla entre los Rojos, perseguido por los suyos, traicionado por su propia sangre.

Después de un terrible y prolongado momento, regresa a la nave. Suelta su mochila, sus armas y su intrepidez. Yo exhalo tranquilamente, aliviada por su decisión. Se quedará con nosotros.

Pero no sé durante cuánto tiempo más.

ONCE

De acuerdo con el mapa, Coraunt se localiza seis kilómetros y medio al noreste, asentada en la intersección del río Regente y la extensa Calzada del Puerto. Por su apariencia, no es más que un puesto comercial, y es una de las últimas aldeas antes de que, al girar, esa calzada continúe tierra adentro, donde serpentea por las colmadas e infranqueables marismas en su camino a la frontera norte. De las cuatro grandes vías de Norta, ésta es la más transitada, ya que une a Delphie, Arcón y Harbor Bay. Eso la vuelve también la más peligrosa, pese a su ubicación en un punto situado muy al norte. Gran cantidad de Plateados, militares o no, podrían pasar por ahí, y aunque no participen activamente en nuestra persecución, no hay uno solo en el reino que no reconozca a Cal. La mayoría trataría de arrestarlo y, sin duda, algunos querrían matarlo en el acto.

Podrían hacerlo, me digo. Saber esto debería aterrarme, pero por el contrario me tonifica. Maven, Elara, Evangeline y Ptolemus: a pesar de su gran poder y sus habilidades, todos ellos son vulnerables. *Pueden* ser derrotados. Sólo necesitamos las armas apropiadas.

Esta idea me permite ignorar las penurias de los últimos días. El hombro ya no me duele tanto, y en la quietud del bosque me doy cuenta de que el zumbido dentro de mi cabeza ha menguado. Dentro de unos días más habré olvidado por completo el grito del gemido. Hasta mis nudillos, que me herí hace unas horas, cuando golpeé el pómulo de Kilorn, apenas si duelen ya.

Shade salta entre los árboles y su figura aparece y desaparece como si fuera un lucero en medio de las nubes. Permanece cerca, nunca se pierde de vista y procura moderar el ritmo de su teletransportación. Susurra una o dos veces, para anunciar una vuelta en el sendero o un barranco escondido, en beneficio de Cal sobre todo. Mientras que Kilorn, Shade y yo crecimos en el bosque, él creció en palacios y cuarteles. Ni unos ni otros lo prepararon para atravesar de noche una arboleda, como lo evidencia el ruidoso crujido de las ramas que rompe en sus tropiezos ocasionales. Está acostumbrado a abrirse camino con fuego, a imponer por la fuerza su paso entre obstáculos y enemigos.

Los dientes de Kilorn relucen cada vez que el príncipe trastabilla, y dejan verse bajo una sonrisa mordaz.

—¡Cuidado! —exclama en tanto aleja a Cal de una enorme roca oculta en las sombras.

El príncipe se suelta fácilmente del pescador pero no hace nada más, por fortuna. Hasta que llegamos al arroyo.

Las ramas de los árboles en las orillas componen un arco en el cielo, y sus hojas se rozan unas con otras a través del claro del agua. La titilante luz de las estrellas ilumina el caudal en su tránsito sinuoso por el bosque hasta el río Regente. Es angosto, pero no sabemos cuán hondo podría ser. Por lo menos la corriente parece tranquila.

Como es probable que Kilorn se sienta más a gusto en el agua que en la superficie, se mete de un salto a los bajíos. Lanza una piedra al centro del arroyo y la oye *chapotear* en el agua. —Un metro ochenta, tal vez dos —dice un momento después. Me cubre—. ¿Tendremos que hacerte una balsa? —pregunta mientras me sonríe.

Nadé por primera vez en el Capital, un río con todas las letras, tres veces más profundo y diez veces más ancho que éste, cuando tenía catorce años. Así que sumergirme en este riachuelo no es nada en comparación, y meto la cabeza bajo el agua fría y oscura. Dado que estamos cerca del océano, sabe un poco a sal.

Kilorn me sigue sin reparos y sus muy practicadas brazadas lo llevan al otro lado en segundos. Me sorprende que no se luzca más, no dé algunas volteretas ni aguante la respiración durante varios minutos. Cuando llego a la orilla contraria, entiendo por qué.

Shade y Farley están encaramados en la remota ribera, desde donde miran el agua. Les tiemblan las mejillas, mientras ahogan sonrisas pícaras en tanto miran al príncipe en los bajíos. El arroyo rodea los tobillos de Cal con igual suavidad que el tacto de una madre, pero su cara palidece bajo la luz de la Luna. Cruza rápido los brazos para ocultar sus manos convulsas.

—¿Cal? —pregunto, aunque procuro no alzar demasiado la voz—. ¿Qué pasa?

Echado ya sobre el tronco de un árbol, Kilorn resopla en la oscuridad. Cuando se baja la cremallera de la cazadora, hace sonar el material empapado con estudiada eficiencia.

—¡Vamos, Calore! ¿Puedes pilotar un avión pero no sabes nadar? —inquiere.

—¡Sí que *sé* nadar! —contesta Cal con brusquedad. Fuerza otro paso en el río, que ya le llega a las rodillas—. Pero no me gusta.

Desde luego que no. Cal es un quemador, un regulador de la llama, y nada lo debilita más que el agua. Lo vuelve indefenso, impotente, todo lo que se le enseñó a odiar, temer y combatir. Recuerdo que estuvo a punto de morir en la plaza, atrapado por Lord Osanos y rodeado por una esfera de líquido que ni siquiera él pudo destruir con su fuego. Seguro que lo sintió como un ataúd, una tumba acuosa.

Me pregunto si piensa en esto también, si el recuerdo hace que el riachuelo tranquilo adopte la apariencia de un mar agitado e inconmensurable.

Mi primera reacción es volver a nado hasta él para ayudarle a cruzar con mis propias manos, pero eso provocará en Kilorn un ataque de risa que Cal no podría soportar. Y una pelea en pleno bosque es lo último que necesitamos.

—Inhala por la nariz, Cal.

Cuando se da la vuelta, nuestras miradas se cruzan en el arroyo y yo asiento breve y comprensivamente. *Exhala por la boca.* No hago más que repetir su consejo, pero eso lo sosiega de todas formas.

Da otro paso adelante, y luego otro más, y el pecho se le ensancha con cada respiración profunda. Entonces se pone a nadar, y chapotea por el arroyo como un perro grande. Kilorn se lleva una mano a la boca para reprimir la carcajada que lo sacude y le arrojo unas piedras. Esto lo hace callar el tiempo suficiente para que Cal llegue a los bajíos y salga corriendo del agua. Su piel despide algo de vapor, producto del sofoco de su vergüenza.

—Hace frío —masculla, y sacude la cabeza para no tener que mirarnos.

Su negro cabello se adhiere a un costado de su rostro, cuyo plateado rubor cubre. Lo retiro de ahí sin pensar y lo arreglo en un estilo más decoroso. Me sostiene la mirada, parece gratamente sorprendido por esta acción. Llega ahora mi turno de enrojecer. *Dijimos que no habría distracciones.*

—¡No me digas que le temes al agua también! —exclama Kilorn, más allá del caudal con una voz fuerte y ronca.

Farley suelta una carcajada y se prende de la muñeca de mi hermano. Una fracción de segundo después ambos están junto a nosotros, secos y sonrientes.

Saltaron, por supuesto.

Shade ríe mientras exprime mi húmeda cola de caballo.

—Idiotas —dice afablemente.

Si no fuera por la muleta, lo lanzaría al agua.

Mi pelo ya está casi seco cuando llegamos a la cumbre que domina Coraunt. La luna y las estrellas se hallan cubiertas de nubes, pero las luces de la aldea bastan para que veamos. Desde nuestra atalaya, Coraunt se parece a Los Pilares. Se levanta sobre la desembocadura del río Regente y en el centro de un cruce de caminos. Uno de ellos, bien pavimentado y levemente elevado sobre las saladas marismas, es desde luego la Calzada del Puerto. El otro corre de este a oeste y se convierte en un muy transitado camino de tierra más allá de la aldea. Una torre de vigilancia se alza en la ribera y apunta al cielo, y su cúspide está iluminada por un faro. Me estremezco cuando pasa por encima de nosotros.

—¿Crees que él esté aquí? —murmura Kilorn en referencia a Nix. Mira el conjunto de casas agazapadas a nuestros pies, apiñadas a la sombra de la torre.

—*Nix Marsten. Vivo. Varón. Nacido el 20 de diciembre de 271 en Coraunt, Costa de las Marismas, Estado Regente, Norta. Residencia actual: la misma que cuando nació.* Eso es todo lo que decía la lista —repito de memoria al tiempo que veo las palabras en mi cabeza.

Omito la última parte, que quema como un hierro candente. *Tipo de sangre: no aplicable. Mutación genética, variedad desconocida.* Esto aparece después de cada nombre de la lista, el mío incluido. Es el indicador que Julian dijo haber usado para hallar a estas personas en la base de datos de sangre, cuando comparó la mía con la suya. Ahora es mi responsabilidad usar esa información, y espero que no sea demasiado tarde.

Entrecierro los ojos en la oscuridad para ver bajo las tinieblas. Por fortuna, el Regente se muestra calmado, un río negro y tranquilo, y las calles están vacías. Incluso el océano exhibe la quietud del cristal. El toque de queda está en marcha, como lo ordenaron las funestas Medidas, vigentes aún.

—No veo ningún barco de la Marina. Y no hay tránsito alguno en la Calzada del Puerto.

Cal asiente, de acuerdo conmigo, y mi corazón se llena de dicha. Los cazadores de Maven no viajarían sin un séquito de soldados, lo cual haría fácil reconocerlos. Esto deja dos posibilidades: no han venido por Nix todavía, o hace mucho que se fueron.

—No debería ser tan complicado, ni siquiera con el toque de queda —los ojos de Farley recorren el caserío e inspeccionan cada techo y cada esquina. Tengo la sensación de que ha hecho esto antes—. Es un pueblo perezoso con funcionarios perezosos. Un salario de diez tetrarcas indica que no se toman la molestia de proteger los archivos de la ciudad.

—Te concedo eso —dice Shade y le da un ligero golpe en el hombro.

—Nosotros os alcanzaremos allá —observa Cal.

Señala un bosquecillo a medio kilómetro de distancia. Es difícil verlo en la penumbra, rodeado como está de marismas y hierbas altas. El escondite es perfecto, pero sacudo la cabeza.

—No nos separaremos.

—¿Preferirías que llegáramos allá todos juntos y que tú y yo dirigiéramos el ataque? ¿Por qué no hago volar el puesto de seguridad para que tú puedas freír a cada agente que te salga al paso? —replica.

Hace todo lo posible por mantener la calma, pero su tono recuerda al de un profesor irritado. *Como su tío Julian.*

—Por supuesto que no…

—Ninguno de los dos puede poner un pie en esa población, Mare. A menos que quieras matar a cada persona que vea nuestra cara. *A cada una de ellas.*

Sus ojos perforan los míos, deseosos de que comprenda. A cada *persona.* No sólo a los agentes de seguridad, no sólo a los soldados y ni siquiera a los civiles Plateados. *A todos.* Cualquier murmuración sobre nosotros, cualquier rumor, y Maven vendrá corriendo hasta aquí. Con centinelas, soldados, *legiones,* y todo lo que tiene en su poder. Nuestra única defensa es permanecer ocultos y mantener la delantera. No podemos hacer ninguna de esas cosas si dejamos un rastro.

—Está bien —digo con un hilo de voz, tan débil como me siento—. Pero que Kilorn se quede con nosotros.

Él hace aletear su mirada entre Cal y yo.

—Esto avanzará mucho más rápido si dejas de actuar como mi *niñera*, Mare.

Actuar como su *nana*. Supongo que eso es lo que hago, aunque ahora él ya pueda pensar, pelear y valerse por sí mismo. ¡Si no fuera tan testarudo, tan renuente a aceptar mi protección!

—Maven sabe tu nombre —le digo—. Seríamos unos idiotas si pensáramos que la fotografía de tu tarjeta de identidad no ha sido enviada a cada agente y puesto de seguridad de la región.

Frunce los labios.

—¿Y qué hay de Farley...?

—Yo soy Lacustre, muchacho —responde ella por mí. Al menos estamos de acuerdo en esto.

—¿Muchacho? —pregunta Kilorn con la frente arrugada—. Si eres apenas un poco mayor que yo.

—Cuatro años mayor, para ser exactos —informa tranquilamente Shade.

Farley entorna los ojos en dirección a ambos.

—Vuestro rey no tiene ningún derecho sobre mis archivos ni conoce mi verdadero nombre.

—Voy solamente porque todos creen que estoy muerto —tercia Shade apoyado en su muleta. Pone una mano en el hombro de Kilorn, pero éste se la sacude.

—De acuerdo —rezonga para sí.

Con apenas una mirada atrás, echa a andar hacia el bosquecillo, sigiloso y veloz como un ratón de campo.

Cal se le queda mirando y una comisura de su boca se tuerce en signo de desagrado.

—¿Hay alguna posibilidad de que lo perdamos de vista?

—No seas cruel —contesto al instante y marcho detrás de Kilorn.

Tengo presente golpear al príncipe cuando paso junto a él y le doy un empujón con mi hombro sano. No para hacerle daño, sino para comunicarme con él. *Déjalo en paz.* Me sigue de cerca y baja la voz hasta volverla un susurro. Sus dedos tibios acarician mi brazo con intención de aplacarme.

—Sólo ha sido una broma.

Pero sé que eso es absolutamente falso. Y lo peor de todo es que me pregunto si acaso tiene razón. Kilorn no es un soldado ni un erudito ni un científico. Puede tejer una red más rápidamente que cualquier otro que conozca, pero ¿eso de qué sirve cuando lo que atrapamos son *personas*? No sé qué tipo de adiestramiento recibió en la Guardia, pero equivale a poco más de un mes. Sobrevivió a la Mansión del Sol gracias a mí, y por pura suerte a la masacre de la Plaza del César. Sin ninguna habilidad, poco adiestramiento y menos juicio, ¿cómo puede hacer otra cosa que estorbar?

Lo salvé del servicio militar, pero no para esto. No para que se inmiscuyera en otra guerra. Una parte de mí querría poder enviarlo a casa, de vuelta a Los Pilares, a nuestro río y la vida que conocíamos. Viviría pobre, explotado, sería un indeseable, pero *viviría*. Ese futuro, resguardado entre el bosque y la ribera, ya no es posible para mí. Pero podría serlo para él. Quiero que lo sea para él.

¿Es un disparate permitir que se quede aquí?

¿Pero cómo lo *dejo ir?*

No tengo una respuesta para ninguna de estas preguntas y aparto de mí todos los pensamientos sobre Kilorn. Pueden esperar. Cuando miro atrás con el propósito de despedirme de Shade y Farley, me doy cuenta de que ya se han ido. Siento un escalofrío mientras imagino una emboscada en Coraunt. Unos disparos resuenan en mi cabeza, cercanos todavía en el recuerdo. No. Con la habilidad de Shade y la experiencia de Farley, nada puede detenerlos esta noche. Y sin mí, sin la Niña Relámpago, nadie deberá morir.

Kilorn es una sombra en la hierba alta y separa verdes tallos con sus manos hábiles. Apenas deja huella, aunque eso no importa. Con el ruido de Cal a mis espaldas y su corpulencia que arrolla todo a su paso, no sirve de nada encubrir nuestra presencia. Además, habremos partido mucho antes de que amanezca, y es de esperar que con Nix a la zaga. Si tenemos suerte, nadie notará que falta un Rojo, lo que nos dará tiempo para adelantarnos a Maven.

¿Qué es esto, exactamente? La voz que suena dentro de mi cabeza se vuelve extraña, una combinación de Julian, Kilorn, Cal y algo de Gisa. Resulta fastidiosa, porque aguijonea lo que me aterra admitir. *La lista es sólo el primer paso. Después de encontrar a los nuevasangre, ¿qué haremos con ellos? ¿Qué haré?*

La contrariedad hace que camine más aprisa, hasta rebasar a Kilorn. Apenas advierto que se retrasa para cederme el paso, sabe que quiero guiar sola. El bosquecillo está cada vez más cerca, sumido en la oscuridad, y deseo estar tranquila. No he tenido un momento de paz desde que desperté en el submarino. Pero incluso esto fue efímero, pues Kilorn rompió mi silencio. Aunque me alegró verlo entonces, ahora deseo este tiempo para mí. Tiempo para pensar, para planear, para llorar. Para envolverme en todo aquello en lo que mi vida se ha convertido.

—Le daremos a escoger —digo en voz alta, a sabiendas de que ni Cal ni Kilorn están tan lejos como para no oírme—. Viene con nosotros o se queda aquí.

Cal se recuesta en un árbol próximo, con el cuerpo relajado pero los ojos fijos en el horizonte. Nada escapa a su mirada.

—¿Le expondremos las consecuencias de esa decisión?

—Si quieres matarlo, tendrás que pasar por encima de mí —contesto—. No ejecutaré a un nuevasangre porque se niegue a unirse a nosotros. Además, si quiere decirle a un oficial que he estado aquí, deberá explicar el motivo. Y esto sería casi una sentencia de muerte para sí mismo.

El príncipe tuerce el gesto. Resiste el impulso de reclamar. Discutir conmigo no lo llevará a ninguna parte, al menos por ahora. Es obvio que no está acostumbrado a recibir más órdenes que las suyas propias.

—¿Le hablaremos de Maven? ¿Que morirá si se queda aquí? ¿Que *otros* morirán si Maven da con los que son como vosotros?

Bajo la cabeza y asiento.

—Le diremos todo lo que podamos, y después dejaremos que decida quién y qué quiere ser. En cuanto a Maven, bueno... —busco la palabra correcta, pero son cada vez más escasas—. Le llevamos ventaja. Supongo que eso es todo lo que podemos hacer.

—¿Por qué? —se inmiscuye Kilorn—. ¿Por qué tenemos siquiera que darle a escoger? Dijiste que necesitamos a todos los que podamos conseguir. Si este sujeto Nix es la mitad de lo que tú eres, no podemos permitir que se vaya.

La respuesta es muy sencilla, y me hiere en lo más vivo.

—Porque a mí nadie me dio la posibilidad de escoger.

Me digo que aunque hubiera sabido las consecuencias, habría seguido el mismo camino: salvar a Kilorn del alistamiento, descubrir mi habilidad, unirme a la Guardia, destrozar vidas, pelear, matar. Convertirme en la Niña Relámpago. Pero no sé si esto es cierto. Sinceramente no lo sé.

Transcurre quizás una hora en un silencio tenso y opresivo. A mí me sienta de maravilla, porque me da tiempo para pensar, y Cal lo disfruta mucho también. Después de los últimos días, está tan ávido de reposo como yo. Ni siquiera Kilorn se atreve a bromear. Se contenta con sentarse sobre una retorcida raíz a tejer una red precaria e inútil con paja de las hierbas altas. Sonríe levemente mientras se regocija en los nudos viejos y endurecidos.

Pienso en Nix allá en la aldea. Probablemente lo sacaron de su cama, tal vez lo amordazaron, sin duda está atrapado ya en una red que yo misma forjé. ¿Farley amenazaría su vida, a sus hijos, para obligarlo a venir, o sencillamente Shade cogería su muñeca y *saltaría* con él, para atravesar juntos el torno espeluznante de la teletransportación hasta aterrizar en la arboleda? *Nacido el 20 de diciembre de 271.* Nix tiene casi cuarenta y nueve años, la edad de mi padre. ¿Estará igual que él, acabado y herido? ¿O estará sano, a la espera de que nosotros lo dobleguemos?

Antes de que pueda caer en una espiral de interrogantes sombrías y condenatorias, la hierba alta se agita. *Alguien viene.*

Es como si esto tirara de un interruptor en Cal. Se separa del árbol, con cada uno de sus músculos tenso y listo para lo que pueda salir de la hierba. Casi supongo que veré fuego en las yemas de sus dedos, pero después de largos años de entrenamiento militar Cal sabe que no debe ser así. En las tinieblas, su llama sería como el faro de la torre de vigilancia: alertaría de nuestra presencia a cada agente. Para mi sorpresa, Kilorn está tan atento como el príncipe. Deja caer su red de hierbas, que aplasta con el pie cuando se yergue. Incluso saca un puñal de su bota, un cuchillo pequeño pero grueso y afilado que antes empleaba para limpiar peces. Verlo me eriza. Ignoro el momento en que ese cuchillo pasó a ser un arma, o aquel otro en que Kilorn comenzó a portarlo en el zapato. *Quizá fue a partir del periodo en el que la gente empezó a dispararle.* Yo misma no estoy desprovista de armas. El grave repicar en mi sangre es todo lo que requiero, porque es más afilado que cualquier cuchillo, más brutal que toda bala. Las chispas dibujan vetas bajo mi piel, y están a mi disposición si las necesito. Mi habilidad posee una sutileza que la de Cal no tiene. El canto de un ave parte la noche y ulula en la hierba. Kilorn responde de la misma forma, con una dulce melodía. Se parece a los tordos que anidan en las casas sobre los pilares de nuestra aldea.

—Es Farley —murmura, y señala a la hierba alta.

Ella es la primera en emerger de las sombras, pero no la última. Dos figuras la siguen: una es mi hermano apoyado en su muleta y la otra un tipo bajo y rechoncho, con extremidades musculosas y la abultada barriga que los hombres adquieren con la edad. *Nix.*

Cal cierra su mano en mi brazo con una presión ligera. Me empuja apenas para sumergirme en las sombras profundas del bosquecillo. Acepto sin reservas, sabedora de que ninguna precaución está de más. Siento el vago deseo de tener un pañuelo escarlata con el que cubrir mi rostro, como hicimos en Naercey.

—¿Ha habido algún problema? —pregunta Kilorn cuando se aproxima a Farley y Shade.

Desconozco el motivo, pero su tono de voz más maduro, más controlado de lo habitual No aparta la vista de Nix, sigue cada movimiento de los dedos pequeños y regordetes del nuevasangre.

Farley agita la mano en respuesta.

—Ninguno. Ni siquiera con este cojo al lado —agrega, clava un pulgar en Shade y se vuelve hacia Nix—. Él no se ha resistido.

Pese a la oscuridad, veo que en la cara del nuevasangre se enciende un intenso rubor.

—Bueno, no soy ningún tonto, ¿verdad? —dice con aspereza y sin rodeos: es un hombre incapaz de guardar secretos. *Pese a que su sangre oculte el mayor de todos*—. Vosotros sois la famosa Guardia Escarlata. Los agentes me ahorcarían por teneros en casa, aunque nadie os hubiera invitado.

—Es bueno saberlo —masculla Shade. Sus ojos rutilantes se atenúan un poco cuando me lanza una mirada cargada de sentido. *Nuestra sola presencia podría condenar a este hombre*—. Ahora, señor Marsten...

—Nix —se queja él. Algo brilla tenuemente en su vista en tanto sigue la de Shade. Me halla en las sombras y entrecierra los ojos para intentar ver mi rostro—. Aunque creo que ya lo sabíais.

Kilorn cambia de postura para esconderme. El acto parece inocente, pero Nix frunce el ceño cuando entiende su verdadero motivo. Furioso, se eleva ante Kilorn. El chico es más alto que él, pero Nix no muestra un ápice de temor. Levanta un dedo rosado y apunta con él hacia el pecho de Kilorn.

—Me habéis traído aquí después del toque de queda. Ese delito se castiga con la horca. Decidme ahora por qué o volveré a casa a pie y trataré de no morir en el camino.

—Eres diferente, Nix —digo con una voz que suena demasiado aguda, demasiado joven. ¿Cómo se lo explico? ¿Cómo le hago saber que yo habría querido que alguien me lo dijese? ¿Que ni siquiera yo lo comprendo del todo?—. Sabes que hay algo en ti, algo que no puedes explicar. Incluso podrías pensar que es algo... malo.

Mis últimas palabras dan en el blanco como unas flechas. El hombrecito rudo se estremece cuando las oye. Su enfado se derrite a medias. Sabe exactamente a qué me refiero.

—Sí —dice.

No abandono mi sitio en lo profundo de la arboleda pero le indico con señas a Kilorn que se aparte. Obedece y permite que Nix pase junto a él. Mientras éste se acerca para acompañarme en las sombras, mi pulso se acelera. Retumba en mis oídos como un tamborileo nervioso e impaciente. Este hombre es un nuevasangre, igual que yo, igual que Shade. Otro que comprende.

Nix Marsten no se parece en nada a mi padre, pero tienen los mismos ojos. No en el color ni en la forma, pese a lo cual son iguales de cualquier modo. Comparten la mirada apagada que refleja un vacío, una pérdida que el tiempo no puede curar. Para mi horror, la herida de Nix es incluso más profunda que la de papá, un hombre que apenas puede respirar y menos todavía caminar. Lo veo en la caída de sus hombros, en el descuido de su cabello y su ropa gris. Si fuera aún una ladrona, una rata, no me molestaría en robarle a este hombre. No le queda nada que dar.

Devuelve mi mirada, y sus ojos parpadean ante mi rostro y mi cuerpo. Se ensanchan cuando se da cuenta de quién soy.

—La Niña Relámpago.

Pero al reconocer a Cal junto a mí, su sorpresa da rápido paso a la cólera.

Para tener casi cincuenta años de edad, Nix es asombrosamente ágil. En las sombras, apenas veo que deja caer un hombro y se lanza al ataque, y que atrapa a Cal por la cintura. Aunque es de la mitad de la estatura del príncipe, lo embiste como un toro, y ambos se estrellan contra un tronco macizo.

Cruje sonoramente por el golpe y se sacude de las raíces a las ramas. Un segundo más tarde, reparo en que quizá debería intervenir. Cal es Cal, pero no tenemos idea de quién es Nix ni de lo que puede hacer.

El agresivo puñetazo que éste lanza conecta con tal fuerza en la mandíbula de Cal que temo que se la haya roto antes de que logre rodear su cuello con mis brazos.

—No me provoques, Nix —rujo en su oído—. ¡No me provoques!

—¡Aquí te espero! —espeta él en respuesta, e intenta apartarme de un codazo.

Pero no cedo y sigo apretando su cuello. Siento su carne como una roca dura bajo mi mano. *Muy bien.*

Proyecto a través de mí la suficiente fuerza para someterlo. La sacudida debería ponerle los pelos en punta. Mis chispas púrpuras alcanzan su piel y supongo que caerá de espaldas, se sacudirá un poco y volverá en sí, pero no parece sentir mi rayo en absoluto. Sólo le fastidia, como una mosca a un caballo. Emito otra descarga, más fuerte esta vez, y no ocurre nada de nuevo. En medio de mi sorpresa, Nix consigue librarse de mí y choco de espaldas contra un árbol.

A Cal le va mejor y esquiva e intercepta tantos puñetazos como puede. Pero bufa de dolor al contacto, incluso de los golpes que rebotan en su brazo. Por fin, la pulsera flamígera despierta en su muñeca y forma en su mano una bola de fuego. Ésta choca con el hombro de Nix como el agua contra un peñasco y quema su ropa, pero deja intacto su cuerpo.

Caimán, la palabra reverbera en mi cabeza, pero este hombre no es tal cosa. Su piel es todavía lisa y rosada, no gris ni pétrea. Es simplemente *impenetrable*.

—¡Alto! —fulmino, aunque intento no alzar la voz.

Pero la pelea, o quizá debo decir la carnicería, continúa. Cal escupe sangre plateada por la boca y en las sombras mancha de negro los nudillos de Nix.

Kilorn y Farley pasan corriendo a mi lado con pisadas presurosas y acompasadas. No sé de cuánto puedan servir contra esta bola de demolición humana, así que alargo una mano para detenerlos. Shade llega hasta Nix antes que ellos, porque salta hasta ocupar una posición a sus espaldas. Lo agarra por el cuello como hice yo y ambos se esfuman. Una fracción de segundo más tarde, aparecen a tres metros de distancia y Nix cae al suelo, con la cara levemente verde. Trata de ponerse en pie, pero Shade apoya la muleta en su cuello y lo inmoviliza.

—Si te mueves, volveré a hacerlo —dice con una mirada severa y peligrosa.

Nix eleva una mano manchada de plata como signo de rendición. Con la otra se aprieta el estómago, todavía revuelto por la sorpresa y la sensación de haber sido exprimido a través del aire. La conozco muy bien.

—Basta —dice entre jadeos.

El lustre de sudor que brilla en su frente delata su fatiga. *Es impenetrable, pero no incontenible.*

Kilorn se deja caer de nuevo en su raíz y toma en seguida los restos de su red. Sonríe para sí y reprime una carcajada al ver a Cal sangrante y vencido.

—Me agrada este sujeto —dice—. Mucho.

Me pongo en pie con dificultad mientras ignoro los añejos dolores que se desencadenan en mis huesos.

—El príncipe está con nosotros, Nix. Está aquí para ayudar, igual que yo.

Esto no lo apacigua. Se sienta sobre sus talones y descubre unos dientes amarillos. Su respiración es agitada.

—¿Ayudar? —se burla—. ¡Este Plateado bastardo causó la muerte prematura de mis hijas!

Cal hace todo lo posible por mostrarse cortés, pese a la sangre que gotea de su barbilla.

—Señor...

—Dara Marsten, Jenny Marsten —sisea Nix. Me atraviesa con la mirada como un cuchillo en la oscuridad—. La Legión del Mazo. La Batalla de la Cascada. Tenían diecinueve años.

Murieron en la guerra. Es una tragedia, si no un crimen, pero ¿por qué es culpa de Cal?

A juzgar por la expresión de pura vergüenza que cruza su rostro, Cal está de acuerdo con Nix. Cuando habla, su voz es sorda y está ahogada por la emoción.

—Ganamos —murmura, aunque es incapaz de mirar a Nix a los ojos—. Ganamos.

Nix cierra un puño pero resiste el impulso de atacar.

—*Tú* ganaste. *Ellas* se ahogaron en el río y sus cuerpos fueron arrastrados a la Cascada de la Doncella. Los sepultureros ni siquiera encontraron sus zapatos. ¿Qué decía la carta? —prosigue, y Cal hace una mueca—. Ah, sí, que mis hijas *murieron por la victoria*, en *defensa del reino*. Y había unas firmas muy bonitas al pie. Del difunto rey, el general del Mazo y el genio táctico que decidió que una legión entera debía atravesar el río.

Cuando todos los ojos se vuelven hacia Cal, él arde bajo nuestra mirada. Su rostro se pone blanco, suda y se tensa por la deshonra. Recuerdo su cuarto en la Mansión del Sol, con los libros y manuales llenos de notas y tácticas hasta el tope. Me dieron náuseas entonces y me las dan ahora, de Cal y de mí. Porque olvidé la persona que él es en verdad. No es sólo un príncipe ni un soldado. También es un asesino. En otra vida habría podido enviarme a la muerte a mí, o a mis hermanos o a Kilorn.

—Lo siento —balbucea y se obliga a darse la vuelta, para hallar los ojos de un padre airado y doliente. Supongo que le enseñaron a hacerlo—. Sé que mis palabras no significan nada. Sus hijas, *todos* los soldados, merecían vivir, Y usted también lo merece, señor.

Las rodillas de Nix crujen cuando se levanta, pero da la impresión de que no lo nota.

—¿Es una amenaza, muchacho?

—Una advertencia —replica Cal y sacude la cabeza—. Usted es como Mare, como Shade —nos señala por turnos—. Diferente. Lo que nosotros llamamos un nuevasangre. Rojo y Plateado.

—¡No te atrevas a llamarme Plateado! —dice Nix entre dientes.

Esto no impide que Cal continúe y se ponga en pie.

—Mi hermano buscará a personas como usted. Piensa mataros a todos y simular que no existís. Piensa borraros de la historia.

Nix se queda mudo y la confusión empaña sus ojos. Me mira como si pidiera mi respaldo.

—¿Hay... otros?

—Muchos otros, Nix —cuando toco su piel esta vez, no tengo la intención de propinarle una descarga—. Son hombres, mujeres, viejos y jóvenes. Y están en toda la región, a la espera de ser encontrados.

—Y cuando los... nos encuentren, ¿qué va a pasar?

Abro la boca para contestar, pero no sale nada de ella. *No he llegado tan lejos en mis planes.*

Farley da un paso al frente cuando yo no puedo y extiende una mano. Sostiene una pañoleta roja raída pero limpia.

—La Guardia Escarlata los protegerá, los ocultará. Y los adiestrará si quieren ser adiestrados.

Casi protesto por sus palabras, porque recuerdo al coronel. Todo indica que lo último que él quiere a su lado son soldados nuevasangre, pese a lo cual Farley se muestra firme y convincente. Como de costumbre, estoy segura de que tiene algo planeado, algo que no debería indagar. Todavía.

Nix coge despacio la pañoleta, a la que le da vueltas en sus manos manchadas.

—¿Y si me niego? —pregunta a la ligera, aunque percibo la resolución que hay en el fondo.

—Shade te llevará de regreso a tu cama y nunca más volverás a saber de nosotros —respondo—. Pero Maven *vendrá*. Si no quieres quedarte con nosotros, tendrás que ocultarte.

Aprieta la tela escarlata.

—No hay mucho de dónde escoger.

—Pero *puedes* hacerlo —espero que entienda que hablo en serio. Lo espero por mi bien, por la paz de mi conciencia—. Puedes elegir entre quedarte o irte. Sabes mejor que nadie cuánto se ha perdido, pero puedes ayudarnos a recuperar una parte.

Calla un largo rato. Camina de un lado a otro con la pañoleta en la mano, y ocasionalmente mira entre las ramas el faro de la torre de vigilancia. Éste gira tres veces antes de que él hable de nuevo.

—Mis hijas murieron, mi esposa también murió y no aguanto ya la peste de las marismas —dice y se detiene ante mi rostro—. Estoy con vosotros —mira por encima de mi hombro y no necesito darme la vuelta para saber que observa a Cal—. Pero mantened a ése muy lejos de mí.

DOCE

Atravesamos ilesos el bosque, perseguidos sólo por las nubes y la brisa del mar. Pero no consigo quitarme de encima la sensación de angustia que invade mi corazón. Aunque Nix estuvo cerca de partirle el cráneo a Cal, su reclutamiento fue fácil. Demasiado fácil. Y si algo he aprendido en los últimos diecisiete años, en el último *mes*, es que nada es fácil. Todo tiene un precio. Puede que Nix no sea una trampa, pero es sin duda un peligro. *Todo el mundo puede traicionar a cualquiera.*

Así que aunque me recuerda a papá, aunque es poco más que una barba canosa y un pozo de dolor, aunque es igual que yo, le cierro mi corazón al hombre de Coraunt. Lo salvé de Maven, le dije lo que él era y le permití decidir. Ahora debo continuar, y hacer lo mismo con otro y otro y otro más. Lo único que importa es el siguiente nombre.

La luz de las estrellas alumbra el bosque lo suficiente para echar un vistazo, de manera que hojeo las ya conocidas páginas de la lista de Julian. Hay algunos nuevasangre en el área, agrupados en torno a la urbe de Harbor Bay. A dos se les sitúa en la ciudad propiamente dicha, y a uno más en el barrio de Ciudad Nueva. Ignoro la forma en que llegaremos hasta cualquiera de ellos. Seguro que la urbe está amurallada, tal como lo estaban Arcón y Summerton, mientras que las restricciones que pesan sobre los suburbios de los tecnos son peores incluso que las Medidas. Entonces lo recuerdo: las murallas y las restricciones no afectan a Shade. Por suerte, él camina cada vez mejor y dentro de unos días no necesitará la muleta. Después de eso seremos imparables. Y hasta podríamos *ganar*.

Esta idea me emociona y confunde en igual medida. ¿Cómo será un mundo así? Sólo puedo imaginar el sitio donde estaré. Tal vez en casa, sin duda con mi familia, en algún lugar del bosque donde pueda oír un río. Con Kilorn a mi lado, desde luego. ¿Pero Cal? No sé dónde querrá estar él al final de todo esto.

En la oscuridad de la noche es fácil divagar. Estoy habituada a los bosques y no necesito concentrarme para no tropezar con las raíces y las hojas. Así que sueño al mismo tiempo que camino, y pienso en lo que podría ser. Un ejército de nuevasangre. Farley a la cabeza de la Guardia Escarlata. Una genuina insurrección Roja, de las trincheras del Obturador a los callejones de Gray Town. Cal dijo siempre que la guerra total no valía la pena, que la pérdida de vidas Rojas y Plateadas sería excesiva. Espero que tenga razón. Espero que Maven vea lo que somos, lo que podemos hacer, y sepa que no puede ganar. No es ningún tonto. Incluso él sabe reconocer cuando ha perdido. *O por lo menos eso espero.* Porque hasta donde sé, jamás ha sido derrotado. No cuando cuenta. Cal ganó a su padre y a sus soldados, pero Maven ganó la corona. Ganó cada batalla realmente importante.

Y si hubiera tenido el tiempo para ello... me habría ganado a mí también.

Lo veo en las sombras de cada árbol, como un espectro que alza la frente contra la tempestad en el Cuenco de los Huesos. El agua se derrama por las puntas de su corona ocre y llega hasta sus ojos y su boca, al cuello de su camisa, al gélido abismo que es su corazón atrofiado. Se vuelve roja, y tras ser agua se torna mi sangre. Él abre la boca para probarla, y sus dientes son navajas afiladas y flamantes de hueso blanco.

Pestañeo para disipar esa imagen y borrar el recuerdo del príncipe traidor.

Farley murmura en la oscuridad y detalla el auténtico propósito de la Guardia. Nix es listo pero, como todos los súbditos de la Corona Ardiente, ha sido objeto de mentiras. *Terrorismo, anarquía, sed de sangre*, ésas son las palabras que los informativos utilizan para describir a la Guardia. Muestran a los niños que murieron en la Masacre del Sol, los despojos sumergidos del puente de Arcón, todo para convencer al reino de nuestra presunta maldad. Entre tanto, el verdadero enemigo se sienta en su trono y sonríe.

—¿Qué hay de *ella*? —susurra Nix mientras me lanza una mirada de pedernal—. ¿Es cierto que sedujo al príncipe para que matara al rey?

Esta pregunta hiere como una navaja, y duele tanto que imagino que veré un puñal clavado en mi pecho. Pero mis penas pueden aguardar. Delante de mí, Cal se congela, y sus anchos hombros suben y bajan en señal de una respiración profunda y tranquilizadora.

Pongo una mano en su brazo con la esperanza de calmarlo como él me calma a mí. Su piel arde bajo mis dedos, está casi demasiado caliente para que la toque.

—No, no es cierto —le digo a Nix, e imprimo en mi voz todo el aplomo que puedo—. Eso no fue lo que sucedió, en absoluto.

—¿Entonces la cabeza del rey se desprendió sola? —pregunta entre risas, y espera la carcajada de los demás.

Pero hasta Kilorn tiene la sensatez de guardar silencio. Ni siquiera sonríe. Comprende el dolor de un padre muerto.

—Fue Maven —gruñe, y nos sorprende a todos. La expresión en su mirada es fuego puro—. Maven y su madre, la reina. Ella puede controlar la mente de las personas. Y... —se reprime, no quiere continuar.

La muerte del rey fue horrible hasta para quienes lo aborrecíamos.

—¿Y? —aguijonea Nix en tanto se arriesga a dar unos pasos hacia Cal.

Lo detengo con una mirada fulminante, y por fortuna hace alto a cierta distancia. Pero su rostro adopta un aire despectivo, como si estuviera impaciente de ver sufrir al príncipe. Sé que tiene sus razones para torturar a Cal, pero eso no significa que tenga que permitírselo.

—Sigue adelante —murmuro, con una voz tan baja que únicamente Cal puede oírla.

En lugar de seguir mi consejo, se gira, y siento sus músculos tensos bajo mi mano. Parecen olas calientes que rodaran en un mar incesante.

—Elara me forzó a hacerlo, Marsten —sus ojos broncíneos topan con los de Nix y lo retan a dar otro paso—. Entró con malas artes en mi cabeza y tomó el control de mi cuerpo. Pero no me despojó de mis facultades mentales. Permitió que yo viera que mis brazos cogían la espada de mi padre y separaba su cabeza de sus hombros. Y después gritó a los cuatro vientos que yo había querido hacer eso desde siempre —y añade, con voz más baja, como si hiciera memoria—: Ella hizo que yo matara a mi padre.

Una parte de la mala intención de Nix se extingue, lo suficiente para poner al descubierto al hombre.

—Vi las fotos —farfulla, como si se disculpara—. Estaban por todos lados, en todas las pantallas de la ciudad. Pensé que... eso parecía...

Cal echa a volar la mirada a los árboles. Pero no se fija en las hojas. Su visión está en el pasado, en algo más doloroso.

—Ella mató también a mi verdadera madre. Y nos matará a todos si se lo permitimos.

Las palabras que digo entonces salen con brusquedad y fuerza de mis labios, como si fueran un puñal oxidado para serrar carne humana. Tienen un sabor delicioso en mi boca.

—No si yo la elimino primero.

Pese a todos sus talentos, Cal no es una persona violenta. Puede matar de mil maneras distintas, dirigir un ejército, incendiar una aldea, pero no disfrutará con ello. Así que las palabras que pronuncia a continuación me toman por sorpresa.

—Llegado el momento —dice y me mira—, que la suerte decida quién tiene que hacerlo.

Su llama radiante se ha oscurecido.

Cuando emergemos de la arboleda, me recorre un temblorcillo de temor. ¿Y si el Blackrun ya no está? ¿Y si nos han seguido? ¿Y si...? ¿Y si...? ¿Y si...? Pero el avión está justo en el lugar en que lo dejamos. Es casi invisible en la sombra, donde se confunde con el gris oscuro de la pista. Contengo el impulso de correr a refugiarme en él y me obligo a seguirle el paso a Cal. Aunque no muy de cerca. *Sin distracciones.*

—Mantente alerta —masculla. Es una advertencia breve pero firme mientras nos aproximamos al jet.

Él no le quita los ojos de encima, en busca de cualquier indicio de ardid.

Hago lo mismo y observo la rampa trasera, todavía bajada sobre la pista y abierta al aire de la noche. Al parecer está desocupada, pero unas sombras se congregan en las entrañas del Blackrun; son muy negras y resulta imposible distinguirlas en la distancia.

Mientras que arrancar la nave implicó una gran cantidad de energía y concentración, las luces de adentro son otra historia. Incluso a diez metros de distancia, accedo con facilidad a sus cables, activo su carga e ilumino el interior del aparato con un resplandor súbito y brillante. No se mueve nada adentro, pero los demás reaccionan sorprendidos por el estallido de la luz. Farley saca incluso su pistola de la funda que lleva sujeta a una pierna.

—He sido yo —le digo y agito la mano—. El avión está vacío.

Acelero la marcha. Me muero de ganas de estar dentro, protegida por la carga de electricidad que aumenta a cada uno de mis pasos. Cuando pongo el pie en la rampa y subo a la nave, siento que me recibe un cálido abrazo. Deslizo una mano por la pared y dibujo el contorno de un panel de metal a mi paso. Mi poder crece, pues se desborda de los focos y corre a través de sendas eléctricas hasta las inmensas baterías que se hallan a mis pies y están fijas bajo cada ala. Zumban perfectamente al unísono e irradian su propia energía, con lo que encienden lo que no he prendido. El Blackrun cobra vida.

Nix ahoga una exclamación a mis espaldas, impresionado por el enorme jet de metal. Quizá nunca ha visto uno de cerca, y menos todavía subido en él. Me doy la vuelta y creo que lo hallaré observando los asientos o la cabina, pero sus ojos están fijos en mí. Se sonroja y baja la cabeza en lo que podría ser una reverencia tambaleante. Antes de que pueda decirle que eso me enfada sobremanera, se arrastra hasta un asiento, intrigado por los cinturones de seguridad.

—¿Me daréis un casco? —pregunta a nadie en especial—. Si cruzaremos el aire a toda prisa, necesito un casco.

Kilorn ríe, toma asiento junto a él y abrocha sus respectivos cinturones con dedos ágiles y presurosos.

—Creo que eres el único que *no* lo necesita, Nix.

Ríen juntos y comparten sonrisas torcidas. Si no fuera por mí, por la Guardia Escarlata, es probable que Kilorn se hubiera vuelto igual que Nix. Un hombre viejo y estropeado, con nada que ofrecer más que sus huesos. Ahora espero que tenga la oportunidad de madurar, de conseguir por su cuenta unas rodillas doloridas y una barba gris. ¡Si me dejara cuidarlo! ¡Si no insistiera en arrojarse ante cada bala que se atraviesa en su camino!

—Así que ella es realmente la Niña Relámpago. Y ése es un… —hace señas al otro lado del jet, hacia Shade, en busca de una palabra que describa su habilidad.

—Saltador —sugiere Shade con una inclinación respetuosa.

Aprieta sus cinturones lo más fuerte que puede y palidece frente a la perspectiva de otro vuelo. Farley no se muestra tan afectada y mira resueltamente desde su asiento, con los ojos puestos en las ventanas de la cabina.

—Saltador. Está bien. ¿Y tú, muchacho? —codea a Kilorn, aunque no ve que su sonrisa se diluye—. ¿Tú qué sabes hacer?

Me hundo en el asiento de la cabina, sin querer ver el dolor en la cara de Kilorn. Pero no soy lo bastante rápida. Percibo un destello de su rubor avergonzado, sus hombros rígidos, sus ojos entrecerrados y su ceño fruncido y desgarrador. La razón es espantosamente clara. La *envidia* desfigura cada palmo de su ser, y se propaga tan rápido como una infección. La intensidad de esto me sorprende. No se me había ocurrido nunca que Kilorn quisiera ser como yo, como un *Plateado*. Está orgulloso de su sangre, lo ha estado siempre. Incluso se enfureció conmigo cuando vio por primera vez en lo que me había convertido. ¿Eres uno de ellos?, bramaba con un acento áspero y desconocido. Estaba muy enfadado. ¿Pero por qué lo está ahora?

—Atrapar peces —responde y fuerza una sonrisa falsa. Hay amargura en su voz, y dejamos que se encone en nuestro silencio.

Nix es el primero en hablar, al mismo tiempo que palmea el hombro de Kilorn.

—Cangrejos —dice y menea los dedos—. He sido cangrejero toda mi vida.

Algo del malestar de Kilorn se disuelve detrás de una sonrisa torcida. Cuando se vuelve, ve que Cal se abre camino entre los interruptores del tablero de control y que prepara al Blackrun para otro vuelo. Siento que el jet le corresponde, y que su energía fluye hacia los motores montados en las alas. Éstos empiezan a ronronear y acumulan potencia a cada instante.

—Parece que todo está bien —dice Cal, quien por fin abre así un agujero en el incómodo silencio—. ¿Cuál es nuestro siguiente destino?

Tardo un segundo en darme cuenta de que me lo pregunta a mí.

—Ah... —se me traba la lengua—. Los nuevasangre más cercanos están en Harbor Bay. Dos en la ciudad y uno en los suburbios.

Espero algo más que un alboroto ante la perspectiva de irrumpir en una ciudad Plateada amurallada, pero Cal se limita a asentir.

—Eso no será fácil —advierte mientras sus ojos broncíneos destellan con las luces intermitentes del tablero.

—Me alegra mucho que estés aquí para decirnos lo que no sabemos —replico con frialdad—. Farley, ¿crees que lo logremos?

Ella asiente y hay una grieta en su máscara, usualmente impasible, que revela emoción. *Entusiasmo.* Hace tamborilear los dedos en su muslo. Me da la horrorosa impresión de que ve una parte de esto como un juego.

—Tengo muchos amigos en Bay —dice—. Las murallas no serán un problema.

—Entonces vayamos a Bay —dice Cal.

Su tétrico tono no es para nada alentador.

No lo es tampoco el tirón de mi estómago cuando el jet da bandazos y gimotea a lo largo de un kilómetro y medio en una pista secreta. Esta vez, tan pronto como enfilamos al cielo, cierro bien los ojos. Entre el reconfortante repiqueteo de los motores y la certeza de que nadie me necesita, me es aterradoramente fácil caer dormida.

Oscilo muchas veces entre el sueño y la vigilia, sin sucumbir nunca a la callada oscuridad que mi cabeza desesperadamente necesita. Algo en el avión me mantiene en suspenso. Mis ojos no se abren jamás, pero mi cerebro no se apaga nunca por completo. Me siento como Shade, que fingía dormir para recoger secretos susurrados. Pero los otros están en silencio y, a juzgar por los estridentes ronquidos de Nix, débiles como velas apagadas. Sólo Farley permanece despierta. La oigo quitarse los cinturones y pasarse junto a Cal, con pisadas casi inaudibles a causa de los motores del avión. En ese momento me quedo dormida, y aprovecho unos indispensables minutos de descanso ligero, antes de que su voz me devuelva a la realidad.

—Estamos volando sobre el océano —murmura. Su voz parece confundida.

El cuello de Cal cruje cuando se gira, es hueso sobre hueso. Estaba tan concentrado en el jet que no oyó que Farley se acercaba.

—¡Qué perspicaz! —dice una vez que se recupera del susto.

—¿Por qué estamos volando sobre el océano? Bay está al sur, no al este...

—Porque tenemos combustible más que suficiente para dar un rodeo mar adentro y ellos necesitan dormir.

Hay un dejo de temor en su voz. *Cal no soporta el agua. Seguro que esto lo está matando.*

La risa de Farley rechina muy abajo en su garganta.

—Ellos pueden dormir donde aterricemos. La pista siguiente es secreta, igual que la anterior.

—*Ella* no dormirá. No con los nuevasangre en riesgo. Persistirá hasta caer, y nosotros no podemos permitírselo.

Se impone una larga pausa. Él ha de estar mirándola, para convencerla con los ojos en reemplazo de las palabras. Sé por experiencia que sus ojos pueden ser muy persuasivos.

—¿Y tú cuándo duermes, Cal?

La voz de él baja, no de volumen sino de estado anímico.

—No duermo. Ya no.

Quiero abrir los ojos. Decirle que se dé la vuelta, que se apresure al máximo. Perdemos tiempo en el mar, consumimos unos preciosos segundos que podrían significar vida o muerte para los nuevasangre de Norta. Pero el cansancio y el frío atenúan mi furia. Incluso junto a Cal, que es un horno ambulante, siento la conocida infusión del hielo en mi piel. Ignoro su origen, sólo sé que llega en momentos de silencio, cuando estoy tranquila, cuando pienso. Cuando recuerdo todo lo que he hecho y lo que me han hecho a mí. El hielo se asienta donde debería estar mi corazón y amenaza con partirme por la mitad. Mis brazos envuelven mi pecho como si quisieran detener el dolor. Da resultado sólo parcialmente, hace posible que el calor vuelva a mí. Pero donde el hielo se derrite, deja solamente vacío. Un abismo. Y no sé cómo lo volveré a llenar.

De todas formas, sanaré. Tengo que hacerlo.

—Perdón —murmura él, casi tan bajo que apenas se oye, aunque lo suficiente para que yo no pueda dormir. Pero no me dirige a mí esa palabra.

Algo empuja mi brazo. Es Farley, que se acerca para oír mejor a Cal.

—Por lo que te hice. Hace unos días. En la Mansión del Sol.

Casi se le quiebra la voz. Lleva consigo su propio hielo. Es el recuerdo de la sangre congelada, de la tortura de Farley en las celdas del palacio. Ella se negó a traicionar a los suyos y Cal hizo que gimiera por eso.

—No espero que aceptes ninguna disculpa, ni deberías...

—Acepto —dice ella, de forma cortante pero sincera—. También cometí errores esa noche. Todos los cometimos.

Aunque mis ojos están cerrados, sé que ella me observa. Siento su mirada, teñida de arrepentimiento y resolución.

El golpe de las ruedas contra el cemento me despierta sobresaltada, y me hace rebotar en mi sillón. Abro los ojos pero vuelvo a cerrarlos más fuerte para defenderlos de la puñalada brillante del sol que entra a raudales por las ventanas de la cabina. Los demás ya están despiertos y hablan en voz baja. Los miro por encima del hombro. Aunque avanzamos sobre la pista, cada vez a menor velocidad, pero en movimiento todavía, Kilorn se bambolea a mi lado. Supongo que de algo le sirven sus piernas de marinero, pues el ajetreo del avión no parece afectarlo en absoluto.

—Mare Barrow, la próxima vez que te sorprenda durmiendo, te reportaré al puesto de seguridad.

Remeda a nuestra vieja profesora, que compartimos hasta que él cumplió siete años y tuvo que irse como aprendiz de pescador.

Me doy la vuelta y sonrío por el recuerdo.

—Entonces dormiré en el calabozo, *señorita Vandark* —contesto y le provoco un ataque de risa.

Ya más despierta, me percato de que estoy tapada con algo. Es una tela suave y gastada de color oscuro. *La cazadora de Kilorn*. Él la retira antes de que yo pueda protestar, y me deja fría sin su calor.

—Gracias —susurro mientras veo que vuelve a ponérsela.

No hace más que encogerse de hombros.

—Estabas temblando.

—Será un largo y difícil camino hasta Bay.

La voz de Cal se impone sobre los rugientes motores, que giran todavía. Él no aparta los ojos de la pista y guía el jet hasta detenerse. Igual que el Campo Nueve-Cinco, esta supuesta ruina está rodeada de árboles y se halla totalmente desierta.

—Quince kilómetros por el bosque y los alrededores —añade y se dirige a Farley—: A menos que usted disponga otra cosa.

Ella ríe para sí mientras se desabrocha los cinturones.

—¿Ves que sí aprendes? —con un ruido seco, despliega el mapa del coronel sobre sus rodillas—. Podemos reducirlos a seis si seguimos los antiguos túneles y evitamos los alrededores por completo.

—¿Otro tren subterráneo? —la idea me llena de una mezcla de esperanza y terror—. ¿Es seguro?

—¿Qué es un tren subterráneo? —pregunta Nix con voz apagada.

No dedicaré mi tiempo a explicar el sensacional tubo metálico que dejamos en Naercey.

Farley lo ignora también.

—No hay ninguno emplazado en Bay todavía, pero el túnel corre bajo la Calzada del Puerto, si no lo han cerrado aún.

Mira a Cal, quien sacude la cabeza.

—No ha habido tiempo suficiente para eso. Hace cuatro días creíamos que los túneles estaban devastados y abandonados. Ni siquiera aparecen en los mapas. Incluso con todos los colosos a su disposición, Maven no habría podido bloquearlos ya en su totalidad.

Se le extingue la voz, cargado como está de pensamientos.

Sé lo que recuerda.

Fue apenas hace cuatro días. Cuatro días desde que Cal y Ptolemus hallaron a Walsh en los túneles del tren debajo de Arcón. Cuatro días desde que la vimos quitarse la vida para proteger los secretos de la Guardia Escarlata.

Me distraigo del recuerdo de los ojos vidriosos e inanimados de Walsh cuando abandono de un salto mi asiento y doblo y flexiono mis músculos.

—¡En marcha! —digo, aunque suena como una orden más de lo que yo querría.

He memorizado la serie de nombres siguiente: *Ada Wallace. Nacida el 1º de junio de 290 en Harbor Bay, El Faro, Estado Regente, Norta. Domicilio actual: el mismo que cuando nació.* Y el otro, enlistado en Harbor Bay también: *Wolliver Galt. Nacido el 20 de enero de 302.* Comparte fecha de nacimiento con Kilorn, hasta en el año. Pero él no es Kilorn. Es un nuevasangre, otra mutación Roja y Plateada que este último envidiará.

Es extraño que no sienta ninguna aversión por Nix. De hecho, se muestra más simpático que de costumbre, y ronda al viejo como un perro faldero. Hablan en voz baja. Se entienden gracias a su experiencia común de haber crecido pobres, Rojos y sin esperanzas. Cuando Nix menciona redes y nudos, un aburrido tema que Kilorn adora, dirijo mi atención a poner en orden todo lo demás. Una parte de mí desearía poder unirse a ellos, debatir el valor de un buen nudo corredizo de doble espina antes que la mejor estrategia de infiltración. Esto me haría sentir normal. Porque aunque Shade diga lo que diga, somos todo menos eso.

Farley ya ha entrado en acción y se echa sobre los hombros una cazadora marrón oscuro. Mete en ella su pañoleta roja para esconder el color y se pone a guardar provisiones de nuestras reservas. No son pocas aún, pero tomo nota mental de birlar todas las que pueda en nuestro viaje, si tengo la oportunidad. Las armas son un asunto distinto. Tenemos sólo seis y robar más no será fácil. Se trata de tres rifles y tres pistolas. Farley tiene ya uno de cada uno: el rifle de cañón largo que cuelga de su hombro y la pistola al cinto. Durmió con ellos, como si fueran sus brazos, de modo que asombra que se desprenda de ambos y los devuelva al armario que está sobre la pared.

—¿Irás desarmada? —protesta Cal con su rifle en la mano.

En respuesta, ella se levanta una pierna del pantalón y revela una larga navaja dentro de la bota.

—Bay es una ciudad grande. Necesitaremos todo el día de hoy para encontrar a la gente de Mare, y tal vez toda la noche para sacarla. No arriesgaré eso con un arma de fuego sin registro. Un agente me ejecutaría en el acto. Correré el riesgo en las aldeas, donde hay menos vigilancia, pero no en Bay —añade, y esconde la navaja de nuevo—. Me sorprende que no conozcas tus propias leyes, Cal.

Él se tiñe de un rubor de plata y las puntas de las orejas se le ponen de blanco hueso por la vergüenza. Pese a su tesón, nunca ha tenido cabeza para las leyes y la política. Eso era dominio de Maven, siempre de Maven.

—De todas formas —continúa Farley mientras nos mira de reojo a ambos—, considero a la Niña Relámpago y a ti mucho mejores armas que las pistolas.

Casi oigo que Cal hace rechinar los dientes, de cólera y frustración.

—Ya te he dicho que no podemos... —comienza, y no tengo que escuchar sus murmullos para que comprenda sus argumentos.

Somos las personas más buscadas del reino, somos peligrosos para todos, pondremos en riesgo todas las cosas. Y aunque lo escucharía como mi primera reacción, no confío en él como la segunda y más constante. Porque escabullirse no es su especialidad, es la *mía*. Mientras discute con Farley, me preparo con discreción para los túneles y Harbor Bay. Recuerdo esta ciudad por los libros de Julian, y le quito disimuladamente el mapa a Farley. Ella no nota este desenvuelto acto, absorta todavía en fastidiar a Cal. Shade se les suma e interviene a favor de ella, y los tres parlanchines me dejan sentarme en silencio y planear.

El mapa de Harbor Bay del coronel es más reciente y detallado que el que Julian me enseñó. Así como Arcón fue construida en torno al inmenso puente que la Guardia Escarlata derribó, Harbor Bay se centra naturalmente en su famoso puerto en forma de tazón. La mayor parte de éste es artificial, y compone una curva demasiado perfecta del océano contra la tierra. Tanto guardafloras como ninfos ayudaron a erigir la ciudad y el puerto, y enterraron o inundaron las ruinas antiguas. El círculo del mar está dividido por un camino en línea recta que se adentra directamente en el agua, y que está llena de verjas, patrullas del ejército y cuellos de botella. Separa el Puerto Acuario civil del apropiadamente llamado Puerto de Guerra y conduce a Fort Patriot, que se posa en una plaza cuadrada de terreno amurallado en medio del fondeadero. Este fuerte se considera el más valioso del reino y es la única base que cubre los tres cuerpos del ejército. Patriot es sede de los soldados de la Legión del Faro, así como de algunos escuadrones de la Flota Aérea.

El agua del Puerto de Guerra es lo bastante profunda hasta para los barcos más grandes, lo que crea un muelle especial para la Marina de Norta. Incluso en el mapa, el fuerte parece intimidatorio. Ojalá que Ada y Wolliver se encuentren *fuera* de las murallas.

La ciudad crece alrededor del puerto, apretada entre los muelles. Harbor Bay es más antigua que Arcón y comprende las ruinas de la ciudad antigua. Las calles serpentean y se bifurcan de modo impredecible. En comparación con la ordenada cuadrícula de la capital, Bay da la apariencia de ser una maraña de cables llenos de nudos. Es perfecta para truhanes como nosotros. Algunas calles incluso continúan bajo tierra y enlazan con la red de túneles que Farley parece conocer tan bien. Aunque no será fácil sacar a dos nuevasangre de Harbor Bay, no se antoja imposible. En especial si un par de apagones se despliegan casualmente por la ciudad en el momento indicado.

—Quédate aquí si quieres, Cal —le digo y desvío la mirada del mapa—. Pero no dejaré de participar en esto.

Él se detiene a media frase mía y me mira. Por un momento, me siento una pila de leña a punto de arder.

—Espero entonces que estés dispuesta a hacer lo que debes.

Dispuesta a matar a todos los que me reconozcan. A cualquiera que me reconozca.

—Lo estoy.

Soy muy buena para mentir.

TRECE

Convencer a Nix de que se quede es fácil. Pese a su invulnerabilidad, no deja de ser un cangrejero de pueblo que no ha llegado nunca más allá de las marismas de su aldea. Una misión de rescate al interior de una ciudad amurallada no es apta para él, y lo sabe. Kilorn es más difícil de disuadir. Acepta permanecer en el avión sólo después de que le recuerdo que alguien tiene que vigilar a Nix.

Cuando me abraza con fuerza para despedirme, supongo que me susurrará una advertencia, tal vez un consejo. En cambio, recibo expresiones de aliento más reconfortantes de lo que deberían ser.

—Los salvarás —murmura—. Sé que lo harás.

Los salvarás. Estas palabras resuenan en mi cabeza y me siguen por la rampa del jet hasta el bosque soleado. *Lo haré,* me digo, y lo repito hasta que creo en mí tanto como Kilorn. *Lo haré, lo haré, lo haré.*

El bosque es poco tupido aquí, lo que nos obliga a no bajar la guardia. De día, Cal no debe preocuparse por su flama y mantiene listo su fuego, con cada uno de sus dedos ardiendo como el pabilo de una vela. Shade no toca el suelo para nada, ya que salta de un árbol a otro. Inspecciona la arboleda con precisión de soldado y hurga en todos los rincones con su mirada de águila antes de quedar satisfecho. Mantengo alerta mis sentidos, en busca de cualquier manifestación de electricidad que pueda proceder de un transporte o avión que vuele a poca altura. Hay un zumbido apagado al sureste, hacia Harbor Bay, pero era de esperar, lo mismo que el flujo y reflujo del tránsito en la Calzada del Puerto. Estamos tan lejos de la calle que no podemos oírla, pero mi brújula interior me dice que cada vez nos acercamos más.

La siento antes de que pueda verla. Es una pequeña, ligerísima presión contra mi mente abierta. La diminuta batería rezuma electricidad. Es probable que mueva un reloj o una radio.

—Viene del este —murmuro y señalo hacia la fuente de energía que se aproxima.

Farley se vuelve al momento en esa dirección y no se molesta en agacharse. Pero yo sí. Apoyo una rodilla en el follaje y permito que los primeros colores del otoño camuflen mi camisa rojo oscuro y mi cabello castaño. Cal está junto a mí, con las llamas cerca de su piel, que controla para que no incendien el bosque. Su respiración es uniforme, estable, estudiada, y sus ojos broncíneos otean entre los árboles.

Alargo un dedo hacia la pila. Una chispa baja por mi mano y desaparece, como si llamara a la electricidad que se avecina.

—¡Agáchate, Farley!— ruge Cal, y su voz casi se pierde en el ruido susurrante de las hojas secas.

En lugar de obedecer, ella retrocede contra un árbol y se funde en las sombras del tronco. La luz que atraviesa las hojas motea su piel y su inmovilidad hace que parezca parte del bosque. Pero no está quieta. Sus labios se abren, y el tenue canto de un ave reverbera en las ramas. Es el mismo que ella utilizó fuera de Coraunt para comunicarse con Kilorn. *Una contraseña.*

La Guardia Escarlata.

—Farley —siseo entre dientes—, ¿qué ocurre?

No me presta atención y observa los árboles. Espera. Escucha. Un momento después, alguien silba una réplica gorjeante, similar pero no idéntica al canto primero. Cuando Shade responde desde el árbol que se alza sobre nosotros y añade su reclamo a la canción extraña, una parte de mi temor se evapora. Farley podría hacerme caer en una trampa, pero Shade no lo haría jamás. *Eso espero.*

—Pensé que estaba inmovilizada en esa maldita isla, capitana —dice una voz ronca que emerge de un frondoso olmo.

El acento, de vocales fuertes y *erres* suprimidas, es marcado e inconfundible: de Harbor Bay.

Farley sonríe ante esos sonidos y se desprende de su tronco con toda facilidad.

—Crance —dice, y le hace señas a la figura que se asoma entre la maleza—. ¿Dónde está Melody? Creí que nos veríamos aquí. ¿Desde cuándo eres tú el recadero de Egan?

Cuando él sale del follaje, hago lo que puedo por calarlo y capto los pequeños detalles que aprendí a percibir desde hace mucho. Él se inclina para recuperarse del peso de algo que dejó atrás. Un rifle tal vez, o un mazo. *Es un recadero, en efecto.* Tiene la apariencia de un estibador o un camorrista, con brazos enormes y un pecho de barril que oculta bajo la carpa de una gastada tela de algodón y un chaleco acolchado lleno de parches, lo que lo vuelve una tela escocesa multicolor formada de retazos, todos de matices rojos. Es curioso que su chaleco esté tan maltrecho mientras sus botas de piel parecen nuevas, de tan lustradas. Probablemente son robadas. *Este fulano es de los míos.*

Crance se encoge de hombros frente a Farley, y su rostro oscuro no puede reprimir una mueca de contrariedad.

—Tuvo asuntos que resolver en el puerto. Y prefiero que me llamen *brazo derecho*, si no le importa —hace de la mueca una sonrisa y se dobla en una reverencia suelta y exagerada—. El jefe Egan le da la bienvenida, capitana.

—Ya no soy capitana —balbucea Farley y frunce el ceño mientras estrecha el antebrazo de él en una rara versión de un apretón de manos—. Seguro que ya lo sabías.

Él sacude la cabeza.

—Aquí encontrará muy pocos que estén de acuerdo con eso. Los Navegantes estamos a las órdenes de Egan, no del coronel de usted —¿Los Navegantes? Imagino que es otra división de la Guardia Escarlata—. ¿Sus amigos seguirán ocultos en los matorrales? —añade, y me dirige una mirada.

Sus ojos azules son electrizantes y contrastan vivamente con su piel ocre oscuro. Pero no bastan para distraerme del asunto realmente urgente: siento todavía la vibración de la pila de un reloj y Crance no trae puesto ninguno.

—¿Y qué hay de *tus* amigos? —pregunto cuando me levanto del suelo.

Cal se mueve en sincronía conmigo y me doy cuenta de que escudriña a Crance y lo cala. Éste hace lo mismo. Parece que se trata de un reconocimiento entre soldados. Después sonríe con dientes relumbrantes.

—¿Por esto fue por lo que el coronel formó tanta alharaca?

Ríe y da un temerario paso al frente.

Ninguno de nosotros se acobarda, pese a su corpulencia. Somos más peligrosos que él.

Crance lanza un silbido grave y me mira de nuevo.

—El príncipe exiliado y la Niña Relámpago. ¿Y dónde está el Conejo? Estoy seguro de que lo he oído.

¿El Conejo?

La figura de Shade aparece detrás de él, con un brazo en la muleta y el otro alrededor del cuello del grandullón. Pero sonríe, *ríe a carcajadas*.

—Te dije que no me llamaras así —lo reprende mientras le da palmadas en los hombros.

—Lo que se ve no se juzga... —replica Crance y se zafa.

Hace un ademán de saltar con la mano y echa a reír. Pero la sonrisa se le desvanece un poco cuando ve la muleta y las vendas.

—¿Te has caído de las escaleras o qué?

Conserva un tono ligero, pero la tristeza opaca el brillo de sus ojos.

Shade desestima su preocupación con un gesto y se aferra a su hombro ancho.

—¡Qué alegría me da verte, Crance! Creo que debería presentarte a mi hermana...

—No hace falta —dice Crance y ofrece una mano abierta en mi dirección.

La estrecho de buena gana y dejo que él me apriete el antebrazo con una mano del doble de tamaño que la mía.

—Gusto en conocerte, Mare Barrow, aunque debo decir que tienes mejor aspecto en los carteles de la policía. No sabía que esto fuera posible.

Los demás hacen gestos, tan alarmados como yo por la idea de que mi rostro cubra cada puerta y cada ventana. *Debimos suponerlo*.

—Lamento la decepción —murmuro, y permito que mi mano se separe de la suya. La fatiga y la preocupación no han sido indulgentes conmigo. Siento la mugre en mi piel, por no hablar de mi cabello enredado—. He estado demasiado ocupada para mirarme al espejo.

Crance recibe la burla de buen grado y su sonrisa se ensancha.

—¡Vaya que tienes chispa! —murmura, y no paso por alto que dirige sus ojos a mis dedos.

Resisto el impulso de mostrarle exactamente con cuánta chispa está tratando y clavo las uñas en mis palmas. La vibración de una pila continúa ahí, como un firme recordatorio.

—¿Vas a fingir todavía que no nos tienes rodeados? —apremio, y apunto a los árboles que nos circundan por todas partes—. ¿O vamos a tener un problema?

—¡Para nada! —responde él, y levanta las manos como si simulara una rendición.

Silba de nuevo, esta vez fuerte y agudo como un halcón al ataque. Aunque hace cuanto puede por no dejar de sonreír y mostrarse relajado, no pierdo de vista la desconfianza en sus ojos. Supongo que quiere mantener a Cal bien vigilado, pero es en mí en quien no confía. *O a quien no comprende.*

El crujir de las hojas anuncia la aparición de sus amigos, quienes visten también una combinación de harapos y galas robadas. Es una especie de uniforme, tan disparejo que los iguala. Son dos mujeres y un hombre. Él es quien porta un reloj, estropeado pero útil, y todos están aparentemente desarmados. Saludan a Farley y le sonríen a Shade. A Cal y a mí no saben cómo tratarnos. Así es mejor, supongo. No necesito más amigos que perder.

—Bueno, Conejo, veamos cuán bien te conservas —aguijonea Crance, para ponerse a tono.

Shade salta en respuesta a un árbol próximo, con la pierna herida suspendida en el aire y una sonrisa en los labios. Pero cuando sus ojos se cruzan con los míos, algo cambia. En una fracción de segundo está detrás de mí, tan rápido que apenas lo veo.

De todas formas oigo su susurro.

—No confíes en nadie.

Los túneles son húmedos, y musgo y raíces profundas cubren sus curvadas paredes, aunque el suelo está libre de rocas y desperdicios. Para el uso de trenes subterráneos, sospecho, si es que alguno ha de llegar a Harbor Bay. Pero no hay ningún chirrido de metal sobre metal, ningún estruendo atroz de una batería de tren que lance alaridos en dirección a nosotros. Lo único que siento es la linterna que Crance lleva en la mano, el reloj del otro sujeto y el flujo continuo del tráfico en la Calzada del Puerto, a diez metros de nuestras cabezas. Los vehículos más pesados son los peores, porque sus cables e instrumentos gimen en lo más profundo de mi cráneo. Me estremezco cada vez que uno pasa, y pierdo pronto la cuenta de cuántos se precipitan hacia Naercey. Si avanzaran juntos, sospecharía que una caravana real transporta al propio Maven, pero las máquinas van y vienen aparentemente al azar. *Esto es normal*, me digo, y calmo mis nervios para no fundir la lámpara y sumergir a todos en la penumbra.

Los secuaces de Crance cierran la marcha. Debería ponerme alerta, pero no me importa. Mis chispas están a un latido de mí y tengo a Cal a mi lado por si alguien llegara a tomar una mala decisión. Él es más intimidatorio que yo, una mano que se enciende con un fuego rojo y revuelto. Las sombras vacilantes que proyecta cambian y se transforman sin pausa y pintan volutas rojinegras en el túnel. *Estos colores fueron alguna vez de Cal. Pero ya los ha perdido, y todo lo demás también.*

Todo menos yo.

No sirve de nada susurrar aquí. Como no hay ruido que no se escuche, Cal mantiene la boca firmemente cerrada. De todas formas, puedo descifrar su rostro. Está incómodo, y combate cada uno de sus instintos como un soldado, un príncipe y un Plateado. Helo aquí mientras sigue a su enemigo a lo desconocido, ¿y para qué? ¿Para ayudarme? ¿Para perjudicar a Maven? Sean cuales sean sus razones, un día no serán suficientes para continuar. Un día dejará de seguirme y debo prepararme para eso. Tengo que decidir lo que mi corazón permitirá y la medida de soledad que soy capaz de soportar. Pero aún no. Su calor está conmigo todavía y no puedo hacer más que mantenerlo cerca.

Los túneles no aparecen en nuestro mapa —ni en ninguno otro que yo haya visto—, pero la Calzada del Puerto sí, y sospecho que estamos justo debajo de ella. Lleva directamente al centro de Bay, a través de la Barrera del Portazgo, y rodea el puerto antes de dirigirse al norte, a las marismas, Coraunt y las heladas zonas fronterizas. Más importante que la Calzada del Puerto es el Centro de Seguridad, el eje administrativo de toda la urbe, donde podremos hallar los archivos y, sobre todo, las direcciones de Ada y Wolliver. El tercer nombre, la joven que vive en los suburbios de Ciudad Nueva, podría estar también.

Cameron Cole, recuerdo, aunque el resto de su información se me escapa de momento. No me atrevo a sacar la lista de Julian para consultarla, con tantos rostros desconocidos alrededor. Cuanto menos sepan ellos de los nuevasangre, mejor. Sus nombres son sentencias de muerte, y no he olvidado la advertencia de Shade.

Con algo de suerte, tendremos todo lo que necesitamos al anochecer y estaremos de vuelta en el Blackrun para el desayuno, con otros tres nuevasangre a remolque. Kilorn protestará, molesto con nosotros por habernos ausentado tanto tiempo, pero ésta es la última de mis preocupaciones. Lo cierto es que me hacen mucha ilusión su cara enrojecida y sus quejas caprichosas. Pese a la Guardia y su cólera de ahora, el chico con el que crecí brilla en el fondo con una luz débil todavía, y es tan reconfortante como el fuego de Cal o el abrazo de mi hermano.

Para llenar el silencio, Shade bromea con Crance y sus seguidores.

—Este hombre es la razón de que yo haya salido vivo del Obturador —explica, y apunta hacia Crance con su muleta—. Los verdugos no pudieron atraparme, pero el hambre estuvo a punto de hacerlo.

—Robaste una col. Yo sólo dejé que te la comieras —refuta Crance y sacude la cabeza, aunque su rubor delata su orgullo.

Shade no lo suelta tan fácil. Adopta una sonrisa que podría iluminar los túneles, pero no hay luz en su mirada.

—Es un contrabandista con un corazón de oro.

Observo su intercambio con ojos entrecerrados y oídos abiertos, y sigo la conversación como si fuera un juego. Uno alaba al otro y recuerda su viaje desde el Obturador, cómo eludieron por igual a la seguridad y las legiones. Y aunque puede ser que hayan forjado una amistad en esas semanas, no parece que siga existiendo. Ahora son solamente hombres que comparten recuerdos y sonrisas forzadas, y cada cual trata de entender lo que el otro quiere. Hago lo mismo y llego a mis propias conclusiones.

Crance es un ladrón con pretensiones, una profesión que conozco bastante bien. Lo mejor de los ladrones es que puedes confiar en que siempre aprovecharán la situación en su propio beneficio. Si nuestras posiciones se invirtieran y fuera la de antes, en compañía de un fugitivo camino a Los Pilares, ¿lo atracaría a cambio de unos tetrarcas? ¿De unas semanas de raciones de comida o electricidad? Recuerdo muy bien los crudos inviernos, días de hambre y frío que parecían no tener fin. Las enfermedades fáciles de curar con medicamentos que no podíamos adquirir porque no teníamos dinero. Incluso el dolor amargo del simple deseo de tener algo bello o útil sólo *por* el gusto de tenerlo. Hice cosas horribles en momentos así, robar a personas tan necesitadas como yo. *Para sobrevivir. Para mantenernos con vida.* Ésta era la justificación de la que me valía en Los Pilares cuando hurtaba monedas a familias con hijos famélicos.

No dudo que Crance me entregaría al jefe Egan si pudiera, porque eso es lo que yo haría. Que me vendería a Maven a un precio exorbitante. Pero por fortuna, Crance es muy inferior en armas. Y lo sabe, así que debe mantener su sonrisa. *Por ahora.*

El túnel desciende después de describir una curva y las vías del tren subterráneo terminan de súbito, en un tramo donde el espacio se vuelve demasiado angosto para que pase un tren. Hace más frío conforme nos sumergimos, y el aire cala. Trato de no pensar en el peso de la tierra que se acumula sobre nosotros. Más adelante, los muros están cuarteados y en deterioro; quizá se desplomarían si no fuera por los soportes recién añadidos. Vigas de madera sin tallar se pierden en las tinieblas. Cada una de ellas sostiene el techo del túnel e impide que nos entierre vivos.

—¿Dónde saldremos? —pregunta Cal a quien quiera responder.

El disgusto contamina cada una de sus palabras. Los túneles hondos lo tienen con los nervios de punta, igual que a mí.

—Al costado oeste de la Colina del Mar —contesta Farley, en alusión a la residencia real en Harbor Bay.

Pero Crance sacude la cabeza y la interrumpe.

—El túnel está cerrado —rezonga—. Se encuentra en reparación por órdenes del rey. ¡Lleva apenas tres días en el trono y ya no lo aguanto!

Estoy tan cerca que oigo cómo rechinan los dientes de Cal. Un arranque de ira aviva su fuego y lanza una oleada de calor por el túnel, que los demás fingen ignorar. Órdenes del rey. Aunque ni siquiera se lo proponga, Maven frustra nuestro progreso.

Cal se mira los pies, imperturbable.

—Maven odió siempre la Colina —sus palabras rebotan extrañamente en las paredes y nos rodean con sus recuerdos—. Era demasiado pequeña para él. Demasiado vieja.

Las sombras se mueven en las paredes y distorsionan nuestras figuras. Veo a Maven en cada forma retorcida, en cada pozo de oscuridad. Una vez me dijo que él era la sombra de la llama. Ahora temo que se haya vuelto la sombra de mi mente, algo peor que un perseguidor, peor que un fantasma. Por lo menos no estoy sola en sus asedios. Cal lo siente también.

—Al mercado de pescado entonces —la tajante orden de Farley me devuelve a la misión que nos ocupa—. Tendremos que dar un rodeo y necesitaremos una distracción fuera del Centro de Seguridad, de la que vosotros podríais encargaros.

Veo el mapa otra vez mientras el cerebro me zumba. Todo indica que el Centro de Seguridad se une directamente con el antiguo palacio de Cal, o que al menos forma parte del mismo complejo. Y el mercado de pescado, supongo, está muy lejos de ahí. Tendremos que batallar para llegar adonde debemos, y más todavía para entrar sin ser vistos. A juzgar por el ceño fruncido de Cal, eso no le hace mucha gracia.

—Egan cumplirá —dice Crance en respuesta a la petición de Farley—. Ayudará en todo lo que pueda. Aunque no lo necesitéis, teniendo al Conejo de vuestra parte.

Shade hace una mueca, molesto todavía por el apodo.

—¿Conoces bien a los Rojos de Bay? ¿Crees que algunos nombres podrían sonarte?

Tengo que morderme los labios para que no le cuchicheen nada a mi hermano. Lo último que quiero es decirle a Crance a quién buscamos, especialmente porque preguntará el motivo. Pero Shade me mira con las cejas levantadas y me insta a recitar los nombres en voz alta. Junto a él, Crance hace cuanto puede por mantener una expresión neutral, pero sus ojos fulguran. Está demasiado impaciente de oírme.

—Ada Wallace —siseo, como si temiera que las paredes del túnel robaran mi secreto—. Wolliver Galt.

Galt. El rostro de Crance salta con una punzada de reconocimiento y no tiene más opción que asentir.

—Conozco a Galt. Pertenece a una antigua familia que vive frente a la calle Quemada. Cerveceros de oficio —entrecierra los ojos como si intentara recordar más—. La mejor cerveza de la bahía. Buenos amigos —el pulso se me acelera en el pecho, encantada por la perspectiva de tener tan buena suerte. Pero esto se mitiga al comprender que Crance y el misterioso Egan ya saben a quiénes buscamos—. No puedo decir que conozca a Wallace —continúa—. Es un apellido muy común, pero no me viene nadie a la memoria.

Me desilusiona no saber si miente. Tengo que presionarlo para que no deje de hablar. Quizá revele algo, o me dé una excusa con la que pueda convencerlo de que lo haga.

—¿Vosotros mismos os pusisteis el nombre de Navegantes? —pregunto, y procuro conservar un tono neutral.

Sonríe sobre su hombro y se sube una manga para dejar ver un tatuaje en el antebrazo. Es un ancla de un azul muy oscuro que se halla rodeada por una cuerda roja en espiral.

—Los mejores contrabandistas de El Faro —dice con orgullo—. Conseguimos todo lo que nuestros clientes nos solicitan.

—¿Y abastecéis a la Guardia?

Esta pregunta desdibuja su sonrisa y se baja la manga. Se diría que asiente, aunque sin mayor convicción.

—Me imagino que Egan es otro capitán —apresuro el paso hasta que por poco le piso los talones a Crance. Sus hombros se tensan por mi proximidad, y no se me escapa que los pelos de la nuca se le erizan—. ¿Eso en qué te convierte a ti? ¿En su lugarteniente?

—A nosotros no nos importan los títulos —replica, y esquiva mi pinchazo.

Pero apenas acabo de empezar. Los demás miran atónitos, confundidos por mi conducta. *Kilorn lo comprendería. Mejor aún, me seguiría la corriente.*

—Lo siento, Crance —le digo con una dulzura que empalaga. Sueno como una dama de la corte, no como una ladrona furtiva, y eso le hiere—. Sólo tengo curiosidad de saber sobre nuestros hermanos y hermanas en Bay. Dime, ¿quién te convenció de que te unieras a la causa? —se hace un incómodo silencio. Cuando me vuelvo, los amigos de Crance están igual de callados, con los ojos casi negros bajo la apagada luz del túnel—. ¿Fue Farley? ¿Te reclutaron? —insisto a la espera de una grieta. Pero él sigue sin responder y un temblor se apodera de mí. ¿Qué nos oculta?—. ¿O buscaste a la Guardia como lo hice yo? Claro que tuve una muy buena razón para ello. Creí que Shade había muerto, ¿sabes?, y quería venganza. Me afilié porque quería matar a quienes mataron a mi hermano —no suelta prenda todavía pero acelera el paso. He tocado una cuerda sensible—. ¿A ti qué te quitaron los Plateados?

Doy por sentado que Shade me reprenderá por mis preguntas, pero guarda silencio. Sus ojos no se apartan de la cara de Crance, con la intención de descubrir lo que el contrabandista esconde. Porque es indudable que nos esconde algo, y todos hemos comenzado a sentirlo. Hasta Farley se pone tensa, pese a haberse mostrado tan cordial hace unos momentos. Se ha dado cuenta de algo, ha visto algo que no había notado. Mete la mano en su cazadora y empuña lo que sólo puede ser otra navaja secreta. Y Cal no baja la guardia. Su fuego crepita, y amenaza con desgajar la sombra. Vuelvo a pensar en el túnel. Empiezo a sentirlo como si fuera una tumba.

—¿Dónde está Melody? —murmura Farley al tiempo que extiende una mano para detener la marcha de Crance. Nosotros hacemos alto también y creo que oigo latir nuestros corazones contra las paredes del túnel—. Egan no te enviaría solo.

Cambio lentamente de postura y me giro de tal manera que mi espalda dé contra el muro, para poder ver a Crance y a sus pillos. Cal hace lo mismo, copia mis movimientos. De su mano vacía brota algo de fuego, listo y a la espera en su palma. Mis chispas entran y salen de mi piel como diminutos relámpagos purpúreos. Contenerlos es una sensación agradable, pequeñas riendas de fuerza pura. Arriba de nosotros el tráfico ha aumentado, y sospecho que estamos cerca de las puertas de la ciudad, si no es que nos encontramos ya directamente debajo de ellas. *No es un lugar muy bueno para una batalla.*

Porque es en lo que esto está a punto de convertirse.

—¿*Dónde* está Melody? —repite Farley, y su cuchillo silba en el aire. Refleja el fuego de Cal y destella nítidamente hasta encender los ojos de Crance—. ¿Crance?

Sus ojos se ensanchan pese al resplandor deslumbrante, llenos de un auténtico pesar. Eso basta para que a mí me acometan escalofríos de terror.

—Tú sabes lo que somos, quién es Egan. Somos criminales, Farley. Creemos en el dinero y en la supervivencia.

Conozco demasiado bien esa vida. Pero abandoné ese camino. Ya no soy una rata. Soy la Niña Relámpago, y ahora tengo demasiados ideales para contarlos. Libertad, venganza, derechos, todo lo que exacerba las chispas en mi interior y la resolución que me mantiene en marcha.

Los rufianes de Crance se mueven tan despacio como yo y sacan armas de fundas ocultas. Son tres pistolas, cada una de ellas sostenida por una mano hábil y nerviosa. Imagino que Crance tiene una también, pero no la enseña todavía. Se detiene demasiado en tratar de explicarse, en hacernos entender lo que está a punto de ocurrir. Y ciertamente lo entiendo. La traición me es demasiado familiar, aunque todavía me revuelve el estómago y congela de miedo mi cuerpo. Hago todo lo posible por ignorarla y concentrarme.

—A Melody se la llevaron —murmura él—. Esta mañana le enviaron a Egan su dedo índice. Lo mismo sucede en todo Bay, cada banda ha perdido alguien o algo valioso. Los Navegantes, los Piratas... incluso se llevaron al hijo de Ricket, quien ya lleva años fuera de este negocio. ¡Y la paga! —silba misteriosamente—. No es cosa de risa.

—¿La paga de qué? —inquiero en un suspiro, sin atreverme a quitarle los ojos de encima al Navegante más cercano a mí.

Ella me devuelve la mirada.

La voz de Crance es un graznido ronco y atribulado.

—Por ti, Niña Relámpago. Los agentes y los ejércitos no son los únicos que te buscan. También nosotros. Cada corrillo de contrabandistas, cada cofradía de ladrones, de aquí hasta Delphie. Te persiguen, señorita Barrow, a sol y a sombra, los Plateados y los tuyos. Lo siento, pero así son las cosas.

Su disculpa no se dirige a mí, sino a mi hermano y a Farley. Sus amigos, a los que traiciona ahora. Mis amigos, quienes están en grave peligro por mi causa.

—¿Qué trampa nos has tendido? —ruge Shade y hace cuanto puede por mostrarse amenazador, pese a la muleta que tiene bajo el brazo—. ¿Dónde has venido a meternos?

—A ningún lugar que vaya a gustarte, Conejo.

En medio de la luz rara del fuego de Cal, mis chispas y la lámpara de Crance, casi paso por alto el aleteo de los ojos de éste. Salen disparados a la izquierda y van a dar a la viga de refuerzo que está junto a mí. El techo está agrietado y rajado, y varios trozos de tierra asoman entre el cemento.

—¡Maldito! —exclama Shade, con una voz demasiado fuerte y una reacción exagerada.

Parece capaz de lanzar un puñetazo en cualquier momento, lo cual sería la distracción perfecta. ¡Allá vamos!

Los tres Navegantes suben sus armas y apuntan a mi hermano. Al ser vivo más rápido que existe sobre la Tierra. Cuando alza un puño, ellos aprietan el gatillo y sus balas no atraviesan más que el aire. Me agacho, aturdida por los disparos que estallan tan cerca de mi cabeza, pero mantengo fija mi atención donde debe estar: en la viga de refuerzo. La detonación de un rayo astilla y carboniza la madera, que se hace añicos y cae mientras lanzo un segundo relámpago contra el techo agrietado. Cal salta a un lado, hacia Crance y Farley, y evita los bloques de hormigón que se desprenden del techo. Si yo tuviera tiempo, temería quedar sepultada con los Navegantes, pero la familiar mano de Shade se aprieta alrededor de mi muñeca. Cierro los ojos y contengo la sensación opresiva antes de caer en el suelo varios metros más allá. Ahora estamos delante de Crance y Farley, quien en este momento ayuda a Cal a ponerse en pie. La parte del túnel que se despliega al otro lado de ellos se desploma, y queda ocupada por la tierra, el cemento y tres cuerpos aplastados.

Crance dedica una última mirada a sus Navegantes caídos y saca su pistola oculta. Durante un breve y vertiginoso momento pienso que podría dispararme. Pero alza sus ojos electrizantes, mira el túnel mientras a nuestro alrededor todo tiembla y mueve los labios para formar una sola palabra.

—¡Corred!

CATORCE

Izquierda, derecha, otra vez izquierda, arriba.
Las enérgicas órdenes de Crance nos siguen por los túneles y guían nuestros pasos resonantes. El ocasional estruendo de otro desplome nos hace continuar lo más rápido posible. Provocamos una reacción en cadena, una implosión en los túneles. Una o dos veces la galería se viene abajo tan cerca que oigo el chasquido estridente de las vigas de refuerzo que se resquebrajan. Algunas ratas corren a nuestro lado y salen en zigzag de la penumbra. Me estremezco cuando pasan sobre los dedos de mis pies, con colas peladas que agitan como minúsculas cuerdas. No había muchas ratas en mi hogar —las inundaciones acababan con ellas—, así que estas oleadas de pelos negros cubiertos de grasa me ponen la piel de gallina. Pero hago cuanto puedo por tragarme mi asco. A Cal tampoco le gustan y limpia el suelo con un puño llameante, con el que repele a las alimañas cada vez que se aproximan demasiado.

El polvo se arremolina en nuestros talones y vuelve denso e irrespirable el aire, de manera que la linterna de Crance es casi inútil en la sombra. Los demás se valen del tacto y alargan una mano para avanzar a tientas junto a las paredes del túnel, pero tengo la mente fija en el mundo de arriba, en la red de cables eléctricos y transportes vibrantes. Esto traza un mapa en mi cabeza, que se fija sobre el de papel que casi me he aprendido de memoria. Así, siento todo cada vez más a mi alcance. Esta sensación es abrumadora, pero la aparto y me obligo a captar todo lo que puedo. Los transportes chirrían encima de nosotros, se dirigen al derrumbe inicial. Algunos se precipitan por los callejones, quizá para evitar las calles hundidas y los desechos retorcidos. *Es una distracción que nos viene de maravilla.*

Los túneles son el dominio de Farley y Crance, un reino de polvo. Pero le toca a Cal sacarnos de la oscuridad, y la ironía de eso no se nos escapa a ninguno de los dos. Cuando llegamos a una puerta de servicio cerrada con soldadura, él no necesita que le digan lo que debe hacer. Da varios pasos al frente con las manos extendidas mientras su pulsera chisporrotea y provoca que una flama al rojo blanco cobre vida. Ésta brinca en sus palmas, lo que le permite agarrar los goznes de la puerta y calentarlos hasta que se derriten en rojos pegotes de hierro. El obstáculo que sigue, una rejilla metálica solidificada en herrumbre, es incluso más fácil de salvar y se despega en segundos.

El túnel tiembla otra vez como un trueno, aunque mucho más lejos. Las ratas son más convincentes, aunque se han serenado ya y desaparecen en las tinieblas de las que salieron. Sus pequeñas sombras son un alivio repugnante y extraño. Juntas hemos vencido a la muerte.

Crance nos hace señas a través de la rejilla rota para que pasemos. Pero Cal vacila. Una hirviente mano suya descansa todavía en el hierro. Cuando lo suelta, deja rojo el metal, e impresa la marca de sus dedos.

—¿La Crasa? —pregunta y mira hacia el túnel.

Conoce Harbor Bay mucho mejor que yo. Después de todo, vivió aquí, y ocupaba la Colina del Mar cada vez que la familia real venía al área. No cabe duda de que ya cumplió su parte de escabullidas en el puerto y los callejones, como la que estaba haciendo el día que lo conocí.

—Sí —responde Crance, y asiente rápido—. Es el punto más próximo al centro al que puedo llevaros. Egan me dio instrucciones de sacaros por el mercado de pescado, y tiene listos ahí a varios Navegantes para que os atrapen, por no mencionar a una brigada de seguridad. No espera que lleguen por la Plaza Crasa, y no tendrá a nadie de guardia allá.

La forma en que lo dice me eriza la piel.

—¿Por qué?

—La Crasa es territorio Pirata.

Los Piratas. Otra banda, quizá marcada con tatuajes más ominosos que el ancla de Crance. Si no fuera por las maquinaciones de Maven, ellos habrían ayudado a una hermana Roja, pero se han vuelto enemigos casi tan peligrosos como cualquier militar Plateado.

—No era eso lo que quería decir —continúo, y utilizo la voz de Mareena para ocultar mi temor—. ¿Por qué nos ayudas?

Hace unos meses, la idea de tres cuerpos aplastados por los escombros podría haberme aterrado. Ahora ya he visto cosas peores, y apenas dedico un pensamiento a los compañeros de Crance y sus retorcidos huesos. Pese a su naturaleza criminal, Crance no se muestra muy satisfecho. Lanza una mirada a la oscuridad, hacia los Navegantes a cuya muerte contribuyó. Tal vez eran amigos suyos.

Pero hay amigos que *yo* cambiaría, vidas a las que renunciaría por mis victorias. Lo he hecho antes. No es difícil permitir que alguien muera cuando su desaparición da vida a algo más.

—No soy dado a juramentos ni a amaneceres rojos ni a ninguna de esas tonterías de las que vosotros habláis tanto —masculla mientras abre y cierra un puño en rápida sucesión—. Las palabras no me impresionan. Aunque vosotros hacéis mucho más que hablar. A mi modo de ver, puedo traicionar a mi jefe... o a mi sangre —*A su sangre*. A mí. Sus dientes relucen bajo la luz mortecina y destellan con cada palabra mordaz—. Hasta las ratas querrían salir de las cloacas, señorita Barrow.

Cruza la rejilla, hacia la superficie que podría costarnos la vida a todos.

Y lo sigo.

Me enderezo y me vuelvo para encarar los ecos y el fin de la protección del túnel. No he estado en Harbor Bay nunca, pero el mapa y mi sentido eléctrico son suficientes. Juntos pintan un cuadro de calles y cables. Siento los transportes militares que ruedan hacia el fuerte, y las luces de la Crasa también. Más todavía, una ciudad es algo que comprendo. Multitudes, callejuelas, todas las distracciones de la vida diaria: éste es mi tipo de camuflaje.

La Plaza Crasa es otro mercado, tan animado como el Huerto Magno de Summerton o la plaza de Los Pilares. Aunque está más sucio, más estropeado, libre de amos Plateados pero repleto de cuerpos Rojos y gritos de personas que regatean. *Un lugar perfecto para esconderse.* Emergemos en el nivel más bajo, un laberinto subterráneo de tenderetes sobre los que se entrecruzan grasientos pabellones de lona. Pese a todo, no hay humo ni hedor aquí; puede que los Rojos seamos pobres, pero no tontos. Una mirada de reojo arriba, a través del amplio agujero enrejado en el techo, me hace saber que en los niveles superiores se vende pescado pestífero o carne ahumada, y que se permite que los aromas escapen al cielo. Por lo pronto, estamos rodeados de buhoneros, inventores y tejedores, cada uno tratando de endilgar sus mercancías a clientes que no tienen dos tetrarcas que frotar entre sus dedos. El dinero desespera a todos; los comerciantes quieren adquirirlo, los compradores conservarlo, y a todos ciega. Nadie ve a unos hábiles rateros salir de un hueco olvidado en el muro. Sé que debería sentir miedo, pero rodeada por los míos me siento especialmente serena.

Crance nos guía, y su aire prepotente y altanero se resuelve en una cojera que lo iguala a Shade. Extrae una capucha de su chaleco y oculta su rostro en la sombra. Para el ojo inexperto, sería un viejo encorvado, pero no lo es en absoluto. Incluso sostiene un poco a Shade, cuyo hombro apuntala con un brazo para ayudarlo a caminar. A mi hermano no le preocupa que su cara se vea, sino que su cuerpo no resbale en el desnivelado suelo del fondo de la Crasa. Farley cierra la expedición, y me tranquiliza saber que cubre mis espaldas. A pesar de todos sus secretos, confío en ella; no veo una trampa, sino la forma de sortearla. En este mundo de traición, eso es lo mejor que puedo esperar.

Han pasado unos meses desde la última vez que robé algo. Y cuando sustraigo de un puesto un par de pañuelos de color gris oscuro, mis movimientos son ágiles y perfectos, pese a lo cual siento una insólita punzada de pesadumbre. Alguien hizo estos paños. Alguien hiló y tejió la lana de estos burdos retazos. Alguien los necesita. *Pero yo también.* Necesito uno para mí y otro para Cal. Él lo coge deprisa y se cubre la cabeza y los hombros con la lana deshilachada para ocultar sus reconocibles facciones. Hago lo mismo, en buena hora.

Nuestros primeros pasos en el mercado oscuro y desbordante nos conducen justo frente a un tablón de anuncios. Por lo general lleno de anuncios de venta, recortes de periódico y memoriales, el barullo Rojo ha sido tapado por una caprichosa capa de letreros. Unos niños se aglomeran en torno al tablón y arrancan los trozos de papel que alcanzan. Se los arrojan entre sí como bolas de nieve. Sólo uno de ellos, una chiquilla de descuidado cabello negro y pies morenos y descalzos, se molesta en ver lo que hacen. Contempla dos caras conocidas, cada una de las cuales mira desde una docena de enormes carteles. Son torvas y descarnadas, y las rematan grandes letras negras que dicen BUSCADOS POR LA CORONA, POR TERRORISMO, TRAICIÓN Y HOMICIDIO. Dudo que muchas de las personas que pululan en la Crasa sepan leer, pero el mensaje es bastante claro.

La imagen del príncipe no es su retrato oficial, que le daba una apariencia noble, fuerte y gallarda. No, su figura es granulosa, aunque clara, un fotograma tomado de una de las numerosas cámaras que lo captaron en los momentos previos a su fallida ejecución en el Cuenco de los Huesos. Su rostro está demacrado, desencajado por la pérdida y la traición, mientras que sus ojos chispean con una cólera fuera de control. Los músculos del cuello se le resaltan, tensos. Hasta podría haber sangre seca en el cuello de su camisa. Tiene de pies a cabeza el aspecto de asesino que Maven desea que proyecte. Sus carteles de más abajo están rotos o cubiertos de grafiti, con leyendas hirientes y garabateadas de modo casi demasiado violento para que destaquen. *El Asesino del Rey, El Exiliado.* Los epítetos rasgan el papel como si las palabras pudieran hacer sangrar la piel fotografiada. Y entretejida en ellos aparece el rótulo : *Atrapadlo, atrapadlo, atrapadlo.*

Como la de Cal, también mi imagen está tomada del Cuenco de los Huesos. Sé de qué momento precisamente.

Fue antes de que atravesara las puertas de la plaza, cuando escuché que Lucas recibía una bala en la cabeza. En ese instante supe que iba a morir y, peor aún, que yo no podría hacer nada por evitarlo. El difunto Arven estaba conmigo y sofocaba mis habilidades para reducirme a nada. En el cartel, mis ojos están muy abiertos, aterrados, y parezco pequeña. No soy la Niña Relámpago en esta fotografía. Soy sólo una adolescente asustada. Alguien a quien nadie apoyaría, y mucho menos protegería. No dudo que el propio Maven haya elegido esta toma, pues sabía exactamente el tipo de imagen que proyectaría. De cualquier forma, no todos se han dejado engañar. Vieron mi instante de fuerza, mi rayo, antes de que la transmisión de la ejecución se interrumpiera. Algunos saben lo que soy, y lo han escrito en los carteles para que todos lo vean.

La reina Roja. La Niña Relámpago. Vive. Nos levantaremos, Rojos como el amanecer. Nos levantaremos. Nos levantaremos. Nos levantaremos.

Cada una de estas palabras produce la sensación de una marca de hierro candente, que cauteriza hasta lo más hondo. Pero no podemos detenernos en el muro de los carteles policiales. Le doy un leve codazo a Cal, para alejarlo de esa bestial visión de nosotros. Se aparta de buen grado y sigue a Shade y a Crance entre la multitud turbulenta. Refreno el impulso de sostenerlo, de tratar de quitarle un poco del peso que carga sobre los hombros. Aunque quisiera tocarlo, no puedo. Debo permanecer con los ojos al frente, lejos del fuego de un príncipe arruinado. Debo congelar mi corazón para la única persona que insiste en prenderle fuego.

Concluir el recorrido de la Crasa es más fácil de lo que debería. Un mercado Rojo no es de consideración para nadie importante, así que cámaras y agentes escasean en los niveles inferiores. A pesar de ello, mantengo mis sentidos en alerta y tanteo las pocas líneas eléctricas a la vista que consiguen penetrar entre los puestos y las tiendas en desorden. Ojalá pudiera desconectarlas en vez de evitarlas torpemente, pero incluso eso es demasiado peligroso. Un misterioso corte de luz sin duda llamaría la atención. Los agentes, que destacan con sus uniformes de seguridad negros, son más preocupantes todavía. A medida que ascendemos por los niveles de la Crasa hasta la superficie de la ciudad, su número aumenta. La mayoría parecen aburridos de los afanes de la vida Roja, pero algunos permanecen atentos. Sus ojos vuelan entre la muchedumbre y *lo escrutan todo*.

—Encórvate —susurro mientras aprieto la muñeca de Cal.

Esta acción provoca que una chispa de nervios suba por mis dedos y mi brazo, y me obliga a alejarme demasiado rápido.

Él obedece y se agacha para disimular su estatura. Pero podría no ser suficiente. *Todo esto podría no ser suficiente.*

—Preocúpate por él. Si sale disparado, tendremos que estar listos para reaccionar —murmura Cal en respuesta, con sus labios tan cerca que acarician mi oído.

Señala con un dedo a Crance desde los pliegues de su pañuelo, pero mi hermano tiene al Navegante bajo control y conserva un firme puño en su chaleco. Al igual que nosotros, no confía en el contrabandista, así que podría tirar de él en cualquier momento.

—Shade lo controla. No levantes la cabeza.

Suelta entre dientes otro suspiro exasperado.

—Observa. Si va a correr, lo hará en treinta segundos.

No necesito preguntarle cómo lo sabe. A juzgar por el movimiento de la gente, tardaremos treinta segundos en llegar a lo alto de la desvencijada escalera de caracol y plantarnos firmemente en el piso principal de la Crasa. Puedo ver el centro del mercado ahora, justo sobre nosotros, con la rebosante luz del mediodía que casi nos ciega después de haber estado bajo tierra. Los puestos parecen más permanentes, más profesionales y prósperos. De una cocina pública emerge el aroma de carne guisada. Tras tantos días en los que he consumido sólo los paquetes de víveres y el pescado salado, se me hace agua la boca. Arcos de desgastada madera se despliegan en las alturas y sostienen un techo de lona parcheado y rajado. Algunos están estropeados, con deformaciones causadas por temporadas de lluvia y de nieve.

—No correrá —susurra Farley cuando se mete entre nosotros—. Al menos no con Egan. Perderá su cabeza por haber traicionado a los Navegantes. Si va a alguna parte, será fuera de la ciudad.

—Déjalo entonces —siseo en respuesta. Otro Rojo que cuidar es lo último que necesito—. Ya ha hecho por nosotros lo que debía, ¿no?

—¿Y si va a dar directamente a una celda y un interrogatorio?

Cal habla en voz baja, pero llena al mismo tiempo de malos presagios. Es un frío recordatorio de lo que debemos hacer para protegernos.

—Dejó morir a tres de los suyos por mí, para mantenerme a salvo. Ni siquiera recuerdo sus rostros. No puedo permitírmelo. Dudo que la tortura le importe mucho.

—No hay mente que no pueda caer en manos de Elara Merandus —dice Cal con tono rotundo—. Tú y yo lo sabemos mejor que nadie. Si ella lo atrapa, nos encontrarán. Y encontrarán a los nuevasangre de Bay.

Si...

Cal quiere matar a un hombre sobre la base de esa palabra tan terrible. Toma mi silencio como aceptación y, para mi vergüenza, comprendo que no está equivocado del todo. Cuando menos no me obligará a hacerlo, aunque mi rayo puede matar tan rápido como cualquier llama. Mete las manos bajo su pañuelo hasta la navaja que sé que esconde. Bajo los pliegues de mis mangas, mis manos comienzan a temblar. Y ruego al cielo que Crance no desvíe su camino, que sus pasos no titubeen. Que no reciba un puñal en la espalda porque se atrevió a ayudarme.

El piso principal de la Crasa es más bullicioso que los inferiores, una sobrecarga de ruidos e imágenes. Reduzco un tanto el alcance de mis sentidos y dejo fuera lo que debo para poder concentrar la atención en mí. Las luces gimen en lo alto, afectadas por una pulsación de corrientes disparejas. El cableado es defectuoso y produce intermitencias en algunos lugares. Esto hace que uno de mis ojos tiemble. Las cámaras son más intensas también, y están dirigidas al puesto de seguridad que hay en el centro del mercado. Éste es algo más que un mero puesto; tiene seis lados, cinco ventanas, una puerta y un techo cubierto de tejas, pero está lleno de agentes en lugar de desiguales mercancías. Me doy cuenta con creciente horror de que hay *demasiados agentes*.

—Más rápido —susurro—. Debemos avanzar más rápido.

Mis pies hallan un paso más ágil y aventajo a Cal y a Farley hasta casi pisarle los talones a Crance. Shade mira por encima de su hombro, con la frente fruncida. Pero su vista resbala más allá de mí, más allá de todos nosotros, y desciende en algo que se mueve entre la multitud. No, en alguien.

—Nos están siguiendo —farfulla, y aprieta el brazo de Crance—. Piratas.

Contra toda precaución, doy un golpecito en mi capucha para verlos. Distinguirlos no es difícil. Llevan una tinta blanca sobre sus rapadas cabezas y unos tatuajes de calaveras con huesos dentados en el cuero cabelludo. No menos de cuatro de ellos avanzan entre la gente, y nos siguen como lo hacen las ratas con un ratón. Nos flanquean dos a la izquierda y dos a la derecha. Si la situación no fuera tan delicada, me reiría de sus tatuajes idénticos. La muchedumbre los conoce de vista y se aparta para dejarlos pasar, para dejarlos *cazar*.

Es evidente que los demás Rojos temen a estos criminales, pero yo no. Unos cuantos matones no son nada en comparación con el poderío de la docena de agentes de seguridad que bullen en su puesto. Quizá sean raudos, colosos, olvidos: Plateados que pueden hacernos pagar con sangre y dolor. Por lo menos sé que no son tan peligrosos como los Plateados de la corte, los susurros, las sedas, los silencios. Susurros tan poderosos como la reina Elara no visten en público modestos uniformes negros. Controlan ejércitos y reinos, no algunos metros de un mercado, y están lejos de aquí. *Por ahora.*

Para nuestra sorpresa, el primer golpe no llega de atrás, sino justo al frente de nosotros. Una vieja fea y jorobada provista de un bastón no es lo que aparenta, y engancha a Crance por el cuello con una vara nudosa. Lo arroja al suelo y se quita su manto de un tirón, con lo que expone una calva y una calavera tatuada.

—¿El mercado de pescado no es digno de ti, Navegante? —gruñe al tiempo que Crance cae de espaldas.

Shade aterriza junto con él, pues está demasiado enredado en sus piernas y en su propia muleta para mantenerse en pie.

Arremeto con el propósito de ayudar, pero un brazo me agarra de la cintura y me devuelve al gentío. Los demás miran, con ansia de disfrutar de un poco de diversión. Nadie se da cuenta de que nos perdemos en medio de un muro de rostros, ni siquiera los cuatro Piratas que nos seguían. No somos su objetivo *aún*.

—No te detengas —murmura Cal en mi oído.

Pero me paralizo. Nadie conseguirá que me mueva, ni siquiera él.

Sin Shade no.

La Pirata golpea a Crance cuando intenta incorporarse y su bastón restalla contra el hueso. Es rápida y la emprende también contra Shade, quien tiene la suficiente prudencia para permanecer en el suelo y alzar los brazos en señal de rendición. Podría desaparecer en un instante y saltar para ponerse a salvo, pero sabe que no debe hacerlo. Al menos no cuando hay tantos ojos que lo miran, y cuando el puesto de seguridad está tan cerca.

—¡Bufones y ladrones, eso es lo que sois! —se queja una mujer a un lado.

Al parecer, es la única persona a la que esta exhibición le incomoda. Comerciantes, clientes y pilluelos por igual observan expectantes, y los agentes de seguridad no hacen nada, sólo observan con velado regocijo. Incluso sorprendo a algunos de ellos mientras se pasan monedas entre sí, apuestan para la pelea que se avecina.

Cae otro golpe, esta vez sobre el hombro herido de Shade. Aunque aprieta los dientes e intenta contener un aullido de dolor, éste resuena en toda la Crasa. Casi lo siento yo misma, y hago una mueca cuando él se retuerce.

—No conozco tu cara, Navegante —cacarea la Pirata y vuelve a pegarle, lo bastante fuerte para transmitir un mensaje—. Pero seguro que Egan sí la conoce. Él pagará para que regreses a salvo, aunque vapuleado.

Mi puño se cierra con el deseo del relámpago, pero lo que siento son llamas. Una piel caliente contra la mía, unos dedos que se arrastran por mi cuerpo: *Cal*. No podré arrojar chispas sin herirlo. Una parte de mí quisiera apartarlo y salvar a mi hermano en un solo movimiento. Pero eso no nos llevaría a nada.

Con un grito ahogado y súbito, reparo en que no habríamos podido pedir una distracción mejor, un mejor momento para escurrirnos. *Shade no es una distracción*, grita una voz dentro de mi cabeza. Me muerdo el labio y casi corto la piel. No puedo dejarlo, no puedo. No puedo perderlo una vez más. *Pero tampoco podemos quedarnos aquí. Es demasiado peligroso, y lo que está en juego es mucho más ahora.*

—El Centro de Seguridad —susurro, y trato de impedir que mi voz tiemble—. Debemos encontrar a Ada Wallace, y el Centro es el único medio para lograrlo —las palabras siguientes saben a sangre—. Tenemos que irnos.

Shade permite que el nuevo golpe le dé de lado, lo que le ofrece un mejor ángulo. Sus ojos se cruzan con los míos. Espero que me entienda. Mis labios se mueven sin que yo haga ruido. *Centro de Seguridad*, digo sin hablar, para indicarle el sitio donde nos hallará cuando escape. *Porque escapará, de eso no cabe la menor duda. Es un nuevasangre como yo. Estos individuos no son dignos rivales de él.*

Eso suena casi totalmente convincente.

Él baja la mirada. Le agobia la certeza de que no lo salvaré, aunque asiente de todos modos. Y después, el agolpamiento de los cuerpos lo devora y lo pierdo de vista. Vuelvo la espalda antes de que el bastón golpee un hueso otra vez, pero oigo el sonido duro y estrepitoso. Me estremezco de nuevo y las lágrimas se acumulan en mis ojos. Quiero volverme, pero tengo que alejarme, hacer lo que debe hacerse y olvidar lo que debe olvidarse.

La multitud aplaude y empuja para ver, lo que nos facilita escabullirnos hasta la calle y sumergirnos en la ciudad de Harbor Bay.

Las calles que rodean la Crasa son como el mercado mismo: concurridas, atronadoras, apestan a pescado y mal humor. No espero menos del sector Rojo de la ciudad, donde las casas se apretujan y sostienen entre sí en los callejones y forman sombreados pasadizos abovedados a los que poco les falta para estar llenos de basura y mendigos. No veo agentes por ninguna parte. Los atrajo la pelea de las bandas en la Crasa o el desplome del túnel, ya muy atrás de nosotros. Cal toma ahora la delantera y nos guía con persistencia al sur, lejos del centro Rojo.

—¿Territorio conocido? —pregunta Farley, y le dirige una mirada de recelo cuando él resbala con nosotros por otro sinuoso callejón—. ¿O sólo estás tan desorientado como yo?

Él no se molesta en responder y reacciona únicamente con un ágil movimiento de la mano. Pasamos deprisa por una taberna cuyas ventanas ya están plagadas de sombras de bebedores profesionales. Los ojos de Cal se entretienen en la puerta, pintada con un rojo ofensivamente vivo. Imagino que se trata de uno de sus antiguos bares preferidos, cuando podía salir en forma subrepticia de la Colina del Mar para ver su reino sin el lustre de la alta sociedad Plateada. *Esto es lo que un buen rey haría*, me dijo en una ocasión. Pero descubrí más tarde que su definición de un buen rey era muy imperfecta. Los mendigos y ladrones con que se topó al paso de los años no bastaron para persuadir al príncipe. Vio hambre e injusticia, y no fue suficiente para justificar el cambio. No bastó para que tales cosas fueran dignas de su preocupación. Hubo que esperar a que su mundo lo devorara y escupiera, a que hiciera de él un huérfano, un exiliado y un traidor.

Lo seguimos porque debemos hacerlo. Porque necesitamos un soldado y un piloto, un objeto contundente para que nos ayude a cumplir nuestras metas. Al menos eso es lo que me digo conforme sigo sus pasos. Necesito a Cal por nobles razones. Para salvar vidas. Para *ganar*.

Al igual que mi hermano, también tengo una muleta. La mía no es de metal. Es de carne y fuego y ojos broncíneos. ¡Si pudiera desprenderme de él! ¡Si fuera lo bastante recia para permitir que el príncipe se marchase e hiciera lo que quisiera con su venganza! Para que muriera o viviera como quiera. *Pero lo necesito. Y no encuentro la fuerza para dejar que se vaya.*

Aunque estamos lejos del mercado de pescado, un olor horrendo impregna la calle. Me llevo el pañuelo a la nariz para impedir el paso de aquello, sea lo que sea. *No es pescado*, comprendo mejor cada vez, y los demás también lo saben.

—No debimos seguir este camino —murmura Cal y extiende una mano para detenerme, pero me deslizo bajo su brazo.

Farley se halla justo detrás de mí.

Emergemos de la calle lateral a lo que fue alguna vez un parque modesto. Ahora es un lugar mortalmente quieto, con las ventanas de las casas y las tiendas bien cerradas. Las flores están quemadas, la tierra se ha vuelto ceniza. Varias docenas de cuerpos cuelgan de unos árboles sin hojas, con rostros violáceos y abotargados, y con sogas al cuello. Cada uno de ellos ha sido despojado de todo, salvo de sus medallones rojos, todos iguales. No son nada elaborado, apenas unos cuadrados de madera tallada que penden de una cuerda tosca. No he visto nunca collares así, y fijo mi atención en ellos para que mis ojos no vean las caras de tantos muertos.

Llevan colgados aquí mucho tiempo, a juzgar por el olor y la zumbadora nube de moscas. La muerte no me es extraña, pero estos cadáveres son más espantosos que todos los que he visto antes, o que yo misma he producido.

—¿Las Medidas? —pregunto en voz alta. ¿Estos hombres y mujeres infringieron el toque de queda? ¿Hablaron cuando no debían hacerlo? ¿Fueron ejecutados por las órdenes que di? *No fueron órdenes tuyas*, me digo reflexivamente. Pero esto no disminuye la culpa. Nada lo hará.

Farley sacude la cabeza.

—Son la Patrulla Roja —farfulla. Aunque quiere dar un paso al frente, lo piensa mejor—. Las grandes ciudades, las grandes comunidades Rojas, tienen sus vigilantes y oficiales propios. Para mantener la paz, para mantener nuestras leyes, porque la seguridad no lo hará.

No me sorprende que los Piratas hayan atacado tan descaradamente a Crance y a Shade. Sabían que no los castigaría nadie. Sabían que los miembros de la Patrulla Roja estaban muertos.

—Deberíamos bajarlos —digo, aunque sé que no es posible. No tenemos tiempo para enterrarlos, ni necesitamos esta complicación.

Me fuerzo a apartar la vista. Este espectáculo es una abominación que no olvidaré nunca. Pero no lloro. Cal está más allá, espera a una respetable distancia, como si no tuviera derecho a entrar a la plaza de los colgados. Concuerdo con él calladamente. Su pueblo hizo esto. *Su pueblo*.

Farley no está tan serena como yo. Intenta ocultar las lágrimas que anegan sus ojos, y finjo que no las advierto mientras nos retiramos.

—Habrá un juicio. Responderán por esto —sisea, con palabras más tensas que cualquier soga.

Cuanto más nos alejamos de la Crasa, más ordenada está la ciudad. Los callejones se ensanchan y se convierten en calles, que dan curvas moderadas en vez de girar en ángulos muy cerrados. Aquí los edificios son de piedra o cemento liso y no da la impresión de que estén a punto de venirse abajo con una brisa fuerte. Unas cuantas casas, muy bien conservadas pese a que son pequeñas, deben pertenecer a los Rojos exitosos de la ciudad, a juzgar por las puertas y postigos de color granate. Están señaladas con nuestro color, marcadas con hierro candente, para que todos sepan quién y qué vive en ellas. Los Rojos que pasan por la calle son igual de obvios, en su mayoría sirvientes que portan encordeladas pulseras rojas. Algunos llevan insignias a rayas prendidas en la ropa, cada una con una serie de colores familiares que indica la familia a la que sirven.

El que está más cerca de nosotros porta una insignia roja y marrón: *la Casa de Rhambos*.

Mis lecciones con Lady Blonos retornan en tropel, como una masa indistinta de datos recordados a medias. La de Rhambos es una de las Grandes Casas. Sus integrantes son los gobernadores de esta región, la del Faro. Son colosos. Contaron con una representante en la prueba de las reinas, una chiquitina que respondía al nombre de Rohr y que bien habría podido partirme a la mitad. Conocí a otro Rhambos en el Cuenco de los Huesos. Se supone que sería uno de mis verdugos pero lo maté. Lo electrifiqué hasta hacer que sus huesos chillaran.

Lo oigo gritar todavía. Después de la plaza de los ahorcados, este pensamiento casi me provoca una sonrisa.

Los ayudantes de Rhambos giran al oeste, hacia una pendiente ligera en dirección a una colina que da al puerto. Se encaminan sin duda a la mansión de sus amos. Es una de las muchas casas palaciegas que salpican la subida, cada una de las cuales alardea de blancas y prístinas paredes, techos azul cielo y altas torrecillas plateadas que rematan en puntiagudas estrellas. Continuamos nuestro sinuoso ascenso a la estructura más grande de todas. Parece coronada de constelaciones y está rodeada por muros claros y lustrosos: cristal de diamante.

—La Colina del Mar —dice Cal mientras sigue mi mirada.

El recinto domina la cúspide de la colina como si fuese un rechoncho gato blanco que haraganeara plácidamente detrás de paredes cristalinas. Al igual que el Palacio del Fuego Blanco, el borde del tejado está recubierto de llamas metálicas doradas, tan hábilmente forjadas que parecen danzar bajo la luz del sol. Sus ventanas centellean como joyas y cada una de ellas una luce limpia y fulgurante, producto del denodado esfuerzo de quién sabe cuántos sirvientes Rojos. El eco de una obra en construcción retumba y rechina desde el palacio, donde sólo Maven sabe qué se le hace a la residencia real. Una parte de mí quisiera verlo, y tengo que reír por ese absurdo lado mío. Si alguna vez vuelvo a entrar a un palacio, será encadenada.

Cal no puede mirar la Colina mucho tiempo. Es un recuerdo distante ahora, un lugar al que ya no tiene acceso, una casa a la que ya no puede regresar.

Tenemos eso en común, supongo.

QUINCE

Unas gaviotas que se posan sobre las estrellas que adornan cada tejado nos ven pasar por las frescas sombras del mediodía. Me siento expuesta bajo sus ojos, como un pez a punto de ser arrebatado del agua para la cena. Cal nos conduce a paso ligero todavía y sé que siente el peligro también. Hasta en los callejones, a los que dan sólo las puertas de servicio y los cuartos de los ayudantes, estamos totalmente fuera de lugar, con nuestras capuchas y nuestra ropa raída. Esta parte de la ciudad es pacífica, callada, prístina... y peligrosa. Cuanto más avanzamos, más tensa me siento. Y la pulsación grave de la electricidad se intensifica, es un repiqueteo constante en cada casa frente a la que cruzamos. Incluso se arquea en lo alto, donde la transportan cables camuflados por enredaderas retorcidas o toldos de rayas azules. Pero no percibo ninguna cámara y los vehículos se mantienen en las calles principales. Hasta ahora hemos pasado inadvertidos, resguardados por un par de sangrientas distracciones.

Cal nos guía velozmente por lo que llama el Sector de la Estrella. A juzgar por los miles de luceros que se avistan sobre un centenar de techos abovedados, este vecindario lleva bien puesto su nombre. Él hace que bordeemos por los callejones y procura evitar la Colina del Mar hasta que regresamos al transitado camino. Es una derivación de la Calzada del Puerto, si recuerdo el mapa con exactitud, que une la Colina del Mar y sus edificaciones anexas con el bullicioso puerto y Fort Patriot abajo, que se adentra en el océano. Desde este ángulo, la ciudad se extiende a nuestro derredor como un cuadro blanco y azul.

Nos sumamos a los Rojos que llenan las aceras. Ahí, las losas blancas están obstruidas por transportes militares. Varían de tamaño, desde los vehículos para dos tripulantes hasta las casetas blindadas sobre ruedas, la mayoría con el símbolo de la espada del ejército estampado. Los ojos de Cal relumbran bajo su capucha mientras los ve pasar. A mí me interesan más los transportes civiles. Son inferiores en número, pero parecen radiantes cuando evolucionan aceleradamente en el tráfico. Los más imponentes hacen ondear banderas de colores que indican la casa a la que pertenecen o el pasajero que llevan. Para mi alivio, no veo el rojo y negro de la Casa de Calore de Maven, ni el blanco y azul marino de la Casa de Merandus de Elara. Al menos no tendré que esperar lo peor el día de hoy.

La gente nos empuja y nos obliga a caminar apiñados, con Cal a mi derecha y Farley a mi izquierda.

—¿Cuánto falta? —susurro y oculto mi rostro bajo la capucha.

El mapa se ha hecho confuso en mi mente, a pesar de que me esfuerzo lo más posible por impedirlo. Han sido demasiadas vueltas como para mantener la cordura, incluso para mí.

Cal baja la cabeza en respuesta y señala a un animado grupo de personas y transportes que se despliega frente a nosotros. Trago saliva cuando contemplo lo que es sin duda el corazón palpitante de Harbor Bay. Se trata de la corona de la colina de la urbe, cercada por piedras blancas y paredes de cristal de diamante. No puedo ver gran parte del palacio más allá de sus puertas, de azul vivo e incrustaciones de plata, pero unas torrecillas estrelladas asoman a lo lejos. Es un bello lugar, aunque frío, incisivo y cruel. Peligroso.

En el mapa, esto tenía el aspecto de una plaza que se dilataba a las puertas de la Colina del Mar y que enlazaba con el fondeadero y las verjas de Fort Patriot por medio de una ligera pendiente. La realidad es mucho más complicada. Aquí, los dos mundos de este reino parecen fundirse, como si los Rojos y los Plateados se unieran durante un efímero momento. Algunos estibadores, soldados, sirvientes y grandes señores atraviesan la cúpula de cristal que cubre el inmenso patio. Una fuente baila en el centro, rodeada por flores blancas y azules que el otoño no toca todavía. El sol se cuela a través de la cúpula, que refracta la luz danzante en un caos de vivos colores. Las verjas del fuerte se levantan justo debajo de donde nos hallamos, y la luz variable de la cúpula las motea. Al igual que las del palacio, están ingeniosamente elaboradas. De doce metros de altura, son de bronce y plata bruñidos y trenzados para formar un gigantesco pez en remolino. Si no fuera por las docenas de soldados que las circundan y mi terror extremo, me resultarían magníficas. Ocultan el puente que hay más allá, y a Fort Patriot junto al océano. Los cláxones, gritos y risas contribuyen a la sobrecarga de estímulos para mis sentidos, así que debo mirar mis botas para recuperar el aliento. A la ladrona que hay en mí le deleita la idea de tanta confusión, pero la parte restante se siente asustada y entelerida, un cable activo que trata de contener sus chispas.

—Tienes suerte de que ésta no sea la Noche de la Estrella —murmura Cal con la mirada perdida—. Toda la ciudad se viste de luces por el festival.

No tengo la fuerza ni la necesidad de contestarle. La Noche es una fiesta Plateada que se celebra en memoria de una batalla naval que se libró hace décadas. No significa nada para mí, aunque un vistazo a Cal y su mirada distraída me hace saber que su situación es diferente. Ha visto la Noche en esta ciudad y la recuerda con añoranza. Música, risas y sedas. Quizás un espectáculo de fuegos fatuos montado en el agua y un festín majestuoso con el que finalizar las festividades. Las sonrisas de aprobación que su padre le dirigía, las bromas en las que participaba con Maven. Lo ha perdido todo.

Es mi turno ahora de adoptar una mirada perdida. *Esa vida ha quedado atrás, Cal. Ya no debería hacerte feliz.*

—No te preocupes —añade cuando su expresión se normaliza. Sacude la cabeza para tratar de esconder una sonrisa triste—. Ya hemos llegado. Ahí está el Centro de Seguridad.

El edificio al que señala se eleva a orillas de la hormigueante plaza, y sus altos y blancos muros sobresalen en el tránsito enmarañado. Da la impresión de ser una hermosa fortaleza, con ventanas de grueso vidrio y peldaños que ascienden hasta una terraza, rodeada de columnas esculpidas en forma de escamosas colas de peces enormes. Unos puentes vigilados trazan arcos sobre las paredes de cristal de diamante de la Colina del Mar y se unen al resto del compuesto palaciego. El techo es azul también, aunque no está decorado con estrellas sino con *picos* de hierro, de un metro ochenta de longitud y puntas infames. Imagino que se encuentran ahí para que los magnetrones puedan usarlas contra un ataque de cualquier índole. La parte restante del edificio está igualmente cubierta de armas Plateadas. Enredaderas y plantas espinosas rematan las columnas en beneficio de los guardafloras, mientras que un par de estanques anchos y reposados contienen agua oscura para los ninfos. Desde luego que hay vigilantes armados en cada puerta, con visibles rifles largos en las manos.

Los estandartes son peores que cualquier guardián. Ondean bajo la brisa del océano y se vierten a raudales desde las paredes, los torreones y las columnas de cola de pescado. No exhiben la lanza argentina de la seguridad, sino la Corona Ardiente. Negra, blanca y roja, con las puntas que se retuercen en rizos llameantes. Representan a Norta, al reino, a *Maven*. A todo lo que nosotros queremos destruir. Y entre esos estandartes, en los suyos propios de color dorado, se yergue Maven. O cuando menos su imagen. Lanza una mirada fija al frente, con la corona de su padre sobre la cabeza y los ojos deslumbrantes de su madre. Parece un hombre joven pero vigoroso, un príncipe que asciende a su hora suprema. VIVA EL REY proclama cada reproducción de su rostro pálido y afilado.

A pesar de esas imponentes defensas, a pesar de la inquietante mirada de Maven, no puedo menos que sonreír. Este Centro vibra con mi arma, con la electricidad. Es más poderosa que cualquier magnetrón, que cualquier guardaflora, que todas las armas juntas. Se halla por doquier. Y es mía. ¡Si pudiera servirme de ella de la forma apropiada! ¡Si no tuviéramos que escondernos!

Si... Desprecio esta estúpida palabra.

Flota en el aire, tan cerca que podría tocarla. *¿Qué pasará si no logramos entrar? ¿Qué pasará si no encontramos a Ada o a Wolliver? ¿Qué pasará si Shade no regresa?* Esta última idea quema más fuerte que las otras. Aunque mi vista es aguda, formada como lo fue en las calles inundadas de gente, no veo a mi hermano por ninguna parte. Su identificación debería ser fácil, porque está cojo y porta su muleta, pero no lo veo.

El pánico agudiza mis sentidos y me despoja hasta cierto punto del control que tanto me he esmerado en cultivar. Es preciso que me muerda el labio para no jadear en voz alta. ¿Dónde está mi hermano?

—¿Esperamos? —pregunta Farley, y su voz tiembla con un pavor propio. Mira a todas partes, en su busca también. De mi hermano—. Sin Shade ni siquiera podréis entrar.

Cal ríe. Está tan absorto en las defensas del Centro que apenas le dedica una mirada a Farley.

—Podríamos entrar de todas maneras, aunque quizá llenaríamos de humo el lugar. Y ése no es precisamente el método sutil.

—No, para nada —murmuro, aunque sea sólo para distraerme.

Por más que intento concentrarme en mis pies o en las hábiles manos de Cal, no puedo dejar de preocuparme por Shade. Hasta este momento no había dudado un segundo de que nos alcanzaría aquí. Es un *teletransportador*, el ser vivo más rápido que existe, y un par de matones de puerto no deberían representar ninguna amenaza para él. Eso fue lo que me dije en la Crasa al dejarlo. *Cuando lo abandoné*. Recibió una bala en mi lugar hace unos días y yo lo arrojé a los Piratas como un cordero a los lobos.

En Naercey le dije que no confiaba en su palabra. Supongo que él no debería confiar tampoco en la mía.

Meto los dedos bajo mi capucha para aliviar el dolor de los músculos de mi cuello. Pero esto no me ofrece respiro alguno. Porque justo ahora pasamos frente a una auténtica brigada de combate, y somos como unos pollos idiotas que miraran el cuchillo del carnicero. Aunque temo por Shade, temo por mí también. No puedo permitir que me atrapen. No lo *harán*.

—Por la puerta trasera —digo.

No es una pregunta. Todas las casas tienen una puerta, pero también algunas ventanas, un agujero en el techo o un cerrojo estropeado. Siempre hay una forma de entrar. Cal arruga la frente y por una vez no sabe qué decir. Un soldado no debería tener que hacer nunca el trabajo de un ladrón.

—Será mejor que lo hagamos con Shade —alega—. Nadie se enterará siquiera de que entró. Unos minutos más...

—Ponemos en un gran riesgo a todos los nuevasangre con cada segundo que pasa. Además, Shade nos hallará después sin el menor problema —doy mis primeros pasos de la Calzada del Puerto a una calle lateral. Cal se resiste pero me sigue—. Le bastará con seguir el humo.

—¿El humo?

Se pone pálido.

—Será un incendio controlado —continúo, mientras formulo un plan tan rápidamente que las palabras apenas tienen tiempo de pasar por mis labios—. Algo *contenido*. Una pared de fuego justo lo bastante grande para detener a los guardias hasta que consigamos los nombres que necesitamos. Los resoplidos de unos cuantos ninfos no deberían ser una amenaza mayor para ti, y si lo son... —cierro el puño y permito que una diminuta chispa gire en mi palma— para eso estoy aquí. Farley, supongo que conoces el sistema del archivo, ¿verdad?

Asiente sin un solo titubeo y su cara reluce con una curiosa clase de orgullo.

—¡Por fin! —masculla—. Es inútil que cargue con vosotros si no servís de nada.

Los ojos de Cal se ensombrecen bajo una mirada temible que me recuerda a su padre.

—Sabes las consecuencias que esto tendrá, ¿no? —me amonesta como si fuera una niña—. Maven sabrá quién lo hizo. El lugar donde estamos. Lo que estamos haciendo.

Me vuelvo enfadada hacia él porque debo dar explicaciones. Porque no *confía* en que soy capaz de tomar una decisión.

—Raptamos a Nix hace más de doce horas. Alguien se dará cuenta de su ausencia, si no es que lo ha hecho ya. Eso será *reportado*. ¿Crees que Maven no vigila cada uno de los nombres de la lista de Julian? —sacudo la cabeza sin precisar el motivo de que no haya reparado en eso antes—. Sabrá lo que hacemos tan pronto como se entere de la desaparición de Nix, así que lo que hagamos en este sitio no importa. A partir de este momento, y pase lo que pase, habrá una verdadera persecución. Seremos buscados en toda la ciudad, se ordenará matarnos en cuanto seamos vistos. ¿Por qué entonces no nos adelantamos?

No discute, pero eso no significa que esté de acuerdo. Sea como sea, no me importa. Él no conoce esta parte del mundo, las alcantarillas y el lodo donde debemos sumergirnos. Yo sí.

—Ya es hora de no andarse con miramientos, Cal —interviene Farley.

No responde a esto tampoco. Parece abatido, e incluso indignado.

—Son mi pueblo, Mare —susurra por fin. Otro en su lugar gritaría, pero Cal no es de los que vociferan. Sus murmullos suelen quemar, pero esta vez siento sólo determinación—. No los mataré.

—*Plateados* —termino por él—. No matarás a ningún *Plateado*.

Sacude lentamente la cabeza.

—No puedo.

—Hace poco estabas dispuesto a acabar con Crance —insisto, conteniéndome—. Él es también uno de los tuyos, o lo sería si fueras el rey. Aunque me imagino que su sangre es del color equivocado, ¿no es así?

—No es... —balbucea— no es lo mismo. Si él hubiera corrido, si lo hubieran capturado, nos habría puesto en un grave peligro...

No puede articular más palabras y calla. Porque ya no le queda nada que decir. Es lisa y llanamente un hipócrita, pese a que asegure ser *justo*. Su sangre es plateada y su corazón es Plateado. No valorará nunca a otro por encima de los suyos.

Márchate, quisiera decirle. Las palabras me saben amargas. No puedo obligarlas a pasar por mis labios. Aunque las lealtades de Cal son tan irritantes como sus prejuicios, no puedo hacer lo que se debe. No puedo permitir que se vaya. Está muy *equivocado*, y no puedo dejarlo ir.

—No mates entonces —espeto yo—. Pero recuerda lo que él hizo. Mi pueblo... y el tuyo *lo* siguen ahora, y nos matarán por su nuevo rey.

Apunto a la calle con un dedo herido, a los estandartes que ostentan el rostro de Maven. Maven, quien sacrificó a varios Plateados, a la Guardia Escarlata para convertir a rebeldes en terroristas y acabar con sus enemigos de un solo golpe. Maven, quien mató en la corte a todos los que en verdad me conocían. Lucas y Lady Blonos y mis doncellas: todos murieron porque yo era diferente. Maven, quien participó en el asesinato de su padre, quien trató de ejecutar a su hermano. Maven, quien debe ser destruido.

Una pequeña parte de mí teme que Cal se aleje. Podría desaparecer en la ciudad, en busca de la paz, por poca que sea, que perdura en su corazón todavía. Pero no lo hará. Pese a que está muy oculta, su cólera es más fuerte que su razón. Cobrará venganza, y yo también. Aunque nos cueste todo lo que amamos.

—Por aquí —resuena su voz.

Ya no tenemos tiempo para susurros.

Cuando damos la vuelta en la esquina trasera del Centro de Seguridad, mis sentidos se agudizan para concentrarse en las cámaras de seguridad que salpican los muros. Con una sonrisa, pujo contra ellas hasta que fundo sus cables. Una por una caen a mi embestida.

La puerta trasera es tan impresionante como la principal, pero más pequeña. Consta de amplios escalones como un zaguán, una puerta enrejada con acero forjado y únicamente cuatro vigilantes armados. Sus rifles resplandecen de lo pulidos que están, pero pesan en sus manos. *Son nuevos reclutas.* Tomo nota mental de las bandas de colores que llevan sujetas en los brazos y que indican sus casas y habilidades. Uno no tiene banda alguna, es un Plateado de clase baja, sin una gran familia y con habilidades más débiles que el resto. Los otros son un gemido de la Casa de Marinos, un escalofrío de la de Gliacon y un coloso de la de Greco. Para mi deleite, no veo el blanco y negro de la Casa de Eagrie. Aquí no hay ningún ojo que atisbe el futuro inmediato, que sepa lo que estamos a punto de hacer.

Nos ven llegar y no se molestan en erguirse. Los Rojos no son motivo de preocupación para los agentes Plateados. ¡Qué equivocados están!

Se percatan de nosotros sólo cuando nos detenemos ante los escalones. El gemido, poco más que un niño de ojos inclinados y pómulos salientes, escupe a nuestros pies.

—¡Moveos, ratas Rojas!

Su voz posee un filo agudo y punzante.

Hacemos caso omiso de él, desde luego.

—Quiero interponer una queja —digo con voz clara y fuerte, aunque no levanto la vista.

Cuando el calor aumenta junto a mí, veo con el rabillo del ojo que Cal cierra los puños.

Los agentes rompen en sonoras risotadas e intercambian sonrisas grotescas. El gemido da incluso unos pasos al frente hasta ponerse a mi lado.

—Seguridad no escucha a gente como tú. Acude a los miembros de la Patrulla Roja —se carcajean otra vez. La risa del gemido hiere mis oídos, aún sensibles—. Creo que continúan *colgados* —más carcajadas repugnantes— en el Jardín Silvestre.

Junto a mí, Farley mete las manos en su chamarra para tocar la navaja que guarda cerca. La miro con la esperanza de que no apuñale a nadie antes de tiempo.

La puerta acerada del Centro se abre y un guardián sale por ella. Le farfulla algo a uno de los agentes y capto las palabras *estropeada* y *cámara*. Pero el agente se limita a encogerse de hombros mientras observa deprisa las numerosas cámaras de seguridad que salpimentan la pared arriba de nosotros. No advierte nada irregular, ni podría hacerlo.

—¡Largo de aquí! —prosigue el gemido y sacude una mano como si fuéramos unos perros. En vista de que no nos movemos, entrecierra los ojos y forma con ellos unas finas ranuras negras—. ¿O tendré que arrestaros por estar en un lugar prohibido?

Da por supuesto que saldremos disparados, porque el arresto equivale a la ejecución en estos tiempos. Pero nos mantenemos firmes. Si el gemido no fuera un idiota tan cruel, me daría lástima.

—Inténtelo —le digo y extiendo el brazo para bajarme la capucha.

El pañuelo cae sobre mis hombros y se agita como unas alas grises antes de que se arrugue a mis pies. ¡Qué grata sensación experimento cuando alzo la mirada y veo que el rostro del gemido se cubre de un frío temor tras reconocerme! Mi apariencia no es notable en absoluto. Tengo el cabello castaño, los ojos marrones y la piel morena. Estoy amoratada, me siento exhausta hasta los huesos, soy de baja estatura y tengo hambre. Tengo la sangre roja y el humor rojo. No debería asustar a nadie, pero es un hecho que el gemido me tiene miedo. Sabe qué poder zumba debajo de mis heridas. Conoce a la Niña Relámpago.

Tropieza en los escalones mientras retrocede y abre y cierra la boca como si se armara de valor para gritar.

—¡Es... es ella! —tartamudea el escalofrío detrás de él y señala con un dedo tembloroso.

Se convierte rápidamente en hielo. No puedo menos que exhibir una sonrisa sarcástica al tiempo que mis chispas forman una bola en mis manos. Su espeluznante siseo es un consuelo como ningún otro.

Cal acentúa el drama. Rasga su disfraz con soltura y revela al príncipe al que fueron enseñados a seguir y a temer. Su pulsera crepita y la llama brinca a su chal, del que hace una bandera calcinante y ardiente.

—¡El príncipe! —exclama el coloso.

Parece arrobado, renuente a actuar. Después de todo, hasta hace unos días ellos veían a Cal como una leyenda, no como un monstruo.

El gemido es el primero que se recupera y alarga la mano en busca de su arma.

—¡Arrestadlos! ¡Arrestadlos! —chilla en tanto nos agachamos como si fuéramos uno y esquivamos su golpe sónico. Rompe en pedazos las ventanas a nuestras espaldas. El susto vuelve lentos e idiotas a los agentes. El coloso no se atreve a acercarse y busca a tientas sus enfundadas pistolas mientras intenta contener su descarga de adrenalina. Uno de ellos, el guardián que se halla en la puerta abierta, tiene la prudencia de refugiarse en el interior del Centro. El enfrentamiento con los cuatro restantes resulta sencillo. El gemido no tiene la oportunidad de lanzar otro clamor porque recibe un choque eléctrico. Las descargas se clavan en su cuello y su pecho antes de que hagan blanco en su cerebro. Durante una fracción de segundo siento que sus venas y sus nervios se fragmentan como ramas en su carne. Cae en el mismo lugar donde está y se sumerge en un sueño profundo y oscuro.

El hálito de un frío penetrante se impone sobre mí y al girar me topo con un muro de fragmentos de hielo que el escalofrío dirige en mi contra. Una llamarada de Cal los destruye y se derriten antes de que me den alcance. Ésta prende pronto al escalofrío y al coloso, a quienes rodea y atrapa para que yo pueda concluir el trabajo. Dos descargas más los dejan fuera de combate, ya que dan con ellos en el suelo. El último agente, el anónimo, intenta huir y manosea la puerta, que todavía está abierta. Farley lo agarra del cuello, pero él se la quita de encima y la hace volar por los aires. Es un telqui, aunque débil, y lo despachamos en un momento. Se une a los demás en el suelo mientras mis dardos eléctricos le retuercen los músculos. Le asesto al gemido un choque extra, por su maldad. Su cuerpo cae sobre los peldaños como un pez de las redes de Kilorn.

Todo esto dura un instante. La puerta continúa abierta y gira lentamente sobre unas bisagras enormes. La detengo antes de que el pestillo entre en su sitio y meto un brazo en el aire limpio y fresco del Centro de Seguridad. Siento el torrente de la energía eléctrica en las luces, en las cámaras, en las yemas de mis dedos. Con un intenso resoplido las apago todas, y sumerjo en las tinieblas el recinto del fondo.

Cal pasa con cuidado sobre los cuerpos inconscientes de los oficiales caídos en tanto Farley patea a cada uno de ellos en las costillas.

—¡Por la Patrulla Roja! —gruñe y le rompe la nariz al gemido.

Cal la detiene antes de que haga más daño y suspira mientras rodea sus hombros con un brazo, la sube por los escalones y la mete por la puerta. Con una última mirada al cielo, entro sin ser vista y cierro firmemente el acero detrás de nosotros.

Las salas a oscuras y las cámaras apagadas me recuerdan la Mansión del Sol, el descenso secreto a los calabozos del palacio con el que salvamos a Farley y a Kilorn de una muerte segura. Pero yo era casi una princesa en esos días. Vestía seda y tenía a mis espaldas a Julian, quien arrulló a todos y cada uno de los vigilantes para que su voluntad cediera a nuestro propósito. Fue un acto limpio en el que no se derramó sangre que no fuera mía. En el Centro de Seguridad no sucederá lo mismo. Sólo espero mantener al mínimo el número de bajas.

Cal sabe adónde ir y continúa a la cabeza, pese a lo cual no hace sino rehuir a los agentes que tratan de detenernos. Para ser un bruto, es sumamente grácil y elude con destreza los golpes de los colosos y los raudos. De cualquier forma, no los hiere, y me deja esa carga a mí. El rayo destruye con igual facilidad que la llama, así que dejamos una estela de cuerpos a nuestro paso. Aunque me digo que sólo están inconscientes, al calor de la batalla no puedo estar segura. No controlo mis descargas con tanta eficacia como las produzco, y quizás haya matado a uno o dos guardianes. No me importa, ni le importa a Farley, cuya larga navaja entra y sale de las lóbregas sombras. Gotea de ella una sangre metálica y plateada cuando arribamos a nuestro destino, una puerta nada singular.

Pero siento algo singular al otro lado de ella. Una máquina inmensa, que vibra de electricidad.

—Ésta es la sala del archivo —dice Cal.

Mantiene fijos los ojos en la puerta, incapaz de volverse hacia nuestra carnicería. Fiel a su palabra, baña el pasillo circundante con una llama, con lo que erige una ondulada pared de calor que nos protegerá mientras trabajamos.

Abrimos la puerta. Aunque esperaba montañas de papeles, listas impresas como la que Julian me dio, tropiezo con una pared de luces intermitentes, pantallas de vídeo y tableros de control. Vibra, lenta por mi interferencia con los cables. Sin pensarlo, dirijo una mano al frío metal, con objeto de calmarme y calmar mi respiración agitada. La máquina del archivo reacciona y emite un ronroneo agudo. Una de las pantallas se enciende entre parpadeos y muestra una imagen borrosa en blanco y negro. Aparece un texto continuo, lo que nos arranca una exclamación a ambas. No habíamos imaginado jamás, y menos todavía visto, nada semejante a esto.

—¡Increíble! —musita Farley y alarga una mano tentativamente.

Sus dedos rozan el texto en la pantalla mientras lee despacio. Una leyenda escrita con unas letras grandes dice *Censo y archivo*, y abajo aparece en una tipografía menor: *Región del Faro, Estado Regente, Norta.*

—¿No había algo parecido en Coraunt? —pregunto, asombrada de cómo encontró ella a Nix en esa aldea.

Sacude ligeramente la cabeza.

—Coraunt tiene apenas una oficina de correos, nada que ver con un aparato como éste.

Con una sonrisa, pulsa uno de los incalculables botones debajo de la brillante pantalla, y luego otro y otro más. La pantalla fulgura en cada ocasión y presenta diferentes preguntas. Ella ríe como una niña y no cesa de pulsar.

Pongo mi mano sobre la suya.

—Farley.

—Perdón —dice—. ¿Podría ayudarnos con esto, su alteza?

Cal no ha abandonado la puerta. Estira el cuello en todas direcciones a la caza de agentes.

—¡Apretad la tecla azul! ¡La que dice *Buscar*!

Oprimo ese botón antes de que Farley pueda hacerlo. La pantalla se oscurece un momento y después muestra un fondo azul. Aparecen tres opciones, cada una dentro de un radiante cuadro blanco: *Buscar por nombre, Buscar por localidad, Buscar por tipo de sangre.* Aprieto a toda prisa un botón que dice *Seleccionar* y elijo el primero de esos cuadros.

—Escribid el nombre que buscáis y luego apretad *Proceder.* Pulsad *Imprimir* cuando lo encontréis y obtendréis una copia —nos instruye Cal. Pero el estrépito de una maldición lo distrae, porque un vigilante ha hecho contacto con su barricada ardiente. Suena un disparo y me compadezco del estúpido oficial que intenta combatir el fuego con balas—. ¡Daos prisa!

Mis dedos revolotean sobre el teclado y atrapo cada letra mientras escribo *Ada Wallace* con movimientos exasperantemente torpes. La máquina ronronea de nuevo y la pantalla brilla tres veces antes de que aparezca una muralla de texto.

Hasta incluye una fotografía, la de su tarjeta de identidad. Me detengo en el retrato de la nuevasangre. Percibo la dorada piel y los ojos dulces de Ada. Tiene una apariencia triste, aunque la imagen es minúscula.

El sonido de otro disparo me hace saltar. Me concentro en el texto y leo por encima la información personal de Ada. Su fecha y lugar de nacimiento los conozco ya, así como la mutación sanguínea que la señala como una nuevasangre igual que yo. Farley inspecciona también, y recorre como loca las palabras.

—¡Ahí! —apunto con un dedo hacia lo que necesitamos. Me siento más feliz de lo que me he sentido en muchos días.

Ocupación: sirvienta, empleada por el gobernador Rem Rhambos. Dirección: Plaza de la Aguada, Sector del Canal, Harbor Bay.

—Conozco ese sitio —dice Farley y pulsa el botón *Imprimir*.

La máquina escupe una tira de papel y copia la información de archivo de Ada.

El nombre siguiente emerge más rápido todavía del zumbador aparato: *Wolliver Galt. Ocupación: comerciante, empleado de la Cervecería Galt. Dirección: Jardín de la Batalla y Calle Quemada, Sector de las Tres Piedras, Harbor Bay.* Crance no mintió, al menos, acerca de esto. Tendré que estrecharle la mano si vuelvo a verlo algún día.

—¿Ya habéis terminado? —grita Cal desde la puerta y oigo la tensión en su voz.

Los ninfos llegarán corriendo de un momento a otro y su pared llameante se vendrá estridentemente abajo.

—Ya casi —murmuro y oprimo las teclas otra vez—. Esta máquina no se restringe a Harbor Bay, ¿verdad? —él no responde. Está demasiado ocupado en mantener su escudo, pero sé que tengo razón. Con una sonrisa, saco la lista de mi chaqueta y me detengo en la primera página—. Farley, comienza con esa pantalla.

Se aviva como un conejo y teclea con regocijo hasta que la pantalla siguiente cobra vida entre silbidos. Nos pasamos la lista entre nosotras y escribimos un nombre tras otro para recopilar las impresiones resultantes. Introducimos todos y cada uno de los nombres de la región del Faro, los diez. El de la joven de los suburbios de Ciudad Nueva, una abuela de setenta años en Cancorda, gemelos en las islas Bahrn y así sucesivamente. Los papeles se apilan en el suelo y cada uno me dice más de lo que pudo decirme alguna vez la lista de Julian. Debería sentirme emocionada, extasiada por este prodigioso adelanto, pero algo ahoga mi felicidad. *Demasiados nombres. Demasiadas personas que salvar.* Y avanzamos muy despacio. A este paso será imposible que los encontremos a todos a tiempo. Ni siquiera podremos hacerlo con el avión, este archivo y todos los túneles subterráneos de Farley. Perderemos a algunos. No habrá forma de evitarlo.

Esta idea se desintegra justo como lo hace la pared que está a mis espaldas. Explota hasta formar una nube de polvo y recortar la figura dentada de un hombre de carne pétrea y gris, duro como un ariete. *Caimán* es todo lo que atino a pensar antes de que se lance a la carga y atrape a Farley por la cintura. La mano de ella estruja todavía la tira de impresiones y arranca de la máquina el precioso papel. Ondea detrás de sí como si fuese una bandera blanca de rendición.

—¡Sométase al arresto! —ruge el caimán y la inmoviliza en la ventana del fondo.

Ella se pega un golpe en la cabeza con el cristal, lo rompe y entorna los ojos.

Para ese momento, la pared de fuego se encuentra ya en la sala junto a nosotras y rodea a Cal cuando entra como un toro enfurecido. Le arrebato los documentos a Farley y los guardo con la lista, no sea que se quemen. Cal actúa rápido, olvida su juramento de no herir a los suyos, libra a Farley del caimán y utiliza sus llamas para forzarlo a dar marcha atrás por el agujero del muro. El fuego aumenta y le impide regresar. Por lo pronto.

—¿Ahora sí habéis terminado? —pregunta Cal con ojos como tizones ardientes.

Asiento y vuelvo la mirada hacia la máquina del archivo. Ronronea tristemente, como si supiera lo que estoy a punto de hacer. Con un puño cerrado, sobrecargo sus circuitos y le asesto un choque destructivo que la hace estremecer. Cada pantalla y cada línea intermitente estallan entre un rocío de chispas que borran justo aquello por lo que vinimos.

—Listo.

Farley se aleja tambaleante de la ventana con una mano en la cabeza y el labio sangrante, pero inexorablemente de pie todavía.

—Creo que ésta es la parte en la que corremos.

Una mirada por la ventana, nuestra vía natural de escape, me indica que estamos demasiado alto para saltar. Y los ruidos del pasillo, de gritos y de pies que progresan con firmeza, son igual de concluyentes.

—¿Corremos *adónde*?

Cal hace una mueca y extiende un brazo en dirección al pulido suelo de madera.

—Abajo.

Una bola de fuego explota a nuestros pies. Se hunde en la madera y carboniza los intrincados motivos y la sólida base como un perro que devora un trozo de carne. El suelo se raja de inmediato, cae desde nuestras plantas de los pies y vamos a dar a la habitación inferior, y después a la que está abajo de ésa. Las rodillas se me doblan pero Cal no me permite que flaqueen y una mano sostiene el cuello de mi blusa. Luego me arrastra, sin soltarme nunca, y tira de mí hacia otra ventana. No necesito que me diga lo que debo hacer a continuación. Nuestra llama y nuestro rayo hacen añicos la gruesa hoja de vidrio y saltamos a lo que creo que es aire. Caemos en cambio sobre una superficie dura y rodamos a lo largo de uno de los puentes de piedra. Farley cobra tanto impulso que choca con un sobresaltado vigilante. Antes de que pueda reaccionar, ella lo arroja desde el puente. Un golpe horrible nos avisa que su caída no fue agradable.

—¡No os detengáis! —vocifera Cal mientras se pone en pie.

En medio de un estruendo de pisadas atravesamos el puente abovedado, que va del Centro de Seguridad al palacio real de la Colina del Mar. Aunque es más pequeño que el del Fuego Blanco, resulta igual de aterrador. E igual de conocido para Cal.

Al final del pasaje una puerta empieza a abrirse y oigo el griterío de más vigilantes, más agentes. Una genuina brigada de ataque. Pero en vez de pelear, Cal hace que sus manos ardientes se azoten contra la puerta, y es como si la *cerrara* con soldadura.

Desconcertada, Farley pasea la vista entre la puerta bloqueada y el pasaje que hemos dejado atrás. Da la impresión de ser una trampa, algo peor que una trampa.

—¿Cal...? —comienza a decir, alarmada, pero él la ignora.

Me tiende una mano. No he visto jamás lo que miro en sus ojos: una llama pura, el puro fuego.

—Voy a lanzarte —dice y no se molesta en endulzar una sola palabra.

Detrás de él, algo tiembla contra la puerta soldada.

No tengo tiempo para discutir, ni siquiera para preguntar. Aunque la cabeza me da vueltas, impregnada de terror, cojo la muñeca de Cal y él agarra la mía.

—Estalla cuando choques.

Confía en que sé a qué se refiere.

Me arroja en medio de un resoplido y vuelo en dirección a otra ventana. Brilla tanto que espero que no sea de cristal de diamante. Una fracción de segundo antes de que lo descubra, mis chispas cumplen las órdenes que recibieron: arrasan con la ventana entre chirridos de vidrio centellante al tiempo que caigo sobre una mullida alfombra dorada. Percibo unas pilas de libros, un conocido olor a piel antigua y papel, y sé que estoy en la mohosa biblioteca del palacio. Farley llega después por la misma ventana. La puntería de Cal es tan buena que aterriza justo sobre mí.

—¡De pie, Mare! —espeta y casi me descoyunta el brazo mientras me incorpora.

Su cerebro trabaja más rápido que el mío y llega primero a la ventana, con los brazos extendidos. La imito aturdida, porque mi cabeza no ha dejado de girar.

Arriba de nosotras, en el puente, un gran número de agentes y vigilantes fluyen desde ambos extremos. En el centro arde un infierno. Parece inmóvil un minuto. Luego me doy cuenta de que nos sigue, y que salta, embiste y *cae*.

Las llamas de Cal se extinguen justo antes de que alcance el muro y no atrape el alféizar de la ventana.

—¡Cal! —grito y casi me lanzo detrás de él.

Su mano roza la mía. Durante un cardiaco segundo, pienso que lo veré morir. En lugar de eso, él cuelga, con la otra muñeca firmemente aferrada por el puño de Farley. Ella ruge y sus músculos se flexionan bajo sus mangas. De alguna manera evita que el príncipe se desplome, con sus noventa kilogramos de peso.

—¡No lo sueltes! —vocifera en tanto sus nudillos se ponen de color blanco hueso.

Al contrario, lanzo un trueno al cielo, hacia el puente. A los vigilantes y sus armas, que apuntan a la figura de Cal, expuesta como un blanco fácil. Se encogen de miedo y algunos bloques de piedra se agrietan. Un rayo más y el puente se derrumbará.

Quiero que se derrumbe.

—¡Mare! —chilla Farley.

Tengo que alcanzarlo, debo tirar de él. La mano de Cal encuentra la mía y casi me rompe la muñeca del esfuerzo. Pero entre las dos lo subimos lo más pronto que podemos y lo arrastramos por el alféizar, hacia un silencio desbordante y una sala llena de libros inofensivos.

Hasta él parece alterado por la ordalía. Se acuesta un segundo, con los ojos bien abiertos, y jadea.

—Gracias —suelta al final.

—¡Deja eso para después! —gruñe Farley y lo levanta como hizo conmigo—. Tienes que sacarnos de aquí.

—Es cierto.

En lugar de dirigirse a la entrada de la ornamentada biblioteca, corre al otro lado de la sala, hasta un muro de estanterías. Busca un momento en pos de algo. Intenta recordar. Con un resoplido, empuja una sección de anaqueles hasta que ésta se desliza y deja abierto un pasadizo estrecho e inclinado.

—¡Entrad! —grita y me empuja en esa dirección.

Mis pies vuelan sobre los escalones, que incontables pisadas han desgastado durante un centenar de años. Entramos a una espiral moderada que desciende bajo una débil luz atenuada por el polvo. Las paredes son de roca gruesa y antigua, de modo que si alguien nos siguiera yo no podría oírlo. Trato de determinar el sitio donde nos encontramos, pero mi brújula interna gira a una velocidad enloquecida. No conozco este lugar, no sé adónde vamos. Lo único que puedo hacer es seguir.

Aunque el pasadizo termina aparentemente en una pared de piedra, antes de que intente traspasarla, Cal me aparta.

—Esto será tarea fácil —dice al tiempo que pone una mano sobre una piedra algo más gastada que las otras.

Poco a poco, acerca una oreja a la pared y presta atención.

No percibo nada sino el corazón que late con violencia en mis oídos y nuestra respiración agobiada. Cal oye más o, mejor dicho, menos. Pone una cara larga, una expresión sombría que no puedo precisar. No es de temor, aunque tiene todo el derecho de sentirlo. Si acaso, está extrañamente tranquilo. Pestañea un par de ocasiones y se obstina en oír lo que pasa al otro lado. Me pregunto el número de veces que ha hecho eso, el número de veces que salió disimuladamente de este mismo palacio.

En ese tiempo, los vigilantes estaban aquí para protegerlo. Para servirle. Ahora quieren matarlo.

—No os despeguéis de mí—susurra al fin—. Serán dos vueltas a la derecha y luego una a la izquierda, al patio del portal.

Farley aprieta los dientes.

—¿Al patio del portal? —se pone furiosa—. ¿Quieres facilitarles las cosas a éstos?

—Es la única salida —contesta—. Los túneles de la Colina del Mar están cerrados.

Ella hace un gesto y aprieta el puño. Sus manos están vacías, su navaja se esfumó hace largo tiempo.

—¿Es posible que pasemos por un arsenal antes de que lleguemos al patio?

—¡Ojalá lo hubiera! —bisbisea y me mira, mira mis manos—. Tendremos que bastarnos solos.

No me queda más que asentir. *Nos hemos enfrentado a cosas peores*, me digo.

—¿Estás lista? —pregunta.

Mi mandíbula se tensa.

—Sí.

La pared se mueve sobre un eje central y gira suavemente. Pasamos juntos y evitamos que nuestras pisadas reverberen en el pasaje. Al igual que la biblioteca, el lugar al que llegamos está vacío y bien amueblado y rezuma una decoración exuberante de color amarillo. Todo tiene un aire de desuso y dejadez, hasta los desteñidos tapices dorados. Cal casi se detiene a ver ese color pero nos urge a continuar.

Dos vueltas a la derecha nos conducen a otro pasadizo y a un curioso armario de dobles extremos iguales. Cal irradia oleadas de calor en preparación de la tormenta de fuego en la que deberá convertirse. Siento lo mismo y los vellos de mis brazos se erizan de electricidad, que por poco crepita en el aire.

Se oyen voces al otro lado de la puerta a la que nos aproximamos. Voces y pisadas.

—Aquí a la izquierda —balbucea Cal. Aunque busca mi mano, lo piensa mejor. No podemos correr el riesgo de tocarnos ahora que nuestro tacto es mortífero—. ¡Corred!

Él es el primero que sale disparado y el mundo se *estremece* con una erupción de fuego. Se propaga por el amplio vestíbulo, sobre mármol y una lujosa alfombra hasta que sube por las paredes doradas. Una lengua de lumbre asciende y lame el cuadro que domina el recinto. Es un retrato gigantesco, recién trabajado, del nuevo rey: *Maven*. Sonríe como una gárgola hasta que el fuego se afianza y quema el lienzo. El calor es tal que sus labios delicadamente trazados empiezan a derretirse y se tuercen en un gesto huraño, acorde con su alma monstruosa. Lo único que las llamas no tocan son dos estandartes dorados, de seda empolvada, que cuelgan del muro contrario. Ignoro a quién pertenecen.

Los vigilantes, a nuestra espera, huyen en medio de alaridos mientras su carne humea. No quieren quemarse vivos. Cal atraviesa las llamas y sus huellas abren un camino seguro para que lo sigamos. Farley permanece cerca, encajonada entre nosotros. Cubre su boca para no inhalar el humo.

Los agentes que restan, ninfos o caimanes, son inmunes a las llamas, pero no tanto a mí. Esta vez el rayo vuela y se separa de mi cuerpo en una telaraña demasiado radiante de electricidad viva. Tengo apenas concentración suficiente para ahorrarles la tormenta a Cal y a Farley. Los demás no son tan afortunados.

Aunque soy una corredora nata, la respiración me quema los pulmones. Cada jadeo es más difícil, más doloroso que el anterior. Me digo que es sólo humo. Pero cuando salto por la grandiosa entrada de la Colina del Mar, el dolor no desaparece. Únicamente cambia.

Estamos rodeados.

Una fila tras otra de agentes uniformados de negro y soldados vestidos de gris congestionan el patio del portal. Todos están armados, todos están a la espera.

—¡Sométete al arresto, Mare Barrow! —grita uno de los agentes. Una parra florida gira en torno de uno de sus brazos mientras que con el otro sostiene un arma—. ¡Sométete al arresto, Tiberias Calore!

Tartamudea cuando pronuncia el nombre de Cal, reacio todavía a dirigirse de tan informal modo a un príncipe. En otra situación, me echaría a reír.

Entre nosotros, Farley se paraliza. No tiene arma ni escudo y se niega a arrodillarse aún. Posee una fuerza pasmosa.

—¿Y ahora qué? —susurro, a sabiendas de que no existe respuesta.

Los ojos de Cal se desplazan en todas direcciones, en busca de una solución que no encontrará nunca. Al final vienen a dar a mí. Su mirada está vacía. Y es también una mirada de absoluta soledad.

Una mano delicada se cierra en ese momento alrededor de mi muñeca.

El mundo se oscurece y soy ceñida por él, sofocada, confinada y atrapada durante un largo lapso.

Shade.

Pese a que aborrezco la sensación de la teletransportación, la disfruto en este instante. Shade se encuentra bien. Y nosotros estamos vivos. De pronto estoy de rodillas y miro el empedrado de un callejón húmedo y frío lejos del Centro de Seguridad, la Colina del Mar y la zona letal de los agentes.

Alguien vomita cerca. Es Farley, a juzgar por el ruido. Supongo que la teletransportación y un golpe de cabeza contra una ventana son una mala combinación.

—¿Cal? —pregunto al viento, que ya ha comenzado a refrescarse bajo la luz vespertina.

Me recorre un ligero temblor, la primera reacción de una onda fría, pero me contesta a un metro de distancia.

—Aquí estoy —dice y se estira para tocar mi hombro.

En lugar de inclinarme hacia su mano y permitir que su ahora leve calidez me consuma, marco distancia. Me pongo en pie con un resoplido y veo a Shade junto a mí. Su expresión es adusta, desencajada por el enfado, y me dispongo a recibir una reprimenda. *No debí haberlo dejado. Estuvo mal que hiciera eso.*

—Perdón... —empiezo a disculparme pero no termino de hacerlo. Él me estrecha contra su pecho y envuelve mis hombros entre sus brazos. Me aferro a su cuerpo con la misma fuerza. Tiembla un poco, alterado todavía por su hermanita—. Estoy bien —le digo, con la voz tan baja que únicamente él puede oír la mentira.

—No hay tiempo para eso —espeta Farley y se incorpora con dificultad. Mira en torno suyo, mareada todavía. Calcula nuestra ubicación—. El Jardín de la Batalla está por aquí, unas calles al este.

Wolliver.

—Tienes razón —asiento y le ofrezco una mano para ayudarle a estabilizarse.

No podemos olvidar nuestra misión aquí, incluso después de esa mortífera debacle.

Pero no pierdo de vista a Shade, con la esperanza de que sepa lo que hay en mi corazón. Él se limita a sacudir la cabeza y desdeña la disculpa, no porque no la acepte, sino porque es demasiado bueno para necesitarla.

—Te seguiremos —dice al tiempo que se vuelve hacia Farley. La mirada se le dulcifica un poco al percibir la empeñosa resolución de ella de continuar pese a sus lesiones y su náusea.

Cal tarda también en ponerse en pie, porque no está acostumbrado a la teletransportación. Se recupera tan pronto como puede y nos sigue por los callejones del sector de la ciudad conocido como Tres Piedras. El olor a humo persiste en él, al igual que una cólera más honda. Varios Plateados murieron en el Centro de Seguridad, hombres y mujeres que solamente seguían órdenes. *Esas órdenes fueron suyas en otro tiempo.* Esto no puede ser algo fácil de digerir, pero debe hacerlo. Si quiere permanecer con nosotros, si quiere permanecer *conmigo*, tiene que elegir su bando.

Espero que escoja el nuestro. Espero no tener que ver nunca más su mirada vacía.

Éste es un sector Rojo y es relativamente seguro hasta ahora, así que Farley no cesa de llevarnos por callejones sinuosos, e incluso nos hace pasar por una o dos tiendas desocupadas para que no seamos detectados. Los agentes de seguridad gritan y corren a lo largo de las calles principales con la intención de reagruparse, de dar sentido a lo que aconteció en el Centro. No nos buscan aquí todavía. No se dan cuenta aún de lo que Shade es, de que puede trasladarnos muy rápido y muy lejos.

Nos arrimamos a una pared mientras esperamos a que un agente pase a nuestro lado. Está distraído, como todos los demás, y Farley nos mantiene en las sombras.

—Lo siento —le murmuro a Shade, sabedora de que debo decirlo.

Sacude la cabeza de nuevo y hasta me da un ligero golpe con su muleta.

—Basta ya. Hiciste lo que debías. Y mira, estoy bien. No he sufrido ningún daño.

No he sufrido ningún daño. No en el cuerpo, pero ¿qué hay de su mente? ¿De su corazón? Lo he traicionado, he traicionado a mi hermano. *Como lo hecho con todas las demás personas que conozco.* Casi escupo de rabia, con la ilusión de expulsar de mí la idea de que tengo algo en común con Maven.

—¿Dónde está Crance? —pregunto. Necesito pensar en otra cosa.

—Lo salvé de los Piratas y después siguió su propio camino. Salió corriendo como un hombre en llamas —entrecierra los ojos mientras lo recuerda—. Enterró a tres Navegantes en los túneles, ya no tiene cabida aquí —*conozco esta sensación*—. ¿Y tú? —agita la cabeza y señala vagamente hacia la Colina del Mar—. ¿Cómo te sientes después de todo lo ocurrido?

Después de haber estado a punto de morir. Otra vez.

—Ya te he dicho que estoy bien.

Frunce la boca, insatisfecho.

—Bueno.

Caemos en un silencio incómodo, a la espera de que Farley reanude la marcha. Se pega demasiado a la pared del callejón, pero los soldados persisten cuando pasa un grupo de ruidosos escolares. Los utilizamos como pantalla y cruzamos el paso antes de entrar a otro laberinto de callejuelas.

Al final nos agachamos para atravesar un arco de baja altura, o más bien los demás lo hacen, yo simplemente lo cruzo. Apenas llego al otro lado cuando Shade se para en seco y me agarra con su mano libre para impedir que siga adelante.

—Lo siento, Mare —dice, y su disculpa casi me derriba de nuevo.

—¿*Tú* lo sientes? —pregunto. Por poco me río de esta situación absurda. —¿Sientes qué?

No contesta, está avergonzado. Un escalofrío que no tiene nada que ver con la temperatura se apodera de mí cuando retrocede y me permite ver más allá de la boca del pasadizo abovedado.

Hay una plaza a lo lejos, que está evidentemente destinada al uso de los Rojos. El *Jardín de la Batalla*. Aunque es sobrio, está bien conservado, tiene plantas frescas y estatuas de guerreros en piedra gris por todas partes. La estatua del centro es la mayor, carga un rifle a la espalda y tiende al viento un brazo oscuro.

La mano de la estatua apunta al este.

De ella cuelga una soga.

De la soga pende un cuerpo.

El cadáver no está desnudo ni lleva consigo el medallón de la Patrulla Roja. Es joven y de baja estatura y tiene la piel suave todavía. Fue ejecutado hace poco tiempo, quizás una hora. Pero en la plaza no hay dolientes ni vigilantes. Nadie para verlo columpiarse.

Aunque el pelo color de arena le cae sobre los ojos y oculta una parte de su cara, sé exactamente quién es este joven. Lo vi en el archivo, donde sonreía desde una fotografía de identidad. No volverá a sonreír nunca. Sabía que sucedería esto. *Lo sabía*. Pero eso no aligera el dolor ni el fracaso.

Es Wolliver Galt, un nuevasangre al que se ha reducido a un cadáver inanimado.

Lloro por el chico que no conocí jamás, por el chico que no salvé con la suficiente diligencia.

DIECISÉIS

Intento no recordar los rostros de los muertos. Corro para salvar mi vida y ésa es una buena distracción, pero ni siquiera la amenaza constante del exterminio puede borrar todo de mi mente. Es imposible olvidar algunas pérdidas. Walsh, Tristan y ahora Wolliver ocupan los rincones de mi conciencia y me atrapan como profundas telarañas grises. Mi existencia fue su sentencia de muerte.

Desde luego que están además las personas que maté en el acto, por decisión expresa y con mis propias manos. Pero no lloro por ellas. No puedo pensar ahora en lo que he hecho, cuando corremos tanto peligro todavía.

Cal es el primero que le da la espalda al cuerpo oscilante de Wolliver. Tiene su propia galería de muertos y no quiere añadir otro fantasma a la colección.

—Debemos irnos.

—No… —replica Farley al tiempo que se apoya en la pared.

Se lleva una mano a la boca y traga saliva forzadamente, con la intención de no vomitar de nuevo.

—Tranquila —le dice Shade y deposita una mano tranquilizadora en su hombro. Aunque ella trata de apartarlo con un gesto, él no cede y la mira escupir sobre las flores del parque—. Era necesario que lo vieras —añade en tanto se vuelve a Cal y a mí con ojos de indignación—. Esto es lo que ocurre cuando fallamos. Es justificable que esté molesto. Después de todo, fuimos nosotros quienes desencadenamos un tiroteo en el centro de Harbor Bay y dilapidamos la última hora en la vida de Wolliver, pero estoy demasiado cansada para permitir que me haga reproches.

—Éste no es el lugar más indicado para impartir una lección —protesto. Es una tumba, y hasta hablar aquí parece impropio—. Deberíamos bajarlo.

Antes de que yo pueda dar un paso hacia el cadáver de Wolliver, Cal engancha su brazo en el mío y tira de mí en la dirección opuesta.

—Nadie tocará ese cuerpo —reclama. Su tono es tan similar al de su padre que me asusta.

—Ese cuerpo tiene un nombre —replico una vez que recupero la calma—. ¡Que su sangre no sea de tu color no significa que podamos dejarlo como está!

—Yo lo bajaré —rezonga Farley y se endereza.

Shade se suma a ella.

—Te ayudo.

—¡Alto! Wolliver Galt tenía una familia, ¿no es así? —insiste Cal—. ¿Dónde está? —mueve la mano desocupada como si abarcara el jardín y señala los árboles huecos y las ventanas cerradas con postigos que nos miran con indiferencia. Pese a los ecos distantes de una ciudad que marcha hacia la noche, la plaza está quieta y silenciosa—. Su madre no lo habría dejado solo aquí. ¿No hay dolientes? ¿No hay oficiales que escupan su cuerpo? ¿Ni siquiera un cuervo que picotee sus huesos? ¿Por qué?

Sé la respuesta.

Esto es una trampa.

Aprieto su brazo hasta que mis uñas se clavan en su piel caliente, que amenaza con arder en llamas. Un horror tan grande como el mío crispa su rostro, pero no me mira a mí sino al callejón sumido en las sombras. Alcanzo a ver de reojo una corona, la misma que un joven disparatado insiste en portar sobre sus sienes dondequiera que va.

Justo en ese instante se oye un chasquido, como si un bicho metálico desplegara sus tenazas y se dispusiera a devorar un platillo suculento.

—Shade —susurro y alargo la otra mano hacia mi hermano el teletransportador.

Él nos salvará. Él nos alejará de todo esto.

Y en efecto, arremete sin traza alguna de vacilación.

Pero no llega hasta mí.

Veo aterrada que un par de raudos lo cogen de los brazos y lo azotan contra el suelo. Su cabeza cruje cuando choca contra la piedra, y él entorna los ojos. Oigo vagamente que Farley grita mientras los raudos se lo llevan con tal celeridad que sus cuerpos se vuelven borrosos. Están ya en el pasadizo principal antes de que yo dispare una descarga de relámpagos en su dirección y los obligue a darse la vuelta. Un dolor lacerante sube y baja por mi brazo como si me hundiera blancas dagas de calor. Pero en él no hay otra cosa que mis chispas, mi fuerza. No debería dolerme.

El chasquido continúa y restalla en mi cráneo cada vez más rápido. Trato de ignorarlo, trato de resistirme a él, pero mis ojos se debilitan. Mi visión se nubla y agudiza en turnos vertiginosos. ¿Qué es este ruido? Sea lo que sea, me destroza.

A través de la bruma veo que dos hogueras explotan a mi alrededor. Una de ellas es brillante e intensa en tanto que la otra es oscura, una serpiente de humo y llamas. En algún lado, Cal ruge de dolor. Creo que dice: *Corre.* Y lo intento.

Lo que hago en realidad es arrastrarme sobre el empedrado, incapaz de ver más allá de unos centímetros delante de mí. Incluso eso es difícil. ¿Qué es esto? ¿Qué me sucede?

Alguien me agarra del brazo con una fuerza que corta. Giro sin ver nada e intento apresarlo de donde debería estar el cuello. Mis dedos arañan una armadura de piezas lisas profusamente talladas.

—¡La tengo! —dice una voz que reconozco.

Ptolemus Samos. Apenas puedo ver su cara. Los ojos negros, el cabello plateado, la piel del color de la luna.

Con un grito, reúno toda la fuerza que puedo y lo rebano con un rayo. Vocifero tan fuerte como él y sujeto mi brazo mientras el fuego invade mis entrañas. No, esto no es fuego. Sé lo que se siente cuando te queman. Esto es otra cosa.

Recibo una patada en el vientre y permito que me haga rodar una y otra vez hasta que estoy bocabajo sobre la tierra del jardín, con la cara rasguñada y sanguinolenta. El fresco aroma es un bálsamo momentáneo, que me aplaca lo suficiente para dejarme ver de nuevo. Pero cuando abro los ojos, no quiero más que quedarme ciega.

Maven está sentado en cuclillas frente a mí y ladea la cabeza como si fuese un cachorro inquisitivo que observa un juguete. A sus espaldas se desarrolla una batalla feroz y sumamente desigual. Ya que Shade está incapacitado y me encuentro tendida en el suelo, Cal y Farley son los únicos que permanecen en pie. Ella tiene un arma, pero de poco le sirve porque Ptolemus desvía las balas sin cesar. Por lo menos Cal derrite todo lo que se le acerca y convierte en cenizas los cuchillos y las parras lo más pronto que puede. Esto no puede durar. Están acorralados.

Casi emito un aullido. Escapamos de una soga sólo para caer en otra.

—*Mírame*, por favor.

Maven cambia de postura y me impide ver la escena que se desenvuelve a lo lejos. A pesar de ello, no le daré la satisfacción de mi mirada. No fijaré mis ojos en él, por mi bien. Me concentro en el chasquido, que nadie más da señas de oír. Me perfora con cada segundo.

Él me agarra por la mandíbula y tira de ella, con lo que me fuerza a mirarlo.

—¡Qué testaruda! —se irrita—. Ésta es una de tus cualidades más fascinantes. Junto con esta otra —agrega y pasa un dedo sobre la sangre roja que rueda por mi mejilla.

Clic.

Cuando estruja mi mandíbula me hace sentir un dolor calcinante. El chasquido provoca que todo me duela más fuerte, me duela más hondo. Contra mi voluntad, miro de frente esos conocidos ojos azules y esa cara pálida y afilada. Para mi horror, es justo como lo recuerdo. Tranquilo, modesto, un chico angustiado. No es el Maven de mis recuerdos de pesadilla, un espectro de la sangre y de las sombras. Es real nuevamente. Reconozco la determinación que hay en sus ojos. La vi en la cubierta del barco de su padre, cuando navegamos río abajo hasta Arcón mientras dejábamos el mundo a nuestro paso. Él besó mis labios en aquella ocasión y prometió que nadie me haría daño.

—Dije que te encontraría —*clic*. Su mano pasa de mi maxilar a mi garganta, que aprieta lo suficiente para dejarme en silencio pero no para que no pueda respirar. Su tacto *quema*. Jadeo, incapaz de reunir tanto aire como para gritar: *Me haces daño, Maven, ¡detente!* Él no es su madre, no puede leerme el pensamiento. Mi visión vuelve a apagarse hasta que se oscurece. Puntitos negros flotan ante mis ojos y aumentan y se contraen con cada espantoso *clic*—. Y dije que te salvaría —aunque creo que me apretará de nuevo, mantiene una presión constante y tiende su mano libre hasta mi clavícula con una palma que se enciende contra mi piel. Me está quemando, me está *herrando*. Pese a que intento gritar nuevamente, apenas suelto una queja—. Soy un hombre de palabra —ladea la cabeza otra vez—. Cuando quiero.

Clic. Clic. Clic.

Mi corazón intenta igualar ese ritmo y latir con un frenesí al que no sobreviviría, pues amenazaría con hacerlo estallar.

—Alto... —consigo exhalar mientras levanto un brazo en busca de mi hermano.

Maven toma mi mano en la suya y eso quema también. Cada palmo de mi ser se encuentra en llamas.

—Basta —creo que le oigo pronunciar, aunque no en mi dirección—. ¡He dicho que basta!

Sus ojos parecen fulgurar, son los últimos puntos brillantes en mi mundo cada vez más oscuro. Un azul pálido surca mi vista y traza líneas dentadas de un hielo tortuoso. Me rodean, me enjaulan. No siento otra cosa que la quemadura.

Esto es lo último que recuerdo antes de que un blanco destello de luz y sonido parta mi cerebro por la mitad y mi mundo entero se sumerja en el dolor.

Es demasiado de todo y curiosamente no es nada en absoluto. No son balas ni navajas, puños, fuego ni verdes enredaderas estranguladoras. Es un arma a la que no me he enfrentado nunca antes, porque es la mía. El rayo, la electricidad, las chispas, una sobrecarga que excede incluso mis propios límites. Una vez invoqué una tormenta en el Cuenco de los Huesos y eso me agotó. Pero esto, lo que sea que Maven haya hecho, me está *matando*. Me despedaza nervio a nervio, astilla mis huesos, desgarra mis músculos. Arrasa conmigo bajo mi propia piel.

Caigo en la cuenta de repente: ¿Esto es lo que ellos sintieron? ¿Las personas a las que maté? ¿Es así como se siente morir partido por un rayo?

Controla. Julian me lo dijo siempre. *Contrólalo.* Pero esto es demasiado. Soy un dique que intenta contener un mar entero. Aunque pudiera detener esto, sea lo que sea, no encuentro la manera de evitar mi explosivo dolor. No puedo estirar la mano. No puedo moverme. Estoy atrapada, grito sin que pueda abrir los labios. *Pronto estaré muerta. Y al menos, esto habrá terminado.* Pero no es así. El dolor se prolonga en una agresión constante a cada uno de mis sentidos. Palpita pero no disminuye nunca, cambia pero no se detiene. Unos puntos blancos más radiantes que el sol se deslizan frente a mi vista hasta que una explosión de rojo los expulsa. Pese a que intento parpadear, controlar *algo* en mí, nada parece suceder. No me enteraría si ocurriera.

Seguro que mi piel ha desaparecido ya, chamuscada por la descarga de relámpagos. Quizá se me conceda el favor de morir desangrada. Eso será más rápido que este blanco abismo.

Mátame. Esta palabra se repite sin cesar. Es lo único que puedo decir, lo único que quiero ahora. Todos los pensamientos sobre los nuevasangre y Maven, mi hermano y Cal y Kilorn se han evaporado por completo. Incluso los rostros que me persiguen, los rostros de los muertos, han desaparecido. Es curioso que justo ahora que estoy muriendo, mis fantasmas decidan abandonarme.

Ojalá regresaran.

Ojalá no tuviera que morir sola.

DIECISIETE

—**M**átame.

Esta palabra cauteriza mi boca y pasa como una cuchilla por lo que es sin duda una garganta lacerada de tanto gemir. Imagino que probaré sangre de un momento a otro. No, no imagino nada. Doy por hecho que estoy muerta.

Pero conforme recupero el conocimiento, sé que no he sido despojada de mi carne ni de mis huesos. Ni siquiera sangro. Estoy sana, pese a que ciertamente no me siento así. Hago un enorme esfuerzo de voluntad y obligo a que mis ojos se abran. Pero en lugar de encontrarme con Maven o con sus verdugos, veo unos conocidos ojos verdes.

—Mare —Kilorn no me da la oportunidad de recobrar el aliento. Rodea mis hombros con sus brazos, me aprieta contra su pecho y me hace retornar a la penumbra. No puedo menos que estremecerme cuando me toca, pues me recuerda la sensación de fuego y relámpagos que sufrí en lo más hondo de mi ser—. No pasa nada —murmura. Hay un efecto calmante en la forma en que habla, con una voz trémula y grave. Y no me suelta, a pesar de que me retraigo sin querer. Sabe lo que mi corazón desea aunque mis nervios destrozados no lo resistan—. Todo ha terminado, estás bien. Has regresado.

Me mantengo inmóvil por un momento, con los dedos enroscados en los pliegues de su vieja camisa. Fijo mi atención en él para no tener que sentir que estoy temblando.

—¿He regresado? —pregunto en un susurro—. ¿De dónde?

—Déjala que respire, Kilorn.

Otra mano, tan caliente que sólo puede ser de Cal, toca mi brazo. Me agarra fuerte, aunque con una presión medida y controlada, para que yo reaccione. Esto ayuda a que el resto de mí emerja de la pesadilla y vuelva a la realidad por completo. Me recuesto despacio y me aparto de Kilorn para poder ver dónde he despertado exactamente.

Nos hallamos en un espacio subterráneo, a juzgar por el olor a tierra húmeda, pese a que éste no es uno más de los túneles de Farley. Estamos lejos de Harbor Bay, si mi sentido eléctrico sirve de guía. No siento ni una sola pulsación, lo cual quiere decir que nos encontramos a gran distancia de la urbe. Ésta es una casa de seguridad excavada en la tierra y camuflada por el bosque y la arquitectura. Fue hecha sin duda por los Rojos, y quizás empleada por la Guardia Escarlata. Todo es de un color rojizo que tira a rosa. Las paredes y el suelo son de tierra apisonada, mientras que el techo inclinado es de paja con refuerzos de postes de metal oxidados. No hay ningún adorno. Lo cierto es que apenas hay algo aquí. Todo lo que consigo ver son unos cuantos sacos de dormir (el mío entre ellos), algunos víveres, una linterna apagada y varias cajas de provisiones procedentes del avión. Mi casa en Los Pilares era un palacio en comparación, pero no me quejo. Suspiro aliviada, feliz de estar fuera de peligro y libre de mi desquiciante dolor.

Kilorn y Cal me permiten pasear la mirada por este cuarto escasamente equipado para que saque mis propias conclusiones. Parecen demacrados por la preocupación, como si se hubieran avejentado en cuestión de horas. No puedo sino mirar los círculos negros alrededor de sus ojos y su ceño fruncido, y me pregunto qué los ha herido de tal manera. Entonces lo recuerdo. La luz que entra por las angostas ventanas es de un color rojo anaranjado y el viento es más fresco. La noche está cerca. El día ha llegado a su fin. Y nosotros hemos perdido. Wolliver Galt está muerto, un nuevasangre víctima de la masacre de Maven. También Ada, hasta donde sé. Les fallé a ambos.

—¿Dónde está el avión? —pregunto mientras me pongo en pie.

Los dos se apresuran a impedirlo y me mantienen bien envuelta en mi saco de dormir. Su amabilidad me sorprende. Es como si creyeran que el solo contacto con algo pudiera destruirme.

Kilorn es el que mejor me conoce y el primero que nota mi molestia, así que da un paso atrás para concederme un poco de espacio. Mira a Cal antes de inclinar de mala gana la cabeza para aceptar que sea el príncipe quien me lo explique.

—No podíamos volar mucho tiempo mientras tú continuaras en ese... en el estado en que te encontrabas —dice y aparta la vista de mi rostro—. Avanzamos una docena de kilómetros antes de que fundieras el jet como una bombilla sobrecargada y estuvieras a punto de freírla. Fue necesario que escalonáramos nuestros vuelos y que después siguiéramos a pie y nos ocultáramos en el bosque hasta que mejoraras.

Perdón, es todo lo que se me ocurre decir, pero él me impide hacerlo con un gesto.

—Has abierto los ojos, Mare. Eso es lo único que me importa —asegura.

Una oleada de fatiga amenaza con postrarme, y me debato entre permitirlo o no. En ese instante, Cal suelta mi brazo y busca mi cuello. Salto cuando lo siento y me vuelvo para mirarlo con ojos inquisitivos y desorbitados. Pese a todo, se concentra en mi piel, en algo que hay en ella. Sus dedos recorren unas extrañas líneas dentadas que se ramifican en mi cuello y me bajan por la espalda. No soy la única que lo nota.

—¿Qué es eso? —gruñe Kilorn con una mirada que llenaría de orgullo a la reina Elara.

Mi mano se une a la de Cal para tocar esa peculiar característica. Son unas rayas grandes e irregulares que bajan por mi nuca.

—No sé.

—Parecen... —Cal titubea y pasa un dedo por un borde particularmente grueso al tiempo que sacude mis entrañas— cicatrices. Cicatrices de relámpagos.

Me suelto de él lo más pronto posible y me obligo a ponerme en pie. Para mi sorpresa, me bamboleo sobre mis piernas débiles y torpes, aunque Kilorn se halla a mi lado para sostenerme.

—¡Calma! —me reprende mientras sujeta mis muñecas.

—¿Qué ocurrió en Harbor Bay? ¿Qué hizo... qué me hizo Maven? Porque fue él, ¿verdad? —la imagen de una corona negra arde en mi cerebro, profunda como una marca herrada. Y mis nuevas cicatrices son justamente eso. *Marcas de hierro. Las marcas de Maven en mí*—. Mató a Wolliver y nos tendió una trampa. ¿Por qué vosotros estáis como si no hubiera pasado nada?

Como de costumbre, Kilorn se ríe de mi enfado dejó escapar. Pero el sonido de su risa es hueco, forzado, y eso indica que la soltó más para mi beneficio que para el suyo.

—Tu ojo —dice, y acaricia con un dedo mi pómulo izquierdo—. Se te ha reventado una vena.

Reparo en que tiene razón cuando cierro un ojo y después el otro. El mundo es radicalmente distinto cuando lo veo con el ojo izquierdo, ya que aparece teñido de rosa y carmín entre nubes arremolinadas de lo que sólo puede ser sangre. El dolor de la tortura de Maven hizo esto también.

Cal no nos acompaña. Se reclina con las manos bajo la nuca. Sospecho que sabe que las rodillas me tiemblan todavía y que caeré muy pronto. Me irrita en extremo que pueda saber cosas como ésta.

—Sí, Maven se presentó en Harbor Bay —responde muy serio—. No hizo muchos aspavientos, para que nosotros no nos enteráramos, y se arrojó sobre el primer nuevasangre que encontró —suspiro movida por el recuerdo. Wolliver tenía apenas dieciocho años y su única culpa fue haber nacido diferente. Haber sido igual que *yo*. ¿Qué habría podido llegar a ser?, me pregunto mientras lloro la muerte del soldado que hemos perdido. ¿Qué habilidad tenía?—. Todo lo que Maven tuvo que hacer fue esperar —continúa Cal al tiempo que un músculo se tensa en su mejilla—. Nos habrían capturado a todos si no hubiera sido por Shade. Él nos salvó, a pesar de su herida. Hacerlo le exigió varios saltos, y más de una vez escapamos por un pelo, pero lo logró.

Exhalo despacio. Me siento aliviada.

—¿Farley está bien? —pregunto.

Cal baja la cabeza y asiente.

—Y yo estoy vivo.

Kilorn aprieta el puño.

—No sé cómo lo conseguiste.

Me llevo una mano a la clavícula y siento una punzada de dolor en la piel que está cubierta por mi blusa. Aunque el resto de mi pesadilla, los demás horrores que mi cuerpo padeció, han desaparecido ya, la marca de Maven permanece.

—¿Te dolió? —pregunta Cal, y Kilorn resopla.

—Lo primero que ha dicho después de cuatro días ha sido *Mátame*, por si ya lo has olvidado —espeta, aunque Cal no se inmuta—. Por supuesto que todo lo que le hizo esa máquina resultó doloroso. *El chasquido.*

—¿Una máquina? —inquiero muy pálida y miro por turnos a los dos—. Un momento: ¿cuatro días? ¿He estado inconsciente tanto tiempo? *—he dormido cuatro días. He pasado cuatro días en la nada.* El pánico ahuyenta todos mis pensamientos persistentes de dolor y circula por mis venas como agua helada. ¿Cuántas personas murieron mientras estuve recluida en mi cabeza? ¿Cuántas cuelgan ahora de los árboles y las estatuas?—. Decidme, por favor, que no me habéis cuidado durante todo este tiempo. Decidme que habéis hecho *algo*.

Kilorn se ríe.

—Yo diría que mantenerte con vida es *algo* muy grande.

—Me refiero a que...

—Sé a qué te refieres —replica, y pone al fin cierta distancia entre nosotros. Con lo poco de dignidad que me queda, me recuesto en el saco de dormir y resisto el impulso a refunfuñar—. No, Mare, no sólo hemos estado aquí —se vuelve hacia la pared y se apoya en la tierra apisonada para mirar por la ventana—. Hemos hecho muchas otras cosas.

—Continuasteis la búsqueda —no es una pregunta, aunque Kilorn asiente de todas formas—. ¿Incluso Nix?

—El pequeño toro ha resultado muy útil —contesta Cal al tiempo que toca la sombra de un cardenal en su mentón. Sabe por experiencia que Nix es fuerte—. Y además es muy convincente. También Ada.

—¿Ada? —digo, sorprendida por la mención de alguien que debería ser otro nuevasangre caído—. ¿Ada Wallace?

Asiente.

—Después de que Crance escapara de los Piratas, sacó a Ada de Harbor Bay. La arrebató de la mansión del gobernador justo antes de que los hombres de Maven la tomaran por asalto. Ambos esperaban en el jet cuando llegamos.

Pese a la dicha que me da enterarme de la supervivencia de Ada, no puedo sino sentir un escozor de furia.

—Así que arrojasteis a Ada y a Nix directamente a los lobos —mi puño se cierra sobre la mullida calidez de mi saco, en busca de algo de confort—. Nix es un pescador y Ada es una sirvienta. ¿Cómo pudisteis ponerlos en un peligro tan terrible? —Cal baja los ojos, avergonzado por mi regaño, pero Kilorn ríe en la ventana y dirige su rostro a la luz menguante del atardecer. Ésta lo baña de un rojo subido, como si lo cubriera de sangre. Es mi ojo herido el que me gasta una broma, pero de todas maneras ver esto me produce escalofríos. Su risa, su usual desdén por mis temores, me alarma más que cualquier otra cosa. Ni siquiera ahora el pescador se toma nada en serio. Llegará entre carcajadas a la tumba—. ¿He dicho algo gracioso?

—¿Te acuerdas del patito que Gisa llevó una vez a casa? —responde y nos toma por sorpresa—. Puede ser que ella tuviera entonces nueve años, y lo separó de su madre. Trató de que comiera sopa… —se interrumpe para contener otra risotada—. Te acuerdas, ¿verdad, Mare?

Pese a su sonrisa, me observa con una mirada fija y apremiante. Trata de hacerme entender.

—¡Ay, Kilorn! —suspiro—. No tenemos tiempo para eso.

Continúa, impertérrito e impaciente:

—La madre llegó poco después, quizás un par de horas, y se puso a dar vueltas abajo de la casa, seguida por sus demás patitos. Armó un gran lío, no paró de graznar y chillar. Bree y Tramy intentaron ahuyentarla, ¿no es cierto? —lo recuerdo tan bien como él. Vi desde el zaguán que mis hermanos le tiraban piedras a la mamá pata. Ella no cedió, y siguió llamando a su hijo perdido. El patito contestaba mientras se retorcía en los brazos de mi hermana—. Al final, tú hiciste que Gisa lo devolviera. *No eres un pato,* le dijiste. *No sois el uno para el otro.* Le devolviste el patito a la madre y los viste devolviste apresuradamente al río, formados en fila.

—Y todo esto a qué viene...

—Tiene lógica —murmura Cal, con una voz que reverbera en lo profundo de su pecho y que trasluce cierto asombro. Kilorn le lanza una mirada junto con una leve inclinación de gratitud—. Nix y Ada no son patitos, pero tú no eres su madre tampoco. Pueden cuidarse solos —me dirige una sonrisa torcida, a la manera de sus gestos antiguos—. En cambio, tú pareces muy desmejorada.

—¿Crees que no lo sé? —replico e intento esbozar una sonrisa, aunque algo tira de la piel de mi cara y retuerce mi cuello y mis cicatrices nuevas. Me duelen cuando hablo, y me arden terriblemente cuanto más me esfuerzo. Ésta es otra de las cosas *que Maven me ha arrancado.* ¡Qué feliz debe hacerle pensar que cada vez que sonrío siento un dolor muy agudo!—. ¿Farley y Shade están con ellos, al menos?

Asienten al unísono y casi me río cuando los veo. Por lo general son polos opuestos. Kilorn es delgado mientras que Cal es corpulento, aquél tiene el cabello dorado y los ojos verdes al tiempo que Cal es moreno y tiene una mirada que es como el fuego vivo. Pero aquí, bajo la luz mortecina y detrás de la película de sangre que nubla mi vista, da la impresión de que son iguales.

—Crance también —añade Cal.

Pestañeo atónita.

—¿Crance? ¿Está aquí? ¿Con nosotros?

—Al parecer no tenía adónde ir —responde.

—¿Y vosotros... confiáis en él?

Kilorn se apoya en la pared y se mete las manos en los bolsillos.

—Salvó a Ada y ha ayudado a recuperar a otros en los últimos días. ¿Por qué no habríamos de confiar en él? ¿Porque es un ladrón?

Como yo. Como yo lo era.

—Entiendo —de todas formas, no puedo olvidar el alto precio que tiene depositar la fe en quien no lo merece—. Pero no podemos estar seguros, ¿verdad?

—No se puede estar seguro de nadie —suspira Kilorn, fastidiado. Raspa su zapato en la tierra y aunque quisiera decir más, sabe que no debe hacerlo.

—Ahora está fuera con Farley. No es un mal explorador —agrega Cal en muestra de apoyo. A Kilorn. A mí casi me da un ataque.

—¿Vosotros dos estáis de acuerdo en algo? ¿A qué mundo he venido a despertar?

Una sonrisa genuina cruza el rostro de ambos.

—Él no es tan malo como pretendes —dice Kilorn, y señala al príncipe con un ligero movimiento de la cabeza.

Cal ríe. Es un ruido sordo, empañado por todo lo que ha ocurrido hasta ahora.

—Lo mismo digo.

Le doy un codazo en el hombro sólo para estar segura de que es de verdad.

—Supongo que no estoy soñando.

—Gracias a mis colores, no —murmura, sin su sonrisa ya. Hace resbalar una mano por su mentón y se rasca una barba exigua. No se ha afeitado desde Arcón, desde la noche en que vio morir a su padre—. Ada es más útil que los bandidos, si puedes creerlo.

—Sí puedo —un torbellino de habilidades pasa por mi mente, cada cual más poderosa que la anterior—. ¿Qué hace?

—Nada que yo haya visto hasta ahora —admite. Su pulsera crepita y arroja chispas que se convierten pronto en una bola giratoria de llamas. Reposa en su mano un momento sin quemar su manga antes de que él la lance perezosamente al pequeño agujero que ha sido cavado en el suelo. El fuego despide calor y luz en reemplazo del sol poniente—. Es sumamente lista. Recuerda cada palabra de cada libro de la biblioteca del gobernador.

Justo en ese instante termina mi visión de un guerrero más.

—¡Vaya, qué útil! —estallo, con un tono mordaz—. No olvidaré pedirle que nos relate un cuento más tarde.

—Te dije que ella no lo entendería —tercia Kilorn. Pero Cal insiste:

—Tiene una memoria perfecta, una inteligencia perfecta. *Recuerda* cada momento de cada día, todas las caras que ha visto, todas las palabras que ha oído por casualidad. Comprende cada revista médica, libro de historia o mapa que haya leído. Y puede decirse lo mismo de todas las cuestiones prácticas.

Aunque preferiría una forjadora de tormentas, entiendo el valor de una persona como ella. ¡Si Julian estuviera aquí! Dedicaría el día y la noche a estudiarla, querría entender una habilidad tan extraña.

—¿Todas las cuestiones prácticas? ¿Te refieres a algo como el entrenamiento?

Una suerte de orgullo atraviesa la cara de Cal.

—Aunque no soy un instructor, hago lo que puedo por enseñarle. Es ya una muy decente tiradora. Y esta mañana acabó el manual de vuelo del Blackrun.

Una exclamación escapa de mis labios.

—¿Sabe pilotar un jet?

Cal levanta los hombros y arruga los labios hasta formar una sonrisita de suficiencia.

—Llevó a los demás a Cancorda, y pronto estará de vuelta aquí. Pero tú debes descansar hasta entonces.

—He descansado cuatro días, descansad *vosotros* —repongo al tiempo que me estiro para sacudir su hombro. No se mueve con mi empujón, que debo reconocer que fue débil—. Parecéis muertos vivientes.

—Alguien tenía que ocuparse de que respiraras todavía —dice Kilorn con un tono despreocupado, y cualquiera pensaría que bromea, pero sé que no es cierto—. Lo que Maven te hizo no puede volver a ocurrir nunca más.

El recuerdo del dolor al rojo blanco está aún demasiado cerca de mí. No puedo menos que estremecerme ante la idea de sufrirlo una vez más.

—Tienes razón.

Esto nos serena a todos, el pensamiento del nuevo poder de Maven. Hasta Kilorn, siempre nervioso o impaciente, está tranquilo. Se asoma por la ventana y contempla el muro de la noche que se aproxima.

—¿Se te ha ocurrido ya algo, Cal, por si ella vuelve a tropezar con esa cosa?

—Si me vais a endilgar un sermón, quizá necesite un poco de agua —digo, porque de pronto soy consciente de mi garganta reseca.

Kilorn abandona su puesto junto a la pared casi de un salto, con ansia de prestar ayuda. Me deja sola con Cal y el calor aumenta.

—Creo que fue un resonador. Modificado, por supuesto —dice él. Mira mi cuello, las cicatrices de relámpagos que suben y bajan por mi espalda. Con una familiaridad pasmosa, las recorre otra vez, como si contuvieran alguna clave. La parte inteligente de mí quisiera apartarlo, impedir que el príncipe de fuego examine mis marcas, pero la fatiga y la necesidad anulan cualquier otro pensamiento. Su mano me relaja física y emocionalmente. Es una prueba de que alguien está junto a mí. Ya no estoy sola en el abismo—. Nosotros metimos resonadores en los lagos hace unos años. Emitían radioondas y causaron estragos en las embarcaciones de los Lacustres. Les impedían comunicarse entre sí, aunque también nos lo impedían a nosotros. Todos teníamos que navegar a ciegas —sus dedos descienden por una nudosa ramificación de tejido cicatrizado que cruza mi omóplato—. Supongo que éste emite ondas eléctricas o electricidad estática de una magnitud enorme. Tan grande que te incapacita, te ciega y vuelve tu rayo contra ti.

—Lo han averiguado muy pronto. Han pasado apenas unos días desde los sucesos del Cuenco de los Huesos —murmuro en respuesta.

Cualquier cosa más fuerte que un susurro podría hacer añicos esta endeble paz.

La mano de Cal se aquieta y él imprime su palma en mi piel desnuda.

—Maven se volvió contra ti mucho antes del Cuenco de los Huesos.

Lo sé ahora. Lo sé en lo más profundo de mi ser. Algo se libera en mí, algo que vence y dobla mi espalda para que yo pueda cubrir mi rostro con mis manos. Cualquier muralla que erijo para alejar los recuerdos termina hecha polvo. Pero no puedo permitir que este polvo me sepulte. No puedo permitir que los errores que he cometido me sepulten. Cuando la tibieza de Cal me envuelve y él circunda mis hombros con sus brazos para hundir su cabeza en mi cuello, me aproximo. Dejo que me proteja, aunque en las mazmorras de Tuck juramos que no lo haríamos. No somos otra cosa que una distracción el uno para el otro, y las distracciones matan. Pero mis manos se cierran en las suyas, nuestros dedos se entrelazan y nuestros seres se funden en uno solo. El fuego se extingue y las llamas quedan reducidas a cenizas. Cal está aquí todavía. No me dejará jamás.

—¿Qué te dijo? —susurra.

Retrocedo un poco para que él pueda verme. Tiro con una mano temblorosa del cuello de mi blusa y le enseño lo que hizo Maven. Sus ojos se abren en exceso cuando dan con la marca. Es una *M* desigual hendida con fuego en mi piel. La mira mucho tiempo y temo que su furia vuelva a incendiarme.

—Dijo que era un hombre de palabra —le digo. Esta frase basta para que él deje de mirar mi cicatriz más reciente—. Que siempre me encontrará y me salvará.

Dejo escapar una risa hueca. *La única persona de la que Maven debe salvarme es de él mismo.*

Cal coloca mi blusa con manos delicadas y oculta la marca de su hermano.

—Eso ya lo sabíamos. Por lo menos ahora conocemos el verdadero motivo.

—¿Hum?

—Mentir es para Maven como respirar, y su madre tira de su correa, pero no de su corazón —abre mucho los ojos, como si implorara ser comprendido—. Él no persigue a los nuevasangre para proteger su trono, lo hace para herirte a ti. Para *buscarte*. Para obligarte a que vuelvas a él —cierra el puño sobre su pierna—. Maven te desea más que a cualquier otra cosa o persona sobre la Tierra.

Si estuviera aquí ahora, le arrancaría esos ojos horrendos y perturbadores.

—No me tendrá nunca.

Reparo en las consecuencias de lo que digo, y Cal también.

—¿Ni siquiera si eso acabara con la carnicería? ¿Ni siquiera en beneficio de los nuevasangre?

Las lágrimas causan ardor en mis ojos.

—No volveré. Por nada ni por nadie.

Aunque supongo que él comunicará su parecer, sonríe y agacha la cabeza. Está avergonzado de su reacción, como yo de la mía.

—Pensé que te perderíamos —dice con palabras cuidadosamente elegidas y trabajadas, mientras me inclino y pongo una mano sobre su puño. Ésta es toda la confirmación que necesita para continuar—. Pensé que yo te perdería. Lo temí muchas veces.

—Todavía estoy aquí —le digo.

Toma mi cuello entre sus manos como si no me creyera. Las suyas me recuerdan vagamente las de Maven, pero contengo un estremecimiento. No quiero que Cal se aleje.

No he cesado de correr desde hace mucho tiempo. Incluso desde antes de que todo esto comenzara. Hasta en Los Pilares era una corredora. Evitaba a mi familia, mi destino, todo aquello que no quería sentir. Y ahora huyo todavía. De los que estarían dispuestos a matarme y de los que me amarían.

¡Cómo me gustaría parar! Querría quedarme quieta, sin quitarme la vida ni quitársela a nadie más. Pero eso es imposible. Debo seguir adelante, debo hacerme daño para salvarme, lastimar a los demás para salvar a otros. Herir a Kilorn, a Cal, a Shade, a Farley, a Nix y a todos lo suficientemente tontos para seguirme. Los he vuelto corredores también.

—Combatámoslo entonces —acerca sus labios, más calientes con cada palabra. Me agarra con fuerza, como si alguien fuera a arrebatarme de sus brazos en cualquier momento—. Eso fue lo que nos propusimos, así que hagámoslo. Formemos un ejército. Y matémoslo. Matémoslo a él y matemos a su madre.

Matar a un rey no cambiará nada. Otro ocupará su lugar. Pero es un buen comienzo. Si no podemos dejar atrás a Maven, debemos pararlo en seco. Por los nuevasangre. Por Cal. Por mí.

Soy un arma hecha de carne, una espada cubierta de piel. Nací para matar a un monarca, para poner fin a un reinado de terror antes de que comience realmente. El fuego y el rayo elevaron a Maven, y el fuego y el rayo lo destronarán.

—No permitiré que vuelva a hacerte daño nunca.

Su aliento me hace estremecer. Estar rodeada de un calor tan impetuoso es una sensación extraña.

—Te creo —le miento.

Porque soy débil, me abandono a sus brazos. Porque soy débil, fundo en sus labios los míos, en pos de algo que me ayude a dejar de correr, a olvidar. Parece que ambos somos débiles.

Mientras sus manos acarician mi piel siento un dolor de un tipo diferente. Peor que el de la máquina de Maven, más hondo que mis nervios. Punza como un hueco, como un peso

vacío. Soy una espada nacida del relámpago y de este fuego...
y del fuego de Maven también. Uno de ellos me traicionó ya, y
el otro podría dejarme en un instante. Pese a ello, no le temo
a un corazón roto. No le temo al dolor.

Me aferro a Cal, a Kilorn y a Shade porque quiero salvar
al mayor número posible de los nuevasangre, porque temo
despertar una mañana en el vacío, en un lugar donde mis
familiares y amigos ya no estén y yo no sea más que un relámpago en la negrura de una tormenta solitaria.

Si soy una espada, soy una espada hecha de cristal. Y siento
que he comenzado a romperme.

DIECIOCHO

El problema del calor es que, por fresco que estés, por más que necesites un poco de calidez, termina por ser excesivo siempre. Recuerdo haber pasado muchos inviernos con la ventana abierta de par en par para que el frío virulento compensara el fuego que ardía en la sala familiar escaleras abajo. Algo en el aire helado me ayudaba a dormir. Ahora, las bocanadas intensas de la brisa de otoño contribuyen a calmarme, a olvidar que Cal está solo en la casa de seguridad. *No debí haber hecho eso*, pienso mientras presiono con una mano mi piel febril. Él no es sólo una distracción que no puedo permitirme, es también una desilusión amorosa que tarde o temprano ocurrirá. Sus lealtades son endebles en el mejor de los casos. Un día se irá, o morirá, o me traicionará como tantos otros lo han hecho. Un día me hará daño.

El sol se ha puesto ya. Antes, pintó el cielo con lóbregas franjas de rojo y de naranja. *Quizá.* No puedo confiar en los colores que veo. Ya no puedo confiar en casi nada.

La casa de seguridad se alza en la cumbre de una colina en medio de un claro inmenso rodeado de bosque. Da a un valle sinuoso repleto de árboles, lagos y una neblina incesante que sube en volutas al cielo. Crecí en el bosque, pero este lugar me es tan ajeno como Arcón o la Mansión del Sol. Hasta donde mi vista alcanza, nada hay aquí hecho por el hombre, ni los ecos de una aldea de leñadores o de una ciudad agrícola. Supongo que en las cercanías hay una pista oculta, pues de lo contrario no podríamos ya utilizar el jet. Seguramente estamos en lo profundo del campo de Norta, al norte y tierra adentro desde Harbor Bay. No conozco bien el Estado Regente, aunque se parece a la región de los Grandes Bosques, dado que en él también predominan la selva, las verdes y onduladas montañas, y una tundra glacial que colinda con la comarca de los Lagos. Está escasamente poblado, se halla bajo el gobierno indulgente de los escalofríos de la Casa de Gliacon y es un lugar maravilloso para esconderse.

—¿Ya habéis terminado?

Kilorn es poco más que una sombra, apoyado como está en el tronco de un roble cuyas ramas apuntan al cielo. Hay una jarra de agua olvidada a sus pies. No es preciso que vea su cara para saber que está enfadado. Lo noto a la perfección.

—No seas insolente.

Estoy acostumbrada a darle órdenes, pero esto tiene la apariencia de una petición. Como era de esperar, me ignora y sigue al ataque.

—Imagino que todos los rumores tienen cierta dosis de verdad. Incluso aquéllos que propaga el rencoroso Maven. *Mare Barrow sedujo al príncipe para que matara al rey*. Es desconcertante saber que no le falta razón —da un par de pasos al frente como si estuviera al acecho, lo que me recuerda la forma en que las sedas de la Casa de Iral se arrastran en acecho al golpe definitivo—. Porque seguro que el príncipe está embrujado.

—Si no te callas, te convertiré en una pila de muchos voltios.

—Deberías inventarte nuevas amenazas —dice con una sonrisa repentina. Se ha habituado a mi seriedad al paso de los años, y dudo que pudiera asustarlo con algo, incluso con mi relámpago—. Él es un hombre poderoso, en todos los sentidos de la palabra. No me malinterpretes, me alegra que seas tú la que lleves las riendas.

No puedo reprimir una carcajada sonora, reírme en su cara.

—¿Te alegra? Lo que pasa es que estás celoso. No tienes la costumbre de *compartir*. Y no te gusta ser un inútil.

Inútil. Esta palabra cala. Lo sé por el temblor en su cuello. Pero esto no le impide alzarse junto a mí, con lo que cubre las estrellas que titilan sobre nosotros.

—La pregunta es: ¿tú también estás embrujada? ¿Te usa igual que tú lo haces con él?

—Yo no uso a nadie —es una mentira, y ambos lo sabemos—. No sabes lo que dices.

—Tienes razón —responde tranquilamente.

La sorpresa casi da conmigo en el suelo. En más de diez años de amistad, nunca le había oído a Kilorn Warren pronunciar esas palabras. Es tan obstinado como un tocón, demasiado seguro de sí mismo para su bien y un bastardo adulador casi siempre. Pero ahora, en la cumbre de esta colina, no es nada que haya sido antes. Parece débil y pequeño, un destello cada vez más tenue de mi antigua vida. Junto las manos para no tocarlo, para no tener que confirmar que existe todavía.

—No sé qué te pasó cuando fuiste Mareena. No estuve a tu lado para ayudarte a enfrentarte a ello. No te diré que te comprendo, o que lo lamento por ti. Eso no es lo que necesitas —aunque es precisamente lo que quiero, para poder enfadarme con él. Así que no tengo que escuchar lo que está a punto de decir. ¡Qué lástima que él no lo sepa!—. Todo lo puedo hacer es decirte la verdad, o lo que *creo* que es la verdad —pese a que su voz es firme, sus hombros suben y bajan con una respiración agitada. *Tiene miedo*—. Tú sabrás si me crees o no. Una punzada tira de mis labios y delata una sonrisa dolorosa. Tengo el hábito de permitir a quienes me rodean que me agarren y empujen, que me manipulen para que piense y haga ciertas cosas. Hasta el propio Kilorn es culpable de eso. Pero ahora me concede la libertad que he deseado desde hace tanto tiempo. Una decisión, por minúscula que pueda ser. Confía en que tengo el poder de decidir, pese a que eso no sea necesariamente cierto.

—Te escucho.

Aunque empieza a hablar, se detiene de pronto. Las palabras se niegan a salir de su boca. Durante un segundo, sus ojos verdes adoptan una apariencia extrañamente húmeda.

—¿Qué pasa, Kilorn? —suspiro.

—¿Qué? —repite y sacude la cabeza. Después de un largo segundo, algo se quiebra en él—. Sé que no sientes lo que yo. Respecto a nosotros —me acomete el irresistible impulso de darme de bruces contra una piedra. *Respecto a nosotros*. Hablar de eso parece una idiotez, una absoluta pérdida de tiempo y energía. Más aún, es vergonzoso e incómodo. Mis mejillas se encienden. Ésta no es una conversación que yo haya querido tener con él en algún momento—. Y está bien —insiste antes de que pueda detenerlo—. No me viste nunca como yo a ti, ni siquiera en casa, antes de que todo esto sucediera. Pensé que lo harías algún día, pero... —se encoge de hombros— lo cierto es que nunca me amarás.

Cuando yo era Mare Barrow, de Los Pilares, pensaba de esa misma forma. Me preguntaba qué sucedería si sobrevivía al alistamiento, y veía lo que me deparaba el futuro. Un matrimonio agradable con el pescador de ojos verdes, unos hijos que podríamos amar, una casa modesta sobre unos pilares. Parecía un sueño en aquellos días, algo imposible. Y aún lo es ahora. Lo será siempre. No amó a Kilorn, no como él quiere que lo haga. No lo amaré nunca.

—Kilorn —murmuro y doy un paso al frente, aunque él retrocede dos—. Eres mi mejor amigo, eres como de la familia.

Su sonrisa rezuma tristeza.

—Y seguiré siéndolo hasta que muera.

—*No te merezco, Kilorn Warren.* Perdón —confieso, sin saber qué más decir. Ni siquiera tengo claro el motivo de mi disculpa.

—Eso no es algo que se pueda controlar, Mare —replica y permanece lejos de mí—. No podemos elegir a quién amar.

¡No sabes cuánto me gustaría que pudiéramos! —me siento expuesta. Mi piel guarda todavía el calor del abrazo de Cal, recuerda la sensación de él hace unos momentos. Pero en lo profundo de mí, y pese a cada palmo de mi ser, pienso en algo que está más allá de este claro, en unos ojos del color del hielo, una promesa vacía y un beso a bordo de un barco—. Ámalo cuanto quieras, que yo no te lo impediré. Pero por mi bien, por el de tus padres, por el resto de nosotros, no permitas que te *controle* —pienso en Maven otra vez. Pero está lejos, es una sombra en las distantes orillas del mundo. Quizá quiera matarme, pero ya no me controla. Kilorn sólo puede referirse al otro hermano augusto, al hijo malogrado de la Casa de Calore. *Cal.* Él es mi escudo contra las cicatrices y las pesadillas. Pese a todo, es un guerrero, no un político ni un criminal. No tiene la capacidad necesaria para manipular a nadie, y menos que nadie a mí. No está en su naturaleza—. Es Plateado, Mare. No sabes de lo que es capaz, ni lo que quiere realmente.

Dudo que Cal pueda encuadrarse en cualquiera de ambas situaciones. El príncipe exiliado está más perdido que yo, sin otra aliada que una temperamental Niña Relámpago.

—Él no es lo que tú crees —le digo—. No importa de qué color sea su sangre.

Un gesto de desdén atraviesa su cara, fino y agudo.

—Es falso que creas eso.

—No, no lo creo —digo con tristeza—. Lo sé. Y esto lo vuelve todo más difícil.

Antes pensaba que el color de la sangre lo era todo, la diferencia entre la oscuridad y la luz, una división irrevocable e infranqueable que volvía poderosos, fríos y brutales a los Plateados, inhumanos en comparación a mis hermanos Rojos. Ellos no se asemejaban en nada a nosotros. Eran incapaces de sentir dolor, remordimiento o bondad. Pero personas como Cal, Julian y hasta Lucas me han enseñado que estaba equivocada. Los Plateados son tan humanos y están tan llenos de miedo y esperanza como nosotros. No están libres de pecados, pero tampoco los Rojos lo estamos. Tampoco yo.

¡Si fueran los monstruos que Kilorn cree! ¡Si las cosas *fueran tan sencillas!* Secretamente, en el fondo de mi corazón, envidio el enfado insignificante de Kilorn. Ojalá pudiera compartir su ignorancia. Pero he visto y sufrido demasiado para eso.

—Mataremos a Maven. Y a su madre —añado con espeluznante seguridad. *Mata al fantasma, mata a la sombra*—. Si ellos mueren, los nuevasangre estaremos a salvo.

—Y Cal podrá reclamar su trono. Para que todo vuelva a ser igual que antes.

—Eso no sucederá. Nadie le permitirá recuperar el trono, *ni* los Rojos *ni* los Plateados. Y hasta donde sé, él tampoco lo quiere.

—¿Eso crees? —detesto la sonrisa que tuerce los labios de Kilorn—. ¿De quién fue la idea de matar a Maven? —como no contesto, su sonrisa se ensancha—. Eso pensaba.

—Gracias por tu honestidad, Kilorn —mi gratitud lo desconcierta, y le sorprende tanto como él me sorprendió a mí. Ambos hemos cambiado en los últimos meses, ya no somos la chica y el muchacho de Los Pilares dispuestos a discutir por todo. Ellos eran unos niños y se han ido para siempre—. Tendré en mente lo que me has dicho, por supuesto.

Mis lecciones no me habían prestado nunca tan buen servicio; me ayudan a ser displicente con Kilorn sin hacerle daño. Tal como una princesa lo haría con un sirviente.

Pero no es fácil dejarlo de lado. Sus ojos se entrecierran y forman rendijas de un verde oscuro para entrever justo más allá de mi máscara de cortesía. Se muestra tan disgustado que estoy segura de que escupirá.

—Un día no muy lejano te perderás —musita—. Y no estaré ahí para guiarte.

Le vuelvo la espalda al más viejo de mis amigos. Sus palabras me hieren y no quiero oírlas, por más sentido que tengan. Sus botas aplastan la dura tierra y él se marcha y me deja mirando el bosque. En la distancia se oye el zumbido de un avión, que vuelve a nuestro lado.

Nada temo más que quedarme sola. ¿Por qué hago esto entonces? ¿Por qué aparto de mi lado a quienes quiero? ¿Qué pasa conmigo?

No lo sé.

Y no sé cómo impedirlo.

Reunir un ejército es la parte fácil. El archivo de Harbor Bay nos lleva hasta agentes nuevasangre en ciudades y aldeas de toda la región del Faro, de Cancorda a Taurus y los puertos semiinundados de las islas Bahrn. La lista de Julian nos ayuda a extendernos hasta que cada parte de Norta está a nuestro alcance. Incluso Delphie, la ciudad del reino situada más al sur, se halla a unas horas de distancia en jet.

Cada centro de población, por pequeño que sea, tiene un nuevo cuartel de oficiales Plateados destinado a atraparnos y entregarnos al rey. Pero no pueden vigilar cada objetivo en todo momento, y Maven no es todavía lo bastante fuerte para secuestrar a cientos de personas de la noche a la mañana. Atacamos al azar, sin un plan premeditado, y usualmente los pillamos desprevenidos. A veces tenemos suerte y ni siquiera se enteran de nuestra presencia. Shade demuestra su utilidad una y otra vez, lo mismo que Ada y Nix. Las habilidades de ella nos permiten sortear las murallas de las ciudades, y la de él a traspasarlas.

Pero todo se reduce siempre a mí. Soy siempre la que se entrevista con cada nuevasangre para explicarle lo que es y el tipo de peligro que representa para el rey. Después se le da a elegir, y ellos siempre escogen la vida. Nos escogen a nosotros de manera invariable. Les damos tránsito seguro a sus familias. Dirigimos a quienes se quedan atrás a las diversas bases y santuarios que la Guardia Escarlata opera. *A la comandancia,* como dice Farley, con palabras cada vez más crípticas. A algunos se les envía incluso a la isla de Tuck, para que busquen la protección del coronel. Puede ser que él odie a los nuevasangre, pero Farley me asegura que no les dará nunca la espalda a los Rojos de verdad.

Los nuevasangre que encontramos tienen miedo, otros están enfadados, pero unos cuantos se muestran sorprendidos, generalmente los niños. En la mayoría de los casos, no saben lo que son. Aunque algunos sí lo saben, y se les persigue ya a causa de las mutaciones de nuestra sangre.

A las afueras de la ciudad de Haven hallamos a Luther Carver. Es un chico de ocho años de cabello negro y escaso, pequeño para su edad e hijo de un carpintero. Damos con él en el taller de su padre, donde aprende el oficio tras haber sido dispensado de la escuela. Resulta muy sencillo convencer al señor Carver de que nos deje entrar, aunque mira a Cal, e incluso a Nix, con desconfianza. Y el chico se niega a mirarme a los ojos mientras sus diminutos dedos se retuercen de los nervios. Tiembla cuando le hablo, e insiste en llamarme la Niña Relámpago.

—Tu nombre aparece en la lista porque eres especial, porque eres diferente —le digo—. ¿Sabes lo que quiero decir?

El niño sacude violentamente la cabeza y sus largos rizos ondean de un lado a otro. Quien no puede menos que ser su padre permanece como un guardián a su espalda, y asiente con solemnidad y parsimonia.

—Está bien, Luther, no tienes de qué avergonzarte.

Extiendo la mano de un costado a otro de la mesa, sobre intrincados dibujos que son sin duda obra de Carver. Pero los dedos de Luther rehúyen los míos y se lleva las manos a su regazo, fuera de mi alcance.

—No es nada personal —dice Carver mientras pone una mano tranquilizadora sobre el hombro de su hijo—. Luther no... no quiere causarles ningún daño. Lo suyo va y viene, aunque es cada vez más agudo. Ustedes le ayudarán, ¿no es así? —el pobre hombre suena apenado, y se le quiebra la voz. Me conmueve, y me pregunto cómo se comportaría mi padre en la misma situación. Ante personas que comprenden a su hija, que pueden ayudarle, pero que deben apartarla de él—.

¿Saben cuál es la causa de que él sea de esa manera? Ésa es una pregunta que me he hecho muchas veces, que casi cada nuevasangre me hace. No tengo respuesta.

—No, señor. Lo único que sabemos es que nuestras habilidades son producto de una mutación, de algo existente en nuestra sangre que no puede explicarse.

Pienso en Julian y en sus libros, en su investigación. Él no me explicó nunca lo que sucedió en la partición, el momento de la antigüedad en el que la sangre plateada se separó de la roja, sólo que tal cosa ocurrió y dio como resultado el mundo actual. Supongo que una nueva partición ha comenzado ya, en una sangre como la mía. Él me estudiaba antes de que lo capturaran, pues quería obtener justamente la respuesta a esa misma pregunta. Pero no se le dio la oportunidad de hacerlo.

Cal se aparta de mi lado y cuando da la vuelta a la mesa imagino que veré la máscara intimidatoria que tanto se pone. Por el contrario, exhibe una sonrisa amable, tan amplia que casi le llega a las orejas. Y después se arrodilla para mirar a Luther a los ojos. El niño se paraliza ante él. No sólo le abruma la presencia de un príncipe, sino también que le preste su absoluta atención.

—Su alteza —grita, e incluso intenta asumir una posición de saludo formal.

A sus espaldas, su padre no se muestra tan cortés y frunce el ceño. Los príncipes Plateados no son sus invitados preferidos.

De todos modos, la sonrisa de Cal se afianza y no aparta su mirada del chico.

—Llámame Cal, por favor —le dice y le tiende la mano.

Luther se retrae otra vez, pero eso no parece importarle a Cal. De hecho, me atrevo a suponer que lo esperaba.

El niño se ruboriza y sus mejillas vibran con un rojo oscuro y encantador.

—Perdón.

—No te disculpes —replica Cal—. Yo hacía lo mismo de chico. Un poco más joven que tú, tenía ya muchos, muchos maestros. Los necesitaba —añade y parpadea. Pese a su temor, el chico sonríe un poco—. Tú sólo tienes a tu papá, ¿verdad?

El niño traga saliva y su diminuta garganta se mueve. Después asiente.

—Trato de... —dice Carver y presiona de nuevo el hombro de su hijo.

—Lo entendemos, señor —le digo—. Más que cualquier otro.

Luther le da a Cal una ligera patada, y su curiosidad vence todo lo demás.

—¿A qué podrías *temerle*?

Ante nuestros ojos, la palma tendida de Cal estalla en una llama hosca y caliente, aunque extrañamente hermosa, un lento ardor de fuego lánguido y danzante, amarillo y rojo en perezoso movimiento. Si no fuera por el calor, daría la impresión de ser una obra de arte, no un arma.

—No sabía cómo controlarlo —le dice Cal mientras permite que la flama juegue entre sus dedos—. Temía quemar a la gente. A mi padre, a mis amigos, a mi... —casi se le va la voz— mi hermano menor. Así que aprendí a que esto hiciera lo que yo quería, para no herir a la gente a la que deseaba mantener a salvo. Tú puedes hacerlo también, Luther.

Aunque el chico mira extasiado, su padre no está tan seguro. No es el primer padre al que hemos tenido que enfrentarnos, así que estoy preparada para la siguiente pregunta.

—Los que ustedes llaman nuevasangre, ¿pueden hacer esto también? ¿Pueden... controlar lo que son?

Mis manos se envuelven en chispas, cada una de las cuales es un ondulado rayo púrpura de perfecta luz. Desaparecen en mi piel sin dejar huella.

—Sí podemos, señor Carver.

Con una velocidad sorprendente, el hombre coge un cazo de un estante y lo coloca frente a su hijo. Una planta, que quizá sea un helecho, brota de la tierra contenida en el cazo. Cualquier otro se confundiría, pero Luther sabe exactamente qué es lo que su padre quiere.

—Anda, muchacho —lo incita él con una voz suave y bondadosa—. Enséñales lo que se debe reparar —antes de que yo pueda irritarme por la frase, Luther alarga una mano temblorosa y raspa con un dedo el borde de la hoja del helecho, de forma cuidadosa aunque resuelta. No sucede nada—. Está bien, Luther —dice el señor Carver—. Puedes permitir que lo vean.

El chico hace otro intento mientras frunce el ceño para concentrarse. Esta vez coge el helecho por el tallo y lo sostiene en su pequeño puño. El helecho se curva poco a poco bajo su tacto, se pone negro, se dobla sobre sí mismo y se marchita. Mientras miramos petrificados, el señor Carver coge otra cosa del estante y la pone en el regazo de su hijo. Son unos guantes de piel.

—Cuídenlo mucho —dice y aprieta los dientes para contener la tormenta que se ha desatado en su corazón—. Prométanmelo.

Como los hombres de verdad, no se acobarda cuando le estrecho la mano.

—Le doy mi palabra, señor Carver.

No es hasta que regresamos a la casa de seguridad, a la que ya llamamos la Muesca, que me concedo un momento de soledad. Para pensar, para decirme que la mentira me salió bien. La verdad es que no puedo prometerle a este chico, ni a todos los demás que son como él, que sobrevivirá a lo que nos aguarda. Pero es indudable que espero que así sea, y que haré todo lo que pueda para que ocurra.

Pese a que la aterradora habilidad de este niño sea la muerte misma.

Las familias de los nuevasangre no son las únicas que huyen. Las Medidas han provocado que la vida empeore como nunca antes, y han empujado a muchos Rojos a los bosques y las fronteras en busca de un sitio donde no se les explote hasta morir ni se les cuelgue por haberse pasado de la raya. Algunos llegan a apenas unos kilómetros de nuestro campamento en su camino al norte, hacia una frontera a la que la nieve del otoño pinta ya. Kilorn y Farley quieren que los ayudemos, que les demos alimentos o medicinas, pero Cal y yo ignoramos sus ruegos. Nadie debe saber nada acerca de nosotros, y los Rojos en fuga no son la excepción, pese a su destino. Continuarán su marcha al norte hasta que se topen con la frontera de los Lacustres. Algunos serán forzados a incorporarse a las legiones que defienden el frente. Otros tendrán la fortuna de escabullirse, sólo para sucumbir al frío y al hambre en la tundra antes que a una bala en las trincheras.

Mis días se confunden entre sí. Constan de actividades de reclutamiento y de entrenamiento que se repiten constantemente. Los únicos cambios son los que se deben al clima. El invierno está cerca. Cuando despierto ahora, mucho antes del amanecer, el terreno aparece cubierto por una gruesa capa de escarcha. Cal tiene que calentar el avión, para quitar el hielo que se acumula en las ruedas y el tren de aterrizaje. Nos

acompaña casi todos los días y conduce el jet hacia el nuevasangre que hayamos elegido. Pero a veces se queda, cuando
prefiere enseñar que volar. Ada lo reemplaza en esas ocasiones
y es tan buen piloto como él; aprendió con la velocidad y la
precisión del rayo. Además, su conocimiento de Norta, desde
los sistemas de drenaje hasta las rutas de abastecimiento, es
admirable. Ni siquiera puedo imaginar cómo es posible que
su cerebro contenga tanta información y todavía disponga de
espacio para otro tanto más. Ella es un enigma para mí, lo
mismo que cada nuevasangre que hallamos.

Casi todos son diferentes, con curiosas habilidades que ex-
ceden lo que cualquier Plateado conocido pueda hacer, o incluso lo que yo podría imaginar. Luther persiste en sus cuidadosos
intentos por controlar su habilidad y lo desmonta todo, desde
flores hasta botones. Cal cree que puede emplear su poder para
curarse, aunque no lo sabemos todavía. Otro nuevasangre,
una anciana que se hace llamar Nanny, posee la capacidad de
cambiar de apariencia física. Nos dio un susto a todos cuando
decidió bailar un vals por el campamento, caracterizada como
la reina Elara. Pese a su edad, espero servirme muy pronto de
ella en el reclutamiento. Se esfuerza al máximo en las sesiones
de entrenamiento de Cal, en las que aprende junto con el resto
a disparar un arma y usar una daga. Claro que todo esto contribuye a producir un campamento muy ruidoso, que llamaría
sin duda la atención, incluso en lo profundo de los Grandes
Bosques, si no fuera por Farrah, primera recluta después de
Ada y Nix, capaz de manipular el sonido. Absorbe las ráfagas
explosivas de la metralla y atenúa cada descarga para que ni
siquiera el más leve eco se expanda por el valle.

Mientras los nuevasangre desarrollan sus habilidades y
aprenden a controlarlas como lo hice yo, empiezo a sentir

esperanza. Cal sobresale en la docencia, especialmente con los niños y adolescentes. Ellos no tienen los prejuicios de los reclutas mayores y suelen seguirlo por el campamento pese a que sus lecciones de entrenamiento hayan concluido. Esto vuelve tolerable la presencia del príncipe exiliado para los nuevasangre mayores. Es difícil odiar a Cal cuando los jóvenes corren en torno suyo e imploran otra lección. Hasta Nix ha dejado de vigilarlo, aunque se niega todavía a hacer algo más que resoplar en su dirección.

Yo no soy tan talentosa como el exiliado, y he terminado por temer las sesiones matutinas y de últimas horas la tarde. Quisiera culpar de mi malestar al cansancio. Paso la mitad de mis días en el reclutamiento, de viaje al siguiente nombre de nuestra lista, pero eso no es todo. Soy simplemente una mala instructora.

Trabajo muy de cerca con Ketha, cuyas habilidades son más físicas y semejantes a la mía. Aunque no puede crear electricidad ni ningún otro elemento: ella destruye. Como los olvidos Plateados, es capaz de hacer explotar un objeto para que vuele en pedazos en una trepidante nube de humo y fuego. Sin embargo, mientras los olvidos tienen como límite las cosas que pueden tocar, Ketha no padece esa restricción.

Espera con paciencia mientras mira la piedra que está sobre mi mano. Hago todo lo posible por no ocultarme de su explosiva mirada, pese a que sé demasiado bien lo que es capaz de hacer. En la breve semana que ha transcurrido desde que dimos con ella, ha pasado de destruir montones de papel, hojas y ramas, a destrozar roca sólida. Como los demás nuevasangre, todo lo que necesita es la oportunidad de poner de manifiesto su auténtico ser. Las habilidades responden de inmediato, como si fuesen unos animales que acabaran de ser liberados de sus jaulas.

Aunque los demás rehúyen el entrenamiento de Ketha y nos dejan en el otro extremo del claro de la Muesca, yo no puedo hacer lo mismo. *Control*, digo, y ella asiente. Querría tener más que ofrecerle, pero, por desgracia, mi orientación es deficiente. Tengo en mi haber un mes apenas de entrenamiento con mi habilidad, gran parte del cual procedió de Julian, quien ni siquiera era un instructor apropiado. Más todavía, esto es demasiado personal para mí, y me resulta difícil explicarle a Ketha qué es exactamente lo que me propongo.

—Control —repite ella.

Entrecierra los ojos y aumenta su concentración. Curiosamente, sus ojos del color marrón del lodo son insignificantes pese al poder que ostentan. Como yo, procede de una aldea ribereña y podría pasar por mi hermana mayor o por una tía. Su piel bronceada y su cabello de puntas grises son firmes recordatorios de nuestro humilde e injusto origen. De acuerdo con su archivo, era profesora.

Cuando lanzo la roca al cielo tan lejos como puedo, recuerdo al instructor Arven y el entrenamiento. Él hacía que destruyéramos blancos con nuestras habilidades, para afinar nuestra puntería y concentración. Y en el Cuenco de los Huesos, su blanco fui yo. Estuvo a punto de matarme, pero heme aquí, copiando sus métodos. Pese a que esto no me agrada, da resultado.

La roca queda hecha polvo como si una bomba minúscula estallara dentro de ella. Ketha aplaude para sí y me obligo a hacer lo mismo. Me pregunto si sentirá otra cosa cuando sus habilidades sean puestas realmente a prueba, contra carne, no contra piedra. Creo que le pediré a Kilorn que atrape un conejo para que lo sepamos.

Pero él está cada vez más distante. Se ha dado a la tarea de alimentar al campamento, y dedica la mayor parte de su tiempo a pescar o a cazar. Si yo no estuviera tan absorta en mis deberes de reclutamiento y entrenamiento, intentaría hacerle ver eso. Pese a todo, apenas tengo tiempo para descansar, y menos todavía para convencer a Kilorn de que vuelva al redil.

Cuando la primera nevada llega, veinte nuevasangre residen ya en el campamento, desde viejas sirvientas hasta muchachos inquietos. Por suerte, la casa de seguridad es más grande de lo que pensé al principio y se esparce por la colina en un laberinto de cámaras y túneles. Algunos cuentan con ventanas ahuecadas, aunque la mayoría son oscuros, así que hemos terminado por robar bombillas tanto como agentes nuevasangre en todos los lugares que visitamos. Al llegar la primera nevada, la Muesca aloja cómodamente a nuestro grupo de veintiséis integrantes, con espacio para más. Los alimentos abundan gracias a Kilorn y a Farrah, quien ha hecho de él un cazador sigiloso y mortífero. Las provisiones llegan junto con cada oleada de reclutas, y van desde ropa de invierno hasta cerillas e incluso un poco de sal. Farley y Crance usan sus vínculos con los criminales para conseguir lo que necesitamos, aunque a veces recurrimos a uno de los buenos hurtos de antaño. En el lapso de un mes, somos una máquina bien engrasada y escondida.

Maven no nos ha encontrado aún, y nos mantenemos al tanto de él lo mejor que podemos. Carteles y periódicos nos facilitan esto. *El rey visita Delphie*, *El rey Maven* y *Lady Evangeline pasan revista a los soldados en Fort Lencasser. La gira de coronación prosigue por los dominios del rey.* Los titulares precisan su ubicación, y sabemos lo que cada una de ellas significa. Colegas nuevasangre han muerto en Delphie, en Lencasser, en cada sitio que visita. Su pretendida gira de coronación no es más que otro velo para ocultar una retahíla de ejecuciones. Pese a nuestros abundantes trucos y habilidades, no somos lo bastante veloces para salvarlos a todos. Por cada nuevasangre que descubrimos y traemos al campamento, dos más son colgados en la horca, *desaparecen* o se desangran en las cloacas. Algunos cadáveres exhiben los reveladores signos de una muerte causada por magnetrones, pinchados o estrangulados con varillas de hierro. Es indudable que esto apunta a Ptolemus, aunque también Evangeline podría estar presente ahí, envanecida en el resplandor de un rey. Será la reina muy pronto, y es evidente que hará cuanto pueda por mantener cerca a Maven. Antes, esto me habría enfurecido, ahora no siento más que lástima por la magnetrona. Maven no es Cal, y la matará si le conviene. Igual que ha matado a tantos para mantener vivas sus mentiras, para tenernos en fuga. Los ha extinguido porque no ha calculado bien. Cree que con suficientes cadáveres me harán regresar.

Pero no lo haré.

DIECINUEVE

Después de tres días de no hallar otra cosa que agentes nuevasangre muertos, tres días de absoluto fracaso, viajamos a Templyn. Es una ciudad tranquila camino a Delphie, en gran medida residencial, compuesta por vastas fincas Plateadas y casas Rojas apiñadas en fila junto al río. Amos y sirvientes. Templyn es una urbe difícil: no tiene grandes bosques, túneles ni calles abarrotadas donde esconderse. En condiciones normales, emplearíamos a Shade para deslizarnos paredes adentro, pero no está con nosotros ahora. Se torció la pierna ayer, lo que agravó el estado de un músculo que estaba todavía en proceso de curación, así que lo obligué a quedarse. Cal está ausente también, ya que decidió enseñar y dejar en manos de Ada la conducción del Blackrun. Ella está ahí todavía, abrigada en su asiento de piloto, y como de costumbre, lee. Aunque intento no ponerme nerviosa ni mandar como lo haría Cal, me siento extrañamente desprotegida sin mi hermano y sin él. No he estado nunca sin ambos en una misión de reclutamiento, así que ésta es mi prueba de fuego. Tendré que demostrarles a los demás que no sólo soy un arma con capacidad de ser detonada, sino también una persona dispuesta a luchar a *su* lado.

Por suerte tenemos una reciente y notable ventaja. Se trata de un nuevasangre llamado Harrick que fue salvado de las canteras de Orienpratis hace dos semanas. Éste será su primer reclutamiento, y esperamos que transcurra sin incidentes. Este hombre es menudo e impaciente y tiene los músculos correosos de un picapedrero. Farley y yo tenemos el cuidado de flanquearlo en la carreta, atentas a que no decida salir disparado. Nuestros demás acompañantes (Nix, quien se encuentra frente a mí, y Crance, que conduce la carreta) están más interesados en el camino que tienen por delante.

Nuestro carro marcha en fila con muchos otros pertenecientes a comerciantes u obreros que van a trabajar al centro del poblado. Las manos de Crance sujetan las riendas del caballo que robamos para que tirara de la carreta, un viejo y moteado rocín al que le falta un ojo y tiene una pezuña lastimada. Pese a todo, lo insta a avanzar para que siga el paso del resto y nos ayude a pasar inadvertidos. Las fronteras de la ciudad se yerguen ante nosotros, y están formadas por una puerta abierta acompañada a los lados por intrincadas columnas de piedra. Una bandera cuelga entre ellas, el familiar estandarte de una Casa familiar. Consta de franjas rojas y anaranjadas que casi se desbordan hasta fundirse bajo la temprana luz de la mañana. Es el emblema de la Casa de Lerolan, que integran los olvidos, los gobernantes de la región de Delphie. Pestañeo ante él, en recuerdo de los cadáveres de tres olvidos, los Lerolan que murieron en el tiroteo de la Mansión del Sol. El padre, Belicos, perdió la vida a manos de Farley y la Guardia Escarlata. Sus hijos gemelos, apenas poco más que unos bebés, volaron en pedazos debido a la explosión posterior. La imagen de sus rostros circuló por todo el reino, por cada programa de televisión, como un recurso más

332

de la propaganda Plateada. *La Guardia Escarlata mata niños. La Guardia Escarlata debe ser destruida.*

Miro a Farley y me pregunto si sabe lo que esa bandera significa, pero está concentrada en los agentes destacados que están ante nosotros. Harrick hace lo mismo. Entrecierra los ojos en señal de concentración y aprieta sus puños temblorosos. Sin decir palabra, toco su brazo para animarlo. Y después murmuro:

—Tú puedes hacerlo.

Me dirige una escueta sonrisa y me enderezo con toda calma. Aunque creo en su habilidad —no ha cesado de practicarla siempre que ha podido—, él debe creer en sí mismo.

Nix se tensa y los músculos se le abultan bajo la camisa. Farley es menos obvia, pero sé que busca ya la navaja que esconde en su bota. No mostraré el mismo temor, por el bien de Harrick.

Los agentes de seguridad ocupan la puerta y observan a cada persona que pasa. Registran las caras y las mercancías y no se toman la molestia en revisar las tarjetas de identidad. A estos Plateados no les importa lo que un papel diga; tienen órdenes de buscarnos a mí y a los míos, no a un agricultor que viaja demasiado lejos de su aldea. Pronto, nuestro carro está cerca, y únicamente el sudor en el labio superior de Harrick indica que él está haciendo algo.

Crance detiene el caballo y la carreta a instancias de un agente de seguridad. No alza los ojos, como muestra de respeto y sometimiento, mientras el agente lo mira. Como es de esperar, no lo delata nada. No es un nuevasangre ni un conocido socio nuestro, así que Maven no lo asediará. El agente da una vuelta en torno al carro y se asoma dentro. Ninguno de nosotros se atreve a moverse, y ni siquiera a respirar. Harrick no es tan hábil como para ocultar el sonido, sólo la imagen.

Los ojos del agente se encuentran con los míos una vez, y me pregunto si Harrick ha fallado. Pero después de un cardiaco momento, continúa, satisfecho. *No puede vernos.*

Harrick es un nuevasangre de una especie extraordinaria. Puede crear ilusiones, espejismos, hacer que la gente vea lo que no está ahí. Y nos ha ocultado a todos a plena vista, con lo que nos ha vuelto invisibles en nuestra carreta *vacía*.

—¿Transportas aire, Rojo? —pregunta el agente con una sonrisa de desprecio.

—Vengo por mercancía con destino al interior de Delphie —contesta Crance, y repite así lo que Ada le dijo. Ella dedicó el día de ayer a estudiar las rutas comerciales. Le bastó con una hora de lectura para convertirse en una experta en las importaciones y exportaciones de Norta—. Hilos y tejidos de lana, señor.

El guardia se ha retirado ya con una actitud indiferente.

—Avanza —dice y agita una mano enguantada.

La carreta gana terreno trabajosamente y Harrick aprieta un poco mi mano. Le respondo de la misma forma, como si le suplicara que siga adelante, que no deje de esforzarse, que mantenga su ilusión hasta que estemos dentro de Templyn y lejos de la puerta.

—Un minuto más —susurro—. Ya casi hemos llegado.

Damos la vuelta en la calle principal antes de entrar al mercado y serpenteamos por semivacías calles laterales flanqueadas por tiendas humildes y casas Rojas. Los demás buscan, sabedores de lo que perseguimos, en tanto yo fijo mi atención en Harrick.

—Ya casi —reitero, con la esperanza de tener razón.

Su fuerza decaerá de un momento a otro y nuestra ilusión se desvanecerá, lo cual nos dejará al descubierto en plena calle. La gente aquí es Roja, pero sin duda reportará un carro súbitamente repleto de los fugitivos más buscados del reino.

—A la izquierda —dice Nix bruscamente y Crance obedece. Lleva el carro hacia una casa de madera con cortinas carmesíes. Pese a que el sol brilla en lo alto, una vela arde en la ventana. *Rojos como el amanecer*.

Hay un callejón junto a la casa, bordeado por la casa de la Guardia Escarlata y dos viviendas vacías y abandonadas. Ignoro dónde están sus ocupantes, aunque es probable que hayan huido de las Medidas o se les haya ejecutado por intentarlo. Es una protección suficiente para mí.

—¡Ahora, Harrick! —le digo y él reacciona con un gran suspiro. El resguardo de su ilusión se esfuma en el acto—. Bien hecho.

No perdemos tiempo y bajamos de la carreta para deslizarnos en la casa de la Guardia. Usamos el alero del techo para escondernos lo mejor que podemos. Farley toma la delantera y llama tres veces en la puerta lateral. Se abre rápido, sin dejar ver otra cosa que la oscuridad del fondo. Farley entra decidida y nosotros la seguimos.

Mis ojos se adaptan pronto a la casa a oscuras y me impresiona su semejanza con mi hogar en Los Pilares. Simple, apretujada, compuesta apenas por dos habitaciones con pisos de nudosa madera y ventanas sucias. Las lámparas brillan por su ausencia, ya sea que estén rotas o que se hayan cambiado por alimentos.

—¡Capitana! —dice una voz.

Una mujer mayor, de cabello gris acero, aparece junto a la ventana y apaga la vela de un soplido. La edad ha surcado de arrugas su rostro y tiene cicatrices en las manos. Un conocido tatuaje rodea su muñeca. Es una banda roja, como la que usaba el viejo Will Whistle.

Al igual que en Harbor Bay, Farley frunce el ceño y estrecha la mano de una mujer.

—Ya no soy…

Pero la señora la detiene con un gesto.

—Según el coronel, pero no según la comandancia. Ésta tiene otras ideas por lo que a usted respecta —*La comandancia*. Ella nota mi interés e inclina la cabeza en señal de saludo—. Señorita Barrow, soy Ellie Whistle.

Alzo una ceja.

—¿Whistle? —interrogo—. ¿Es usted pariente de…?

Ellie me interrumpe antes de que pueda terminar:

—Lo más probable es que no. Whistle es más que nada un apodo. Significa que soy contrabandista. Todos nosotros somos silbidos lanzados al viento —*Así es*. Will Whistle y su viejo carromato estaban llenos siempre de bienes contrabandeados o robados, muchos de los cuales eran cosas que yo misma le llevaba—. Soy de la Guardia Escarlata también —agrega.

Cuando menos, ya sabía eso. Farley ha estado en contacto con su gente durante las últimas semanas, personas que no están bajo el mando del coronel, que nos ayudarán y mantendrán en secreto nuestros pasos.

—Muy bien —le digo—. Estamos aquí por la familia Marcher —dos de sus miembros, para ser precisos. *Tansy y Matrick Marcher, gemelos a juzgar por su fecha de nacimiento*—. Tendrán que estar fuera de la ciudad en menos de una hora, a ser posible.

Ellie escucha con atención y un grave aspecto de seriedad. Cuando se mueve, alcanzo a ver una pistola en su cadera. Mira a Farley e inclina la cabeza al mismo tiempo que ésta.

—Yo me encargo.

—También necesitaremos provisiones —interviene Farley—. Aceptaremos los alimentos que consigas, aunque sería preferible que nos dieras ropa de invierno.

Otra inclinación de cabeza.

—Lo intentaremos, por supuesto —dice Ellie—. Tendré listo lo que podamos daros tan pronto como sea posible. Pero quizá necesitaré un par de manos extra.

—Aquí están —se ofrece Crance.

Su corpulencia ciertamente ayudará a acelerar las cosas.

No puedo creer en la buena disposición de Ellie, como tampoco Farley. Intercambiamos elocuentes miradas mientras la señora se pone a trabajar y abre armarios y duelas, que dejan ver compartimentos ocultos en toda la casa.

—Gracias por tu cooperación —le dice Farley por encima del hombro, con discreto recelo.

Al igual que yo, vigila cada paso de la mujer. Aunque vieja, es dinámica, y me pregunto si realmente estamos solos en esta casa.

—Como ya he dicho, sigo las órdenes de la comandancia, y ellos corrieron la voz: ayuden a toda costa a la capitana Farley y a la Niña Relámpago —dice Ellie, pese a que no se toma la molestia de mirarnos.

Levanto las cejas, impactada y agradablemente sorprendida.

—Tendrás que ponerme al corriente de eso —le mascullo a Farley.

Me impresiona de nuevo lo organizada y profundamente arraigada que está la Guardia Escarlata.

—Después —replica—. ¿Dónde encontraremos a la familia Marcher?

Mientras Ellie da las indicaciones, me acerco a Harrick y a Nix. Aunque éste es el primer reclutamiento de Harrick, para Nix es pan comido, y tiene razón. He perdido la cuenta del número de veces que nos ha acompañado ya a territorio hostil, y le estoy muy agradecida por eso.

—¿Estáis listos, muchachos? —pregunto al tiempo que flexiono los dedos. Nix hace cuanto puede por parecer rudo e indiferente, un veterano de nuestras misiones, pero advierto la chispa de temor en los ojos de Harrick—. Esto no será tan difícil como nuestro arribo. Ahora hay menos personas que esconder, y los agentes no se molestarán en mirar en esta ocasión.

—Gracias, Mare.

Se endereza y saca el pecho en tanto me sonríe. Yo le devuelvo la sonrisa, aunque su voz tiembla cuando dice mi nombre. La mayoría de ellos no sabe cómo llamarme. Mare, señorita Barrow, Niña Relámpago, algunos incluso me dicen *milady*. El sobrenombre duele, pero no tanto como este último apelativo. Haga lo que haga y por más que intente ser uno de ellos, me ven como algo aparte. Como un líder o un leproso. Siempre un extraño. Siempre distinto.

En el callejón, Crance comienza a cargar la carreta sin ocuparse en vernos desvanecer con la gracia de una sombra Plateada. A pesar de esta semejanza, Harrick puede no sólo curvar la luz y crear brillo y oscuridad, también puede invocar lo que quiera: un árbol, un caballo, otra persona. Ahora que estamos en la calle, nos disfraza de misteriosos Rojos, con caras sucias y capuchas. Somos insignificantes, incluso los unos para los otros. Me dice que esto es más fácil que hacernos desaparecer, y una opción mejor en medio de la muchedumbre. La gente no se sorprenderá de chocar con el viento.

Farley dirige y sigue las instrucciones de Ellie. Tenemos que cruzar la plaza del mercado y pasar frente a muchos agentes de seguridad, pero nadie repara en nosotros. Mi cabello vuela al viento y tiende ante mis ojos una cortina de color rubio claro. Casi me río. ¿*Yo*, con el pelo rubio?

La casa de los Marcher es pequeña, con un segundo piso apresuradamente construido que parece capaz de desplomarse sobre nosotros. Pero tiene un jardín encantador, repleto de enredaderas y árboles pelados. En verano debe tener un aspecto maravilloso. Pasamos por ahí y nos esmeramos en no hacer crujir las hojas secas.

—Ahora somos invisibles —farfulla Harrick.

Cuando miro en su dirección, me doy cuenta de que ya no está ahí. Sonrío, aunque nadie pueda verlo.

Alguien llega a la puerta trasera antes que yo y llama. No responde nadie, ni siquiera un murmullo. Quizá trabajan fuera de casa todo el día. Es Farley la que dice esto y maldice entre dientes.

—¿Esperamos? —sisea.

No puedo verla, pero veo las nubes de su aliento acumularse donde debería estar su cara.

—Harrick no es una máquina —digo por él—. Esperemos adentro.

Me dirijo a la puerta, le doy un leve golpe a Farley en el hombro y hundo una rodilla frente a la cerradura. Es simple. Podría abrirla dormida y ahora me lleva un instante. En cuestión de segundos escucho un conocido y gratificante chasquido.

La puerta se abre sobre goznes quejumbrosos y me congelo, a la espera de lo que haya dentro. Del mismo modo que el de la casa de Ellie, el interior está oscuro y aparentemente abandonado. De todas formas, aguardo un momento más y oigo con atención. No hay movimiento alguno dentro de la casa ni siento vibraciones de electricidad. Los Marcher se han quedado sin raciones o no tienen energía eléctrica. Satisfecha, hago señas por encima del hombro, pero no sucede nada. *No pueden verte, idiota.*

—Entrad —susurro, y siento a Farley en mi espalda.

Una vez que la puerta ha sido bien cerrada de nuevo, volvemos a ser visibles en un suspiro. Le sonrío a Harrick, agradecida otra vez por su habilidad y su fuerza, pero el olor me para en seco. El aire está viciado, inmóvil y algo avinagrado. Con un presuroso movimiento de la mano, quito un centímetro de polvo de la mesa de la cocina.

—Tal vez hayan huido. Muchos lo han hecho —arriesga a decir Nix rápidamente.

Algo llama mi atención, algo como el más inaudible de los susurros. No de una voz, sino de una chispa. Apenas se deja oír, tan suavemente que casi lo paso por alto. Su fuente es una canasta junto al fogón, cubierta con un manchado paño rojo. Me acerco a ella, atraída por el pequeño faro.

—Esto no me gusta. Tendremos que reagruparnos en casa de Ellie. Harrick, recupérate y prepárate para otra ilusión —ordena Farley lo más calladamente que puede.

Mis rodillas raspan las piedras de la chimenea cuando me arrodillo junto a la canasta. El olor es más fuerte aquí, y viene de la canasta. Igual que la chispa. Yo no debería hacer esto. Sé que no me gustará lo que vea. *Lo sé*, pero no puedo evitar alzar el paño. La tela es pegajosa y tiro de ella, para develar lo que oculta. Después de un segundo de aturdimiento, comprendo lo que está frente a mí.

Retrocedo, tropiezo, jadeo, casi grito. Las lágrimas ruedan por mis mejillas más pronto de lo que creía posible. Farley es la primera que llega a mi lado y me rodea con sus brazos para sostenerme.

—¿Qué es? ¿Mare, qué...?

Se detiene de súbito y se asfixia con las palabras. *Ve lo que veo.* Y los demás hacen lo mismo. Nix casi vomita y me sorprende que Harrick no se desmaye.

En la canasta hay un bebé de no más de unos días de nacido. Muerto. Y no por abandono o negligencia. El paño está teñido con su sangre. El mensaje es repugnantemente claro. *Los Marcher están muertos.*

Un puño minúsculo, cerrado con la rigidez de la muerte, sujeta el más ínfimo de los dispositivos. *Una alarma.*

—Harrick —bisbiseo entre mis lágrimas—, escóndenos —se queda boquiabierto, confundido, y le aprieto la pierna, desesperada—. ¡Escóndenos!

Desaparece ante mis ojos, justo a tiempo.

Unos agentes aparecen en las ventanas e irrumpen por las puertas con las armas en alto y gritos estentóreos.

—¡Estás rodeada, Niña Relámpago! ¡Sométete al arresto! —rugen unos detrás de otros, como si la repetición marcara alguna diferencia.

Me escondo sin hacer ruido bajo la mesa de la cocina. Espero que los demás tengan la sensatez de hacer lo mismo.

No menos de doce agentes se precipitan dentro y pisotean a diestra y siniestra. Cuatro suben las escaleras y un par de botas se detienen junto al bebé. La mano libre del agente da un tirón y sé que ve el pequeño cadáver. Después de un largo momento, vomita en la chimenea.

—¡Calma, Myros! —dice otro y lo aparta—. Pobrecito —añade cuando pasa junto al bebé—. ¿Hay algo arriba?

—¡Nada! —responde otro más mientras baja las escaleras—. Ha sido una falsa alarma.

—¿Estás seguro? El gobernador nos desollará vivos si nos equivocamos.

—¿Ve *usted* a alguien, señor?

Casi exclamo cuando el agente se agacha justo ante mí. Sus ojos viajan por todas partes bajo la mesa, escrutadores. Siento una leve presión en la pierna, es otro de los oficiales. No me atrevo a reaccionar con un movimiento y contengo la respiración.

—No —dice por fin el agente y se yergue de nuevo—. Falsa alarma. Vuelvan a sus puestos.

Se marchan tan rápido como llegaron, pero no me animo a respirar hasta que pasa mucho desde que se extinguen sus pisadas. Exhalo, me sacudo, Harrick elimina la ilusión y todos volvemos a ser visibles poco a poco.

—Bien hecho —sopla Farley y le da una palmada a Harrick en el hombro.

Lo mismo que yo, él apenas puede hablar y tienen que ayudarle a ponerse en pie.

—Podría haberme hecho cargo de ellos —gruñe Nix mientras sale rodando bajo las escaleras. Llega hasta la puerta con zancadas cortas y pone una mano en el pomo—. Aunque no me gustaría estar aquí si regresaran.

—¿Mare?

Farley toca mi brazo con delicadeza, algo especialmente raro en ella.

Veo que estoy junto al bebé y que no dejo de mirarlo. No había bebés en la lista de Julian, ningún infante menor de tres años. Éste no era un nuevasangre, al menos de acuerdo con nuestros registros o cualquier otro que Maven pueda poseer. Este niño fue asesinado sencillamente porque estaba aquí. Por ningún otro motivo en realidad.

Me quito la chaqueta con determinación. No lo dejaré así, con su propia sangre por manta.

—No, Mare. Sabrán que hemos estado aquí...

—Que lo sepan.

Se la pongo encima y resisto con todas mis fuerzas el impulso de tenderme a su lado y no volverme a levantar jamás. Mis dedos rozan su insignificante y frío puño. Hay algo adentro. *Una nota.* Sin decir nada, la meto ágilmente en mi bolsillo antes de que alguien me vea.

Cuando por fin volvemos al jet, me atrevo a leerla. Está fechada el día de ayer. El día de *ayer.* ¡Qué cerca hemos estado!

22 de octubre
Un sobre tosco, lo sé. Pero ha sido necesario. Debes estar al tanto de lo que haces, de lo que me obligas a hacerles a estas personas. Todos son un mensaje para ti, y para mi hermano. Rendíos y esto terminará. Rendíos y ellos vivirán. Soy un hombre de palabra.

Hasta que volvamos a encontrarnos.

Maven

Regresamos a la Muesca al anochecer. No puedo ingerir bocado, no puedo hablar, no puedo dormir. Los demás hablan de lo que sucedió en Templyn, pero nadie osa preguntarme nada. Aunque mi hermano lo intenta, me alejo para ocultarme en los rincones más profundos de nuestro escondite. Me encojo en el estrecho agujero que tengo como dormitorio, convencida de que debo estar sola. Otras noches, aborrezco este cuarto solitario, estar separada de los demás. Ahora lo aborrezco todavía más, pero me es imposible estar con ellos. Espero a que todos se duerman para permitirme vagar. Cojo una manta, pero no logra combatir el frío, ni de dentro ni de fuera.

Me digo que es el frescor del otoño lo que me conduce a su cuarto y no la sensación de vacío en mi interior. No el gélido abismo que se ahonda con cada fracaso. No la nota que guardo en mi bolsillo, que me traspasa de dolor.

El fuego ondula en el suelo, confinado a una llama rodeada de piedras. Incluso bajo las extrañas sombras, noto que está despierto. Sus ojos parecen encendidos, pero no iracundos y ni siquiera confundidos. Con una mano, retira las mantas de su cama y se aparta para dejarme sitio.

—Hace frío aquí —le digo.

Creo que sabe a qué me refiero.

—Farley me lo ha contado —murmura cuando me acomodo.

Desliza un brazo alrededor de mi cintura, cálido y gentil, con la única intención de reconfortarme. Aprieta el otro contra mi espalda y posa la palma en mis cicatrices.

Aquí estoy, me hace saber de esta manera.

Quiero hablarle de la propuesta de Maven. Pero ¿de qué serviría? Se negaría, como lo he hecho yo, y tendría que padecer conmigo la vergüenza de esa negativa. Sólo lo hará sufrir, lo cual es el verdadero objetivo de Maven. Y no le permitiré ganar en esto. A mí me ha vencido ya. No vencerá a Cal.

De alguna manera, caigo dormida. No sueño.

VEINTE

Desde ese día, su recámara se vuelve la nuestra. Es un acuerdo sin palabras, que nos da a ambos algo a lo cual aferrarnos. Estamos demasiado cansados para hacer mucho más que dormir, aunque estoy segura de que Kilorn sospecha otra cosa. Él ha dejado de hablarme e ignora a Cal por completo. Una parte de mí quisiera sumarse a los demás que están en los dormitorios grandes, donde los chicos susurran por la noche y Nanny los calla a todos. Esto les ayuda a convivir. Pero solamente los asustaría, así que me quedo con Cal, la única persona que no me teme en realidad.

No me impide dormir a propósito, pero lo siento agitarse cada noche. Sus pesadillas son peores que las mías y sé qué sueña exactamente. Sueña con el momento en que le cortó la cabeza a su padre. Finjo dormir entre tanto, pues sé que no le gustaría ser visto en ese estado. Pero siento sus lágrimas en mi mejilla. A veces creo que me queman, pero no despierto con nuevas cicatrices. Al menos no de aquéllas que pueden verse.

Aunque pasamos juntos cada noche, hablamos poco. No hay mucho que decir más allá de nuestros deberes. No le hablo de la primera nota ni de las siguientes. A pesar de que Maven está lejos, se las arregla para estar entre nosotros. Puedo verlo en los ojos de Cal, como si fuera un sapo metido en la cabeza del hermano para tratar de envenenarlo desde adentro. Hace lo mismo conmigo, tanto en las notas como en mis recuerdos. No sé por qué, pero no puedo destruir las unas ni los otros, y no le confío su existencia a nadie. Aunque debería quemarlas, no lo hago.

Encuentro otra carta en Corvium, durante un reclutamiento más. Sabíamos que Maven iba en esa dirección, para visitar la última ciudad de importancia antes de los cenicientos territorios del Obturador. Creímos que podríamos darle un golpe ahí. En cambio, descubrimos que el rey se había marchado ya.

31 de octubre

Te esperaba en mi coronación. Era el tipo de acto que a tu Guardia Escarlata le encantaría estropear, aunque fue muy modesto. Se supone que lloramos a mi padre todavía, y un gran evento habría parecido irrespetuoso. En especial con Cal aún ahí, al acecho, contigo y tu estirpe. Unos cuantos, muy valiosos, le siguen siendo leales, según mi madre, pero eso no importa. Ya les hacemos frente. No habrá ninguna crisis Plateada de sucesión que libre a mi hermano de tu control. Deséale si puedes un feliz cumpleaños de mi parte. Y dile que será el último. Aunque también el tuyo se acerca, ¿verdad? No dudo que lo pasaremos juntos.

Hasta que volvamos a encontrarnos.

Maven

Es su voz la que pronuncia cada palabra, y él usa la tinta como puñales. El estómago se me revuelve durante un momento y amenaza con derramar mi comida en el suelo de tierra. La náusea pasa en mí el tiempo suficiente para sacarme de la cama, alejarme del abrazo de Cal y llevarme hasta mi caja de provisiones en la esquina de nuestro cuarto. Como lo hacía en mi hogar, mantengo ocultos mis cachivaches, y dos notas más de Maven están arrugadas en el fondo.

Ambas tienen el mismo final. *Te echo de menos. Hasta que volvamos a encontrarnos.*

Siento como si unas manos en mi cuello amenazaran con hacerme exhalar mi último suspiro. Cada palabra aumenta la presión, como si la tinta pudiera estrangularme. Durante un segundo, temo no poder volver a respirar. No porque Maven insista en atormentarme. No, la razón de eso es mucho peor.

Porque yo también echo de menos a alguien. Echo de menos al chico que pensé que era él.

La marca que me hizo arde con el recuerdo. Me pregunto si él siente lo mismo.

Cal se mueve en la cama a mis espaldas, no a causa de una pesadilla, sino porque es hora de despertar. Guardo las notas deprisa y salgo de la habitación antes de que él abra los ojos. No quiero ver su lástima, al menos no todavía. Eso sería insoportable.

—Feliz cumpleaños, Cal —susurro en el túnel vacío.

He olvidado ponerme un abrigo y el frío de noviembre punza mi piel cuando salgo de la casa de seguridad. El claro está en penumbras antes del amanecer, así que apenas veo el alero del bosque. Ada está sentada sobre un leño ante los carbones apagados de una hoguera, y se cubre con una especie de abrigo atado de pañoletas y mantas de lana. Elige siempre la última guardia, ya que prefiere despertarse más temprano que el resto de nosotros. Su acelerado cerebro le permite leer los libros que le traigo sin perder de vista el bosque. Casi cada mañana, ha adquirido una nueva habilidad para el momento en que los demás nos levantamos. Tan sólo en la última semana aprendió el tírax, la lengua de una ignota nación situada al sureste, así como cirugía básica. Pese a todo, hoy no sostiene ningún libro robado ni está sola.

Ketha se halla de pie junto a la fogata, con los brazos cruzados. Mueve los labios rápidamente, pero no oigo lo que dice. Y Kilorn se acurruca junto a Ada, con los pies casi metidos en el carbón. Conforme me acerco casi a rastras, veo que arruga la frente en intensa concentración. Con una vara en la mano, dibuja unas líneas sobre la tierra. Son *letras* tosca y apresuradamente trazadas que componen rudimentarias palabras como *barco*, *arma* y *casa*. La palabra siguiente, la última, es más larga que las demás. *Kilorn*. Ver esto atrae por poco nuevas lágrimas a mis ojos, aunque son lágrimas de felicidad, algo desconocido para mí. El agujero vacío en mi interior parece contraerse, así sea solamente un poco.

—Es complicado pero vas bien —le dice Ketha, y la comisura de su boca se levanta hasta formar una sonrisa.

Ésta es una profesora de verdad.

Kilorn percibe mi presencia antes de que me acerque mucho y rompe su varita con un crujido sonoro. Hace algo que no llega a ser una inclinación, se levanta del tronco y se cuelga al hombro su mochila de caza. Su navaja reluce en su cadera, aguda y fría como los carámbanos que cuelgan de los árboles en el bosque.

—¿Qué pasa, Kilorn? —pregunta Ketha, y cuando me ve, mi figura contesta su pregunta—. ¡Ah!

—Es hora de cazar de todas formas —replica Ada al tiempo que le tiende una mano a la imprecisa sombra de Kilorn.

Pese al color rosado de su piel, las puntas de sus dedos se han puesto azuladas por el frío. Él evade su tacto y ella no toca sino un aire glacial.

No hago nada por detenerlo. Me inmovilizo en mi sitio y le cedo el espacio que con desesperación necesita. Él se sube la capucha de su chaqueta nueva, que oscurece su cara mientras mira hacia la fila de árboles. Es una muy buena cazadora de cuero pardo con forro de borreguito, perfecta para mantenerlo caliente y oculto. La robé en Haven hace una semana. No creí que la aceptara como un regalo de mi parte, pero hasta él reconoce lo importante que es el abrigo.

Mi compañía esta mañana no lo molesta únicamente a él. Ketha me mira de reojo y está a punto de ruborizarse.

—Él pidió aprender —dice, como si se disculpara.

Después pasa junto a mí, de vuelta al calor y la relativa comodidad de la Muesca.

Ada la ve marcharse con sus brillantes aunque tristes ojos dorados. Palmea el leño para invitarme a que me siente junto a ella. Cuando lo hago, arroja una de sus mantas sobre mi regazo y me arropa con ella.

—Ya ha llegado, señorita —fue doncella en Harbor Bay, y pese a su reciente libertad aún no se desprende del todo de las viejas costumbres. Me llama *señorita*, aunque le he pedido muchas veces que no lo haga—. Creo que necesitan algo de distracción.

—Ésa es una muy buena distracción. Hasta ahora, ningún otro maestro ha hecho eso por Kilorn. Tendré que darle las gracias después —*Si no huye antes*—. Todos necesitamos un poco de distracción, Ada.

Suspira en señal de acuerdo. Sus labios, carnosos y oscuros, se abultan en una amarga sonrisa de complicidad. No paso por alto que vuelve los ojos hacia la Muesca, donde la mitad de mi corazón duerme. Y después al bosque, donde el resto vaga.

—Crance está a su lado, y Farrah se les unirá pronto. No hay osos, tampoco —añade, y entrecierra los ojos contra el oscuro horizonte. De día, si la niebla se disipa, veremos las distantes montañas—. Ya guardan silencio. Dormirán durante todo el invierno.

Osos. En Los Pilares apenas teníamos venados, y mucho menos los legendarios monstruos del campo. Los astilleros, las cuadrillas de leñadores y el tránsito en el río eran suficientes para ahuyentar a cualquier animal de mayor tamaño que un mapache, pero la región de los Grandes Bosques rebosa de flora y de fauna. Magníficos ciervos con astas, zorros curiosos y el aullido ocasional de un lobo habitan las colinas y los valles. No he visto nunca a un oso realmente pesado, pero Kilorn y los demás cazadores vieron uno hace unas semanas. Sólo las apaciguadoras habilidades de Farrah y la cordura de Kilorn para mantener la dirección del viento los salvaron de sus garras.

—¿Dónde aprendiste tanto sobre los osos? —le pregunto, así sea sólo para llenar el aire con una conversación ociosa.

Aunque sabe exactamente lo que hago, me sigue la corriente de todas formas.

—Al gobernador Rhambos le gusta cazar —contesta y se encoge de hombros—. Tenía una finca a las afueras de la ciudad que sus hijos llenaron de exóticas fieras para que él las matara. Osos, especialmente. Eran unas criaturas hermosas, de pelaje negro y ojos vivarachos. Si se les dejaba en paz o estaban bajo la atención del guardabosques, eran muy tranquilos. La pequeña Rohr, la hija del gobernador, quería una cría para ella, pero mataron a los osos antes de que pudieran procrear —recuerdo a Rohr Rhambos. Pese a que era una colosa con la apariencia de un ratón, podía pulverizar una piedra entre las manos. Compitió en la prueba de las reinas hace mucho tiempo, cuando yo era una doncella igual que Ada—. Supongo que lo que el gobernador hacía no puede llamarse propiamente caza —continúa. La tristeza empaña su voz—. Metía a los animales en una fosa, donde podía pelear con ellos y quebrarles el cuello. Sus hijos lo hacían también, por diversión.

Los osos parecen bestias feroces y temibles, pero los ademanes de Ada indican otra cosa. Sus ojos vidriosos sólo pueden significar que ella vio esa fosa y que recuerda cada segundo de eso.

—¡Qué horror!

—Usted mató a uno de sus hijos, ¿sabe? Se llamaba Ryker. Era uno de los verdugos que eligieron para usted —no quise saber su nombre nunca. Jamás pregunté por aquéllos a quienes maté en el Cuenco de los Huesos, y nadie me habló de ellos. Ryker Rhambos fue electrocutado en la arena de la plaza, donde quedó reducido a mera carne ennegrecida—. Disculpe, señorita. No fue mi intención incomodarla.

Su máscara pacífica ha retornado, y con ella los perfectos modales de una mujer educada como criada. Con su habilidad apenas puedo imaginar lo terrible que debe haber sido ver pero no hablar, no poder demostrar nunca su valía ni revelar su auténtico ser. Peor todavía es pensar que, a diferencia de mí, no puede esconderse tras el escudo de una mente imperfecta. Sabe y siente tanto que esto amenaza con aplastarla. Al igual que yo, no debe detenerse nunca.

—Lo que me incomoda es que me llames *así, señorita.*

—Me temo que es un hábito.

Se revuelve en busca de algo bajo sus mantas. Oigo el ruido inconfundible de papel crujiente e imagino que veré otro boletín con detalles de la gira de coronación de Maven. En cambio, extrae un documento de apariencia oficial, aunque arrugado y con los bordes rotos. Ostenta la espada roja del ejército de Norta.

—Shade le quitó esto a un agente en Corvium.

—Al que yo freí —recorro el papel quemado y siento que el material negro y rugoso amenaza con desintegrarse. Curiosamente, éste sobrevivió, en tanto que su poseedor no pudo hacerlo—. Preparativos —balbuceo al tiempo que descifro la orden—. Para las legiones de relevo.

Asiente.

—Diez legiones que reemplazarán a las nueve que defienden las trincheras del Obturador.

La Legión de la Tormenta, la Legión del Mazo, la Legión de la Espada, la Legión del Escudo: sus nombres y número de efectivos se enumeran sin más. Cinco mil soldados Rojos en cada una de ellas, además de quinientos oficiales Plateados. Convergerán en Corvium antes de viajar juntos al Obturador, para relevar a los soldados que están en el frente. Aunque es terrible, no me interesa.

—Qué bien que hemos inspeccionado Corvium —es todo lo que se me ocurre decir—. Al menos hemos evitado a un centenar de oficiales Plateados que hubieran llegado de paso.

Pero Ada posa una mano suave en mi piel, e incluso a través de mi manga siento sus largos y hábiles dedos fríos.

—Diez para reemplazar a nueve. ¿Por qué?

—¿Una ofensiva? —no comprendo todavía el motivo de que éste sea un problema de mi incumbencia—. Quizá Maven quiere volver esto un espectáculo, demostrar que es un gran guerrero, para hacer que todos olviden a Cal...

—Es poco probable. Los asaltos de trincheras demandan al menos quince legiones, cinco de ellas para proteger y las diez restantes para marcharse —Ada parpadea, como si viera una batalla en su imaginación. No puedo menos que levantar las cejas; hasta donde sé, no contamos con expertos en táctica militar—. El príncipe sabe de guerra —explica—. Es un buen maestro.

—¿Le has enseñado esto a Cal?

Su vacilación es la única respuesta que necesito.

—Creo que es una orden criminal —murmura y baja los ojos—. Nueve legiones para que tomen sus puestos y la décima para morir.

Esto es una locura, incluso si se trata de Maven.

—No tiene lógica. ¿Por qué alguien desperdiciaría cinco mil buenos soldados?

—Su nombre oficial es la Legión de la Daga —señala el apelativo en el papel—. Como las demás, consta de cinco mil Rojos y marcha directo a las trincheras. Pero el gobernador Rhambos la llama de otra manera. La Pequeña Legión.

—¿La Pequeña...? —entiendo por fin. De repente me hallo de vuelta en la isla de Tuck, en la unidad médica, y el coronel respira en mi cuello. Él pensaba canjear a Cal, utilizarlo para salvar a los cinco mil chicos que ahora marchan ya en dirección a una tumba prematura—. Los nuevos reclutas. Los más jóvenes.

—Tienen de quince a diecisiete años. La Daga es la primera de las legiones de menores de edad que el rey juzga que están *listas para combatir* —no se molesta en ocultar su desdén—. Apenas han tenido dos meses de entrenamiento, si acaso.

Me recuerdo a los quince años. Aunque ya era una ladrona, era tímida y pequeña, y me interesaba más mortificar a mi hermana que pensar en mi futuro. Creía que escaparía a el alistamiento. Fusiles y trincheras llenas de cenizas no empezaban todavía a atormentar mis sueños.

—Serán sacrificados —se cobija entre sus mantas con una cara triste—. Creo que ésa es la idea.

Sé lo que quiere, lo que muchos querrían si se enteraran de las órdenes de Maven respecto al ejército de los jóvenes. Los muchachos que están a punto de ser enviados al Obturador son una consecuencia de las Medidas, una manera de castigar al reino por la insurrección de la Guardia Escarlata. Daría la impresión de que yo misma los he sentenciado a muerte, y no dudo que muchos estén de acuerdo con eso. Pronto habrá un mar de sangre en mis manos, y no puedo detenerlo. Será sangre inocente, como la del bebé de Templyn.

—No podemos hacer nada por ellos —bajo la mirada, no quiero ver la desilusión en los ojos de Ada—. No podemos combatir a legiones enteras.

—Mare...

—¿Se *te* ocurre alguna manera de ayudarlos? —la interrumpo con una voz ronca por la furia y se repliega en un silencio derrotado—. ¿Cómo podría hacerlo yo entonces?

—Claro. Tiene usted razón, *señorita*.

El título cortés duele, y eso es lo que ella persigue.

—Te dejo en tu guardia —mascullo mientras me incorporo sobre el leño con la orden de partida todavía en la mano.

La doblo lentamente y la guardo en el fondo de mi bolsillo.

Todos son un mensaje para ti.

Rendíos y esto terminará.

—Volaremos a Pitarus dentro de unas horas —aunque ya conoce nuestros planes de reclutamiento del día de hoy, repetírselos me ofrece algo que hacer—. Cal pilotará, así que dale a Shade una lista de las provisiones que podríamos necesitar.

—Tenga cuidado —replica—. El rey está en Delphie nuevamente, a sólo una hora de vuelo.

La sola idea de ello excita mis cicatrices. *Una hora que me separa de las tortuosas manipulaciones de Maven. De su máquina de terror que volvió mi poder contra mí.*

—¿En Delphie? ¿Otra vez?

Cal sale de la Muesca y se dirige a nosotras. Trae aplastado el cabello que hace unos momentos reposaba en la almohada, pero sus ojos no han estado nunca tan despiertos como ahora.

—¿Por qué otra vez?

—Vi un boletín en Corvium que decía que visitaría al gobernador Lerolan —responde Ada, confundida por la súbita aparición de Cal—. Para dar sus condolencias en persona.

—Por la muerte de Belicos y sus hijos.

Vi a Belicos una sola vez, minutos antes de que muriera, y se portó amablemente. No merecía el final al que yo contribuí. Y tampoco lo merecía su parentela.

Cal entrecierra los ojos ante el sol naciente. Ve algo que nosotras no podemos, algo que ni siquiera las listas y datos de Ada pueden entender.

—Maven no perdería el tiempo en algo como eso, ni siquiera para guardar las apariencias. Los Lerolan no representan nada para él, y ya ha acabado con los nuevasangre de Delphie. No regresaría ahí sin tener una buena razón.

—¿Y ésa es? —pregunto.

Él abre la boca como a la espera de que salga la respuesta correcta. Pero nada sucede, y sacude la cabeza.

—No sé.

Porque esto no es una maniobra militar. Es otra cosa, algo que Cal no comprende. Tiene talento para la guerra, no para la intriga. Éste es el dominio de Maven y de su madre, y nosotros seremos irremediablemente derrotados en su terreno de juego. Nuestra mejor opción es desafiarlos a nuestra manera, con poderío, no con la mente. *Pero para eso necesitamos más poder. Y rápido.*

—A Pitarus —digo con una voz fuerte y terminante—. Y dile a Nanny que vendrá con nosotros.

La anciana ha pedido colaborar desde que llegó aquí, y Cal cree que está lista para hacerlo. Harrick, por su parte, no nos ha acompañado a otro reclutamiento desde Templyn. No lo culpo.

No necesito que Cal me indique el sitio donde comienza la región de la Fisura. Cuando pasamos de los dominios del Rey a los del Príncipe, la diferencia es muy clara desde nuestra gran altura. El jet se remonta sobre una serie de valles entre grietas, cada uno bordeado por una continua hilera de montañas. Pareciera que fueron hechos por el hombre, pues forman largos tajos como si la tierra hubiese sido arañada con unas uñas. Pero son demasiado grandes, incluso para los Plateados. Este terreno fue producido hace miles de años por algo más poderoso y destructivo. El otoño se desborda sobre la tierra y pinta el bosque a nuestros pies con diversos matices del fuego. Estamos muy al sur de la Muesca, pero veo reductos de nieve en los picos, que se esconden del sol naciente. Al igual que los Grandes Bosques, la Fisura es una maravilla natural, aunque su riqueza estriba en el hierro y el acero, no en las maderas. Su capital, Pitarus, es la única ciudad de la región y un centro industrial. Se asienta en el delta de un río que une las acerías con el frente de guerra y las ciudades carboníferas del sur con el resto del reino. Aunque oficialmente la Fisura es gobernada por los forjadores de vientos de la Casa de Laris, es también la sede ancestral de la Casa de Samos. En su carácter de dueños de las minas de hierro y las fábricas de acero, los miembros de esta casa son quienes controlan realmente Pitarus y la Fisura. Si tenemos suerte, Evangeline estará merodeando por aquí, y yo tendré que pagarle todos sus males.

El valle entre grietas más cercano a Pitarus está a más de veinticinco kilómetros de distancia, pero ofrece una buena cobertura para aterrizar. Ésta es la más maltrecha de las pistas arruinadas, y me pregunto si no nos hemos pasado de la raya. Sin embargo, Cal mantiene el Blackrun bajo control y nos pone en tierra a salvo, aunque zarandeados.

Nanny junta las manos, deleitada por el vuelo y con su arrugada cara iluminada por una amplia sonrisa.

—¿Siempre es igual de divertido? —pregunta mientras nos mira.

Shade hace una mueca frente a ella. Todavía no se ha acostumbrado a volar, y hace cuanto puede por no perder el desayuno que lleva en su regazo.

—Buscamos a cuatro nuevasangre.

Mi voz retumba en la nave y silencia el chasquido de broches y correas. Shade se siente mejor, ha vuelto con nosotros y está sentado junto a Farley. Más allá están Nanny y el nuevasangre Gareth Baument. Éste será su tercer reclutamiento en cuatro días. Cal decidió que el antiguo domador de caballos sería una provechosa incorporación a nuestras misiones diarias. Antes trabajaba para Lady Ara Iral, cuya vasta caballeriza mantenía en la finca de la familia junto al río Capital. En la corte, todos la llamaban la Pantera, por su lustroso cabello negro y su agilidad de felino. Gareth es menos adulador, y tiende a llamarla más bien la Perra de la Seda. Por suerte, su labor para la Casa de Iral le permitió conservar su aptitud y esbeltez, aparte de lo cual sus habilidades no son nada despreciables. Cuando en nuestra primera entrevista le pregunté si sabía hacer algo especial, acabé en el techo. Gareth manipuló las fuerzas de la *gravedad* y me sostuvo sobre el suelo. Si hubiéramos estado al descubierto, yo habría terminado en las nubes. Pero eso se lo dejo a Gareth. Además de hacerlo para lanzar a la gente al aire, puede usar su habilidad para *volar*.

—Llevará a Nanny a la ciudad y ella entrará al Centro de Seguridad disfrazada del Lord General Laris —cuando la miro, me veo frente a un hombre ligeramente mayor que la mujer a la que he llegado a conocer. Se inclina ante mí y flexiona sus dedos como si no los hubiese usado nunca antes, aunque sé que no es así. Nanny se halla debajo de esa piel y finge ser un comandante Plateado de la flota aérea—. Conseguirá una impresión de los cuatro nuevasangre que viven en Pitarus y del resto de quienes residen en la región de la Fisura. Los demás operaremos a pie y Shade nos sacará a todos al final.

Como de costumbre, Farley es la primera que abandona su asiento.

—Buena suerte con ése, Nan —dice al tiempo que picotea a Gareth con un dedo—. Si te ha gustado esto, lo que él hace te encantará.

—No me agrada esa sonrisa, señorita —replica Nanny con la voz de Laris.

Aunque ésta no es la primera vez que la veo transformarse, no me habitúo todavía a su peculiar aspecto.

Gareth ríe junto a Nanny, a quien ayuda a ponerse en pie.

—Farley voló conmigo la última vez. Destrozó mis botas cuando tocamos tierra.

—No es cierto —protesta Farley, aunque se dirige de inmediato al otro extremo del avión, quizá para esconder su sonrojo.

Shade la sigue como siempre, y se lleva la mano a la boca para contener una carcajada. Ella ha estado enferma últimamente y ha hecho lo posible por ocultarlo, para diversión de todos.

Cal y yo somos los últimos en bajar de la aeronave, aunque no tengo motivo para esperarlo. Sigue los pasos habituales de accionar clavijas y mover interruptores que apagan diferentes partes del jet en rápida sucesión. Siento cómo cada uno de ellos se hunde en una muerte eléctrica hasta que lo único que permanece es el grave zumbido de las baterías llenas. El silencio pulsa al mismo ritmo que mi corazón palpitante, y de pronto no puedo bajar del jet con la suficiente celeridad. Algo me asusta de estar sola con Cal, por lo menos de día. Pero al caer la noche, no hay nadie a quien quiera ver más.

—Deberías hablar con Kilorn.

Su voz me detiene a medio paso y me congela en plena rampa.

—No quiero hacerlo.

El calor aumenta conforme él se acerca a mí.

—Es curioso, sueles ser buena para mentir.

Tan pronto como giro sobre mis talones, me veo ante su pecho. El traje de vuelo, impecable cuando se lo puso la primera ocasión, hace más de un mes, muestra ahora claras señales de desgaste. Aunque hace lo que puede por no involucrarse en nuestras luchas, el fragor de la batalla lo ha tocado de todas formas.

—Lo conozco mejor que tú, y nada que yo diga lo librará de su berrinche.

—¿Sabes que querría venir con nosotros? —sus ojos se ensombrecen y los párpados le pesan. Su apariencia es la misma que ofrece momentos antes de caer dormido—. Me lo pide todas las noches.

Mi estancia en la Muesca me ha vuelto torpe y predecible. No dudo que Cal perciba la confusión que siento, o las bajas corrientes de los celos.

—¿Te *dirige* la palabra? No habla conmigo *gracias a ti*, así que por qué diablos...

Sus dedos están bajo mi mentón de repente y ladea mi cabeza para que no pueda desviar la mirada.

—No está enfadado conmigo. No está enfadado porque nosotros... —es su turno de callar—. Te respeta y sabe que debe dejarte tomar tus propias decisiones.

—Eso fue lo que me dijo.

—Pero tú no le crees —mi silencio es respuesta suficiente—. Sé por qué piensas que no puedes confiar en nadie, por mis colores, lo sé. Pero no puedes pasar por esto sola. Y no digas que cuentas conmigo, porque ambos sabemos que no crees en eso tampoco.

El dolor que hay en su voz casi me aplasta. Sus dedos tiemblan contra mí.

Retiro lentamente la cara de sus dedos.

—No iba a decirlo.

Es una mentira a medias. No siento ningún derecho sobre Cal y no me permitiré confiar en él, pero tampoco puedo distanciarme de él. Cada vez que lo intento, regreso.

—No es un niño, Mare. No tienes que protegerlo ya.

¡Y pensar que Kilorn ha estado enfadado todo este tiempo

porque quiero mantenerlo con vida! Esta idea casi me hace reír. ¿Cómo me atrevo a hacer tal cosa? ¿Cómo me atrevo a querer mantenerlo a salvo?

—Tráelo la próxima vez. Permítele que vaya a dar a una tumba —sé que oye el temblor en mi voz, aunque pretende ignorarlo cortésmente—. ¿Y desde cuándo tú te preocupas por él?

Apenas oigo su respuesta mientras me aparto.

—No te estoy diciendo esto por su bien.

Los demás esperan en la pista. Farley se atarea en sujetar a Nanny del pecho de Gareth, y usa para ello un arnés provisional de uno de los asientos del avión, pero Shade se mira los pies. Oyó cada una de nuestras palabras, a juzgar por su serio aspecto. Me mira cuando pasamos, sin decir nada. Recibiré otro regaño más tarde, pero por ahora nuestra atención está puesta en Pitarus, y es de esperar que en otro reclutamiento exitoso.

—Brazos adentro, cabeza gacha —dice Gareth para instruir a Nanny.

Ante nuestra vista, ella deja de ser el voluminoso Lord General y se convierte en un sujeto más pequeño y delgado. Ajusta las cintas en consecuencia.

—Me siento más ligera de esta forma —explica con una risita.

Después de largos días de graves conversaciones y noches sin descanso, verla así me hace reír sin traba. Escapa a mi control, y tengo que cubrir mi boca con la mano.

Gareth palmea con fastidio la coronilla de Nanny.

—No dejas de asombrar nunca, Nan. Puedes cerrar los ojos si quieres.

Ella sacude la cabeza.

—Los he tenido cerrados toda la vida —dice—. No volveré a cerrarlos nunca más.

Cuando yo era niña y soñaba con volar como un ave, jamás imaginé algo como esto. Las piernas de Gareth no se doblan, sus músculos no se tensan. No se despega del suelo. En cambio, sus palmas se aplanan de forma paralela a la pista y él empieza simplemente a *elevarse*. Sé que la gravedad a su alrededor se afloja, como si un hilo se desatara. Asciende con Nanny bien sujeta y cada vez más rápido, hasta convertirse en una mancha en el cielo. El hilo se tensa de pronto y tira del puntito hacia la tierra, y luego arriba y abajo en arcos perfectamente ondulados. Se tensa y se relaja hasta que ellos desaparecen en la cresta más próxima. Desde aquí, la experiencia parece casi apacible, aunque dudo que yo lo compruebe alguna vez. El jet es suficiente vuelo para mí.

Farley es la primera que deja de ver el horizonte para continuar con nuestra tarea. Señala la colina que se alza sobre nosotros, coronada por árboles rojos y dorados.

—¿Nos vamos?

Avanzo en respuesta y fijo un buen ritmo para subir y atravesar la cresta. De acuerdo con nuestra ya vasta colección de mapas, la aldea minera de Rosen, o lo que alguna vez fue Rosen, debe estar al otro lado. Un incendio destruyó el lugar hace años y obligó a Rojos y Plateados por igual a abandonar aquellas valiosas aunque volátiles minas. Según las lecturas de Ada, se les abandonó de la noche a la mañana, así que es probable que contengan abundantes provisiones para nosotros. Por ahora, mi único propósito es cruzar, así sea sólo para ver lo que podemos traer de regreso.

El olor a ceniza es lo primero que percibo. Cubre el lado oeste de la cuesta y se intensifica a cada paso que damos hacia el pico. Farley, Shade y yo nos tapamos la nariz con las pañoletas, pero a Cal no le molesta el fuerte aroma a humo. *Bueno, no tiene por qué molestarle.* En cambio, lo aspira, vacilante.

—Esto arde todavía —susurra y mira los árboles. A diferencia del lado contrario de la cresta, aquí los robles y olmos parecen estar muertos. Sus hojas son escasas, sus troncos grises y ni siquiera crece maleza entre sus raíces nudosas—. En un lugar muy profundo.

Si él no estuviera con nosotros, yo temería al fuego permanente del carbón. Pero ni el calor al rojo vivo de las minas es rival digno de él. El príncipe podría conjurar una explosión si quisiera, así que continuamos nuestra marcha por el bosque moribundo en medio de un satisfecho silencio.

Varios pozos de minas salpican la ladera, cada uno apresuradamente tapiado. Uno echa humo, que deja un rastro apagado de nubes grises mientras se eleva en el neblinoso cielo. Farley refrena el impulso de investigar, pero está presta para trepar por las ramas bajas o las rocas. Explora el área con callada minuciosidad, sin bajar la guardia en ningún momento. Y está siempre a unos pasos de Shade, quien no le quita los ojos de encima. Esto me recuerda a Julian y a Sara, quienes daban la impresión de ser dos bailarines que se moviesen al compás de una melodía que nadie más podía oír.

Rosen es el lugar más gris que yo haya visto nunca. Varias capas de ceniza cubren la aldea como si fueran nieve, flotan en el aire en corrientes y abrazan los edificios en oleadas en su mitad superior. Incluso impiden ver el sol, así que circundan la aldea con una permanente nube de bruma. Esto me recuera las barriadas de los tecnos en Gray Town, aunque ese apestoso lugar palpitaba todavía como un corazón lento y ennegrecido. Esta aldea está muerta desde hace mucho tiempo, y fue víctima de un accidente, una chispa en lo hondo de las minas. Lo único que sigue en pie es la calle principal, una desafortunada mezcla de tiendas de ladrillo y casas de madera. El resto se desplomó o se quemó. Me pregunto si entre las cenizas que respiramos no girará el polvo de muchos huesos. No hay electricidad aquí. No siento nada, ni siquiera una pequeña bombilla. Una cuerda de tensión se suelta en mi pecho. Rosen se extinguió hace mucho tiempo y no representa daño alguno para nosotros.

—Comprobad las ventanas.

Ellos siguen mi ejemplo y limpian los escaparates de cristal con mangas ya sucias. Entrecierro los ojos y veo el más pequeño de los edificios en pie todavía, no pasa de ser un armario apretujado entre un destruido puesto de seguridad y una escuela semiderruida. Cuando mis ojos se adaptan a la débil luz, me doy cuenta de que miro filas interminables de libros aglomerados en estantes, lanzados en pilas al azar y dispersos por el polvoso suelo. Sonrío contra el vidrio y sueño en la enorme cantidad de tesoros que podré llevarle a Ada.

Un golpe me pone los nervios de punta. Cuando me doy la vuelta para seguir el ruido, veo a Farley frente a un aparador. Sostiene una pieza de madera y hay vidrio a sus pies.

—Estaban atrapados —explica y señala la tienda.

Después de un momento, una bandada de cuervos sale disparada por la ventana rota. Desaparecen en el cielo gris, aunque sus graznidos repican mucho después de haber partido, como si fueran niños que sufren.

—¡Por mis colores...! —maldice Cal para sí y sacude la cabeza en dirección a Farley.

Ella se limita a alzarse de hombros y a sonreír.

—¿Lo he asustado, su alteza?

Cal abre la boca para responder, con las comisuras de la boca en forma de una sonrisa ya, pero alguien lo interrumpe.

Una voz que no reconozco y que procede de una persona a la que no he visto nunca.

—Todavía no, Diana Farley —se diría que este hombre es una materialización de la ceniza. Su piel, su cabello y sus ropas son tan grises como la muerta aldea, pese a lo cual sus ojos son de un horrible y luminoso rojo sangre—. Aunque lo harás. Todos vosotros lo haréis.

Cal invoca su fuego, yo acudo a mi relámpago y Farley levanta su arma en dirección del hombre gris. Nada de esto lo asusta. Da un paso al frente y su mirada carmesí tropieza conmigo.

—¡Mare Barrow! —suspira, como si mi nombre le produjera un gran dolor. Sus ojos se humedecen—. Siento como si ya te conociera.

Nadie se mueve, petrificados por esta visión. Me digo que eso se debe a sus ojos, o a su largo y canoso cabello. Su apariencia es muy peculiar, incluso para nosotros. Pero no es lo que me tiene paralizada en mi sitio. Algo más me ha puesto nerviosa, un instinto que no entiendo. Aunque este hombre se muestra encorvado por la edad e incapaz de lanzar un puñetazo, y menos todavía de pelear con Cal, no puedo evitar que me inspire temor.

—¿Quién es usted? —resuena mi temblorosa voz en el pueblo vacío.

El hombre gris ladea la cabeza y nos mira por turnos. Su cara se alarga a cada segundo, al grado que pienso que podría romper a llorar.

—Los nuevasangre de Pitarus están muertos. El rey os espera ahí —antes de que Cal pueda abrir la boca para preguntar lo que todos pensamos, el hombre gris levanta una mano—. Lo sé porque lo he visto, Tiberias. Así como te vi venir a ti.

—¿Qué quiere decir con que lo *vio*? —reclama Farley y da

pasos rápidos hacia él. Su arma sigue tensa en su mano, está lista para ser usada—. ¡Responda!

—¡Qué genio, Diana! —responde él y se desplaza hasta su lado con pies asombrosamente ágiles.

Ella parpadea perpleja y se lanza al ataque, con la intención de apresarlo. Él la esquiva de nuevo.

—¡Alto, Farley! —ordeno, para mi propia sorpresa. Ella me mira con sorna pero obedece y se da la vuelta, para quedar detrás del desconocido—. ¿Cómo se llama, señor?

Su sonrisa es tan gris como su cabello.

—Eso no tiene importancia. Mi nombre no está en tu lista. Vengo de más allá de las fronteras de tu reino.

Antes de que yo pueda preguntarle el motivo de que esté al tanto de la lista de Julian, Farley lo acomete por la espalda. Aunque ella no hace ningún ruido ni él puede verla, se quita fácilmente de su camino. Ella cae de bruces sobre la ceniza maldiciendo, pero se pone de pie en un segundo y apunta con su arma al corazón del sujeto.

—¿Evitará esto? —gruñe y permite que una bala emita un chasquido cuando cae en su lugar.

—No tendré que hacerlo —contesta él con una sonrisa sardónica—. ¿No es así, señorita Barrow?

Por supuesto.

—Déjalo en paz, Farley. Es otro nuevasangre.

—Usted es... usted es un ojo —suspira Cal y arrastra los pies por la calle terrosa—. Ve el futuro.

El hombre ríe y agita una mano.

—Un ojo ve únicamente lo que está buscando. Su visión es más corta que una hoja de hierba —nos mira fijamente otra vez, con una tristeza escarlata—. Pero yo lo veo todo.

VEINTIUNO

Sólo cuando entramos en la cáscara quemada de la taberna de Rosen, el hombre gris habla de nuevo y se presenta mientras tomamos asiento alrededor de una mesa chamuscada. Su nombre es asombrosamente simple: *Jon*. Y su presencia es lo más inquietante que yo haya experimentado jamás. Cada vez que me mira, con ojos que son del color de la sangre, tengo la sensación de que puede ver a través de mi piel y hasta la cosa retorcida a la que yo antes llamaba corazón. Pero me reservo mis pensamientos, así sea sólo para concederle a Farley más espacio para desahogar sus agravios. Ella alterna entre la queja y el alarido y alega que no podemos confiar en este desconocido que apareció de entre las cenizas. Shade tiene que calmarla en una o dos ocasiones y le toca los brazos para sosegarla. Entre tanto, Jon no se mueve. Mantiene una sonrisa tensa y mira los reparos de Farley. Cuando ella por fin cierra la boca, él toma la palabra.

—Os conozco muy bien a los cuatro, así que omitamos las presentaciones —dice y alza una mano en dirección a Shade, quien sofoca un sonido y retrocede un poco—. Os he encontrado porque sabía dónde estabais. No fue nada difícil coordinar mi viaje con el vuestro —agrega, y se vuelve hacia Cal.

La cara de éste palidece de rubor, pero aquél no se molesta en mirarlo. Me mira a mí, y su sonrisa se suaviza ligeramente. Él será una buena aunque repulsiva incorporación al equipo—. No tengo el propósito de acompañaros a la Muesca, señorita Barrow —es mi turno de contener la lengua. Antes de que me recupere para hacer una pregunta, él contesta por mí otra vez, y es como si me clavaran en el vientre una puñalada fría—. No, no puedo leer tus pensamientos, pero veo lo que vendrá. Por ejemplo, lo que dirás después. Supongo que eso nos ahorra un poco de tiempo.

—¡Qué eficiente! —ironiza Farley. Es la única a la que este hombre no le impresiona—. ¿Por qué no se limita a soltar lo que ha venido a decirnos? Mejor todavía, díganos sólo lo que va a suceder.

—Tu intuición te es de gran utilidad, Diana —replica e inclina su cabeza gris—. Tus amigos, la proteica y el volador, regresarán pronto. Hallaréis resistencia en el Centro de Seguridad de Pitarus y requeriréis atención médica. Nada que Diana no pueda ejecutar en su jet —Shade se dispone a levantarse de su silla, pero Jon lo aparta con un gesto—. Calma, todavía contáis con algo de tiempo. El rey no tiene intención de perseguiros.

—¿Por qué no? —Farley alza una ceja.

Los ojos carmesíes se cruzan con los míos, a la espera de que yo conteste.

—Gareth puede volar, algo que ningún Plateado conocido puede hacer. Maven no querrá que nadie vea eso, ni siquiera los soldados que le profesan una lealtad jurada —Cal asiente junto a mí, pues conoce a su hermano tanto (o tan poco) como yo—. Dijo que en su reino no había un solo nuevasangre, y desea que eso siga siendo verdad.

—Uno de sus muchos errores —cavila Jon, con voz cavernosa y apagada. Quizá ve un futuro que ninguno de nosotros puede comprender—. Pero ya descubriréis eso muy pronto.

Aunque imagino que será Farley quien haga mofa de un acertijo más, Shade se le adelanta. Se apoya en sus manos y se eleva sobre Jon.

—¿Ha venido aquí a ufanarse o sólo a hacernos perder el tiempo?

No puedo menos que preguntarme lo mismo.

El hombre gris no se mueve, ni siquiera frente al enojo moderado de mi hermano.

—Eso es justo lo que he hecho, Shade. Unos kilómetros más y Maven os habría visto llegar. ¿O habríais preferido caer en su trampa? Confieso que veo la acción, pero no el pensamiento, y quizá querríais ser encarcelados y ejecutados —mira a su alrededor con un tono desmedidamente jovial. Un lado de su boca se eleva hasta curvar sus labios en una sonrisa—. Pitarus habría terminado en muerte, e incluso en *algunos destinos peores*.

Algunos destinos peores. Bajo la mesa, Cal cierra su mano sobre la mía, como si sintiera el pavor que caracolea en mi estómago. Sin pensarlo, abro la palma, para permitir que sus dedos se encuentren con los míos. Ni siquiera me atrevo a preguntar qué peores destinos han sido planeados para nosotros.

—Gracias, Jon —digo con una voz rebosante de miedo—. Por salvarnos.

—Usted no salvó nada —reacciona Cal y me aprieta la mano—. Cualquier decisión pudo haber cambiado lo que vio. Un paso en falso en el bosque, el batir de las alas de un ave. Sé cómo ve la gente igual a usted, y lo erradas que sus predicciones pueden resultar.

La sonrisa de Jon se amplía hasta dividir su cara. Esto molesta a Cal, más todavía que su nombre de pila.

—Veo más lejos y más claro que cualquier ojo Plateado que tú conozcas. Pero será tu decisión oír lo que debo decir. Aunque al final me creerás —añade y casi pestañea—. En algún momento cercano a cuando descubras la cárcel. Julian Jacos es amigo, ¿verdad?

Nuestras manos tiemblan ya.

—Así es —murmuro, con los ojos muy abiertos y esperanzados—. Sigue vivo, ¿no es así?

La mirada de Jon fulgura de nuevo. Masculla para sí palabras inaudibles y asiente ocasionalmente. Sus dedos se tuercen sobre la mesa y se mueven para atrás y para delante como un rastrillo en la tierra labrada. *Empujan y arrastran, pero ¿qué?*

—Sí, vive. Aunque ya se ha fijado fecha para su ejecución, lo mismo que para la de... —hace una pausa mientras piensa— Sara Skonos.

Los momentos siguientes transcurren de forma extraña. Jon contesta todas nuestras preguntas antes de que las hagamos pasar por nuestros labios.

—Maven planea anunciar esas ejecuciones para tenderos una trampa a vosotros y los vuestros. Se llevarán a cabo en la prisión de Corros. No, no está abandonada, Tiberias. Fue reconstruida para encerrar a los Plateados. Cuenta con roca silente en las paredes, refuerzos de cristal de diamante y guardias militares. Los destinatarios de todo eso no son sólo Julian y Sara. Hay otros disidentes en las celdas, presos por cuestionar al nuevo rey o contrariar a su madre. La Casa de Lerolan se ha puesto particularmente difícil, lo mismo que la Casa de Iral. Y los prisioneros nuevasangre han resultado ser tan peligrosos como los Plateados.

—¿Nuevasangre? —exploto e interrumpo a Jon, aunque él prosigue, rápido como el fuego.

—Aquéllos a los que no encontrasteis, a los que disteis por muertos. Fueron raptados para observarlos, para examinarlos, aunque Lord Jacos se negó a reconocerlos. Incluso después de ejercer... persuasión sobre él —la bilis sube hasta mi boca. La persuasión sólo puede significar tortura—. Hay cosas peores que el dolor, señorita Barrow —dice Jon en voz baja—. Los nuevasangre están ahora a merced de la reina Elara. Ella quiere usarlos... con precisión —dirige sus ojos a Cal y ambos comparten una mirada llena de penoso entendimiento—. Serán armas contra los suyos, controlados por la reina y su linaje, si se les da tiempo suficiente. Y ése es un camino muy oscuro. No debéis permitir que tal cosa suceda —sus uñas sucias y agrietadas se clavan en la mesa y abren profundas hendiduras en la madera ennegrecida—. No debéis permitirlo.

—¿Qué sucederá si liberamos a Julian y a los demás? —pregunto y me inclino en mi silla—. ¿Puede ver eso?

Si miente, lo sabré.

—No. Sólo veo el camino en curso, dondequiera que vaya. Por ejemplo, la veo a usted ahora, que sobrevive a la trampa de Pitarus, sólo para morir cuatro días después. Espera demasiado tiempo para atacar Corros. ¡Ah, un momento! Esto ha cambiado ahora mismo que acabo de decírselo —otra sonrisa triste y extraña—. Hum.

—Ésas son meras patrañas —gruñe Cal y desenreda su mano de la mía. Se levanta de la mesa, lento y parsimonioso como un trueno cuando se desencadena—. La gente enloquece cuando escucha predicciones como las suyas, se echa a perder con el conocimiento de un futuro incierto.

—No tenemos más prueba que sus palabras —se inmiscuye Farley. Por una vez, está de acuerdo con Cal, lo cual les sorprende a ambos. Echa para atrás su silla con ademanes rápidos y violentos—. Y unos cuantos *trucos de payaso.*

Trucos de payaso. Predecir lo que afirmaremos, adivinar los ataques de Farley antes de que ella los ejecute no es tal cosa. Pero es más fácil creer que Jon es una imposibilidad. Por eso todos creyeron las mentiras que Maven propagó sobre mí, sobre los nuevasangre. Vieron mi poder con sus propios ojos y decidieron confiar en lo que podían entender antes que en lo que era cierto. Les haré pagar su insensatez, pero no cometeré su error. Algo en Jon me hace vibrar, y la intuición me indica que debo tener fe, no en él sino en sus visiones. Lo que dice es cierto, aunque su razón para decírnoslo podría ser menos que honorable.

Su exasperante sonrisa ondea y se dobla en un entrecejo fruncido que delata un rápido temperamento.

—Veo que la corona derrama sangre. Una tormenta sin truenos. Sombras que se retuercen en un lecho de llamas —la mano de Cal da un tirón en su costado—. Veo lagos que inundan sus playas, que tragan a hombres completos. Veo un hombre con un ojo rojo, de abrigo azul y cuya pistola humea...

Farley azota el puño contra la mesa.

—¡Basta!

—Yo le creo.

Estas palabras tienen un sabor raro.

No puedo confiar ni en mis propios amigos, pero he aquí que establezco una alianza con un maldito desconocido. Cal me mira como si me hubiera salido otra cabeza y sus ojos gritan una pregunta que él no se atreve a enunciar. Me limito a encogerme de hombros y a evitar el peso atroz de los ojos rojos de Jon. Me recorren, examinan cada palmo de la Niña Relámpago. Por primera vez en siglos, deseo seda y una armadura de plata, para parecer el líder que pretendo ser. Tiemblo en mi suéter raído, con el que trato de ocultar mis cicatrices y mis huesos. Me alegra que él no pueda ver mi marca, aunque algo me dice que está al tanto de ella de todas formas.

¡Arriba ese ánimo, Mare Barrow! Tras hacer un extraordinario acopio de fuerza, levanto el mentón y me revuelvo en mi silla, con lo que, en efecto, les doy la espalda a los demás. Jon sonríe bajo la luz cenicienta.

—¿Dónde está la cárcel de Corros?

—¡Mare...!

—Podéis dejarme ahí de camino —le digo bruscamente a Cal, sin molestarme en ver caer el golpe verbal—. No voy a permitir que ellos sean convertidos en los títeres de Elara. Y no abandonaré a Julian, otra vez no.

Las líneas en la cara de Jon se vuelven más pronunciadas y hablan de muchas y penosas décadas. Es menos viejo de lo que había pensado, oculta su juventud detrás de sus arrugas y su cabello gris. ¿Cuántas cosas ha tenido que ver para terminar así? *Todas*, comprendo. *Todas las cosas horribles o maravillosas que pueden haber ocurrido alguna vez. Muerte, vida y todo lo que existe entre ambas.*

—Usted es justo como creí que sería —balbucea mientras cubre mis manos con las suyas. Las venas que cruzan su piel son azules y violetas y están llenas de sangre roja. Verlas me procura un enorme consuelo—. Doy gracias por haberla conocido.

Le dedico una escueta aunque complacida sonrisa, que es lo más que puedo hacer.

—¿Dónde está esa cárcel?

—Ellos no le permitirán ir sola —mira por encima de mi hombro—. Ambos lo sabemos, ¿verdad?

Un rubor caliente sube hasta mis mejillas y tengo que asentir. Jon reproduce esa acción antes de que dirija su mirada a la mesa. La mirada ausente retorna y él retira las manos. Se pone trabajosamente de pie y contempla todavía algo que nosotros no podemos ver. Olfatea y se alza el cuello, y nos invita con señas a hacer lo mismo.

—Va a llover —advierte segundos antes de que un aguacero se desplome en el techo sobre nosotros—. Es una lástima, pero tendremos que caminar.

Me siento una rata ahogada cuando llegamos al jet, después de haber caminado por el lodo bajo una lluvia torrencial. Jon fija un paso firme, aunque aminora una o dos veces, para *ajustar las cosas*, dice. Segundos más tarde el avión aparece ante nuestra vista y comprendo a qué se refería. Gareth cae del cielo como si fuera un meteoro cada vez más pausado envuelto en sangre y ropa mojada. Aterriza bien y el bulto que lleva en sus brazos, en apariencia un bebé, brinca en el aire y se transforma ante nuestros ojos. Los pies de Nanny pisan fuertemente en el suelo, y ella tropieza y cae sobre una rodilla deteriorada por los años. Shade llega de un salto hasta ella, para sostenerla mientras Farley se echa al hombro el brazo de Gareth. Éste se deja caer gustosamente en ella, con lo que compensa una pierna inutilizada de la que gotea sangre.

—Nos tendieron una emboscada en Pitarus —se queja, enojado y apesadumbrado al mismo tiempo—. Nanny salió ilesa, pero a mí me rodearon. Tuve que destrozar una manzana entera antes de partir.

Aunque Jon nos aseguró que no habría persecución, no puedo menos que observar el cielo oscuro. Cada una de las nubes tiene el aspecto de un avión, pero no oigo ni siento nada salvo los tremores distantes de los truenos.

—No vendrán, señorita Barrow —dice Jon, quien hace retumbar su voz por encima de la lluvia.

Muestra otra vez una sonrisa disparatada. Pese a que Gareth lo mira confundido, asiente.

—No creo que nadie nos haya seguido —dice, y remata con un aullido de dolor.

Farley lo agarra con fuerza de nuevo para asumir casi todo su peso. Aunque lo ayuda a aproximarse al jet, su atención está puesta en Jon.

—¿La bestezuela estaba ahí?

Gareth asiente.

—Había centinelas, así que el rey no podía estar lejos.

Ella maldice, aunque no sé con quién está más enfadada: si con Maven por emboscar a nuestros amigos o con Jon por haber acertado.

—La pierna parece peor de lo que está —dice Jon sobre el ruido de la lluvia y señala a Gareth, a quien Farley ayuda ya a subir la rampa y abordar el avión. Después agita el dedo hacia Nanny, la cual está acuclillada todavía y apoyada en Shade—. Ella está helada y exhausta. Le harían bien unas mantas.

—¡No soy ninguna vieja para que me arropen y me encierren! —protesta Nanny desde el suelo. Se pone en pie lo más rápido que puede y le lanza a Jon una mirada ardiente—. Déjame caminar, Shade, o te convertiré en un olvido.

—Como tú digas, Nanny —tartajea Shade y reprime una sonrisa mientras ella pasa altaneramente a su lado.

Él le concede bastante espacio para moverse, aunque sin alejarse demasiado. Nanny sube al jet llena de orgullo, con la cabeza en alto y la espalda demasiado recta.

—Ha hecho eso a propósito —espeta Cal en tanto pasa a empujones junto a Jon. No se molesta en mirar atrás, pese a que éste ríe en dirección a su figura que marcha en retirada.

—Y ha dado resultado —dice, tan bajo que sólo yo puedo oírlo.

Confía en la visión, no en el hombre. Una buena lección por aprender.

—Cal no soporta los juegos psicológicos —le advierto y alzo una mano en punta. La chispa de un relámpago desciende por mi dedo. La amenaza es tan clara como el día—. Y yo tampoco.

—Yo no me ando con jueguecitos —Jon se encoge de hombros y golpetea un lado de su cabeza—. Ni siquiera cuando era niño. Eso me dificultó un poco hallar competencia.

—Eso no es...

—Sé lo que ha querido decir, señorita Barrow.

Su plácida sonrisa, que en algún momento me resultó perturbadora, se ha vuelto frustrante. Giro sobre mis talones y me dirijo al avión, aunque después de un par de rápidos pasos me doy cuenta de que Jon no me sigue.

Mira la lluvia, pero sus ojos están muy abiertos y brillan. Una visión no ha terminado de cobrar plena forma. Se queda quieto y disfruta de la sensación del frío, del agua limpia que quita la ceniza de su piel.

—Éste es el momento de dejarla.

El pulso del jet que cobra vida reverbera en mi tórax, aunque parece distante, sin importancia. Lo único que puedo hacer es mirar a Jon. Bajo la mortecina luz de la tempestad, él parece desvanecerse. Es gris como la ceniza, gris como la lluvia, fugaz como ambas.

—Pensé que nos ayudaría con lo de la cárcel, ¿sabe? —le digo con una voz a la que le permito que se ahogue en la desesperación. Esto no parece importarle, así que pruebo otra táctica—. Maven lo persigue a usted también. Nos está matando a todos, y lo matará a usted cuando se le presente la oportunidad.

Eso lo hace reír tan fuerte que se dobla.

—¿Cree que desconozco el momento en que moriré? Por supuesto que no, señorita Barrow, y no será a manos del rey.

Mis dientes rechinan de irritación.

¿Cómo es posible que se marche? Todos los demás han decidido luchar. ¿Por qué él no?

—Sabe que puedo forzarlo a venir con nosotros.

Bajo el aguacero gris, mi rayo chispea dos veces más brillante. Purpúreo, sisea en la lluvia, ondula entre mis dedos y me hace sentir escalofríos de placer.

Jon sonríe nuevamente.

—Sé que puede hacerlo, y que no lo hará. Pero no se desanime, señorita Barrow. Volveremos a vernos —ladea la cabeza mientras piensa—. Sí, sí, así será.

No hago más que lo que prometí. Le doy a escoger. De todas formas, tengo que hacer un esfuerzo sobrehumano para no arrastrarlo a la nave.

—¡Lo necesitamos, Jon!

Él retrocede ya. Es menos visible a cada paso.

—¡Confíe en mí cuando le digo que no es así! La dejo con estas instrucciones: vuele hasta las afueras de Siracas, al lago de la Menuda Espada. Proteja lo que halle ahí, o sus amigos presos morirán —*Siracas, el lago de la Menuda Espada.* Repito las palabras hasta que me las aprendo de memoria—. No lo haga mañana, no esta noche, sino ahora. *Debe* volar ahora mismo.

El rugido del jet aumenta al punto de que el aire vibra con la tensión.

—¿Qué deberemos buscar ahí? —pregunto a gritos sobre el estruendo mientras me cubro con una mano para proteger mi cara de la lluvia. Aunque pica, entrecierro los ojos, así sea sólo para ver la última silueta del hombre gris.

—¡Lo sabrán! —brota de la lluvia—. Y dígale a Diana, cuando ella dude, que la respuesta a su pregunta es sí.

—¿Qué pregunta?

Alza un dedo, casi en señal de reprimenda.

—Cuide de su destino, Mare Barrow.

—¿Y cuál es mi destino?

—Ascender. Ascender sola —esta frase ulula como el aullido de un lobo—. Veo aquello en lo que podría convertirse, ya no el rayo sino la tormenta. La tormenta que envolverá al mundo entero.

Durante una fracción de segundo se diría que sus ojos cintilan. El rojo arde sobre el gris para traspasarme, para asomarse en cada futuro. Los labios de Jon se curvan hasta componer esa sonrisa enloquecedora y permiten que sus dientes destellen bajo la luz plateada. De repente, ya no está ahí.

Cuando subo sola al jet, Cal tiene la prudencia de dejarme arder a fuego lento en mi enojo. La desesperación es lo único que ahoga mi furia. *Ascender sola. Sola.* Clavo mis uñas en la palma de mi mano con la vana ilusión de aplacar con dolor la tristeza. *Los destinos pueden cambiar.*

Farley no es tan diplomática como Cal. Se vuelve mientras venda la pierna de Gareth, con los dedos pegajosos por la sangre escarlata, y mira con sorna.

—Bueno, de todas formas no necesitábamos a ese viejo chiflado.

—Ese viejo chiflado podría haber ganado esta guerra en un instante —Shade le da un golpecillo en el hombro, por el que obtiene a cambio una mirada siniestra—. Piensa en lo que puede hacer con su habilidad.

Cal frunce el ceño en el asiento del piloto.

—Ya ha hecho suficiente —me ve ocupar el sillón junto a él sin abandonar su furia—. ¿Realmente quieres tomar por asalto una cárcel secreta hecha para personas como nosotros?

—¿Preferirías dejar morir a Julian? —recibo por única respuesta un silbido apagado—. Eso es lo que pensaba.

—Está bien —suspira y deja el jet en marcha lenta. Las llantas rebotan bajo nosotros, mientras ruedan sobre una pista accidentada—. Tenemos que reagruparnos, hacer un plan juntos. Quien quiera venir es bienvenido, menos los chicos.

Menos los chicos. Estoy de acuerdo. Mi mente vuela hasta Luther y los demás muchachos nuevasangre que viven en la Muesca. Son demasiado jóvenes para pelear, aunque no lo suficiente para verse libres de la persecución de Maven. No les gustará quedarse, pero sé cómo los cuida Cal. No permitirá que ninguno vea el lado equivocado de un arma.

—Sea lo que sea, contad conmigo —Gareth nos mira junto a Farley y aprieta los dientes para aguantar el dolor de su pierna—. Aunque me gustaría saber en qué me estoy metiendo.

Nanny ríe y le asesta un golpe con su mano huesuda.

—Que te hayan disparado en la pierna no quiere decir que puedas dejar de prestar atención. Es una irrupción en una cárcel.

—En efecto, Nan —aprueba Farley—. Y es también un proyecto destinado al fracaso, si me lo preguntas a mí. Como prestar oídos a un loco.

Eso aplaca incluso las bromas de Nanny. Fija en mí una mirada que sólo una abuela podría poner.

—¿Es cierto, Mare?

—*Loco* es un poco brusco —farfulla Shade, aunque no niega lo que todos piensan. Soy la única que cree en Jon, y ellos confían en mí lo suficiente para seguir esa intuición—. Acertó en lo de Pitarus y en todo lo demás que dijo. ¿Por qué habría de mentir acerca de la cárcel?

Ascender, y ascender sola.

—¡No ha mentido!

Mi grito hace callar a todos hasta que sólo se escucha el rumor de los motores de la nave. Aumenta hasta volverse un rugido familiar y uniforme que hace retemblar el aparato, y pronto el pavimento se pierde en la distancia. La lluvia choca contra las ventanas y nos impide ver, pero Cal es demasiado bueno para permitir que nos vengamos abajo. Momentos después, atravesamos clamorosamente las plomizas nubes y accedemos al sol radiante del mediodía. Es como si nos quitaran un gran peso de encima.

—Llévanos al lago de la Menuda Espada —murmuro—. Jon dijo que ahí encontraríamos algo que nos ayudará.

Suponía que habría más discusiones, pero nadie se atreve a contrariarme. No es prudente enfadar a una niña relámpago cuando se vuela en un tubo de metal.

Los truenos evolucionan en las nubes bajo nuestros pies como un presagio de los rayos que se abatirán en la tempestad. Caen relámpagos grandiosos, y siento cada uno de ellos como una prolongación de mí. Sueltos aunque afilados como el cristal, destruyen todo a su paso. La Menuda Espada no está lejos, en el extremo norte de la tormenta, y refleja el cielo limpio como un espejo. Cal da una vuelta entera, lo bastante alta y sumergida en las nubes para disimular nuestra presencia, antes de detectar una pista semisepultada en las arboladas colinas en torno al lago. Cuando tocamos tierra, me levanto de mi asiento casi de un salto, aunque no tengo ni idea de qué es lo que busco.

Shade está detrás de mí cuando bajo corriendo la rampa, ansiosa de llegar al lago. Éste se encuentra un kilómetro y medio al norte, si la memoria no me falla, y permito que mi brújula interior tome el mando. Pero apenas voy llegando a la arboleda cuando una conocida estridencia me para en seco.

El chasquido de un arma.

VEINTIDÓS

Ella empuña mal la pistola. Hasta yo lo sé. Es demasiado grande para su tamaño y está hecha de un reluciente metal negro y con un cañón de casi treinta centímetros de longitud. Se trata de un arma más apropiada para un soldado que para una adolescente frágil y temblorosa. *Un soldado,* comprendo con fría claridad. *Un Plateado.* Es un arma del mismo tipo que aquélla con la que un centinela me disparó hace mucho en las celdas recónditas de la Mansión del Sol. Sentí la bala como un martillazo que atravesara directamente mi columna. Habría muerto si no hubiera sido por Julian y un sanador de la sangre que se hallaba bajo su control. Pese a mi habilidad, levanto las manos con las palmas abiertas en señal de rendición. Soy la Niña Relámpago, no un ser a prueba de balas. Dado que ella interpreta esto como una amenaza y no como una muestra de sumisión, se tensa y su dedo se aproxima demasiado al gatillo.

—¡No te muevas! —sisea y se atreve a dar otro paso hacia mí. Su piel, del rico y profundo color de la corteza de la madera negra, le proporciona un camuflaje perfecto en el bosque. Pero cuando veo el rojo rubor de fondo y las minúsculas venas escarlatas que se enmarañan en el blanco de cada uno de sus ojos, exclamo para mí: ¡Es Roja!—. Ni se te ocurra hacerlo.

—No —le digo y ladeo la cabeza—. Aunque no puedo hablar por él.

Arruga la frente, confundida. No tiene tiempo para temer. Shade aparece a sus espaldas después de materializarse en el aire y la envuelve en un diestro abrazo militar. El arma cae de su puño y yo la agarro antes de que toque el suelo rocoso. Ella opone resistencia y gruñe, pero Shade cierra firmemente los brazos detrás de su cabeza, así que no puede hacer otra cosa que caer de rodillas. Él la sigue al suelo y la mantiene bajo estricto control, con su boca paralizada en una línea adusta. Una chica escuálida no es un rival digno de él.

La pistola produce una sensación extraña en mi mano. No es mi arma preferida, nunca he disparado una. Casi me río de esto. ¡Haber llegado tan lejos sin haber disparado una sola arma de fuego!

—¡Quítame tus Plateadas manos de encima! —brama en lo que intenta zafarse de Shade. No es fuerte, aunque sí resbaladiza, con músculos largos y esbeltos. Aplacarla es como sostener una anguila—. ¡No volveré nunca! ¡Antes tendrán que matarme!

Las chispas bullen en mi mano vacía mientras la otra sostiene el arma aún. Tan pronto como ella ve mi rayo, se congela. Lo único que mueve son los ojos, que se ensanchan de miedo.

Suelta la lengua, con la que moja sus labios resecos y cuarteados.

—Supe que te reconocería.

La hoguera de Cal trasciende su cuerpo y me envuelve en un aura cálida momentos antes de que él se deslice a mi lado. Las yemas de sus dedos arden temerosamente de azul, aunque sus llamas ceden cuando ve a la muchacha.

—Tengo un regalo para ti —farfullo, y hundo la pistola en su mano.

Él la mira y ve justo lo que yo vi.

—¿Cómo la has conseguido? —pregunta al tiempo que se pone en cuclillas para mirarla a los ojos. Sus fríos y categóricos modales me devuelven a la última ocasión en que lo vi interrogar a alguien. El recuerdo de los gritos y la sangre helada de Farley me revuelve el estómago todavía. Como ella no contesta, él se endurece en una espiral de recio músculo—. ¿*Esta* arma? ¡¿Cómo la has conseguido?!

—¡La robé! —responde furiosa y se retuerce, con lo que hace crujir sus articulaciones.

Hago una mueca junto con ella y cruzo una mirada con mi hermano.

—Déjala, Shade. Creo que podemos manejar esto de otra manera.

Él asiente y suelta de buen grado a la indómita adolescente. Ésta cae de bruces, aunque reacciona antes de morder el polvo y rechaza el intento que Cal hace de ayudarle.

—No me toques, *Lordy*.

Parece capaz de morder, con sus dientes expuestos y fulgurantes.

—¿*Lordy*? —balbucea él, quien ahora está tan confundido como ella.

Por encima de la muchacha, Shade entrecierra los ojos en señal de confirmación.

—*Lordy*, los grandes señores, los Plateados. Es el caló de los bajos fondos —nos explica—. ¿De qué aldea eres? —le pregunta con un tono más amable que el de Cal.

Esto la pilla desprevenida y lo mira con unos ojos negros que saltan de temor. Pese a todo, no deja de mirarme a mí, hechizada por las finas hileras de chispas entre mis dedos.

—De Ciudad Nueva —contesta al fin—. Me raptaron en Ciudad Nueva.

Es mi turno de agacharme para observarla de frente. Parece mi contrario, larga y esbelta mientras yo soy de baja estatura, con su cabello trenzado de un lustroso color negro mientras que el mío pasa del castaño a mechones de gris. Es más joven que yo, lo veo en su cara. Tiene tal vez quince o dieciséis años, aunque sus ojos traslucen un cansancio que excede su corta edad. Sus dedos son largos y torcidos, quizá las máquinas los han herido demasiadas veces para contarlas. Si es del suburbio de Ciudad Nueva, es una tecno, y se ha visto condenada a trabajar en las fábricas y líneas de montaje de un poblado nacido en medio del humo. Hay tatuajes en su cuello, aunque ninguno tan superfluo como el ancla de Crance. *Números*, me doy cuenta. *NT-ARSM-188907*. Grandes y gruesos, de cinco centímetros de alto, envuelven la mitad de su garganta.

—No soy guapa, ¿verdad, Niña Relámpago? —dice con desprecio cuando nota mi mirada. De sus palabras gotea desdén como lo hiciera el veneno de unos colmillos—. Aunque a ti no te gusta molestarte con cosas feas.

Su tono me irrita tanto que me siento tentada a enseñarle exactamente cuán fea puedo ser. En cambio, me adhiero a mi educación de la corte y hago lo que tantos me hicieron a mí. Le sonrío en la cara mientras suelto una risotada en secreto. Soy yo la que manda aquí, y ella debe saberlo. Su expresión se avinagra, enfadada por mi reacción.

—¿Le has robado esto a un Plateado? —insiste Cal y señala el arma. Su incredulidad es evidente para todos—. ¿Quién te ayudó?

—Nadie. Deberías saber eso por experiencia —reclama—. Tuve que hacerlo todo yo sola. La vigilante Eagrie no vio que me acercaba.

—¿Qué?

Mis lecciones con Lady Blonos son lo único que me impiden gritar de plano. Ella se refiere a un soldado de la Casa de Eagrie, la Casa de los Ojos. Cualquiera de sus miembros puede ver el futuro inmediato, como si fueran versiones menores de Jon. Es casi imposible que un Plateado los ataque sin que ellos lo sepan, y menos todavía que lo haga una niña Roja. *Imposible.*

Ella se limita a alzarse de hombros.

—Creí que los Plateados eran duros, pero esa vigilante no me costó ningún trabajo. Y pelear fue mejor que esperar en mi celda a que me hicieran lo que quisieran.

Celda.

Casi me caigo de espaldas cuando entiendo a qué se refiere.

—Te has fugado de la cárcel de Corros.

Sus ojos vuelan hasta los míos y su labio inferior tiembla. Es el único indicio del temor que corre bajo una apariencia enfurecida.

Cal me sostiene de un codo.

—¿Cómo te llamas? —pregunta con un tono más amable.

La trata como si fuese un animal asustado, y eso le irrita más que cualquier otra cosa.

Se pone precipitadamente de pie con los puños cerrados y las venas se le resaltan en los brazos, cicatrizados por años de trabajo en las fábricas. Entrecierra los ojos y por un momento pienso que podría echar a correr. En cambio, clava los pies en el suelo y se endereza con orgullo.

—Me llamo Cameron Cole, y si no te importa haré las cosas a mi modo.

Es más alta que yo y tan grácil y elegante como una dama de la corte. Mi cabeza le llega apenas al mentón cuando me estiro a su lado, aunque el aleteo del temor persiste en ella. Sabe exactamente quién y qué soy.

—Cameron Cole —repito. La lista de Julian inunda mi cabeza, y junto con ella el nombre e información de esta joven. Esto da paso al archivo de Harbor Bay, más detallado que los hallazgos de Julian. Me siento como Ada cuando profiero lo que recuerdo, con palabras rápidas y seguras—. Nacida el 3 de enero de 305 en Ciudad Nueva. Ocupación: aprendiz de mecánico destinada a montaje y reparación, sector de la pequeña manufactura. Dirección: Unidad Cuatrocientos Ocho, Manzana Doce, Sector Residencial, Ciudad Nueva. Tipo de sangre: no aplicable. Mutación genética, variedad desconocida —se queda boquiabierta y deja escapar una leve exclamación—. ¿Es correcto?

Apenas puede asentir. Su susurro es más débil todavía.

—Sí.

Shade silba para sí.

—¡Maldición, Jon! —murmura y sacude la cabeza.

Asiento con él. Lo que Jon nos mandó a buscar de ningún modo era *una cosa*, sino *una persona*.

—Eres una nuevasangre, Cameron. Igual que Shade y yo. De sangre Roja y con habilidades Plateadas. Por eso te encerraron en Corros y por eso pudiste escapar. La habilidad que tienes, sea la que sea, te concedió tu libertad, gracias a lo cual has podido encontrarnos.

Doy un paso hacia ella con la intención de abrazar a esta hermana nuevasangre, pero ella se aleja de mí en el acto.

—No he escapado para *buscarte* —espeta.

Le sonrío lo mejor que puedo y trato de serenarla. Después de haber reclutado a tantos, las palabras salen con facilidad de mi boca. Sé exactamente qué decir y cómo responderá ella. Siempre es igual.

—No estás obligada a venir con nosotros, por supuesto, aunque morirás sola si no lo haces. El rey Maven te *encontrará* de nuevo...

Da otro paso atrás y me espanta. Mientras sacude la cabeza, dice con sorna:

—No iré a ningún lado que no sea el Obturador, y ni tú ni tu rayo podréis detenerme.

—¿El Obturador? —exclamo, pasmada.

Junto a mí, Cal hace lo posible por mostrarse cortés, aunque no es suficiente.

—Tonterías —dice bruscamente—. En el Obturador hay más Plateados de los que conoces y cada uno tiene órdenes de arrestarte o matarte cuando te vea. Si tienes *suerte*, te llevarán de nuevo a la cárcel.

Tuerce un lado de su boca.

—En el Obturador, mi hermano gemelo y otros cinco mil como él marchan directo a su tumba. Yo estaría entre ellos si no fuera por aquello que me llevó a la cárcel. Tal vez a vosotros no os importe abandonar a los vuestros, pero a mí *sí*.

Su respiración se vuelve pesada y trabajosa. Casi veo la balanza subir y bajar en su cabeza para sopesar sus opciones. Ella es fácil de descifrar, gasta sus pensamientos y emociones con cada gesto. No me asusta cuando sale disparada hacia los árboles. No la seguimos, y siento que Shade y Cal me miran, a la espera de que les indique lo que deben hacer.

Decidí que les daría a escoger a todos. Dejé ir a Jon aunque lo necesitábamos. Pero algo me dice que necesitamos a Cameron todavía más, y que no podemos confiarle una decisión de esa envergadura. No sabe lo importante que ella misma es, cualquiera que sea su habilidad. Salió de Corros de un modo u otro, y nos llevará de vuelta ahí.

—Atrápala —susurro, pese a que me haga sentir mal.

Shade asiente con disgusto y desaparece. En lo profundo del bosque, Cameron grita.

Tuve que intercambiar asientos con Farley y permitirle que ocupara mi sillón de piloto para que pudiera sentarme frente a Cameron a fin de no perderla de vista. Ella está bien amarrada, con las manos atadas con un cinturón de seguridad extra. Esto, junto con nuestra altura, debería bastar para que no saliera disparada de nuevo. Pero no estoy dispuesta a correr ese riesgo. Hasta donde sé, ella puede volar o sobrevivir a una caída desde un avión. Aunque yo quería aprovechar el viaje de regreso a la Muesca para tomar un muy necesario descanso, mantengo bien abiertos los ojos y le sostengo la mirada con tanto fuego como puedo reunir. *Ella eligió mal,* me digo cada vez que la culpa me invade. *La necesitamos, y vale demasiado como para que la perdamos.*

Nanny tartajea a su lado anécdotas de la Muesca, así como historias de su vida. Estoy casi segura de que sacará las gastadas fotografías de sus nietos, como lo hace siempre, pero Cameron se mantiene firme donde ninguno de nosotros podría hacerlo. Ni siquiera la bondadosa anciana puede traspasar a la chica de la mala cara, que guarda silencio y se mira los pies.

—¿Cuál es tu habilidad, querida? ¿La desconsideración sobrehumana? —suelta al fin, harta de que la ignore.

Esto hace que Cameron al menos vuelva la cabeza y deje de mirar el suelo. Abre la boca para burlarse de nuevo, pero en vez de una anciana se encuentra con su propio rostro.

—¡Déjalo ya! —maldice, y brinda una perla más de su caló de barrio bajo. Abre mucho los ojos y sus manos atadas se agitan con el afán de liberarse—. ¿Alguien más ve esto?

Río misteriosamente para mí, sin molestarme en disimularlo. Le dejo a Nanny la tarea de hacerla hablar por miedo.

—Nanny puede cambiar de apariencia —le digo—. Gareth manipula la gravedad —él saluda y agita la mano desde su camilla provisional fijada a un costado del avión—. Y del resto ya sabes.

—Yo no sirvo para nada —gorjea Farley desde su asiento. Una navaja va y viene entre sus manos, lo cual revela cuán equivocada está.

Cameron resopla, y sigue con la vista el centellar de la navaja.

—Igual que yo.

No hay una pizca de autocompasión en su voz, solamente realismo.

—Eso no es cierto —palmeo el cuaderno de Julian a mi lado—. Échale un vistazo a esto, por si ya se te ha olvidado.

—Bueno, eso es todo lo que he hecho o haré —las amarras de sus brazos giran, pero no ceden—. No soy nadie, Niña Relámpago. No pierdas tu tiempo conmigo.

Si esto viniera de otra persona, sonaría triste, pero Cameron es demasiado lista para ello. Cree que no sé lo que hace. Por más que diga, por inútil que trate de hacerse pasar, no le creeré. Su nombre aparece en la lista, y no por error. Quizá ella no sepa todavía lo que es, pero nosotros lo descubriremos sin la menor duda. No estoy ciega tampoco. Pese a que sostengo su mirada desafiante, para hacerle creer que he caído en su trampa, sé cuál es su juego de fondo. Sus hábiles dedos, adiestrados en una fábrica, forcejean con sus ataduras con lenta pero segura eficiencia. Si la pierdo de vista, no pasará mucho tiempo antes de que se libere de sus correas.

—Conoces Corros mejor que cualquiera de nosotros —mientras hablo, Nanny vuelve a ser la de siempre—. Eso basta para mí.

—¿Tienes aquí alguien capaz de leer la mente? Porque ésa será la única manera en que obtendrás una maldita palabra de mí.

Casi doy por supuesto que escupirá a mis pies.

Pese a mis mayores esfuerzos, pierdo la paciencia.

—Una de dos: eres inútil o testaruda. Elige tú —levanta una ceja, sorprendida de mi tono—. Si vas a mentir, por lo menos hazlo bien.

Tuerce una de las comisuras de su boca, para exhibir una sonrisa malévola.

—Había olvidado que eres experta en eso —*Odio a los adolescentes*—. No te des ínfulas —insiste, con palabras que arroja como dagas. Aparte de su voz, el sonsonete del jet llena el espacio. Los demás escuchan con atención, y Cal más que nadie. Supongo que sentiré más calor en cualquier momento—. No eres ninguna gran dama ahora, por más que trates de mangonearnos a muchos de nosotros. Que te acuestes con un principito no te convierte en la reina del cotarro.

Algunas luces revolotean sobre su cabeza, y son el único indicio de mi cólera. Veo de reojo que Cal aprieta los controles del jet. Al igual que yo, hace cuanto puede por mantener la calma y la cordura. Pero esta perra insiste en complicarnos las cosas. ¿Por qué Jon no nos guió mejor hacia un mapa?

—Nos dirás cómo te fugaste de esa cárcel, Cameron —Lady Blonos estaría orgullosa de mi compostura—. Nos dirás cómo es, dónde están las celdas, dónde están los vigilantes, dónde encierran a los Plateados, a los nuevasangre y todo lo demás que recuerdes, hasta el último *maldito* clavo. ¿Está claro?

Agita sobre su hombro una de sus muchas trenzas. Es lo único que puede mover sin tensarse bajo sus numerosos cinturones y lazos.

—¿Y qué gano yo con eso?

—Tu inocencia —lanzo un suspiro—. Sigue soltando la lengua y abandonarás a todos esos presos a su destino —las palabras de Jon regresan a mí, como el eco inquietante de una advertencia—. A la muerte, o a algo peor todavía. *Te estoy salvando de la culpa de eso.*

Una culpa que conozco demasiado bien.

Siento una lenta presión en el hombro, es Shade. Se inclina a mi lado, me hace saber que está ahí. Es un hermano de sangre y de armas, alguien con quien compartir la victoria... y la vergüenza.

En vez de acceder, como cualquier persona racional lo haría, parece aún más airada. Su cara se ensombrece bajo un nubarrón de emociones.

—No puedo creer que tengas el descaro de decir eso. Tú, que abandonaste a tantos después de que los sentenciaste a las trincheras.

Cal ya ha aguantado suficiente. Golpea con un puño el brazo de su silla y el estridor invade el ambiente.

—Ésa no fue una orden suya...

—Pero fue culpa tuya. Tuya y de tu estúpida banda de andrajosos Rojos —le lanza una mirada a Farley para detener cualquier probable réplica de ella—. Nosotros pusimos en riesgo a *nuestras* familias, *nuestras* vidas, mientras vosotros corríais a esconderos al bosque. Y ahora os creéis unos héroes, que voláis de un lado a otro para salvar a todos los que creéis *especia-*

les, a quienes valen el precioso tiempo de la Niña Relámpago. Apuesto a que os dirigís a los suburbios y las aldeas pobres. Apuesto a que ni siquiera veis lo que vosotros mismos nos habéis hecho —se le sube la sangre a causa de la furia y colorea sus mejillas con un sonrojo oscuro y refulgente. No puedo hacer más que mirar—. Nuevasangre, platasangre, rojosangre, todo es lo mismo, una y otra vez. Algunos son especiales, otros son mejores que el resto y otros más continúan sin tener nada en absoluto.

La náusea rueda en mi vientre como una ola ominosa de temor.

—¿A qué te refieres?

—*A la división*. A que se favorece a uno sobre el otro. Buscas a personas que sean como tú para protegerlas, para entrenarlas, para que libren tu guerra. Y no porque ellas quieran hacerlo, sino porque *tú* las necesitas. ¿Y qué hay de los chicos que fueron a pelear? Ellos no te importan nada. Los cambiarías a todos por otra bujía andante y quejumbrosa.

Las luces titilan de nuevo, más rápido que antes. Siento cada una de las revoluciones de los motores del jet, pese a su vertiginosa velocidad. La sensación es enloquecedora.

—Intento salvar a la gente de Maven. Él convertirá a los nuevasangre en armas, lo que acabará en *más* muerte, *más* sangre...

—Haces exactamente lo mismo que *ellos* —señala hacia Cal con sus manos atadas y las sacude con rabia.

Conozco esa sensación, y trato de ocultar los iracundos temblores de mis dedos.

—Mare.

La advertencia de Cal cae en oídos sordos, ahogada por mi pulso atronador.

Cameron escupe veneno. Disfruta con esto.

—Hace siglos, cuando los Plateados eran nuevos. Cuando eran pocos, perseguidos por las personas que creían que eran demasiado diferentes...

Me agarro del borde de mi asiento y clavo las manos en algo sólido. *Controla.* El avión chilla ahora en mis oídos, es un rechinido que parte los huesos.

Rebotamos en el aire y Gareth emite un quejido y se aprieta la pierna.

—¡Detente, Cameron! —grita Farley al tiempo que sus manos vuelan hasta sus cinturones para desabrocharlos con rapidez—. ¡Te callas o te callo!

Pero Cameron sólo tiene ojos y enojo para mí.

—Mira adónde condujo ese camino —bufa, y se inclina tanto como sus amarras se lo permiten. Antes de que me dé cuenta de lo que hago, ya estoy de pie, aunque me bamboleo al compás de las oscilaciones del jet. Apenas la oigo sobre los chirridos metálicos que percuten en mi cráneo. Ya ha desatado sus manos y ahora se desamarra los cinturones con asombrosa precisión. Se levanta de un salto y refunfuña en mi cara—. Dentro de cien años, un rey nuevasangre se sentará en el trono que tú levantaste sobre los cráneos de los jóvenes.

Algo se desgarra dentro de mí. Es la barrera entre lo humano y lo animal, entre la sensatez y la locura. De pronto me olvido del jet, de la altitud y de todos los que dependen de mi menguado control. No pienso en otra cosa que en *educar* a esta insolente, en mostrarle a quiénes y qué tratamos de salvar. Cuando mi puño se estampa en su mandíbula, imagino que veré mis chispas esparcirse por su piel y arrastrarla al suelo.

Pese a todo, lo único que consigo es lastimarme los nudillos.

Ella mira, tan sorprendida como yo. A nuestro alrededor, las luces parpadeantes vuelven a la normalidad y el jet se endereza. El gemido de mi cráneo se interrumpe abruptamente, como si un manto de silencio cayera sobre mis sentidos. Duele como un puñetazo en el vientre y me tumba sobre una rodilla.

Shade me agarra del brazo en un segundo y lo sujeta con cuidado fraternal.

—¿Estás bien? ¿Qué te pasa?

En la cabina, Cal pasea la mirada entre mi ser y su tablero de control, y su cabeza va y viene deprisa.

—Estabilizada —farfulla, aunque yo me siento todo menos eso—. Mare…

—No soy yo —un sudor frío cruza mi frente y resisto el súbito impulso de vomitar. Mi respiración sobreviene en cortos jadeos, como si extrajera aire de mis pulmones. Algo me ahoga—. Es ella.

Da un paso atrás, demasiado impactada para mentir. Se queda boquiabierta de temor.

—Yo no he hecho nada. ¡No he sido yo, lo juro!

—No has querido hacerlo, Cameron —quizás esto sea lo que más le sorprende—. Tranquilízate… detente…

No puedo respirar, realmente no puedo respirar. Aprieto a Shade y le clavo las uñas. El pánico sube por mis nervios, aunque sin mi relámpago.

Él sostiene todo mi peso en su hombro herido e ignora la leve punzada de dolor. Al menos Shade es lo bastante listo para saber lo que quiero decir.

—La silencias, Cameron. Apagas sus habilidades, la apagas a *ella*.

—Yo no puedo… ¿cómo?

Sus ojos oscuros se llenan de terror.

Mi visión se aclara, pero veo pasar a Cal dando tumbos. Cameron le rehúye, como haría cualquier persona en su sano juicio, pero él sabe qué hacer. Ha dirigido a los chicos, y también a mí, en episodios similares de caos sobrehumano.

—Suéltalo —dice, de manera firme y terminante. Sin mimos, sin cólera—. Respira, inhala por la nariz, exhala por la boca. Suelta lo que estás reteniendo.

Suéltalo, por favor. Suéltalo, por favor. Mi respiración se agita en jadeos, cada cual más corto que el anterior.

—Suéltala, Cameron —es como si yo tuviera una roca en el pecho, me oprimiera hasta morir y sacara de mí todo lo que soy—. Suéltala.

—¡Eso es lo que trato de hacer!

—Tranquila.

—Eso es lo que trato de hacer —dice en voz más baja, más controlada—. Eso trato.

Cal asiente, con movimientos fluidos como los del oleaje.

—Así está bien. Así está bien.

Jadeo nuevamente, aunque esta vez el aire entra impetuoso en mis pulmones. Vuelvo a respirar. Mis sentidos están embotados pero han regresado. Se agudizan con cada nuevo y tonificante latido de mi corazón.

—Así está bien —repite Cal y mira por encima del hombro. Sus ojos se encuentran con los míos y un hilo de tensión se suelta entre nosotros—. Así está bien.

No sostengo su mirada mucho tiempo. Debo mirar a Cameron, su temor. Ella aprieta los ojos y arruga la frente para concentrarse. Una lágrima rueda por su mejilla mientras frota el tatuaje de su cuello. Apenas tiene quince años. No merece esto. No debería tener tanto miedo.

—Ya estoy bien —suspiro, y sus ojos se abren de golpe.

Antes de que cierre las paredes de su corazón, una sensación de alivio atraviesa su rostro. No dura mucho tiempo.

—No por esto cambiaré de parecer, Barrow.

' Si pudiera ponerme en pie, lo haría. Pero mis músculos siguen temblando de debilidad.

—¿Quieres hacer esto por otra persona? ¿Por tu hermano cuando des con él? —*Ahí está. Ése es el trato que debemos hacer. También ella lo sabe*—. Llévanos a Corros y nosotros nos encargaremos de que aprendas a usar tu habilidad. Haremos de ti la persona más letal del mundo.

Temo que algún día me arrepienta de estas palabras.

VEINTITRÉS

Mi voz retumba curiosamente en el amplio vestíbulo de la casa de seguridad. La tormenta de la Fisura nos alcanzó y una pesada mezcla de nieve y lluvia helada aúlla del otro lado de la pared de adobe. Eso ha traído algo de frío, pero Cal hace todo lo posible por ahuyentarlo. Los habitantes de la Muesca se acurrucan unos con otros y se calientan frente a la hoguera que él encendió en el suelo. Todos los ojos se ven atraídos por la luz de la lumbre, lo que los convierte en numerosas gemas rojas y anaranjadas. Titilan con cada llama, y me miran siempre. Son quince pares en total. Aparte de Cameron, Cal, Farley y mi hermano, los demás adultos de la Muesca han venido a oír lo que debo decirles. Ketha, Harrick y Nix están sentados junto a Ada. Fletcher, un sanador de la piel inmune al dolor, acerca demasiado al fuego sus pálidas manos. Gareth lo echa para atrás antes de que se le encienda la piel. También están Darmian, un invulnerable como Nix, y Lory, de las islas rocosas de Kentosport. Y hasta Kilorn nos honra con su presencia, firmemente sentado entre sus compañeros de caza, Crance y Farrah.

Por fortuna, no hay chicos presentes. No participarán en esta empresa y continuarán bajo la protección que podamos brindarles. Nanny los retiene en su habitación colectiva, donde los divierte con sus transformaciones, mientras todos los mayores de dieciséis años me escuchan explicar aquello de lo que nos enteramos en el viaje a Pitarus. Están como absortos, con el rostro tenso de susto, temor o determinación.

—Jon dijo que cuatro días eran demasiado tiempo. Así que debemos hacerlo en tres.

Tenemos tres días para tomar por asalto una prisión, tres días para planearlo. Yo dispuse de más de un mes de intenso entrenamiento con los Plateados, y años antes en las calles de Los Pilares. Cal es un soldado nato, Shade pasó más de un año en el ejército y Farley es capitana por derecho propio, aunque no posea habilidades. Pero ¿qué puede decirse de los demás? Cuando miro la fuerza acumulada por la Muesca, mi resolución vacila. ¡Si dispusiéramos de más tiempo! Ada, Gareth y Nix son nuestras mejores cartas; tienen habilidades ideales para un ataque, por no hablar de más tiempo de entrenamiento en la Muesca. Los demás son poderosos —Ketha puede destrozar un objeto en un abrir y cerrar de ojos—, aunque deplorablemente inexpertos. Llevan aquí unos cuantos días, unas semanas a lo sumo, y proceden de suburbios y aldeas olvidadas donde no eran nada ni nadie. Arrojarlos al combate equivaldrá a poner a un niño al volante de un vehículo. Serán un peligro para todos, en especial para sí mismos.

Todos saben que esto es una imprudencia, una imposibilidad, pero nadie lo dice. Incluso Cameron tiene la cordura de mantener la boca cerrada. Se abstrae en el fuego y se niega a alzar la mirada. No puedo mirarla mucho tiempo. Me altera demasiado, y me entristece demasiado también. Esto es justo lo que trato de evitar.

Farley es la primera que toma la palabra.

—Aunque *concedamos* que ese tal Jon fuera veraz acerca de sus habilidades, nada confirma que lo que nos dijo no sea una mentira —se inclina al frente y su nítida silueta se perfila en el fuego—. Quizá sea un agente de Maven. Dijo que Elara procederá a controlar a los nuevasangre, ¿y si es ella la que lo controla? ¿La que lo usa para que nos atraiga? Dijo que Maven nos pondrá una trampa. ¿Y si la trampa es ésta?

Siento que me hundo cuando veo que Crance, Farrah y Fletcher están de acuerdo con ella. Supongo que Kilorn se pondrá del lado de su grupo de caza, pero se queda callado e inmóvil. Lo mismo que Cameron, no me mira.

Me llega calor de todos lados. Desde el fuego que arde delante de mí y de Cal que se encuentra a mis espaldas. Aunque irradia como un horno, guarda silencio como una tumba. No es tan tonto para abrir la boca. Aquí muchos lo toleran sólo por mí, por los chicos o por ambas cosas. No puedo contar con él para ganar adeptos. Tendré que hacerlo sola.

—Yo le creo —al pronunciarlas las siento raras, pese a que son de piedra sólida. Estas personas insisten en tratarme como un líder, así que actuaré como tal y las convenceré de que me sigan—. Iré a Corros, sea una trampa o no. Los nuevasangre encerrados ahí se enfrentan a uno de dos destinos: la muerte o ser usados por la titiritera que todos llaman la reina. Ambos son inaceptables —entre quienes trato de conquistar se extienden algunos murmullos de aprobación. Los encabeza Gareth, quien agita la cabeza en señal de lealtad. Vio a Jon con sus propios ojos y no necesita que yo lo persuada—. No obligaré a nadie a ir conmigo. También en esta ocasión todos pueden escoger —Cameron sacude ligeramente la cabeza, aunque no dice nada. Shade permanece cerca de ella, siempre a prudente distancia por si decide hacer otra tontería—. No será fácil, pero no es imposible.

Si lo repito lo suficiente, podría empezar a convencerme.

—¿Cómo puedes decir eso? —interviene Crance—. Si he oído bien, esa cárcel fue hecha para apresar a personas como tú. Tendrás que atravesar no sólo rejas y puertas cerradas con llave. Habrá ojos en todos los accesos, una escuadra de oficiales Plateados, un arsenal, muchas cámaras y la roca silente, y eso si tienes suerte, Niña Relámpago.

Junto a él, Fletcher traga saliva. Quizá no sienta dolor, pero ese hombre pálido y rollizo sin duda siente temor.

—¿Y si no la tiene?

—Pregúntenle a ella —inclino la cabeza hacia Cameron—. Se fugó de esa cárcel.

Algunas exclamaciones se propagan entre los miembros del grupo como si lo hicieran sobre la superficie de un lago. No soy ya la única a la que miran, y me gusta relajarme un poco. En contraste, Cameron se tensa, y sus largas extremidades dan la impresión de que se doblaran hacia dentro, como para protegerla de tantos ojos.

Incluso Kilorn levanta la vista, aunque no en dirección a Cameron. Su mirada se arrastra más allá de ella y me busca mientras me apoyo en el muro. Todo mi alivio se esfuma y es reemplazado por una emoción que no puedo precisar. No es temor ni ira. Es otra cosa. *Añoranza*. Frente a la fluctuante luz del fuego y con la tormenta afuera, puedo simular que somos un chico y una chica apretujados bajo una casa de pilares que buscan resguardarse del gemido del otoño. Que alguien puede controlar el paso del tiempo y llevarme a esos días. Me aferraría celosamente a ellos en lugar de quejarme del frío y el hambre. Ahora tengo tanto frío y tanta hambre como entonces, pero no hay manta que me caliente ni alimento que me sacie. Nada volverá a ser igual nunca. Y yo tengo la culpa. Kilorn no ha hecho más que seguirme en esta pesadilla.

—¿Sabe hablar? —pregunta Crance con sorna cuando se cansa de esperar a que Cameron abra la boca.

Farley ríe.

—Demasiado para mi gusto. Anda, Cole, dinos todo lo que recuerdas.

Aunque imagino que ella hará erupción de nuevo, e incluso que morderá la nariz de Farley, la presencia de otros aplaca su mal humor. Advierte mi truco, pero eso no impide que dé resultado. Hay demasiados ojos esperanzados ahí, demasiadas personas dispuestas a correr un riesgo. No puede ignorarlas ahora.

—Está más allá de Delphie —suspira, y sus ojos se nublan con recuerdos dolorosos—. Tan cerca del Wash que casi puede olerse la radiación —el Wash forma la frontera sur de Norta y es una división natural entre las Tierras Bajas y los príncipes Plateados que reinan ahí. Como Naercey, es un territorio devastado, demasiado remoto para que los Plateados lo reclamen. Ni siquiera la Guardia Escarlata se atreve a entrar ahí, donde la radiación no es un engaño y el humo de miles de años persiste todavía—. Nos tenían aislados —continúa—. Uno en cada celda, y muchos no disponían de fuerza suficiente más que para acostarse en sus camastros. Algo en ese lugar enfermaba a los otros.

—Roca silente —contesto una pregunta que no formula, porque recuerdo demasiado bien esa sensación. He estado dos veces en celdas como ésas, y dos veces consumieron mi fuerza.

—No hay mucha luz, no hay mucha comida —se revuelve en su asiento y entrecierra los ojos contra las llamas—. No podíamos hablar mucho tampoco. A los custodios no les gustaba que conversáramos y estaban siempre al acecho. Los centinelas llegaban en ocasiones y se llevaban a ciertos presos. Algunos estaban demasiado débiles para caminar y tenían que arrastrarlos. No creo que el pabellón estuviera lleno, vi muchas celdas vacías —se le va el aliento—. Aumentaban cada maldito día.

—Describe la estructura —dice Farley. Le da un codazo a Harrick y comprendo su razonamiento.

—Los nuevasangre que procedíamos de la región del Faro estábamos en nuestro propio pabellón. Era un gran cuadrado con cuatro tramos de celdas junto a las paredes. Había pasadizos que unían los diferentes niveles, todos conectados, y los magnetrones los apagaban por la noche. Ellos también se encargaban de abrir las celdas. ¡Había magnetrones por todos lados! —maldice, y no la culpo por su ira. En esa cárcel no había hombres como Lucas Samos ni magnetrones buenos como el que murió por mí en Arcón—. No había ventanas, aunque sí un tragaluz en el techo. Era pequeño, pero bastaba para dejarnos ver el sol unos minutos.

—¿Así? —pregunta Harrick y frota sus manos.

Ante nuestros ojos, una de sus ilusiones aparece encima de la hoguera, es una imagen que gira lentamente. Se trata de una caja compuesta por vagas líneas verdes. Cuando mis ojos se adaptan a lo que veo, me doy cuenta de que es un boceto tridimensional del pabellón de Cameron.

Los ojos de ella revolotean sobre cada detalle de la ilusión.

—Era más amplio —murmura, con lo que los dedos de Harrick saltan y la ilusión responde—. Había dos pasadizos más, y cuatro puertas en el nivel superior, una en cada pared.

Harrick sigue sus instrucciones y manipula la imagen hasta que ella está satisfecha. Él casi sonríe. Esto le resulta fácil, un simple juego, como si dibujara. Miramos la imagen en silencio y cada uno de nosotros intenta imaginar cómo entrar.

—Es un pozo —rezonga Farrah y baja la cabeza hasta sus manos.

En efecto, el pabellón tiene el aspecto de un agujero cuadrado y angular.

Ada es menos negativa y se muestra más interesada en diseccionar la cárcel.

—¿Adónde conducen las puertas?

Cameron suspira y deja caer los hombros.

—A más pabellones. No sé cuántos hay en total. Atravesé tres seguidos cuando salí.

La ilusión cambia para agregar pabellones a los lados del de Cameron. La nueva apariencia golpea como un puñetazo en el estómago. Son demasiadas celdas, demasiadas puertas. Demasiados lugares en los que podríamos tropezar y caer. *Pero Cameron escapó. Cameron, quien no tiene entrenamiento ni la menor idea de lo que puede hacer.*

—Dijiste que había Plateados en la cárcel —interviene Cal por primera vez desde que empezó la reunión, con ánimo oscuro de verdad. No entra al círculo de la fogata. Por un momento, parece la sombra que Maven dijo siempre que él mismo era—. ¿Dónde están?

Nix estalla con una risa estridente, iracunda, áspera como de piedra contra acero. Lanza al aire un dedo acusador, como si apuñalara.

—¿Por qué? ¿Quieres sacar a tus amigos de sus jaulas? ¿Para que regresen a sus mansiones y sus fiestas? ¡Bah, que se pudran! —agita hacia Cal una mano venosa y su risa se vuelve fría como una tormenta de otoño—. Deberías dejar a éste aquí, Mare. Mejor todavía, despacharlo. Sólo le importa proteger lo suyo.

Aunque usualmente mi boca se mueve más rápido que mi cerebro, esta vez lo hacen al unísono.

—Todos y cada uno de vosotros sabéis que eso es una calumnia. Cal ha derramado sangre por todos y nos ha protegido por igual, por no mencionar que os ha entrenado a casi todos vosotros. Si pregunta por los otros Plateados que hay en Corros es que tiene una razón para hacerlo, y *no* es liberarlos.

—En realidad...

Giro con los ojos muy abiertos y la habitación vibra de sorpresa.

—¿Quieres liberarlos?

—Pensadlo. Están presos porque desafiaron a Maven, a Elara o a ambos. Mi hermano llegó al trono en circunstancias extrañas, y *muchos* no creerán la mentira que su madre difunde. Algunos son lo bastante listos para pasar inadvertidos y ganar tiempo, pero otros no. Sus intrigas en la corte terminan en una celda. Y por supuesto, también están aquéllos como mi tío Julian, que fue quien le hizo saber a Mare lo que ella es. Ayudó a la Guardia Escarlata y salvó a Kilorn y a Farley de la ejecución, pese a que su sangre es deslumbradoramente plateada. Está en esa prisión también, junto con otros que creen en una igualdad que está más allá del color de la sangre. Ellos no son nuestros enemigos —replica, descruza los brazos y hace señas desaforadas para tratar que entendamos lo que el soldado en él ve—. Si liberamos a todos los que están en Corros, será el caos. Atacarán a los custodios y harán cuanto puedan para salir. Ésta es mejor distracción que la que cualquiera de nosotros podría ingeniar —hasta Nix se apacigua, intimidado por la rápida y decidida insinuación. Aunque odia a Cal, a quien culpa de la muerte de sus hijas, no puede negar que es un buen plan. Quizás el mejor que se nos habría podido ocurrir.

—Además —agrega el príncipe y retrocede hacia la sombra, para dirigir esta vez sus palabras exclusivamente a mí—, Julian y Sara se encontrarán entre los Plateados, no con los nuevasangre —¡Ah! En mi precipitación, había olvidado en cierto modo que la sangre de ellos no es del mismo color que la mía. Que son Plateados también. Cal insiste, en su afán de explicarse—: Recordad lo que son y lo que sienten. Y no son los únicos que ven la perdición de este mundo. *No son los únicos*. La lógica me dice que él debe tener razón. Después de todo, durante mi corta estancia entre los Plateados, conocí a Julian, Cal, Sara y Lucas, cuatro de ellos que no fueron tan crueles como creía. Seguro que hay más. E igual que a los nuevasangre de Norta, Maven los está eliminando, y arroja a la cárcel tanto a los disidentes como a sus opositores políticos para que se hundan en el olvido.

Cameron abre los labios y sus dientes centellean.

—Los pabellones para los Plateados son iguales que los nuestros, y a todos los intercalan como en un mosaico: uno de Plateados, uno de nuevasangre, uno de Plateados, uno de nuevasangre, y así sucesivamente.

—Como en un tablero de ajedrez —bisbisea Cal y asiente—. Para separarlos entre sí. Para que sea más fácil controlarlos y combatirlos. ¿Y tú cómo te fugaste?

—Nos sacaban a caminar una vez a la semana, para que no nos muriésemos. Algunos custodios se reían de eso y decían que las celdas acabarían con nosotros si ellos no nos permitían salir un rato. Los demás apenas podían arrastrar los pies, y mucho menos pelear, pero yo no. Las celdas no me enfermaban.

—Porque no te afectan —dice Ada con voz comedida, inalterable y correcta, tan semejante a la de Julian que me sobresalta. Durante un fugaz segundo estoy de vuelta en su aula llena de libros y soy la persona examinada—. Tus habilidades silenciadoras son tan fuertes que las providencias normales no funcionan contigo. Creo que es un efecto neutralizador. Una forma de silencio contra otra.

Cameron se limita a encogerse de hombros, indiferente.

—Claro.

—Así que te escabulliste a la hora de salir a caminar —masculla Cal, más para sí que para otro. Reflexiona en esto, se pone en la posición de Cameron e imagina la cárcel cuando ella escapó, para poder deducir una forma de entrar—. Los ojos no podían ver lo que planeabas, así que no pudieron detenerte. Vigilaban las puertas, ¿verdad?

Ella agita afirmativamente la cabeza.

—Había uno en cada pabellón. Cogí su arma, bajé la cabeza y corrí.

Crance despide un silbido grave, impactado por la valentía de la muchacha. Cal no se deja impresionar e insiste.

—¿Qué hay de las puertas? Sólo un magnetrón puede abrirlas.

Cameron esboza una sonrisa frágil.

—Todo indica que los Plateados ya no son tan tontos para dejar el control de cada celda y cada puerta a un puñado de manipuladores de metales. Hay un interruptor de llave para abrirlas en caso de que no esté presente un magnetrón, o para cerrarlas sobre correderas de piedra si uno decide no jugar limpio.

Eso es obra mía, comprendo. *Usé a Lucas contra las celdas en la Mansión del Sol. Maven ha dado pasos para cerciorarse de que nadie más vuelva a hacer algo así.*

Cal me lanza una mirada y piensa exactamente lo mismo que yo.

—¿Y tienes la llave?

Ella sacude la cabeza, aunque señala su cuello. El tatuaje que lleva impreso ahí es negro, incluso más oscuro que su piel. Es su marca como tecno, como una esclava de las fábricas y el humo.

—Soy mecánica —mueve sus dedos torcidos—. Los interruptores tienen engranajes y cables. Sólo un idiota necesita una llave para hacer que esas cosas funcionen correctamente —puede que Cameron sea insoportable, pero ciertamente es útil. Hasta yo tengo que admitir eso—. Fui reclutada en el ejército, aunque teníamos trabajo en Ciudad Nueva —continúa con un tono más bajo.

—La cárcel, Cameron —le digo—. No nos dispersemos...

—Allá todos trabajan, y antes no podíamos alistarnos en el ejército aunque quisiéramos —se impone sobre mí, con una voz más fuerte y audible. Si compitiera con ella acabaríamos en un duelo de gritos—. Las Medidas cambiaron eso. Hubo un sorteo. Uno de cada veinte, entre los que teníamos de quince a diecisiete años. Tanto mi hermano como yo fuimos elegidos. Qué raro, ¿verdad?

—Una probabilidad de menos del tres por ciento —susurra Ada.

—Nos separaron. A mí me enviaron a la Legión del Faro en Fort Patriot y a Morrey a la de la Daga. Así lo hicieron con todos los que causaban problemas, e incluso con quienes miraban mal a un oficial. La Legión de la Daga es una sentencia de muerte. Cinco mil jóvenes con el temple para resistir terminarán en una fosa común —mis dientes rechinan. El recuerdo de las órdenes militares arde en mi cabeza—. A partir de Corvium, todo es una marcha hacia la muerte, una matanza, hasta las trincheras y el centro del Obturador. Enviaron allá a Morrey porque quiso abrazar a nuestra madre una última vez —mi tenue ejercicio del mando es puesto a prueba. Lo advierto en cada rostro mientras mis nuevasangre asimilan las palabras de Cameron. Ada es la más elocuente de todos. Me observa sin parpadear, con una mirada que no es hostil, sino inexpresiva. Y aunque hace lo posible por impedir que el juicio empañe su visión, no lo consigue. El fuego arde en el suelo y convierte el blanco de sus ojos en un fulgor rojo y dorado.

—Hay agentes nuevasangre en esa cárcel, y Plateados también —Cameron sabe que nos tiene en su mano y afianza su control—. Pero hay cinco mil menores, cinco mil chicos y chicas Rojos, que están a punto de desaparecer para siempre. ¿Los dejaréis morir? ¿La seguiréis a ella —gesticula con la cabeza hacia mí— y a su príncipe preferido? —los dedos de Cal tiemblan muy cerca de los míos y los aparto. Aquí no. Todos están al tanto de que compartimos una habitación y quién sabe qué más supondrán. No le daré a Cameron más municiones de las que ya tiene—. Aunque ella dice que podéis elegir, ignora el significado de esa palabra. Yo fui traída como el legionario y como los centinelas lo hicieron días después. La Niña Relámpago no le da opciones a la gente.

Espera que yo me oponga a su acusación, pero contengo la lengua. Esto semeja una derrota, y ella lo sabe muy bien. Detrás de sus ojos, los mecanismos ya han empezado a girar. Me perjudicó antes y puede volver a hacerlo. ¿Por qué permanece aquí? Podría silenciarnos y marcharse. ¿Por qué se queda?

—Mare salva a la gente —la voz de Kilorn suena distinta, más madura. A mi pecho regresa el aguijón de la añoranza—. Os salvó a todos de la cárcel o de la muerte. Se arriesgó cada vez que entró en vuestras ciudades. No es perfecta, pero no es un monstruo tampoco, para nada. Creedme —añade, y se niega a mirarme todavía—, yo he visto varios monstruos. Y vosotros también los veréis si dejamos a los nuevasangre a consideración de la reina. Ella hará que os matéis unos a otros hasta que no reste nada de lo que sois y no quede nadie vivo que recuerde lo que fuisteis.

Consideración, casi me río. *Elara, no la conoce.*

Aunque doy por sentado que las palabras de Kilorn no tendrán mucho peso, me equivoco por completo. Los demás lo ven con respeto y atención, no como a mí. No, sus ojos están teñidos siempre de temor. Para ellos soy un general, un líder, mientras que Kilorn es su hermano. Lo aprecian como no podrán apreciar a Cal nunca, y ni siquiera a mí. Lo escuchan.

Esto arrebata la victoria de las manos de Cameron.

—¡Reduciremos a cenizas esa prisión! —brama Nix y prende a Kilorn de un hombro. Aunque lo aprieta demasiado, éste no se acobarda—. Yo iré a la cárcel de Corros.

—Yo también.

—Y yo.

—Y yo.

Sus voces repiquetean en mi cabeza. Son más de los que habría esperado. Están Gareth, Nix, Ada, la explosiva Ketha, Darmian (el otro destructor invulnerable) y Lory (con sus sentidos superiores); desde luego, Nanny se había comprometido ya a acompañarnos. Los callados —Crance, Farrah, Fletcher y el ilusionista Harrick— se remueven en sus asientos.

—Muy bien —doy un paso al frente y les dirijo de nuevo a todos la mirada más firme que soy capaz de producir—. Al resto de vosotros os necesitaremos aquí para que los chicos no quemen el bosque y los protejáis si sucede algo.

Algo. Otro ataque, un ataque total, que podría convertirse en la matanza de aquéllos a los que tanto me he esforzado en salvar. Pese a ello, que se queden aquí es menos peligroso a que vayan a Corros, y emiten suspiros de mudo alivio. Cameron los ve relajarse con una cara que se retuerce de envidia. Se quedaría con ellos si pudiera, pero ¿quién la entrenaría en ese caso? ¿Quién le enseñaría a controlar y usar sus habilidades? *Cal no, y ciertamente yo tampoco.* El precio no le agrada, pero tendrá que pagarlo.

Trato de contemplar por turnos a los demás voluntarios, con la esperanza de ver determinación o concentración en ellos. En cambio, encuentro miedo, duda y, lo peor de todo, arrepentimiento antes siquiera de que iniciemos nuestra tarea. ¡Qué no daría yo ahora por la desgastada Guardia Escarlata de Farley, e incluso por los soldados Lacustres del coronel! Al menos ellos creen hasta cierto punto en su causa, si no es que en sí mismos. *Yo debo creer lo suficiente por todos nosotros. Debo ponerme mi máscara de nuevo y ser la Niña Relámpago que ellos necesitan. Mare puede esperar.*

Me pregunto vagamente si tendré alguna vez la oportunidad de volver a ser Mare.

—Te necesitaré para repasar esto —le dice Cal a Cameron y señala la ilusión giratoria de la cárcel de Corros—. Los demás comed bien y entrenar lo mejor posible. Cuando amaine la tormenta, quiero veros a todos de nuevo en el patio.

Asumen la posición de firmes, incapaces como son de desobedecer. Mientras que yo aprendí a hablar como princesa, Cal ha sabido siempre hablar como general. Él manda. Eso es para lo que él es bueno, para lo que *nació.* Y ahora que tiene una misión que cumplir, un objetivo que trasciende el de reclutar y esconderse, todo lo demás se disuelve. Incluso yo. Al igual que los demás, lo dejo para que murmure sus planes. Sus ojos broncíneos brillan frente a la desvaída luz de la ilusión, como si ésta lo hubiera embrujado. Harrick permanece a sus espaldas y mantiene diligentemente viva su ilusión.

No sigo a los nuevasangre al fondo de la Muesca, a los túneles y huecos donde pueden practicar sin lastimarse unos a otros. En lugar de eso, encaro la tormenta, salgo a descubierto y permito que un chorro de agua helada me golpee de frente. La tibieza de Cal se desvanece rápidamente detrás de mí.

Soy la Niña Relámpago.

Las oscuras nubes ondulan con el peso de la lluvia y de la nieve. Un ninfo las manipularía fácilmente, lo mismo que una tormenta Plateada. Cuando fui Mareena, mentí y dije que mi madre era una tormenta de la Casa de Nolle que podía influir en el clima como yo puedo controlar la electricidad. Y en el Cuenco de los Huesos invoqué a los rayos del cielo, con los cuales destruí el escudo violeta sobre mi cabeza y me protegí y protegí a Cal de la aproximación de los soldados de Maven. Eso me debilitó, pero ahora soy más fuerte. Debo ser más fuerte.

Entrecierro los ojos contra la lluvia e ignoro la picadura de cada gélida gota. Mi grueso abrigo se empapa y las manos y los pies se me hielan, pero no se me entumecen. Siento todo lo que debo sentir, desde la telaraña vibrante bajo mi piel hasta aquella cosa que está más allá de las nubes y que palpita lentamente como un corazón negro. La sensación se intensifica cuanto más me concentro en ella, y parecería desbordarse. Algunos filamentos de la electricidad estática giran desde la vorágine que no puedo ver hasta que se enredan en las nubes bajas. Los vellos de la nuca se me ponen de punta cuando otra tormenta cobra forma y chisporrotea de energía.

Es una tormenta eléctrica. Cierro un puño para apretar lo que he creado, con la ilusión de que retumbe.

El primer trueno es suave, un rumor apenas. Le sigue un relámpago débil que desciende sobre el valle y se deja ver brevemente entre la bruma de la nieve y la lluvia. El siguiente es más fuerte, con venas purpúreas. Cuando lo veo, suelto un grito ahogado, tanto de orgullo como de fatiga. Siento que cada rayo brilla dentro de mí, aunque me quita tanto poder como el que contiene.

—No tienes buena puntería —Kilorn está apoyado en la boca de acceso a la Muesca y procura mantenerse lo más seco posible bajo una saliente del techo. Lejos del fuego tiene un aspecto más recio y delgado que nunca, aunque come tan bien como lo hacía en Los Pilares. Las prolongadas cacerías y una rabia constante ya se dejan sentir—. Supongo que es para bien, si insistes en practicar con *eso* tan cerca de casa —agrega y apunta al valle, a un pino elevado que humea en la distancia—. Pero si piensas mejorar, haznos un favor a todos y date una caminata.

—¿Ahora ya me hablas? —resoplo y trato de ocultar que estoy sin aliento.

Entrecierro los ojos en dirección al árbol humeante. Un débil rayo cae a cien metros de él, mucho más allá de donde había apuntado.

Hace un año Kilorn se habría reído de mis esfuerzos y se habría burlado de mí hasta que yo saliera en mi defensa. Su mente ha madurado tanto como su cuerpo. Sus modales infantiles han desaparecido. Los aborrecí alguna vez. Los lloro ahora.

Se sube la capucha del suéter y oculta su cabello mal cortado. No quiso que Farley lo pelara a su estilo, que está de moda, así que Nix probó suerte y lo dejó con una cortina dispareja de rizos pardos.

—¿Me dejarás ir a Corros? —pregunta al fin.

—Tú te ofreciste —la sonrisa que divide su cara es tan blanca como la nube que nos rodea. ¡Cómo me gustaría que él no deseara esto con tanto afán! ¡Que atendiera a razones y se quedara! Aunque Cal dice que Kilorn confía en que soy capaz de tomar mis propias decisiones, así que debo dejarlo tomar las suyas—. Gracias por haberme defendido en la reunión —continúo, y digo en serio cada palabra.

Ladea la cabeza y se quita el pelo de los ojos. Picotea la pared de adobe detrás de él y alza forzadamente los hombros, como sin interés.

—Crees que aprendiste a convencer a la gente después de todas esas lecciones Plateadas, pero eres muy tonta.

Nuestras carcajadas se disipan juntas, y forman un ruido que reconozco de los días del pasado. En esos tiempos éramos diferentes de lo que somos ahora, aunque iguales a como hemos sido siempre.

No nos hemos hablado durante varias semanas, y no había reparado que lo echaba mucho de menos. Por un momento me debato entre decírselo o no, aunque refreno ese punzante impulso. Me duele contenerme, no hablarle acerca de las notas de Maven, ni de los rostros de los muertos que veo cada noche, ni de las pesadillas que no dejan dormir a Cal. Me gustaría poder contárselo todo. Él conoce a Mare como nadie más, y yo conozco a Kilorn el pescador. *Pero esas personas ya no existen.* Deben *dejar de existir. No pueden sobrevivir en un mundo como éste.* Yo debo ser distinta, alguien que ya no dependa más que de su propia fuerza. Él hace demasiado fácil que yo vuelva a ser Mare y me olvide de la persona que debo ser.

El silencio se prolonga, tan suave como las nubes de nuestro aliento en el aire frío.

—Si mueres, te mato.

Sonríe tristemente.

—Lo mismo digo.

VEINTICUATRO

Curiosamente, en los tres días siguientes duermo más de lo que he dormido en varias semanas. El ejercicio en el patio y las largas sesiones de planificación nos agotan a todos. Nuestros viajes de reclutamiento se interrumpen por completo. No los echo de menos. Cada misión era un jadeo de alivio u horror, y ambas cosas eran un desastre para mí. Había demasiados cuerpos en la horca, demasiados chicos que decidían abandonar a su madre, demasiado desgarramiento respecto a la vida que conocían. Para bien o para mal, les di a escoger a todos. Pero ahora que el jet está varado y dedico mi tiempo a estudiar mapas y planos, siento una vergüenza de otro tipo. He abandonado a todos los que faltan, así como, según Cameron, abandoné a los muchachos de la Pequeña Legión. ¿Cuántos bebés más morirán? ¿Cuántos jóvenes?

Pero soy sólo una persona, una niña que ya no puede sonreír. La escondo del resto, detrás de mi máscara de los relámpagos. Sin embargo, ella permanece, frenética, con los ojos bien abiertos, temerosa. La aparto en cada momento que estoy despierta, pero no cesa de perseguirme. No se aleja nunca.

Todos duermen mucho, incluso Cal, quien vela para que todos descansen lo más posible después del entrenamiento.

Mientras que Kilorn ya me habla otra vez y se ha permitido regresar al redil, Cal se distancia más con el paso del tiempo. Es como si ya no tuviera espacio en su cabeza para conversar. Corros lo ha atrapado. Despierta antes que yo, para anotar más ideas, hacer más listas, garabatear cada hoja que podemos birlar juntos. Ada es el principal de sus haberes, y memoriza todo con tanto escrúpulo que temo que sus ojos hagan agujeros en los mapas. Cameron no está lejos nunca. Pese a las órdenes de Cal, parece más exhausta a cada minuto. Unos círculos oscuros rodean sus ojos, y se apoya o se sienta siempre que puede hacerlo. Pero no se queja, por lo menos frente a los demás.

Hoy es nuestro último día antes del ataque y ella está de especial mal humor. Se desquita con sus blancos en el entrenamiento. Es decir, con Lory y conmigo.

—¡Basta! —sisea Lory entre dientes. Cae sobre una rodilla y agita la mano en dirección a Cameron. La adolescente aprieta un puño, pero lo relaja, su habilidad se ha desvanecido y ella vuelve a correr la sofocante cortina de silencio—. Se supone que debes dejar fuera de combate mis sentidos, no a *mí* —añade mientras se pone en pie con dificultad.

Aunque es del glacial Kentosport, un puerto escarpado y semiolvidado que para este momento ya ha caído presa de las tormentas de nieve y marítimas, viste su mejor abrigo. El silencio de Cameron lo despoja a uno no sólo de las armas propias de su sangre, sino que también lo anula por completo. El pulso se retarda, los ojos se oscurecen y la temperatura baja. Esto perturba algo muy profundo.

—Lo siento —Cameron ha dado en hablar con el menor número posible de palabras, lo que representa un cambio muy grato desde sus discursos fulminantes—. No soy buena para esto.

Lory replica irritada.

—Pues más vale que mejores, y rápido. Partiremos esta noche, Cole, y no has venido aquí a jugar a la guía de turistas. No me gusta terminar peleas. Instigarlas, sí; presenciarlas, definitivamente, pero ¿detenerlas? De todas formas, no tenemos tiempo para discutir.

—Basta, Lory. Una vez más, Cameron —la voz cortesana de Mareena me va bien aquí, y ambas se interrumpen para escuchar—. Bloquea sus sentidos. Vuélvela *normal*. Controla *lo que ella es.*

Aunque la mejilla de Cameron tiembla, ella no opone resistencia. Pese a todas sus quejas, sabe que esto es algo que debe hacer. Si no por nosotros, por sí misma. Lo mejor que puede hacer es aprender a controlar su habilidad, y ése es nuestro trato. Yo la entreno, ella nos lleva a Corros.

Lory no se muestra tan complaciente.

—Después te tocará estar en mi lugar, Barrow —me gruñe. Su acento del distante norte es afilado e implacable, como ella misma y el lugar hostil del que procede—. Si me haces vomitar de nuevo, Cole, te destriparé en sueños.

Por alguna razón, obtiene de Cameron un remedo de sonrisa.

—Inténtalo —repone y estira sus largos y torcidos dedos—. Avísame cuando lo sientas.

Observo, a la espera de una señal. Pero como las de Cameron, las habilidades de Lory son difíciles de ver. Su así llamada habilidad de los sentidos significa que oye, ve, toca, huele y degusta todo de una forma increíblemente agudizada. Puede ver tan lejos como un águila, oír varas quebrarse a un kilómetro de distancia e incluso rastrear como un sabueso, si le gustara cazar. Pese a todo, prefiere proteger el campamento y vigilar el bosque con su vista y su oído superiores.

—¡Calma! —le digo. La frente de Cameron se arruga de concentración, y comprendo. Una cosa es soltarse, derribar las paredes del dique interior y permitir que todo se derrame, y otra muy distinta mantener el control, dominarse y conservar la firmeza y el mando—. Es tuya, Cameron. Está en tu poder. Responde a *tus* órdenes.

Algo titila en sus ojos. No es su cólera de costumbre. *Es orgullo.* Comprendo eso también. Para jóvenes como nosotras, que no tuvimos nada, de las que no se esperaba nada, resulta embriagador saber que poseemos algo que nadie podrá reclamarnos ni quitarnos.

A mi izquierda, Lory parpadea y entrecierra los ojos.

—Ya ha comenzado —dice—. Apenas oigo el otro lado del campamento.

Eso es lejos todavía. Su habilidad continúa en pie.

—Un poco más, Cameron.

Sigue mi indicación y saca la otra mano. Mueve los dedos en sincronía con lo que debe ser su pulso, para que lo que siente adopte la forma que ella quiere que tenga.

—¿Ahora? —pregunta, y Lory ladea la cabeza.

—¿Qué? —pregunta ésta a su vez y entrecierra más los ojos. Ya apenas ve y oye.

—Ésta es tu constante —me estiro sin pensar y pongo las palmas en los hombros de Cameron—. A lo que debes apuntar. Pronto será tan fácil como mover un interruptor, tan trillado como olvidar. Será instantáneo.

—¿Pronto? —inquiere y vuelve la cabeza—. Volaremos esta noche.

En una reacción instintiva, aprieto su mandíbula y la fuerzo a mirar hacia Lory.

—Olvídate de eso. Averigua cuánto tiempo puedes aguantar sin hacerle daño.

—¡No veo nada! —grita Lory demasiado fuerte.

Y supongo que no oyes nada tampoco.

—Sea lo que sea lo que estás haciendo en este momento, surte efecto —le digo a Cameron—. No hace falta que sepas qué es, aunque debes saber que éste es tu gatillo —Julian me dijo lo mismo hace unos meses, que buscara el gatillo que había liberado mis chispas en el Jardín Espiral. Ahora sé que lo que me da fuerza es soltarme, y al parecer Cameron ha descubierto lo que se lo permite a ella—. Recuerda lo que sientes —pese a que hace frío, una gota de sudor baja por su cuello y desaparece en su camisa. Ella aprieta la mandíbula para sostener una queja de frustración—. Cada vez te será más fácil —continúo, y pongo de nuevo mis manos en sus hombros.

Siento tensos sus músculos bajo mis dedos, nervudos y tirantes como si fueran cuerdas demasiado ajustadas. Aunque su habilidad causa estragos en los sentidos de Lory, la debilita a ella misma también. ¡Si tuviéramos más tiempo! Una semana más. *Un día siquiera.*

Al menos Cameron no tendrá que contenerse una vez que lleguemos a Corros. Dentro de la prisión, quiero que inflija el mayor daño posible. Con su mal genio y su pasado en las celdas, no le será demasiado difícil silenciar a los custodios, y nos abrirá camino por la roca y por la carne. Pero ¿qué sucederá cuando la persona equivocada se interponga en su camino? ¿Un nuevasangre al que no reconozca? ¿Cal? ¿Yo? Su habilidad es quizá la más poderosa que yo haya visto o sentido jamás, y es indudable que no quiero ser su víctima de nuevo. Esta sola idea me eriza la piel. En lo más profundo de mi ser, mis chispas responden y estallan en mis nervios. Tengo que empujarlas, y empleo mis propias lecciones para mantener el relámpago quieto y distante. Aunque obedece y se disuelve en el zumbido apagado que apenas percibo ya, las chispas se enroscan de poder. Pese a mi constante preocupación y estrés, todo indica que mi habilidad se ha desarrollado. Es más fuerte que antes, más sana y vivaz. *Al menos una parte de mí lo es*, pienso. Porque debajo del rayo, otro elemento permanece.

El frío no se disipa nunca. No termina nunca y lo percibo peor que cualquier carga. Es hueco y corroe mis entrañas. Se propaga como la putrefacción, como la enfermedad, y temo que un día me deje vacía, convertida en un mero remedo de la Niña Relámpago, en el cadáver palpitante de Mare Barrow.

En medio de su ceguera, Lory entorna los ojos y busca vanamente en el manto de oscuridad de Cameron.

—Se empieza a sentir otra vez —dice en voz muy alta. El siseo de sus palabras delata su dolor. Aunque es recia como las rocas saladas entre las que creció, ni siquiera ella puede guardar silencio contra las armas de Cameron—. Cada vez más fuerte.

—Suelta.

Después de un momento demasiado largo para mi gusto, Cameron deja caer sus brazos y se relaja. Daría la impresión de que se encoge al tiempo que Lory cae de nuevo sobre una rodilla. Se frota las sienes y pestañea rápido, para recobrar el dominio de sus sentidos.

—¡Ay! —balbucea mientras le dirige a Cameron una sonrisita de suficiencia.

La chica tecno no corresponde su gesto. Gira repentinamente sobre sus talones, deja mecer sus trenzas y me mira de frente, o más bien mira la parte alta de mi cabeza. Veo en ella su furia habitual. Le será muy útil esta noche.

—¿Sí?

—Es todo por hoy —espeta, con unos dientes reluciente-
mente blancos.

No puedo menos que cruzar los brazos y enderezarme lo
más posible. Me siento Lady Blonos cuando la contemplo.

—Te faltan dos horas, Cameron, y deberías desear que
fuera más. Necesitamos de cada segundo que tengamos a
nuestra disposición...

—He dicho que es *todo* por hoy —repite. Para tener quince años, puede ser empecinadamente seria. Los músculos de
su largo cuello brillan de sudor y su respiración se vuelve
pesada. Pese a ello, reprime el impulso de jadear e intenta
enfrentarme en condiciones de equidad. *Intenta parecer una
igual*—. Me siento cansada, tengo hambre y estoy a punto de
ser arrojada a una batalla que no quiero librar, una vez más.
¡Y maldita sea si voy a morir con el estómago vacío!

Detrás de ella, Lory nos observa con los ojos muy abiertos y sin parpadear. Sé lo que Cal haría en este caso. *Insu-
bordinación*, le llama a esto, y no puede tolerarse. Yo debería
presionar más a Cameron, hacerle dar una vuelta al claro,
comprobar quizá si puede echar por tierra un ave con su habilidad. Cal le haría ver que *no es ella quien manda*. Conoce a
los soldados, pero esta niña no es uno de sus efectivos. No se
doblegará a mi voluntad ni a la suya. Dedicó mucho tiempo
a obedecer los caprichos de un cambio de turno, los horarios
determinados por generaciones de obreros esclavizados. Probó ya la libertad y no se someterá a ninguna orden que no
quiera seguir. Y aunque protesta a cada momento de su estancia aquí, no se marcha. Incluso con su habilidad, se queda.

No le agradeceré eso, pero le permitiré comer. Me aparto
a un lado sin rechistar.

—Descansa treinta minutos y regresa después.

Sus ojos destellan de ira, y el espectáculo es tan conocido que casi me hace sonreír. No puedo sino admirar a esta muchacha. Algún día incluso podríamos llegar a ser amigas. Pese a que no está de acuerdo, tampoco discute, y se retira de nuestro rincón en el claro. Los demás, que también están presentes, la ven partir, la siguen con la mirada en tanto desafía a la Niña Relámpago, aunque a mí no me importa un comino lo que puedan pensar. No soy su capitana, no soy su reina. No soy mejor ni peor que ninguno de ellos, y ya es hora de que empiecen a verme tal como soy. Otra nuevasangre, otra combatiente y nada más.

—Kilorn ha atrapado unos conejos —dice Lory, así sea sólo para romper el silencio. Olfatea el aire y se lame los labios de una forma que haría chillar a Lady Blonos—. Están muy carnosos.

—Ve entonces —farfullo y agito la mano en dirección al fogón, que se halla al otro lado del claro. No necesita que se lo diga dos veces.

—Cal está de mal humor, por cierto —agrega cuando pasa junto a mí—. Por lo menos no deja de maldecir y patear cosas.

Me basta con pasear la vista por el claro para saber que Cal no está aquí afuera. Esto me sorprende durante un segundo, pero después recuerdo que Lory oye casi todo si se esmera en escuchar.

—Iré a verlo —le digo y echo a andar a toda prisa.

Intenta seguirme, pero lo piensa mejor y permite que me adelante.

No me molesto en ocultar mi preocupación. Cal no es dado a enojarse, y planear le sosiega y hasta le hace *feliz*. Así que lo que lo tiene trastornado me inquieta a mí también, mucho más de lo que debería en la víspera de nuestro ataque.

La Muesca está casi vacía. Todos entrenan afuera. Incluso los niños han ido a ver a sus mayores mientras aprenden a pelear, disparar y controlar sus habilidades. Me alegra que no se me crucen enfrente, me tiren de las manos o me acosen con preguntas absurdas sobre su héroe, el príncipe exiliado. Carezco de la paciencia que Cal tiene con los chicos.

Cuando doy la vuelta en una esquina, casi choco con mi hermano, que viene de las habitaciones. Farley lo sigue y sonríe para sí, aunque desaparece en cuanto me ve. ¡Ah!

—Mare —murmura en señal de saludo.

No se detiene y pasa a mi lado con firmes pisadas.

Shade intenta hacer lo mismo, pero extiendo un brazo y lo paro en seco.

—¿En qué puedo ayudarte? —pregunta.

Tuerce los labios. Libra una batalla perdida contra una sonrisa malévola y juguetona.

Intento mirarlo a los ojos, así sea sólo para guardar las apariencias.

—Se supone que deberías estar en el entrenamiento.

—¿Te preocupa que no haga suficiente ejercicio? Te aseguro, Mare —dice parpadeando—, que lo hacemos.

Tiene sentido. Farley y él han sido inseparables desde hace mucho tiempo.

De todas formas, le doy un manotazo en el brazo y exclamo:

—¡Shade Barrow!

—¡Ay, vamos, todos lo saben! No es culpa mía que tú no te hayas dado cuenta.

—Podrías habérmelo *dicho* —espeto, en busca de cualquier cosa para regañarlo.

No hace más que levantar los hombros y no dejar de sonreír.

—¿Acaso tú me has hablado de Cal?

—Eso es... —*diferente*, quisiera decirle.

Nosotros no nos escondemos en pleno día, y ni siquiera hacemos gran cosa durante la noche.

Alza una mano y me detiene.

—Si es lo mismo para ti, realmente *no* quiero saberlo —dice—. Y si me lo permites, creo que tengo algunos ejercicios que hacer, como tan amablemente acabas de señalar.

Se retira con las palmas en alto, como un hombre que se rinde en una batalla. Dejo que se marche, y mientras agito la mano para despedirme de él, contengo una sonrisa. Un mínimo capullo de felicidad brota en mi pecho, y es una sensación curiosa tras tantos días de desesperanza. La protejo como lo haría con la llama de una vela, e intento mantenerla viva y encendida. Aunque tan pronto como veo a Cal, se apaga.

Está en nuestro cuarto, sentado sobre una caja vuelta del revés y con un conocido papel sobre las rodillas. Es el reverso de uno de los mapas del coronel, ahora cubierto con líneas minuciosamente trazadas. Se trata de un mapa de la cárcel de Corros, o al menos de todo lo que Cameron pudo recordar. Imagino que veré humear el borde del documento, pero él reduce su fuego a la flama que crepita en el suelo. Ésta proyecta una bamboleante luz roja bajo la cual debe ser difícil leer, pese a lo cual el príncipe entrecierra los ojos para poder hacerlo. En la esquina del cuarto reposa imperturbable mi paquete, lleno de las inquietantes notas de Maven.

Acerco lentamente otra caja y me hundo a su lado. A pesar de que finge no notarlo, sé que lo hace. Nada escapa a su olfato de soldado. Cuando mi hombro choca con el suyo, él no quita los ojos del mapa, aunque su mano se desliza hasta mi pierna, y me atrae así a su calor. No me suelta y yo no lo aparto. La verdad es que no puedo hacerlo nunca.

—¿Qué sucede ahora? —pregunto y apoyo mi cabeza en su hombro.

Para que yo pueda ver mejor el mapa, me digo.

—¿Aparte de Maven, su madre, el hecho de que *odio* el conejo y el diseño de este espanto de prisión? Nada, gracias por preguntar.

Yo quisiera reír, pero apenas puedo esbozar una sonrisa. No acostumbra a bromear en momentos como éste. Ese mal gusto se lo dejo a Kilorn.

—Cameron va cada vez mejor, si te sirve de algo saberlo.

—¿Ah, sí? —su voz reverbera en su pecho y repiquetea en mí—. ¿Por eso estás aquí y no en el entrenamiento con ella?

—Tiene que comer, Cal. No es un trozo de roca silente.

Sisea sin dejar de mirar el boceto de Corros:

—No me recuerdes esa cosa.

—Sólo está en las celdas, Cal, no en el resto de la prisión —le hago notar. ¡Ojalá me escuchara y se calmara para librarse de este raro humor!—. Estaremos bien mientras nadie nos encierre.

—Díselo a Kilorn.

Para mi desagrado, se ríe de su chiste, y casi parece un niño en vez del soldado que necesitamos. Más todavía, me aprieta la rodilla. No lo suficiente para hacerme daño, pero sí para dejar en claro su idea.

—¿Qué te pasa, Cal?

Empujo su mano como si fuera una araña.

Levanta por fin la cabeza y me mira. Aunque no ha cesado de sonreír, no hay ningún rastro de risa en sus ojos.

Los cruza algo oscuro que lo convierte en alguien que no reconozco. Ni siquiera en el Cuenco de los Huesos se le veía así, antes de que su hermano lo sentenciara a muerte. Pese a que estaba aterrado y angustiado, un despojo en lugar de un príncipe, parecía el mismo de siempre. Yo podía confiar en esa persona asustada. ¿Pero esto? ¿Este hombre que ríe con manos inquietas y ojos desesperados? ¿Quién es?

—¿Quieres una lista? —replica y sonríe más ampliamente.

Algo en mí explota.

Le doy un puñetazo en el hombro. Aunque es enorme, no se resiste a mi golpe y permite que lo sacuda, lo cual me toma desprevenida. Caigo con él en el suelo de tierra. Su cabeza rebota con un ruido seco y se queja. Cuando trata de ponerse en pie, lo empujo y lo sostengo con firmeza debajo de mí.

—No te levantarás hasta que te calmes.

Para mi sorpresa, sólo se encoge de hombros, e incluso *me guiña un ojo*.

—Eso no es un gran incentivo.

—¡Uf!

En otro tiempo, las nobles damas de Norta se habrían desmayado si el príncipe Tiberias les hubiera guiñado un ojo. A mí esto sólo me revuelve el estómago, y lo golpeo de nuevo, esta vez en el abdomen. Por lo menos tiene el tino de mantener cerrada la boca y de no volver a guiñar.

—Ahora dime cuál es tu problema —lo que empezó como una sonrisa se convierte en un ceño fruncido y echa para atrás la cabeza. Arruga la frente. Contempla el techo. *Esto es mejor a que se haga el idiota*—. Cal, once personas nos acompañarán a la cárcel de Corros. Once —aprieta la mandíbula. Sabe adónde voy. *Once que morirán si no conseguimos nuestro propósito, y muchas más en Corros si las abandonamos a su suerte*—.

Yo también tengo miedo —me tiembla la voz más de lo que querría—. No quiero decepcionarlas ni que sufran daños —su mano se desliza de nuevo hasta mi pierna, aunque su tacto no es urgente ni apremiante. Es simplemente un recordatorio. *Estoy aquí*—. Pero sobre todo... —se me va el aliento, que pende de una aguda saliente de la verdad— tengo miedo de mí. De volver a sentir el resonador. De lo que Elara hará si me atrapa. Sé que soy más valiosa que la mayoría, por lo que he hecho y lo que *puedo* hacer. Mi nombre y mi rostro tienen tanto poder como mi relámpago, y eso me vuelve importante. Me convierte en una presa mejor —*me hace sentir sola*—. Y odio pensar así, aunque no puedo dejar de hacerlo.

Lo que se inició como un colapso nervioso de Cal se vuelve uno mío. Una oscura noche yo volqué mis secretos en él, sobre una calle rebosante del calor del verano. Era una muchacha que quería robarle su dinero. Ahora el invierno se acerca, y soy la chica que le ha robado la vida.

Aún falta la peor de mis confesiones, que revolotea en mi cerebro como un ave en una jaula. Choca con mis dientes y ruega ser liberada.

—Lo echo de menos —susurro, incapaz de sostenerle la mirada a Cal—. Echo de menos a quien creí que era él.

La mano que reposa sobre mi pierna se convierte en un puño en poder del calor. *Ira*. Cal es fácil de descifrar, lo cual es un grato respiro después de tanto tiempo en una guarida de lobos.

—Yo también —mis ojos se vuelven velozmente hacia los suyos, con un azoro que excede toda credulidad—. No sé qué hará más fácil olvidarlo. Creer que no fue así siempre, que su madre lo envenenó, o que desde que nació ya fuera un monstruo.

—Nadie es un monstruo al nacer —*aunque yo quisiera que algunos lo fueran. Esto simplificaría odiarlos, matarlos, olvidar su rostro de muertos*—. Ni siquiera Maven.

Me acuesto sin pensarlo, con mi corazón contra el suyo. Laten en sincronía, en consonancia con nuestros mutuos recuerdos de un muchacho de lengua afilada y ojos azules. Listo, postergado, compasivo. No volveremos a ver nunca a ese joven.

—Tenemos que olvidarlo —murmuro contra su cuello—. Incluso si eso significa matarlo.

—Si está en Corros...

—Yo puedo hacerlo, Cal, si tú no puedes.

Calla durante lo que parece una eternidad, aunque no puede ser más de un minuto. De todas formas, casi me duermo. La tibieza de Cal es más seductora que la mejor cama de un palacio.

—Si está en Corros, perderé el control —dice por fin—. Tendré que perseguirlo con todo mi poder, a él y a Elara. Ella usará mi rabia y la volverá contra ti. Me forzará a matarte, así como me hizo...

Mis dedos encuentran sus labios y le impido pronunciar esas palabras. Le causan demasiado dolor. En un instante, alcanzo a ver a un hombre sin otro motivo que la venganza, sin otro corazón que el que yo rompí. Otro monstruo, a la espera de cobrar forma.

—No permitiré que eso suceda —le digo, y aparto a un lado nuestros más hondos temores.

No me cree. Lo detecto en la oscuridad de sus ojos. Su vacío, el mismo que vi en la Colina del Mar, amenaza con volver.

—No moriremos, Cal. Hemos llegado demasiado lejos para eso.

Su risa es hueca, dolorosa. Aparta suavemente mis manos, pero no suelta mi muñeca.

—¿Sabes cuántos que amo están muertos? —sé que siente el temblor de mi pulso, y estoy demasiado cerca para ocultar el dolor que siento por él. Casi se burla de mi piedad—. Todos ausentes. Todos asesinados. Por *ella* —*la reina Elara*—. Los mata y después los borra.

Otro supondría que piensa en su padre, o incluso en el hermano que creyó que era Maven. Pero yo sé que no es así.

—Coriane —murmuro el nombre de su madre. La hermana de Julian. La reina arrulladora. Cal no la recuerda, pero sin duda puede llorarla.

—Por eso la Colina del Mar era mi favorita. Era suya. Papá se la regaló a ella.

Pestañeo mientras trato de recordar la pesadilla que fue el palacio de Harbor Bay. La forma en que peleamos por nuestra vida. Vaga y lentamente me acuerdo de los colores que predominaban en el interior. Dorado. Amarillo. Como el papel antiguo, como las túnicas de Julian. El color de la Casa de Jacos.

Por eso él tenía un aspecto tan triste, por eso no podía quemar los estandartes. Los estandartes de su madre.

No sé qué se siente al ser huérfano. Siempre he tenido madre y padre. Es una bendición que no comprendí hasta que me fueron arrebatados. Me siento mal por echarlos de menos en este momento, a sabiendas de que están a salvo, mientras que los de Cal están muertos y desaparecidos. Y ahora odio más que nunca el frío que habita en mi interior y mi temor egoísta a quedarme sola. De nosotros dos, Cal está más solo de lo que yo estaré nunca.

Pero no podemos demorarnos en nuestros pensamientos y nuestros recuerdos. No podemos permanecer en este momento.

—Háblame de la cárcel —insisto y fuerzo un nuevo tema. Sacaré a Cal de esta depresión incluso si eso me cuesta la vida.

La intensidad de su suspiro sacude su cuerpo entero, aunque agradece la distracción.

—Es un pozo. Una fortaleza protegida por un ingenioso diseño. Las puertas están en el nivel superior y las celdas abajo, mientras que los pasadizos de los magnetrones lo unen todo. Un simple tirón nos haría caer doce metros y nos llevaría al fondo de un barril. Ahí nos masacrarían, junto con todos aquéllos a los que liberemos.

—¿Qué hay de los presos Plateados? ¿No crees que opondrán mucha resistencia?

—No después de haber pasado varias semanas en esas celdas silentes. Serán un obstáculo, pero no demasiado grande. Y eso volverá lenta su fuga.

—¿Tú... les permitirás escapar? —su silencio es respuesta suficiente—. Podrían volverse contra nosotros ahí, o perseguirnos después.

—Aunque no soy político, creo que una irrupción en una cárcel le dará a mi hermano más de un dolor de cabeza, en especial si los prófugos resultan ser sus enemigos políticos —sacudo la cabeza—. ¿No te agrada?

—No confío en eso.

—Es un factor sorpresa —dice secamente. Enreda un dedo en mi cuello y recorre las cicatrices que el artefacto de su hermano me hizo—. La fuerza bruta no ganará esto por ti, Mare. Por más agentes nuevasangre que reúnas, los Plateados os excederán en número y mantendrán la ventaja.

¡Y pensar que él era el soldado que abogaba por un tipo de combate diferente! Qué ironía.

—Espero que sepas lo que haces.

Se encoge de hombros debajo de mí.

—Las sutilezas políticas no son precisamente mi fuerte —dice—. Pero les daré una oportunidad.

—¿Incluso si eso significa una guerra civil?

Hace meses me dijo cómo sería una rebelión. Una guerra en ambos bandos, en la sangre de cada color. Rojos contra Rojos, Plateados contra Plateados y todos los que están en medio. Que él no arriesgaría el legado de su padre por una guerra así, incluso si era justa. Se hace de nuevo el silencio y él se niega a contestar. Supongo que no sabe dónde está ya. No es un rebelde, no es un príncipe, no está seguro de nada más que del fuego que arde en sus huesos.

—Puede ser que nos rebasen en número, pero eso no pone las cosas en contra nuestra —digo. *Más fuertes que ambos.* Eso es lo que Julian me escribió, cuando descubrió lo que yo era. Julian, a quien para mi gran sorpresa bien podría volver a ver—. Los nuevasangre tenemos habilidades que ningún Plateado puede prever, ni siquiera tú.

—¿Adónde quieres llegar?

—Concibes esto como si encabezaras a tus tropas, con habilidades que comprendes y has desarrollado.

—¿Y qué?

—Que a mí me gustaría ver qué ocurre cuando un custodio trate de dispararle a Nix o un magnetrón quiera derribar a Gareth.

Tarda un segundo en comprender lo que quiero decir. Nix es invulnerable, más fuerte que un caimán. Y Gareth, quien es capaz de manipular la gravedad, no caerá nunca en parte alguna. Pese a que no tenemos un ejército, es un hecho que disponemos de soldados, y habilidades que los guardianes Plateados no saben cómo combatir. Cuando él se da cuenta de esto, me coge por las mejillas y sube mi cabeza. Me planta un beso firme y ardoroso, demasiado corto para mi gusto.

—Eres un genio —murmura y se pone en pie de un salto—. Regresa con Cameron y prepara a todos los demás —lleva el mapa en una mano, casi loco de entusiasmo. Recupera su sonrisa torcida, aunque esta vez no la detesto—. Esto realmente podría dar resultado.

VEINTICINCO

La Muesca despide una luz intermitente detrás de mí y miro sobrecogida cuando lo que ha sido mi hogar en los últimos meses desaparece con un tirón de la mano de Harrick. La colina permanece en su sitio, lo mismo que el claro, pero toda señal de nuestro campamento se evapora como lo hace la arena en una piedra plana. Ni siquiera podemos oír a los chicos que estaban ahí hace un momento y que agitaban las manos en señal de despedida al tiempo que sus voces resonaban en la noche. Farrah los acalla a todos y, junto con Harrick, hace descender una cortina protectora en torno a los nueva-sangre más jóvenes. Nadie se acercó jamás a buscarnos aquí, pese a lo cual la defensa extra me tranquiliza más de lo que quisiera admitir. Casi todos emiten gritos de victoria, como si el acto de disfrazar la Muesca fuera motivo de celebración. Para mi disgusto, Kilorn encabeza los vítores y silba fuerte. Pero no lo regaño, ahora que por fin hemos vuelto a hablarnos. Le dirijo una sonrisa forzada, con los dientes tan apretados que me duelen. Contengo así las palabras que querría decirle: *Reserva tu energía*.

Shade está tan callado como yo y se coloca junto a mí. No mira atrás, al claro ahora vacío. Mantiene los ojos al frente, hacia la oscuridad, al frío bosque y la tarea que nos aguarda. Su cojera ha desaparecido casi por completo y fija un paso rápido que sigo ansiosa, al mismo tiempo que atraigo a los demás. El trayecto hasta el avión no es largo. Intento percibir con claridad cada segundo de él. En la noche helada, el aire corta mi cara expuesta, pero el cielo está totalmente despejado. No hay nieve, nada de tormentas... *todavía*. Porque sin ninguna duda, una tormenta se aproxima, sea por mi mano o por la de otro. Y no tengo ni idea de quién sobrevivirá para ver el amanecer.

Shade murmura algo que no escucho y pone una mano sobre mi hombro. Tiene torcidos dos dedos, aún en recuperación, de cuando reclutamos a Nanny en Cancorda. Un coloso se las arregló para atraparlo y aplastarle los primeros dedos de la mano izquierda antes de que él se apartara de un salto. Farley lo curó, desde luego, pero verlo me hace estremecer todavía. Me recuerda a Gisa, otro Barrow destrozado por pagar mis acciones.

—Vale la pena —dice de nuevo, con una voz más fuerte que antes—. Hacemos lo correcto.

Lo sé. Pese a que temo por mí y por quienes me rodean, sé que el ataque a Corros es la decisión apropiada. Incluso en ausencia de los vaticinios de Jon, creo en nuestro camino. ¿Cómo podría no hacerlo? No es posible abandonar a los nuevasangre a los susurros de Elara, para que los maten o los conviertan en meras cáscaras impersonales que sigan sus órdenes. Debemos hacer esto para impedir que el mundo sea más horrible de lo que ya es.

De cualquier modo, las visiones de Shade son un cálido manto de confort.

—Gracias —balbuceo en respuesta y pongo una mano sobre la suya.

Sonríe, con un cuarto creciente que refleja la luna menguante. En la oscuridad, guarda un gran parecido con nuestro padre. Sin la edad, sin la silla de ruedas, sin las cargas de una vida hecha pedazos. Pero comparten la misma inteligencia, el mismo oblicuo recelo que los mantuvo vivos en el frente de guerra, y que ahora lo mantiene vivo a él en un campo de batalla muy distinto. Me da una palmada en la mejilla con un gesto conocido que, aunque me hace sentir niña, no me disgusta. Es un recordatorio de la sangre que compartimos. No de la sangre en mutación, sino la de nuestro nacimiento. Algo más fuerte y profundo que cualquier habilidad.

Cal marcha a mi derecha y yo finjo no sentir su mirada. Sé que piensa en su propio hermano, y en sus lazos de sangre ya destruidos. Y detrás de él está Kilorn, quien aprieta su rifle de caza y busca en el bosque cualquier sombra. A pesar de todas sus diferencias, ambos comparten un lazo extraordinario. Son huérfanos, fueron abandonados, sólo me tienen a mí para servirles de ancla.

El tiempo transcurre demasiado rápido para mi gusto. Por momentos, parecería como si ya estuviéramos en el Blackrun y nos remontáramos en el viento. Cada segundo avanza más rápido que el anterior mientras nos dirigimos a toda prisa al oscuro risco que se cierne ante nosotros. *Esto vale la pena*, me digo, y repito una y otra vez las palabras de Shade. Debo mantener la calma, para no poner en peligro el jet. No debo parecer asustada, para no poner en peligro a los demás. Sin embargo, mi corazón repica en mi pecho con tanta fuerza que temo que todos puedan oírlo.

Para combatir ese acelerado latido, me aprieto contra el casco en mi regazo y envuelvo entre mis brazos su forma lisa y fresca. Miro el metal pulido y examino mi reflejo. La joven que veo es simultáneamente conocida y extraña, Mare, Mareena, la Niña Relámpago, la reina Roja y nadie en definitiva. No parece asustada. Parece tallada en piedra, con facciones severas, el cabello trenzado y una maraña de cicatrices en el cuello. No tiene diecisiete años, sino una edad indefinida, Plateada sin serlo, Roja pero distinta al resto, humana... pero con un poder *sobrenatural*. Es un pendón de la Guardia Escarlata, una cara en un cartel de *Se busca*, la desgracia de un príncipe, una ladrona... una asesina. Una muñeca que puede adoptar cualquier forma menos la suya propia.

Los trajes extra de las reservas del jet son blancos y plateados, lo que nos brinda un tipo variopinto de uniformes que pronto nos servirán de disfraces. Los demás se abalanzan sobre sus trajes y los ajustan a su medida. Como siempre, Kilorn juguetea con el cuello y trata de aflojar la rígida tela. El de Nix apenas contiene su vientre y parece que está a punto de abrirse en cualquier momento. En contraste, Nanny nada prácticamente en el suyo, aunque no se molesta en enrollarle las mangas ni las piernas, como hago yo. Adoptará una forma distinta cuando el avión aterrice, una forma que me revuelve el estómago y acelera mi corazón con demasiadas emociones para contarlas.

Por suerte, el Blackrun se hizo para el transporte de pasajeros y nos recibe a los once con espacio de sobra. Pensaba que el peso extra nos obligará a ir más lento, pero a juzgar por el tablero de control viajamos a la velocidad de siempre, quizás incluso un poco más rápido. Cal dirige el aparato lo mejor que puede. Nos mantiene lejos de la luz de la luna e inofensivamente ocultos en las nubes de otoño que se aproximan sobre la costa de Norta.

Se asoma por la ventana y sus ojos vuelan entre las nubes

y los numerosos instrumentos que parpadean ante él. Sigo sin entender qué significan todos ellos, pese a las muchas semanas que pasé sentada junto a él en la cabina. Fui una mala alumna en Los Pilares, y eso no ha cambiado. No tengo una mente como la suya. Sólo sé de atajos, cómo engañar, cómo mentir, cómo robar y cómo ver qué esconde la gente. Y justo ahora, es indudable que Cal esconde algo. Yo temería de los secretos de cualquier otro, pero sé que lo que él encubre no puede hacerme daño. Intenta sepultar su debilidad, su temor. Se le enseñó a creer en la fuerza, el poder y nada más. El titubeo era el peor de los errores. Le dije que tenía miedo también, pero unas cuantas palabras murmuradas no bastan para quebrantar años de creencias. Justo igual que yo, se pone una máscara, y ni siquiera a mí me permitirá ver detrás de ella.

Eso es lo mejor, piensa mi lado práctico. La otra parte, la que se preocupa de más por el príncipe exiliado, teme terriblemente. Soy consciente del peligro físico de esta misión, pero el emocional no cruzó por mi mente hasta esta tarde. ¿En qué se convertirá Cal en Corros? ¿Saldrá de ahí igual que como llegó? ¿Saldrá?

Farley revisa nuestro alijo de armas por duodécima vez. Shade trata de ayudar y ella lo repele, aunque con poca fuerza. Los sorprendo mientras intercambian una sonrisa, y al final ella le permite que cuente las balas de un paquete que dice *Corvium*. Otro embarque robado, quizá por Crance. Junto con los contactos de Farley, él logró contrabandear en nuestro favor más armas de fuego, navajas y otras armas de las que yo hubiera creído posible. Todos estarán armados, con su habilidad y lo demás que elijan. Yo no quiero más que mi relámpago, aunque los demás se muestran más ansiosos y reclaman puñales o pistolas o, en el caso de Nix, la lanza brutal y extensible que ha preferido en las últimas semanas. La estrecha con fuerza y pasa con deleite sus dedos por el afilado acero. El otro nuevasangre invulnerable, Darmian, sigue su ejemplo y tiende una gruesa espada como si fuera un cuchillo de carnicero sobre sus huesudas rodillas. El filo reluce como si rogara cortar el hueso.

Mientras observo, Cameron coge temblorosamente una pequeña navaja que procura mantener enfundada. Ha dedicado los tres últimos días a afinar su habilidad, no su manejo de las navajas, y esa daga es un último recurso que espero que no tenga que utilizar. Sorprende mi mirada con una expresión de pena y por un momento temo que me espete algo o, peor todavía, que entrevea en mi máscara. En cambio, asiente con torvo reconocimiento.

Yo asiento en respuesta y tiendo entre nosotras la invisible mano de la amistad. Pese a ello, su mirada se endurece y se aparta. El significado de este gesto es claro. *Somos aliadas pero no amigas.*

—No falta mucho —dice Cal al tiempo que me da un codazo para que me gire.

Demasiado pronto, grita mi mente, aunque sé que hemos procedido tal como lo planeamos.

—Tendremos éxito —digo con voz trémula. Por fortuna, es el único que me oye. No hurga en mi debilidad, lo que hace que se agrave—. Tendremos éxito —repito, aunque más débilmente esta vez.

—¿Quién tiene la ventaja? —pregunta

Estas palabras me alteran, me duelen y me calman, en ese orden. El instructor Arven preguntaba lo mismo en el entrenamiento, cuando oponía uno a uno a sus alumnos en batallas de sangre y orgullo. Lo preguntó también en el Cuenco de los Huesos, antes de que un coloso Rhambos lo ensartara como un cerdo gordo y pestilente. Yo lo odiaba, pero eso no quiere decir que no haya aprendido nada de él.

Tenemos el factor sorpresa, tenemos a Cameron, tenemos a Shade y a Gareth y a Nanny y a cinco nuevasangre más, que ningún Plateado sería capaz de prever. Tenemos a Cal, que es un genio militar.

Y tenemos una causa. Tenemos el rojo amanecer a nuestras espaldas, impaciente por levantarse.

—*Nosotros*.

La sonrisa de Cal es tan forzada como la mía, aunque me anima de todas maneras.

—¡Ésa es mi chica!

Sus palabras suscitan nuevamente una emoción turbia y contradictoria.

Un chasquido y un siseo de electricidad estática que proceden de la radio borran de mi mente todos los pensamientos sobre Cal. Me vuelvo hacia Nanny, quien asiente en respuesta. Ante mis ojos su cuerpo cambia y se transforma en un chico de ojos azul hielo, pelo negro y falta de alma: Maven. El ropaje de Nanny cambia junto con su apariencia y el traje de vuelo es reemplazado por un prístino uniforme negro de gala con una hilera de refulgentes medallas y una capa de color rojo sangre. Una corona descansa sobre los rizos negros, y tengo que reprimir el impulso de arrojarlo del jet.

Los demás observan arrobados y ver al falso rey les asombra, pero yo sólo siento odio y ni una pizca de arrepentimiento. La bondad de Nanny traspasa el disfraz y convierte los labios de Maven en una dulce sonrisa que reconozco con demasiada facilidad. Por un doloroso momento, miro al chico que creí que era y no al monstruo que resultó ser.

—Muy bien —me obligo a decir, con una voz cargada de emoción.

Sólo Kilorn parece notarlo y aleja su mirada de Nanny. Apenas sacudo la cabeza en su dirección, como para decirle que no se preocupe. Tenemos cosas más importantes de las que ocuparnos.

—Control aéreo de Corros, aquí Nave Prima —dice Cal en la radio —en otros vuelos hizo lo posible por mostrarse aburrido e indiferente en los informes obligatorios a diversas bases, pero ahora se oye muy serio. Después de todo, nos haremos pasar por el transporte del rey, conocido como Nave Prima, un aparato por encima de todo escrutinio. Y Cal sabe por experiencia cómo deben sonar estos informes—. El trono está próximo.

No es un complejo código de identificación ni una solicitud de permiso para aterrizar. Esto sólo transmite una autoridad estricta y ningún operador en el otro extremo tendría razones para rechazarla. Como era de esperar, responde una voz titubeante.

—En-entendido, Nave Prima —dice un sujeto. Su voz ronca y grave no oculta su zozobra—. Perdón, ¿no esperábamos a su alteza real hasta mañana por la tarde?

Mañana, el cuarto día, cuando Jon aseguró que moriríamos, y estaba en lo cierto. Maven traerá consigo un ejército de guardianes, desde centinelas hasta guerreros tan mortíferos como Ptolemus y Evangeline. Nosotros no seríamos dignos rivales suyos.

Pese a que agito una mano detrás de mí, Nanny ya está a mi lado. Su cercanía bajo la forma de Maven hace que la piel se me ponga de gallina.

—El rey no sigue más calendario que el suyo —dice en la radio, con las mejillas teñidas de plateado rubor. Su tono no resulta muy agudo, pero la voz es inconfundible—. Y no tengo por qué dar explicaciones a un portero con pretensiones.

Se oye un golpe en el otro extremo de la radio, que sólo puede deberse a que el operador ha caído de su asiento.

—Sí... sí, por supuesto, su alteza.

A nuestras espaldas, alguien resopla en su manga. Quizá sea Kilorn.

Cal le dirige a Nanny una inclinación de cabeza antes de que recupere el micrófono de la radio. Veo en él el mismo dolor que yo siento muy hondo.

—Aterrizaremos en diez minutos. Preparen Corros para el arribo del rey.

—Yo me encargaré personal...

Apaga la radio antes de que el operador termine de hablar y se permite una sonrisa de alivio. También esta vez los demás vitorean, en celebración de una victoria inexistente. Sí, el obstáculo ha sido salvado, pero seguirán muchos más. Todos ellos se encuentran debajo de nosotros, en los campos grisáceos que rodean los páramos del Wash y que ocultan la prisión que podría ser nuestra condena.

Un dejo de luz asoma en el horizonte, pese a lo cual el cielo es todavía de un azul vasto y profundo cuando el Blackrun aterriza en la tersa pista de Corros. Ésta no es una base militar repleta de escuadrones aéreos y hangares, aunque es de todas formas un centro Plateado y de todas las cosas pende un palpable aire de peligro. Deslizo el casco en mi cabeza y oculto mi rostro. Cal y los demás hacen lo mismo: ponerse sus cascos para colocar en su sitio sus caretas. Para un extraño, tenemos un aspecto aterrador. Todos vestimos de negro, estamos enmascarados y acompañamos a su cárcel al joven e implacable rey. Ojalá los guardias se limiten a vernos pasar, más preocupados por la presencia del rey que por su séquito.

No puedo quedarme quieta más tiempo y abandono mi sillón de inmediato. Los cinturones de seguridad vuelan a mis espaldas y chocan entre sí. Hago lo que debo, lo que quisiera no tener que hacer, y agarro a Nanny del brazo. *Casi lo siento como el de Maven.*

—Mira a la gente como si no la vieras —le digo con una voz amortiguada por el casco—. Sonríe sin amabilidad. No hables de nimiedades, no hables de asuntos de la corte. Compórtate como si tuvieras un millón de secretos y como si fueras la única persona tan importante para conocerlos a todos.

Escucha con calma mis consejos y asiente. Después de todo, tanto Cal como yo le enseñamos a hacerse pasar por Maven. Éste es un mero recordatorio, el último vistazo al libro antes del examen.

—No soy ninguna tonta —replica fríamente y casi le doy un puñetazo en el mentón.

No es Maven, tañe en mi cabeza más fuerte que una campana.

—Creo que ya lo has entendido —dice Kilorn mientras se pone en pie. Me coge del brazo y me aleja un poco—. Mare casi te mata.

—¿Estamos todos listos? —grita Farley desde el fondo del avión. Su mano revolotea junto al botón de la rampa, que ansía oprimir.

—¡Formen filas! —ordena Cal, muy a la manera de un sargento de instrucción.

Pero nosotros respondemos y nos formamos en las ordenadas filas que él nos enseñó, con Nanny a la cabeza. Él se coloca a su lado y asume el papel de su guardaespaldas más letal.

—Tomemos malas decisiones —dice Farley.

Casi puedo oírla sonreír mientras pulsa el botón.

Después de un silbido... los engranajes giran, los cables palpitan y el fondo del avión se abre de par en par para saludar a la última mañana que algunos de nosotros veremos.

Una docena de soldados espera a respetable distancia del Blackrun, en formación ceñida y estudiada. Cuando ven al nuevasangre que se hace pasar por su rey, adoptan una posición perfectamente rígida de saludo: una mano al corazón, una rodilla en el suelo. El mundo tiene una apariencia más apagada detrás del escudo de mi casco, pero no oculta el gris oscuro de sus uniformes militares ni el macizo y modesto complejo detrás de ellos. Aquí no hay puertas de bronce ni paredes de cristal de diamante, y ni siquiera ventanas. Sólo un edificio de cemento de baja altura que se extiende hasta los abandonados campos de este yermo. *La cárcel de Corros*. Me permito volverme hacia el aparato y la pista que se extiende en la distancia, donde las sombras y la radiación se contorsionan. Lo único que veo es un par de aviones inactivos bajo el resplandor de la mañana, con sus barrigas de metal bien redondeadas. Aviones de la prisión, que se utilizan para el transporte de los reos. Si todo sale conforme a lo planeado, volverán a ver la acción muy pronto.

Nos dirigimos a Corros en silencio y tratamos de marchar al mismo paso. Cal flanquea a Nanny, con un puño permanentemente cerrado sobre su costado, mientras yo me arrastro justo atrás de él, con Cameron a mi izquierda y Shade a la derecha. Farley y Kilorn permanecen en el centro de la formación, sin soltar sus armas. El aire mismo parece electrizarse, como si circulara en medio del peligro.

No es temor a la muerte, ya no. He visto morir a demasiados para temerle. Pero la cárcel, la idea de ser capturada, encadenada, convertida en el inconsciente títere de la reina: *eso* no puedo soportarlo. Preferiría morir cien veces a enfrentarme a ese destino. Cualquiera de nosotros haría lo mismo.

—Su alteza —dice uno de los soldados al tiempo que se atreve a alzar la vista hacia la persona a la que cree el rey. La insignia de su pecho, compuesta de tres espadas cruzadas de metal rojo, lo identifica como capitán. Las barras de sus hombros, de un rojo y un azul muy vivos, no pueden ser otra cosa que los colores de su casa. *La Casa de Iral*—. Bienvenido a la cárcel de Corros.

Tal como se le instruyó, Nanny lo mira sin reparar en él y agita una mano pálida y desdeñosa. Esto debería bastar para convencer a cualquiera de su supuesta identidad. Pero cuando los soldados se yerguen, los ojos del capitán reverberan sobre nosotros y repara en nuestros uniformes y en la falta de centinelas que acompañen al soberano. Vacila frente a Cal, a quien lanza una mirada cortante dirigida a su casco. Pese a ello, no dice nada y sus soldados se colocan en formación junto a nosotros, con pisadas que se hacen eco de las nuestras. *Haven, Osanos, Provos, Macanthos, Eagrie*: identifico los consabidos colores en algunos uniformes. El último, de la Casa de Eagrie, la Casa de los Ojos, es nuestro primer objetivo. Tiro de la manga de Cameron e inclino suavemente la cabeza hacia el hombre rubio y barbado de ojos impacientes y galones blancos y negros en el hombro.

Ella baja la cabeza a su vez y cierra los puños a sus costados en callada concentración. El ataque ha comenzado.

El capitán se coloca al otro lado de Nanny y se pone enfrente de mí con tanta desenvoltura que apenas lo noto. *Una seda*. Tiene la misma piel bronceada, lustroso cabello negro y facciones angulosas de Sonya Iral y de su abuela, la bruñida y peligrosa Pantera. Sólo espero que el capitán no sea tan apto para la intriga como ella, o de lo contrario esta aventura será mucho más difícil de lo previsto.

—Sus órdenes han sido cumplidas casi en su totalidad, su alteza —dice. Sus palabras tienen un regusto punzante—. Todos los pabellones han sido sellados, tal como se nos indicó, y el siguiente embarque de rocas silentes llegará mañana junto con la nueva unidad de custodios.

—Bien —replica Nanny con aparente desinterés.

Acelera un poco el paso y el capitán ajusta el suyo en consecuencia. Cal hace lo mismo, y nosotros los seguimos. Parece una persecución.

Mientras que el Centro de Seguridad de Harbor Bay era una bella estructura, una visión de piedra tallada y vidrio radiante, Corros es tan gris y tan carente de vida como el páramo que la rodea. Únicamente la entrada, una sola puerta de hierro negro empotrada en la pared, rompe la monotonía carcelaria. No hay ninguna bisagra, ninguna cerradura ni manilla; la puerta parece un abismo, como una boca que bosteza. Pese a ello, siento la electricidad que se vierte por los bordes y cuyo origen es un pequeño panel cuadrado junto a ella. *El interruptor de llave*. Justo como dijo Cameron. La llave pende de una cadena negra que Iral lleva colgada al cuello, pero que no suelta.

Hay cámaras también, pequeños ojos redondos y brillantes que apuntan a la puerta. No me molestan en lo más mínimo. Me preocupan más el capitán seda y sus soldados, quienes nos han rodeado y nos mantienen en marcha.

—Me temo que no lo conozco, piloto, ni al resto de ustedes —espolea el capitán, quien se inclina para poder ver más allá de Nanny y fijar en Cal una mirada pétrea—. ¿Podría identificarse?

Aprieto el puño para que los dedos no me tiemblen. Cal no hace lo propio y vuelve apenas la cabeza, reacio a reconocer siquiera al capitán de la prisión.

—Basta con que me llame piloto, capitán Iral.

Iral se encabrita, como era de esperar.

—El centro de Corros está bajo mi mando y mi protección, *piloto*. Si usted cree que les permitiré entrar sin...

—¿Sin qué, capitán? —cada palabra que sale de la boca de Nanny corta como un cuchillo y me rebana el interior. El capitán se detiene de súbito, con plateado rubor, y se traga una réplica desacertada—. Hasta donde sé, Corros pertenece a Norta. ¿Y Norta pertenece a quién?

—No hago más que cumplir con mi deber, su alteza —espeta, aunque la batalla ya está perdida. Se lleva una mano al corazón otra vez y saluda—. La reina ha puesto bajo mi cuidado la defensa de esta cárcel y sólo deseo obedecer sus órdenes, tanto como las de usted.

Nanny asiente.

—Y yo le *ordeno* que abra la puerta.

Él baja la cabeza y cede. Uno de sus soldados, una vieja con una severa trenza plateada y un maxilar cuadrado, da un paso al frente y pone una mano en la puerta de hierro. No necesito ver los galones de negro y plata en su hombro para saber que es de la Casa de Samos. El hierro se mueve bajo sus dedos de magnetrona y se astilla en piezas dentadas que se retraen con marcada eficiencia. Una ráfaga de aire frío nos da de frente con un ligero olor a humedad y a algo ácido. *Sangre.* El vestíbulo al fondo es de impecables baldosas de un blanco deslumbrante. Nanny es la primera que entra, y nosotros la seguimos.

Cameron tiembla junto a mí y le doy un suave codazo. La cogería de la mano si pudiera. Apenas puedo imaginar lo terrible que esto debe ser para ella. Yo me desgarraría antes que volver a Arcón. Cameron retorna a su prisión por mí.

Curiosamente, la entrada está vacía. No hay ninguna imagen de Maven ni ningún estandarte. Este lugar no tiene que impresionar a nadie ni precisa de decoración. Sólo hay cámaras ronroneantes. Los soldados del capitán Iral vuelven ágilmente a sus puestos y flanquean cada una de las cuatro puertas que hay a nuestro alrededor. La que está atrás, la negra, se cierra con el ensordecedor chirriar del metal que se desliza sobre el metal. Las que se hallan a la izquierda y a la derecha están pintadas de plata y resplandecen bajo la intensa luz de la prisión. La del frente, por la que debemos pasar, es de un nauseabundo rojo sangre.

Iral se para en seco y señala una de las puertas plateadas.

—Supongo que le gustaría ver a su alteza la reina, ¿no es así?

¡Qué bien que nos hemos puesto estos cascos, de lo contrario el capitán vería el horror en cada rostro! *Elara se encuentra aquí.* Se me revuelve el estómago ante la idea de enfrentarme a ella y casi vomito bajo mi casco. Hasta Nanny palidece y no puede articular palabra, pese a hacer sus mayores esfuerzos. Siento a Kilorn a mi espalda, a unos centímetros de mí. Calla, pero comprendo lo que quiere decir. *Corre. Corre. Corre.* Correr no es algo que yo pueda hacer ya.

—¿Su alteza está aquí? —pregunta Cal. Por un segundo, temo que olvide quién es—. ¿Todavía? —añade, para salvar la mentira.

El capitán trasluce desconfianza de todas maneras. Lo veo en la explosión de sus ojos.

La bendita Nanny suelta una carcajada, con una risa forzada, indiferente y fría.

—Mi madre hace siempre lo que se le antoja, como usted bien sabe —reprende a Cal—. Yo estoy aquí debido a otro asunto, capitán. No es necesario que la moleste.

El capitán muestra una sonrisa servicial que tira de su cara con desdén, de manera que sus finos rasgos se retuercen hasta convertirse en algo muy feo.

—Muy bien, señor.

Kilorn golpetea mi brazo con un tacto urgente. Ve lo que yo. *El capitán ya no nos cree.* Me vuelvo y aprieto el codo de Cameron. Su siguiente señal. Debajo de mi mano, sus músculos se tensan. Vierte todo su ser en bloquear la habilidad del Eagrie, para impedir que vea lo que se aproxima. Él se sacude la confusión que cruza su cara e intenta concentrarse en nosotros. No entiende lo que le pasa.

—¿Qué ha venido a hacer aquí? —insiste Iral, sin abandonar su diabólica y mordaz sonrisa. Da un lánguido paso hacia nosotros. Será el último—. Quítense los cascos, por favor.

—No —le digo.

Con un soplo leve me apodero de las cámaras que apuntan hacia nosotros. Cuando Iral abre la boca para vociferar, exhalo y las cámaras explotan en un racimo de chispas de fuegos fatuos. Después las luces se encienden y se apagan, lo cual nos sumerge en la más profunda oscuridad y nos eleva a una clara brillantez. Nosotros estamos preparados para esto. Los soldados de Corros, no.

Las llamas salen en tropel por las baldosas y proyectan una extraña y danzarina luz sobre su color blanco. Se apoderan de todas las puertas y saltan al techo, con lo que efectivamente encierran a los soldados con nosotros y la oscuridad intermitente.

El soldado Osanos, un ninfo, extrae a toda prisa la humedad del aire, pero no es suficiente para combatir el crepitante fuego de Cal. Un caimán se precipita hacia mí y convierte su carne en roca ante mis ojos, pero choca contra la pared que responde al nombre de Nix Marsten. Darmian se le une y ambos invulnerables nuevasangre destrozan al soldado. Los demás también se desenvuelven espléndidamente. Ketha arrasa con el telqui Provos y planta una explosión en su corazón que lo rasga desde dentro. La soldada Haven hace cuanto puede por combatir mi oscuridad y se sirve de su don para frustrar las sombras, que reúne en una niebla negra que hace repentina erupción con una luz brillante y cegadora. Ni siquiera nuestros cascos detienen ese fulgor y tengo que cerrar los ojos. Cuando los abro, la Haven está tirada en el suelo y un corte profundo le abre el cuello. Arroja sangre plateada en la baldosa y mi hermano se yergue sobre ella con una navaja en la mano. Detrás de él, el Eagrie cae de rodillas, se aprieta la cabeza y rompe en exclamaciones.

—¡No veo nada! —chilla al tiempo que se frota los ojos. La sangre se mezcla con sus lágrimas de dolor—. No veo nada, ¿qué pasa? ¿Qué es esto? ¿Qué son ustedes? —grita desesperadamente.

Cameron es la primera que se quita el casco. No ha matado nunca a un hombre, ni siquiera cuando se fugó. Lo veo en su rostro, en el horror que la hace retorcerse. Pero no suelta a sus presas. Por malicia o valentía, no lo sé. Su silencio se prolonga hasta que el hombre en el suelo deja de llorar, deja de arrastrarse, deja de respirar. Muere con los ojos abiertos, sin ver nada, ciego y sordo en sus últimos momentos. Seguramente sea ésa la sensación de ser enterrado vivo.

Todo termina en un minuto. Doce soldados Plateados están muertos sobre las baldosas, algunos quemados, otros electrocutados, otros más tiroteados, otros más con la cabeza destrozada. Las víctimas de Ketha son las más desaseadas. Una pared entera está cubierta con sus manualidades y ella jadea ruidosamente mientras trata de no mirar lo que ha hecho. Su habilidad explosiva es burda, en el mejor de los casos.

De nosotros, la única que está herida es Lory, que atacó al magnetrón junto con Gareth. Un trozo de metal se le incrustó en el brazo, pero no es nada grave. Farley es la primera que llega a su lado y saca el improvisado bisturí, que deja repicar en el suelo. Lory no lanza más que un gemido de dolor.

—Se nos han olvidado las vendas —murmura Farley mientras pone una mano sobre el sangrante corte.

—Se te han olvidado *a ti* —protesta Ada y saca de su traje un pequeño lienzo de tela blanca.

Lo ata hábilmente en el brazo de Lory y el paño se mancha en un instante.

Kilorn ríe para sí. Es el único que disfruta una broma en un momento como éste. Para mi alivio, parece estar perfectamente bien, y se concentra en volver a cargar su arma. El cañón humea y hay por lo menos dos cuerpos impactados por sus balas. Cualquier otro pensaría que está incólume, pero yo sé que no es así. Pese a su risa, no siente placer por esta sanguinaria labor.

Cal tampoco. Se agacha sobre el difunto capitán Iral y arrebata con cautela la negra llave de su cuello. *No los mataré*, me dijo una vez, antes de que tomáramos por asalto el Centro de Seguridad de Harbor Bay. Ha roto su promesa, y eso lo ha herido más hondo que cualquier batalla.

—Nanny —farfulla, incapaz de dejar de mirar a Iral.

Con dedos temblorosos, cierra para siempre los ojos del capitán. A su espalda, Nanny fija su atención en el rostro de Iral.

Pasa un breve momento antes de que las facciones de ella sean idénticas a las de él y yo lanzo un corto suspiro de alivio. Hasta un falso Maven es casi demasiado para que yo lo pueda soportar.

Un siseo de electricidad estática chisporrotea en el cinturón de Iral. Es su radio. El centro de mando trata de ponerse en contacto con él.

—¡Capitán Iral! ¿Qué ocurre allá abajo, capitán? Nos hemos quedado sin imagen.

—Es sólo un desperfecto —contesta Nanny con la voz de Iral—. Podría extenderse, o podría no hacerlo.

—¡Entendido, capitán!

Cameron retira la vista del difunto Eagrie. Pone una mano en la puerta roja.

—Por aquí —dice, aunque apenas es posible oírla por encima del derramamiento de sangre y los suspiros de los agonizantes.

Siento el centro de mando de la prisión como un nervio que energiza y controla todas las cámaras. Tira de mí y me arrastra por las pronunciadas vueltas de sus pasillos. Los corredores son también de baldosas blancas, como la entrada, aunque no están tan limpios. Si miro con atención, puedo ver sangre entre las losetas, que el tiempo ha oscurecido. Alguien intentó borrar las huellas de todo lo ocurrido aquí, pero no fue muy escrupuloso. *La sangre roja no es nada fácil de limpiar.* Veo el influjo de la reina en esto, en todas las pesadillas que haya fraguado en las entrañas de Corros.

Está en este lugar, para continuar con su aterradora tarea. Incluso podría venir en pos de nosotros ahora, alertada de un disturbio. *Espero que lo haga. Espero que dé la vuelta a la esquina ahora mismo, para que yo pueda matarla.*

En vez de la reina Elara, cuando giramos encontramos otra puerta, con una gran D en ella y sin cerradura. Cameron corre hasta allá con la navaja en la mano e intenta forzar el panel del interruptor. Éste se suelta en un segundo y ella hunde los dedos en los cables.

—Tenemos que pasar por aquí para llegar al centro de mando —dice mientras señala a la puerta con la cabeza—. Hay dos custodios magnetrones dentro. Preparaos.

Cal carraspea discretamente y hace oscilar la llave ante ella.

—¡Ah! —rezonga Cameron, enrojece y la coge de la mano de él. Después frunce el ceño y la introduce en la ranura correspondiente del interruptor—. Decidme cuándo debo moverla.

—¡Gareth! —exclama Cal, pero éste ya ha dado un paso al frente y se recuesta contra la puerta de metal.

Nanny se coloca a su lado, caracterizada todavía como el capitán Iral. Los dos saben lo que deben hacer.

Los demás no están tan seguros. Ketha parecería a punto de romper a llorar, pues sube y baja las manos como si temiera haber perdido una de ellas. Farley se acerca y es rechazada. Me duele en el alma darme cuenta de que no sé cómo consolar a Ketha. ¿Necesita un abrazo o una cachetada?

—Cuida nuestras espaldas —le ordeno, y opto así por lo que espero que sea un afortunado punto medio.

Ella tiembla y me mira. Su trenza se ha deshecho y recoge los mechones de su pelo negro. Asiente poco a poco y se vuelve en el acto para mirar el pasillo vacío que está detrás de nosotros. Sus sollozos retumban en las baldosas.

—¡No más! —murmura, aunque no se mueve.

Darmian y Nix se colocan a su lado, más como una muestra de solidaridad que de fuerza. Al menos formarán una muy buena pared cuando los guardias se den cuenta de lo que pasa aquí. *Lo cual debería ocurrir pronto.*

Cal percibe la urgencia tan bien como yo.

—¡Ahora! —dice y se pega a la pared junto al resto de nosotros.

La llave gira. Siento que la electricidad salta en el interruptor e inunda el mecanismo de la puerta. Ésta se abre de golpe y rechina en la pared para revelar un cavernoso pabellón de celdas. En marcado contraste con los pasillos de baldosas blancas, las celdas son grises, frías y sucias. Un poco de agua gotea en alguna parte y el aire es asquerosamente húmedo. Cuatro niveles de celdas se distinguen en la penumbra, uno apilado sobre el otro, sin descansillos ni escaleras que unan las series. Cuatro cámaras, una en cada esquina del techo, nos observan. Las apago con facilidad. La única luz es de un intenso y parpadeante color amarillo, aunque un pequeño tragaluz exhibe un cielo azul, lo que indica que el sol ha salido ya. Debajo de él, en un pasadizo de metal reflectante, se hallan dos magnetrones con uniformes grises. Ambos giran cuando oyen el ruido.

—¿Cómo se atreven...? —dice el primero en lo que da un paso hacia nosotros. Porta en su uniforme los colores de la Casa de Samos. Se congela al ver a Nanny, de pie junto a Gareth—. ¡Capitán Iral, señor!

Cuando el magnetrón Samos sacude la mano, levanta unas hojas metálicas del suelo y erige ante nuestros ojos una nueva sección de pasadizos. Ésta se une con la suya, lo que permite a Gareth y a Nanny seguir adelante.

—¿Sangre fresca? —el otro oficial ríe e inclina la cabeza hacia Gareth con una sonrisa maliciosa—. ¿De qué legión eres tú?

Nanny interviene antes de que Gareth pueda contestar.

—Abra las celdas. Es hora de salir a caminar.

Para nuestro disgusto, los oficiales intercambian miradas de confusión.

—Los sacamos a caminar ayer, hoy no está programado...

—Las órdenes son órdenes y yo tengo las mías —objeta Nanny. Levanta la llave de Iral y la mece en señal de franca amenaza—. Abra las celdas.

—¿Es cierto entonces que el rey está aquí de nuevo? —pregunta Samos mientras sacude la cabeza—. Por eso todos están tan agitados en el centro de mando. Quieren quedar bien con la corona, supongo, sobre todo cuando su madre todavía ronda por ahí.

—La reina es extraña —dice el otro y se rasca la barbilla—. No sé qué hace en el Pozo, ni quiero saberlo.

—Las *celdas* —repite Nanny con una voz enérgica.

—Sí, señor —refunfuña el primer magnetrón.

Le da un codazo al otro y ambos se vuelven juntos, frente a las docenas de celdas que se elevan del suelo al techo. Muchas están vacías, mientras que otras contienen sombras que languidecen bajo el peso de la roca silente. Son los presos nuevasangre que están a punto de ser liberados.

Aparecen más pasadizos en medio de un estruendo como el de un mazo gigantesco que batiera una pared de aluminio. Se alinean con las celdas, lo que produce pasajes en todo el perímetro del pabellón mientras más hojas giran y se doblan para formar escalones con los cuales unir los niveles entre sí. Por un momento me invade una sensación de asombro. He visto a los magnetrones sólo en la batalla, donde emplean sus habilidades para matar y destruir, nunca para crear. No es difícil imaginar que diseñen aviones y transportes de lujo mediante el recurso de curvar hierro dentado para convertirlo en arcos pulidos de impecable belleza. O para confeccionar los vestidos metálicos de Evangeline, que a ella le gustaban tanto. Incluso ahora, admito que eran magníficos, pese a que quien los usaba fuera un monstruo. Pero cuando las rejas de cada celda se abren, lo cual provoca que sus ocupantes se agiten, olvido todo mi asombro y mi admiración. Estos magnetrones son unos carceleros y unos asesinos que obligan a las personas inocentes a sufrir y morir detrás de las rejas por cualquier razón que Maven les ofrezca. Siguen órdenes, sí, pero deciden seguirlas.

—¡Vamos, salid!

—¡De pie, es hora de que los perros salgan a caminar!

Los custodios magnetrones se mueven rápidamente y corren hasta la primera serie de celdas. Sacan a rastras a los nuevasangre de sus lechos y arrojan al pasadizo a los que no pueden ponerse lo bastante rápido en pie. Una niña queda peligrosamente cerca del borde, y casi se cae. Es tan parecida a Gisa que doy un paso al frente y Kilorn tiene que detenerme.

—Aún no —gruñe en mi oído.

Aún no. Mis manos se cierran, ansiosas de soltarse contra los dos oficiales conforme se acercan a la puerta. No nos han visto aún, pero lo harán.

Cal es el primero que se quita el casco. Samos se detiene de golpe, como si le hubieran disparado. Parpadea una vez y no puede creer lo que ve. Antes de que sea capaz de reaccionar, sus pies dejan el suelo y se escurre hacia el techo. El otro lo sigue mientras libera su tenue control de la gravedad. Gareth los hace rebotar a ambos y los lanza contra el techo de cemento con un repugnante y definitivo crujir de huesos.

Inundamos el pabellón con un ágil movimiento uniforme. Me acerco primero a la niña tirada en el piso y tiro de ella para que se levante. Chilla, y su cuerpecito tiembla. Pero la presión de la roca silente se ha desvanecido, y algo de color retorna a sus pálidas y húmedas mejillas.

Me quito la careta.

—¡La Niña Relámpago! —murmura y toca mi cara. Esto me rompe el corazón.

Una parte de mí quisiera levantarla y correr para alejarla de todo esto, pero nuestra tarea está lejos de haber concluido y no puedo marcharme. Ni siquiera en beneficio de la chiquilla. Así que la deposito en el suelo para que se apoye sobre sus piernas temblorosas y tiro suavemente de mi mano para zafarme.

—¡Seguidnos y pelead con todas vuestras fuerzas! —grito hacia el pabellón. Me inclino bien sobre el filo del pasadizo para que todos puedan oírme y verme. Muy abajo, los pocos presos todavía vivos en las celdas del fondo suben ya por los escalones metálicos—. ¡Saldremos de esta cárcel esta noche, juntos y vivos!

A estas alturas yo ya no debería mentir. Pero una mentira es lo que todas estas personas necesitan para seguir adelante, y si mi engaño salva siquiera a una de ellas, vale la pena que dé mi alma a cambio.

VEINTISÉIS

Las cámaras cegadas pueden protegernos sólo durante un determinado tiempo, y aparentemente se ha agotado. Todo comienza con explosiones en el pasillo. Oigo que Ketha grita con los estallidos, asustada por lo que hizo y sigue haciendo con la carne y los huesos. Cada grito discordante se propaga por el pabellón y paraliza a los nuevasangre, de por sí lentos.

—¡Avanzad! —ordena Farley. Su maniática energía se ha desvanecido, y ha sido reemplazada por una autoridad adusta—. ¡Seguid a Ada, seguid a Ada!

Los arrea como si fueran ovejas y arrastra literalmente a muchos escaleras arriba. Shade es más práctico: salta con los más viejos y enfermos desde los niveles inferiores, aunque esto desorienta a la mayoría. Kilorn impide que caigan del pasadizo, para lo cual sus largas extremidades resultan muy provechosas.

Ada agita los brazos y dirige a los nuevasangre a la puerta que está junto a ella, marcada con una gran C negra.

—¡Por aquí, seguidme! —grita.

Sus ojos revolotean sobre todos y cada uno de ellos, y los va contando.

Tengo que empujar a muchos hacia ella, aunque se sienten inexplicablemente atraídos por mí. Al menos la niña entiende el mensaje. Se arrastra hasta Ada y se aferra a su pierna como si tratara de protegerse de la confusión. Todo resuena horriblemente en el pabellón, transformado en aullidos bestiales por las paredes de cemento y las placas de metal. Se oyen disparos cerca, seguidos por la inconfundible risa de Nix. No reirá mucho tiempo si este ataque persiste.

Ahora viene la parte que más temo, a la que más me opuse. Pero Cal fue claro: *Tendremos que dividirnos*. Cubrir más terreno, liberar más prisioneros y, sobre todo, sacarlos a salvo de esta prisión. Paso entre los nuevasangre como si nadara contra la corriente, con Cameron a mi lado. Ella lanza la llave por encima de su hombro y Kilorn la atrapa hábilmente. Nos ve alejarnos y ni siquiera se atreve a parpadear. Ésta podría ser la última vez en la vida que me ve y ambos lo sabemos.

Cal me sigue. Siento su calor a unos metros. Quema el pasadizo a nuestras espaldas, lo derrite para separarnos de los demás. Cuando llegamos a la puerta contraria, la cual dice CENTRO DE MANDO, Cameron se concentra en el panel del interruptor. Lo único que puedo hacer es mirar a Kilorn y a mi hermano, para memorizar sus rostros. Ketha, Nix y Darmian vuelven corriendo al pabellón, lejos de una matanza que ya no pueden contener. Las balas los siguen y rebotan tintineantes en el metal y en la carne de Nix. El mundo se retarda otra vez y yo querría que se detuviese por completo. Cómo me gustaría que Jon estuviera aquí para que me dijera lo que debo hacer, para que me dijera que he tomado las decisiones correctas. Para que me dijera quién va a morir.

Una mano caliente, casi hirviendo, toca mi mejilla y me aleja del resto por la fuerza.

—Concéntrate —me dice Cal y me mira a los ojos—. Tendrás que olvidarte de ellos ahora, Mare. Confía en lo que haces.

Apenas puedo asentir. Apenas puedo hablar.

—Sí.

Detrás de nosotros, el pabellón se vacía. Adelante, el interruptor echa chispas y la puerta se abre con un resbalón.

Cal me empuja con él para que la atravesemos y me choco contra otro suelo de baldosas. Mi cuerpo reacciona antes de que mi mente pueda hacerlo y el relámpago cobra vida a mi alrededor. Esto rompe mis pensamientos sobre Kilorn y Shade hasta que lo único que queda es el Centro de Mando que hay al otro lado del pasillo y lo que debo hacer.

Tal como dijo Cameron, se trata de una habitación triangular de impenetrable y vasto cristal de diamante, repleto de tableros de control, pantallas de monitoreo, seis dinámicos soldados y las mismas puertas metálicas de las celdas. Son tres en total, una en cada pared. Corro hacia la primera con la idea de poder abrirla y de que los soldados que ocupan este centro estén a la altura de las circunstancias. Para mi sorpresa, permanecen en sus sillas y sus estaciones, desde donde me miran con los ojos muy abiertos y aterrados. Doy un puñetazo en la puerta y disfruto del dolor que se dispara en mi mano.

—¡Abrid! —grito, como si eso pudiera servir de algo.

El soldado que está más cerca de mí se estremece y se aleja de un salto de la pared. Tiene también una insignia de capitán.

—¡No! —ordena al tiempo que tiende una mano para aplacar a sus compañeros.

Arriba, una sirena cobra vida en medio de un clamoroso estrépito.

—Si eso es lo que queréis... —barbotea Cal y se desplaza a la otra puerta.

Me sobresalta un estruendo, y cuando me doy la vuelta veo que grandes bloques de granito se deslizan hasta ocupar su sitio, en lugar de la puerta metálica que acabamos de pasar. Cameron sonríe ante el tablero de control, al que incluso le da una palmada con aprecio.

—Esto debería otorgarnos unos minutos —se pone de pie y sus rodillas crujen. Hace una mueca cuando ve el centro de mando—. Los muy idiotas tienen miedo —gruñe y hace un gesto muy tosco con la mano, más propio de los callejones de Los Pilares—. ¿Podemos atravesar el cristal para llegar hasta ellos?

En respuesta, me vuelvo hacia las pantallas de monitoreo. Estallan uno tras otro, con lo que vierten sobre los soldados un rocío de chispas y vidrios rotos. La sirena chilla hasta que se torna en un quejido grave y se apaga. Cada pieza de metal de la sala de mando salta por efecto de la electricidad y se fríe como si fueran huevos en una sartén, lo que causa que los soldados se apiñen en el centro de la habitación. Uno se desploma al tiempo que se aprieta la cabeza, con un gesto que reconozco ahora. Su cuerpo se mece en sincronía con el puño cerrado de Cameron, quien lanza una oleada tras otra de sofocante habilidad. Hay algunas gotas de sangre en los oídos, la nariz y la boca del soldado. No pasa mucho tiempo antes de que se ahogue con ella.

—¡Detente, Cameron! —ordena Cal, aunque ella finge no oírlo.

—¡Julian Jacos! —grito mientras golpeo el vidrio otra vez—. ¡Sara Skonos! ¿Dónde estáis?

Otro soldado cae, en medio de dolorosos aullidos.

—¡Cameron!

Ella no da indicios de detenerse, aunque no necesariamente debería hacerlo. Estas personas la encarcelaron, la torturaron, le hicieron pasar hambre y la habrían matado si hubieran podido. Tiene derecho a vengarse.

Mi relámpago se intensifica y rebota en la caseta de cristal, donde hace estremecer a los soldados ante su cólera purpúrea. Los rayos crepitan y escupen, y están cada vez más cerca de su carne.

—¡*Alto*, Mare…! —grita Cal sin cesar, pero apenas lo oigo.

—¡Julian Jacos! ¡Sara Sko…!

El capitán, quien ya se arrastra por el suelo, se arroja contra la pared que hay frente a mí.

—¡Pabellón G! —vocifera y golpea el cristal con la palma a unos centímetros de mi rostro—. ¡Están en el pabellón G! ¡Por esa puerta!

—¡Eso es, vamos! —ruge Cal.

Dentro del módulo de mando, los ojos del capitán siguen a su príncipe vencido.

Cameron expele una sonora carcajada.

—¿Los dejarás vivos? ¿Después de todo lo que nos han hecho? ¿A todos, incluidos tus Plateados?

—¡Por favor, *por favor*, seguíamos órdenes, *las órdenes del rey*…! —suplica el capitán mientras se agacha para evitar otro arco de rayos. A sus espaldas, la segunda víctima de Cameron se dobla sobre sí misma y sucumbe al silencio que ella le impone. Las lágrimas se prenden de sus pestañas como gotas de cristal—. ¡Su alteza, tenga piedad, tenga piedad…!

Pienso en la niña que encontramos en las celdas. Sus ojos estaban inyectados en sangre y sentí sus costillas a través de su ropa. Pienso en Gisa y su mano destrozada. En el bebé desangrado de Templyn. Niños inocentes. Pienso en todo lo que me ha sucedido desde este fatídico verano, cuando la muerte de un pescador desencadenó todos estos problemas. *No, no fue culpa suya. Fue de ellos. De sus leyes, de su régimen, de su condena contra todos y cada uno de nosotros. Ellos son los* causantes de esto. Ellos se buscaron este final. Incluso ahora, cuando somos Cameron y yo quienes los destruimos, piden compasión a Cal. Le imploran a un rey Plateado y escupen a las reinas Rojas.

Veo al príncipe a través del cristal. Distorsiona su cara, hasta darle un extremo parecido con Maven.

—Mare —susurra, así sea sólo para él mismo.

Sus murmullos no pueden detenerme ahora. Siento algo nuevo dentro de mí, conocido pero extraño. Un poder que no procede de la sangre sino de la libre decisión. De aquélla en la que me he convertido, no la que fui desde que nací. Me alejo de la imagen deforme de Cal. Sé que la mía está igualmente distorsionada.

Descubro mis dientes en una sonrisa feroz.

—El rayo no tiene piedad.

En una ocasión vi que mis hermanos quemaban unas hormigas sobre un pedazo de vidrio. Esto es algo semejante, y peor.

Aunque los sellados pabellones complican, hasta casi volver imposible, la fuga de los prisioneros, también dificultan enormemente a los custodios comunicarse entre sí. La confusión es tan eficaz como el relámpago o la llama. Los custodios se resisten a dejar sus puestos, en especial cuando se rumorea que el rey está cerca, y cuando llegamos al pabellón G sorprendemos en plena conversación a cuatro atareados magnetrones.

—Ya habéis oído la sirena, pasa algo...

—Quizá sea un simulacro, para presumir ante el reyecito...

—La radio no responde.

—Han informado de que unas cámaras se han roto, ahora les toca a las radios. Tal vez la reina esté dando la lata de nuevo, maldita bruja.

Atravieso a uno de ellos con un relámpago para llamar su atención.

—Maldita bruja.

Antes de que el pasadizo de metal caiga debajo de mí, me agarro de los barrotes a la izquierda de la puerta. Cal se mueve a la derecha y los barrotes se vuelven rojos bajo su tacto flamígero, con el que se derriten al instante. Cameron permanece en la entrada con una ligera capa de sudor en la frente, pero no tarda en reaccionar. Uno de los magnetrones cae de su percha retráctil y se aprieta la cabeza al tiempo que se precipita tres niveles hasta el suelo de cemento. Da un golpe seco contra él. Restan dos.

Una tormenta de granizo metálico aúlla frente a mí, y cada pieza es una daga diminuta destinada a matar. Antes de que puedan hacerlo, me suelto y me deslizo por los barrotes hasta dar con los pies sobre la pequeña saliente de la celda de abajo.

—¡Ayúdame, Cal! —grito mientras esquivo otra embestida.

Pese a que contesto con la mía, el magnetrón se lanza sobre lo que debería ser el aire. Su metal se mueve con él y le permite correr por el patio descubierto.

Para mi disgusto, Cal me ignora y retira los barrotes derretidos de la celda. Su espalda se cubre de llamas y lo protege de cualquier arma que el otro magnetrón pueda arrojarle. Apenas lo distingo entre las lenguas de fuego, aunque veo lo suficiente. Está muy enfadado, y el motivo no es ningún misterio. Me aborrece por haber matado a esos Plateados, por haber hecho lo que él no puede hacer. No pensé nunca que vería el día en que Cal, el soldado, el guerrero, tendría miedo de actuar. Se dedica ahora a abrir todas las celdas que puede e ignora mis súplicas de ayuda, con lo que me obliga a pelear sola.

—¡Hazlo caer, Cameron! —grito mientras miro a mi inverosímil aliada.

—Con mucho gusto —gruñe y extiende una mano hacia el magnetrón que me ataca.

Él tropieza pero no cae. *Ella ha empezado a debilitarse.* Me arrastro a lo largo de las celdas y casi resbalo. Tengo los dedos cada vez más tensos. Soy experta en correr, no en escalar, y casi no puedo pelear de esta manera. *Casi.* Un filo agudo en forma de diamante roza mi mejilla y abre una herida en mi rostro. Otro me corta la palma. Cuando agarro el siguiente barrote, lo aprieto sin fuerza y resbala a causa de mi sangre. Caigo en los últimos metros y aterrizo con un golpe duro en las entrañas del pabellón. Por un segundo no puedo respirar y cuando abro los ojos veo que una púa gigante silba sobre mi cabeza. Ruedo y evito el golpe mortal. Llueven una y otra más y tengo que cruzar la planta en zigzag para no morir.

—¡Cal! —grito de nuevo, más airada que asustada.

La siguiente púa se derrite antes de que me alcance, aunque los pegotes de hierro estallan demasiado cerca y queman mi espalda. Dejo escapar un alarido cuando la tela de mi traje se derrite sobre mis cicatrices. Es casi el peor dolor que he sentido en la vida, apenas inferior al resonador y el terrible coma que le siguió. Mis rodillas caen al suelo y las piernas me martirizan con las sacudidas consecuentes.

Parece que el dolor es otro de mis detonadores.

El tragaluz que hay en lo alto se hace pedazos y un relámpago llega hasta mí. Durante una fracción de segundo, es como si un árbol violeta hubiera emergido del subnivel hasta ramificarse en el patio descubierto del pabellón G. Atrapa a una magnetrona, que ni siquiera tiene tiempo de gritar. El otro, el último de los guardianes, está casi liquidado, reducido a un ovillo detrás de su última lámina de metal y enrollado contra la fuerza implacable de Cameron.

—¡Julian! —grito una vez que el aire se aligera—. ¡Sara!

Cal desciende de un salto hasta el otro extremo de la planta y grita con sus manos alrededor de la boca. Se niega a mirarme, y en cambio registra las celdas.

—¡Tío Julian! —ruge.

—Esperaré aquí —dice Cameron, y nos mira desde la entrada abierta del nivel superior.

Las piernas le cuelgan. Tiene incluso las agallas el de silbar mientras ve quejarse al último magnetrón.

El pabellón G es tan húmedo y frío como el D, el de los nuevasangre, y está semidestruido gracias a mí. Un agujero humea en pleno suelo; son los únicos restos de mi inmenso relámpago. Por lo que puedo ver, las celdas del fondo están casi hundidas en la negrura, aunque todas están ocupadas. Algunos presos han reptado hasta sus rejas para ver la conmoción. ¿Cuántos rostros reconoceré? Pero están demasiado consumidos, demasiado demacrados, y su piel se ha vuelto casi azul por el miedo, el hambre y el frío. Dudo que reconociera incluso a Cal si él pasara unas semanas aquí. Esperaba más de los Plateados, aunque supongo que los presos políticos son tan peligrosos como los que son objeto de mutaciones secretas.

—Aquí —grazna una voz.

Casi tropiezo con el cuerpo de un magnetrón, y corro pese a que las quemaduras de mi espalda protestan con cada paso. Me encuentro ahí con Cal. Sus manos se han encendido, están listas para derretir las rejas, para salvar a su tío, para enmendar algunos de sus pecados.

El hombre que se halla dentro de la mazmorra tiene una apariencia débil, tan vieja y endeble como la de sus amados libros. La piel se le ha vuelto blanca, le quedan unos cuantos cabellos y las arrugas de su cara se han multiplicado y ahondado. Creo que incluso ha perdido algunos dientes. Pero sus conocidos ojos marrones y la chispa de inteligencia que arde todavía muy dentro de él son inconfundibles. *Es Julian*.

No puedo llegar hasta él lo bastante rápido, me cierno casi demasiado cerca del metal derretido. *Julian. Julian. Julian. Mi maestro, mi amigo*. La primera reja se dobla y Cal la extrae, con lo que produce una abertura suficientemente grande para que yo pase. Apenas percibo la sofocante presión de la roca silente y me concentro en tirar de Julian para que se ponga en pie. Lo siento quebradizo, como si sus huesos pudieran romperse, y por un momento me pregunto si saldrá vivo de esto. Él me agarra con fuerza y arruga la frente en señal de concentración.

—Llévame hasta ese guardián —carraspea, con lo que exhibe una parte de su antiguo temple—. Y saca a Sara.

—¡Claro! También hemos venido por ella —echo su brazo sobre mi hombro para ayudarle a caminar. Aunque es mucho más alto que yo, lo noto terriblemente ligero—. Hemos venido por todos.

Cuando lo sacamos de la celda, tropieza, pero no pierde el equilibrio.

—Cal —balbucea al tiempo que le tiende una mano a su sobrino. Toma la cara de éste en sus manos y estudia al príncipe exiliado como lo haría con un viejo libro—. Todo ha terminado, ¿no es así?

—En efecto —dice Cal con voz ronca.

No mira en mi dirección.

Estos calabozos alteraron el aspecto de Julian, pero no su esencia. Asiente en forma comprensiva y solemne. Esto consuela a Cal en no muy escasa medida.

—Tales pensamientos no tienen cabida aquí y ahora. Será después.

—Después —repite Cal y vuelve finalmente sus ardientes ojos hacia mí. Siento que me queman—. Después.

—Vamos, Mare, ayúdame con este bulto putrefacto —Julian señala al custodio del suelo, inconsciente pero vivo todavía—. Veamos si no soy completamente inútil.

Hago lo que me pide y me convierto en su muleta mientras se acerca cojeando al oficial caído. Entre tanto, Cal se dirige a la celda de Sara, situada en el lado contrario de la planta. Podían verse y oírse, pero no tocarse. Otra pequeña tortura que tuvieron que soportar.

He visto a Julian hacer esto antes, pero nunca con tanto esfuerzo o dolor. Sus dedos tiemblan cuando abre uno de los ojos del oficial, y traga saliva muchas veces, como si invocara la voz que necesita. *El arrullo.*

—No te preocupes, Julian, podemos buscar otra manera de...

—Otra manera nos costará la vida, Mare. ¿Acaso no te he enseñado nada en absoluto?

Pese a la situación, tengo que sonreír. Resisto el impulso de abrazar a mi viejo maestro y trato de ocultar mi sonrisa.

Julian exhala al fin, con los ojos entrecerrados. Las venas se le pronuncian en el cuello. Abre los ojos de golpe, amplios y claros.

—Despierta —dice con una voz más bella que el atardecer. A nuestros pies, el oficial obedece; su otro ojo tiene una mirada perdida—. Abre las celdas. Todas —un chirrido crispante repercute a todo lo largo del pabellón mientras los barrotes de todas las celdas se abren al unísono—. Tiende las escaleras y los pasajes. Únelo todo —Clac. Clac. Clac. Cada pedazo de metal, las dagas, los fragmentos electrocutados e incluso los derretidos se aplanan y deforman hasta unirse uno detrás de otro—. Camina a nuestro lado —le tiembla la voz al dar esta última orden y el magnetrón obedece, aunque con cierta lentitud—. Has tenido suerte de haber venido hoy, Mare —dice cuando le ayudo a enderezarse—. Nos sacaron a caminar ayer. No estamos tan débiles como de costumbre.

Me debato entre hablarle o no de Jon, de su habilidad, de sus consejos. Le encantará saber de él. *Después*, me digo. *Después*.

Por primera vez, tengo esperanza.

Habrá un después.

El caos se apodera de Corros. Suenan disparos en los pasillos, detrás de cada puerta. El desastrado grupo de Plateados nos sigue débilmente, algunos tienen la fuerza para quejarse. No confío nada en ellos, y estoy a punto de dirigirme al final de la fila para vigilarlos. Muchos se desprenden de nosotros y merodean en los rincones, ansiosos de salir de este lugar. Otros se sumergen todavía más en esta cárcel, en busca de venganza. Otros más permanecen a nuestro lado, gacha la mirada, avergonzados de seguir a la Niña Relámpago. Pero persisten, y se esfuerzan al máximo. Esto es como lanzar una piedra en un lago, aunque las primeras ondas son pequeñas, después crecen. Cada pabellón cae más fácilmente que el anterior, hasta que los magnetrones huyen de nosotros. Los Plateados matan más que yo, y caen sobre quienes los traicionaron como lobos hambrientos. Pero ni siquiera esto puede durar. Cuando un olvido de la Casa de Lerolan destruye una barrera de piedra y nos abre el pabellón J, los restos no caen hacia abajo sino hacia arriba. Y antes de que yo comprenda lo que pasa, me succiona un torbellino de humo, escombros y susurros sobrenaturales.

A pesar de que Cameron agarra mi mano, me suelta pronto y desaparece en lo que ha de ser niebla. *Un ninfo.* No veo más que sombras y unas lúgubres luces amarillas, como un sol remoto y difuso. Antes de que caiga en ese olvido, extiendo el brazo para asirme de algo. Mi mano cortada se cierra en una pierna fría y lastimada, que me detiene con una sacudida cimbreante.

—¡Cal! —grito, pero el aullido ahoga mi voz.

Me empujo por la pierna entre gañidos. Sin duda pertenece a un cadáver, porque no se mueve. Un frío temor rasga mi mente y me toca con dedos helados y agudos. Casi me suelto, sin querer ver la cara de este cuerpo. Podría ser cualquiera. Podrían ser todos.

Aunque no es apropiado que me sienta aliviada, lo hago. No reconozco al hombre enredado en los barrotes de su celda, con una pierna envuelta en ellos y la otra aún colgante. Sin duda es un prisionero, pero no lo conozco y no lloraré por él. Siento la espalda casi completamente hendida por cicatrices y quemaduras, y por un segundo me dejo caer en las rejas. La gravedad en este pabellón ha cambiado. Gareth está aquí, lo que significa que Kilorn, Shade y Farley no están lejos. Se supone que deberían estar en el otro extremo de la prisión, para vaciar esos pabellones. Algo los ha obligado a venir. O los ha atrapado por completo.

Antes de que pueda gritar, caigo otra vez y parece que el pabellón gira. No son las celdas las que se mueven. Es la gravedad misma.

—¡Detente, Gareth! —grito al vacío.

Nadie contesta. Al menos nadie a quien yo quisiera oír.

Niña Relámpago.

Su voz casi me parte el cráneo en dos.

Es la reina Elara.

Esta vez preferiría el resonador. Preferiría que algo me matara, me diera la seguridad de la muerte. Caigo otra vez. Quizás esto lo hará. Tal vez moriré antes de que ella entre en mi cerebro y consiga hacerme hablar sobre todo y todos los que me importan. Pero siento las falanges en mi mente, que ya toman el control. Mis dedos se tuercen bajo su mando y las chispas saltan entre ellos. *No. Por favor, no.*

Caigo con fuerza al otro lado del pabellón. Es probable que me haya roto el brazo, aunque no siento dolor. Ella lo hace desaparecer.

Con un último bramido disonante, hago lo que debo y utilizo los últimos restos de mi voluntad para escurrirme entre las rejas torcidas, dentro de la prisión de la roca silente. Esto aniquila mi habilidad, y la de ella. Las chispas se extinguen, el control de la reina se interrumpe y un dolor atroz recorre mi brazo izquierdo y me llega hasta el hombro. Río en medio de mis lágrimas. ¡Qué apropiado! Ella construyó esta cárcel para controlarme, y controlar a los demás nuevasangre. Ahora es lo único que le impide hacer precisamente eso.

Ahora es mi último santuario.

Desde el fondo de la celda —supongo que ahora es el suelo—, veo que la neblina danza. Los disparos escasean, porque las balas se agotan ya o porque resulta imposible apuntar bajo una visibilidad tan defectuosa. Pasa de pronto una sinuosa serpiente en llamas y creo que veré a Cal a continuación. Aunque su forma no se materializa, lo llamo.

—¡Cal!

Mi voz es débil. La piedra que me salvó se deja sentir. Me oprime como un peso sobre el cuello.

Ella no tarda en encontrarme. Sus botas rozan las rejas de mi jaula y durante un segundo pienso que alucino. Ésta no es la reina rutilante y majestuosa que recuerdo. Sus joyas y vestidos han sido reemplazados por un impecable uniforme azul marino con filos blancos. Incluso su cabello, antes perfectamente rizado y trenzado, está recogido en un simple moño. Cuando advierto una tonalidad gris en sus sienes, río de nuevo.

—La primera vez que nos vimos estabas en una celda igual que ésta —cavila y se acerca para mirarme mejor—. Los barrotes no me detuvieron entonces y no me detendrán ahora.

—Entra, entonces —le digo mientras escupo sangre. *Y pierdo un diente.*

—Eres la misma de siempre. Pensé que el mundo te haría cambiar, pero... —ladea la cabeza y sonríe como un gato— tú lo has cambiado un poco a él. Si me dieras tu mano ahora, cambiarías un poco más.

Apenas puedo respirar entre mis risas.

—¿Qué clase de tonta cree que soy?

Haz que no pare de hablar. Haz que se distraiga. Alguien la verá pronto, alguien tendrá que hacerlo.

—Que sea a tu modo entonces —suspira y se pone en pie. Le hace señas a alguien que no veo. *Guardias*, descubro, con una resignación hueca y honda. Su mano reaparece con una pistola, en cuyo gatillo ya descansa su dedo—. Me habría gustado entrar en tu cabeza una vez más. Tienes unos delirios fascinantes.

Ésta es una pequeña victoria, pienso y cierro los ojos. Nunca tendrá el relámpago y nunca me tendrá a mí. *Una victoria de verdad.*

Siento que caigo de nuevo.

Pero en lugar de la bala, lo que choca con mi rostro son las rejas. Abro los ojos a tiempo para ver que Elara se aleja de mí, que el arma resbala de su mano y que una mirada de una cólera terrible descompone su preciosa cara. Sus guardias se dispersan junto a ella y desaparecen en medio de las nubes amarillentas. Alguien coge mi brazo sano y me lleva hacia él.

—¡Vamos, Mare, no puedo solo! —dice Shade y trata de hacerme pasar por las rejas.

Sin aliento, tiro de mí todo lo que puedo. Supongo que es suficiente, porque de pronto el mundo se contrae, la neblina desaparece y cuando abro los ojos veo unas baldosas blancas deslumbrantes.

Casi me desplomo de alegría. Cuando veo que Sara corre hacia mí con las manos extendidas, seguida de Kilorn y Julian, eso ocurre en efecto. Alguien me atrapa, alguien con el tacto cálido. Se pone a mi lado y suspiro cuando mi brazo siente un poco de presión.

—Primero el brazo, después las quemaduras, luego las cicatrices —dice Cal muy serio.

No puedo menos que gemir cuando Sara me toca y un entumecimiento delicioso se extiende por mi brazo. Algo fresco me da en la espalda y sana mis quemaduras, que ya se habían infectado. Antes de que la sanación pueda prolongarse a mis horribles y nudosas cicatrices, alguien me pone de pie de un tirón y me arrebata de las manos de Sara.

La puerta al fondo del corredor explota y es destrozada por troncos de árboles que giran cada vez más rápido. La niebla les sigue, y viene hacia nosotros a gran velocidad. Las sombras son las últimas en llegar. Sé a quién pertenecen.

Cal arroja una llamarada hacia las ramas y las quema, pese a lo cual las ascuas se suman al torbellino rugiente.

—¿Cameron? —pregunto a gritos y estiro el cuello en busca de la única persona capaz de detener a Elara, pero no aparece por ningún lado.

—¡Ya está afuera, *vámonos!* —se desgañita Kilorn y me empuja.

Sé que soy lo que Elara desea. No sólo por mi habilidad, sino también por mi rostro. Si puede controlarme, podrá usarme como portavoz otra vez, para mentirle al reino, para que obedezca sus órdenes. Por eso corro más rápido que los demás. He sido la más veloz desde siempre. Cuando me giro sobre mi hombro, descubro que estoy varios metros adelante, y lo que veo me hace estremecer.

Cal debe tirar a la fuerza de Julian, y no porque éste se encuentre débil, sino porque insiste en detenerse. Quiere enfrentarse a ella. Quiere oponer su voz a la mente de ella, a sus susurros. Para vengar a una hermana muerta, un amor herido, un orgullo roto y desgarrado. Pero Cal no perderá al último miembro de la familia, y lleva a Julian casi a rastras. Sara permanece junto al anciano, con una mano en la suya, incapaz de gritar de temor.

Doy la vuelta en una esquina. Y choco con algo. No, con alguien.

Otra mujer, otra persona a la que habría querido no volver a ver nunca.

Ara, la Pantera, la jefa de la Casa de Iral, me mira con ojos negros como el carbón. Sus dedos siguen teñidos de un gris azulado a causa de la roca silente, y sus ropas son meros harapos. Pero su fuerza retorna ya, como lo evidencia el acero puro que riela en su mirada. Es imposible huir. Alzo mi relámpago para matarla, otra que desde el principio supo que yo era diferente.

Reacciona antes que yo y me agarra de los hombros con una agilidad que ningún ser humano debería poseer. No rompe mi cuello ni corta mi garganta. Me aparta a un lado, y algo agita mi cabello. Una cuchilla curva y giratoria, tan afilada como una navaja, tan grande como un plato, pasa volando frente a mi rostro, a unos centímetros de mi nariz. Caigo al suelo, jadeante del susto, y aprieto la cabeza que por poco pierdo. Encima de mí, Ara Iral se planta en el suelo y esquiva cada navaja que pasa sobre nosotras. Vienen del extremo contrario del pasillo, donde se yergue otra persona del pasado, que forma discos de metal con las placas de su conocida armadura de escamas.

—¿Tu padre no te enseñó a respetar a tus mayores? —espeta Ara en dirección a Ptolemus, al tiempo que se agacha limpiamente bajo otra cuchilla. Atrapa la siguiente y se la devuelve. Un truco impresionante pero inútil, que él rehúye con una sonrisa rizada—. Bueno, Roja, ¿no harás nada? —agrega y mueve mi pierna con un pie.

La miro, asombrada durante un momento. Me incorporo trabajosamente, como si me obligara a hacerlo. Un poco de mi terror desaparece.

—Con sumo gusto, *milady*.

Al fondo del pasillo, la sonrisa de Ptolemus se vuelve más amplia.

—¡Para terminar lo que mi hermana comenzó en el ruedo! —ruge él.

—¡Aquello de lo que *huyó*! —replico mientras dirijo un rayo a su cabeza.

Se lanza a un lado, contra la pared, y mientras se recupera, Ara acorta la distancia entre ellos y salta desde el muro embaldosado. Llevada por el impulso, rompe con el codo la mandíbula de Ptolemus.

Yo sigo mi marcha y, a juzgar por las pisadas resonantes a mi espalda, no soy la única.

El fuego y el relámpago. La neblina y el viento. Lluvia de metales, una oscuridad embrollada, explosiones como estrellas diminutas. Y balas, siempre balas, muy cerca. Avanzamos entre el fragor de la batalla mientras pedimos que esta cárcel se acabe y seguimos el mapa que todos nos esmeramos en memorizar. Es por aquí, no por acá, no por acullá. Bajo la bruma y las sombras, perderse es fácil. Y además está Gareth, quien siempre hace girar los límites de la gravedad y causa a veces más daño que bien. Cuando arribamos por fin al vestíbulo, la sala con las puertas roja, plateada y negra, vuelvo a ser herida y mi fuerza decae rápidamente. Ni siquiera deseo pensar en los demás, en Julian y Sara, que apenas podían caminar. *Tenemos que salir al aire libre. Al cielo. Al relámpago que puede salvarnos a todos.*

Afuera, el sol se ha elevado ya. Ara y Ptolemus continúan su danza visceral a la vista del Wash, en medio de una bruma gris en el horizonte. Sólo tengo ojos para el Blackrun y el otro avión dispuesto en la pista. Un gentío se arremolina en torno a las naves, agentes nuevasangre y Plateados por igual, y aborda cuanto está a su alcance. Algunos desaparecen en los campos, con la esperanza de escapar a pie.

—¡Llévalo al jet, Shade! —grito y agarro a Cal del cuello mientras corremos.

Antes de que él pueda protestar, Shade sigue mi indicación y salta cien metros con Cal. Puedo contar siempre con la comprensión de Shade: Cal es uno de nuestros dos únicos pilotos; no puede morir aquí, cuando estamos tan cerca de fugarnos. Necesitamos que nos guíe, y que nos guíe bien. Una fracción de segundo más tarde Shade está de vuelta ya y envuelve entre sus brazos a Julian y a Sara. Desaparecen con él y yo lanzo un corto suspiro de alivio.

Invoco todo lo que queda en mí, en lo más profundo de mi ser. Esto me entorpece, me debilita, me arrebata la voluntad y la transforma en algo más fuerte. Para mi satisfacción, el cielo se oscurece.

Kilorn se detiene junto a mí, con el rifle al hombro. Dispara con precisión y derriba uno por uno a nuestros perseguidores. Muchos hombres se colocan frente a la reina para protegerla, sea por su propia volición o por la de ella. Estará pronto al alcance, de mi habilidad... y de la suya. Tengo sólo una oportunidad.

Sucede en cámara lenta. Miro a los dos Plateados enfrascados en una batalla entre donde me encuentro y los aviones. Una espada larga y fina, como una aguja gigantesca, atraviesa el cuello de Ara, del que se derrama una fuente de plata. Ptolemus da vueltas con el impulso en dirección a mí. Me agacho, a la espera de lo que imagino es lo peor.

No puedo ver lo que ocurre después.

Sólo una persona podría hacerlo. *Jon.* Se alejó de todo esto. Permitió que sucediera. No quiso advertirnos. No le importó.

Shade aparece ante mí para alejarme de todo esto. Recibe en cambio una aguja cruel y reluciente que le atraviesa el corazón. No se da cuenta de lo que pasa. No siente dolor. Muere antes de que sus rodillas toquen el suelo.

No recuerdo nada más hasta que estamos en el aire. Un torrente de lágrimas rueda por mis mejillas, pero no puedo enjugarlas. Me miro, en cambio, las manos, manchadas con la sangre de ambos colores.

VEINTISIETE

Éste no es el Blackrun.

Cal conduce un inmenso avión de carga hecho para transportar cargamento pesado o maquinaria. El área de carga contiene ahora a más de trescientos prófugos, muchos de los cuales están lesionados y todos neuróticos. La mayoría son nuevasangre, pero también hay Plateados, que mantienen en secreto su identidad a la espera del momento oportuno para revelarla. Por hoy, al menos, todos parecen ser iguales, cubiertos como están de harapos, fatiga y hambre. No quiero bajar con ellos, así que me quedo en el nivel superior del avión. Al menos hay silencio en esta sección, separada del área de carga por un estrecho cubículo de escalera, y de la cabina por una puerta cerrada. No puedo moverme más allá de los dos cuerpos que se hallan tendidos a mis pies. Uno de ellos está bajo una sábana blanca manchada únicamente con el botón de la sangre roja sobre su corazón perforado. Farley se arrodilla sobre él, petrificada, con una mano bajo la sábana para apretar los dedos fríos y muertos de mi hermano. Me niego a cubrir el otro cadáver.

La muerte le ha dado a Elara un feo aspecto. El relámpago le retorció los músculos y tiró de su boca hasta conferirle una expresión de desdén que ella no habría podido formar en vida. Su simple uniforme se coció con su piel, y su cabello rubio cenizo desapareció casi por completo, quemado hasta dejar sólo mechones desgreñados. Los demás cuerpos, los de sus guardianes, quedaron igual de deformados. Los dejamos para que se pudrieran en la pista. Pero la reina es inconfundible todavía. Todos reconocerán su cadáver. Yo me encargaré de eso.

—¿Por qué no te acuestas? —el cadáver perturba a Kilorn, eso está claro. No sé por qué. Deberíamos bailar sobre sus huesos—. Para que Sara te examine.

—Dile a Cal que cambie de rumbo.

Parpadea ante mí, perplejo.

—¿Que cambie de rumbo? ¿De qué hablas? Vamos de vuelta a la Muesca, de vuelta a casa…

Casa. Me río de esa palabra tan infantil.

—Vamos de vuelta a Tuck. Díselo, por favor.

—Mare.

—*Por favor.*

No se mueve.

—¿Te has vuelto loca? ¿Ya no te acuerdas de lo que pasó ahí, de lo que el coronel te hará si regresas?

Loca. Ojalá lo estuviera. Ojalá mi mente se dislocara de la tortura en que mi vida se ha convertido. Enloquecer sería un gran alivio para mí.

—Puede intentarlo, en efecto. Aunque somos demasiados ahora, incluso para él. Y cuando vea lo que le llevo, dudo que nos rechace.

—¿El cadáver? —resopla, visiblemente trastornado. No es el cadáver lo que le asusta, comprendo en silencio. *Soy yo*—. ¿Le enseñarás el cadáver?

—Se lo enseñaré a todos —y repito, con más firmeza todavía—: Dile a Cal que cambie de rumbo. Él entenderá.

Le duele la pulla pero no me importa. Se tensa y retrocede para hacer lo que le digo. La puerta de la cabina se cierra detrás de él, y yo apenas lo noto. Me preocupan cosas más importantes que unos mezquinos insultos. ¿Quién es él para cuestionar mis órdenes? No es nadie. Es sólo un pescador con un poco de buena suerte y mi insensatez para protegerlo. No como Shade, que era un teletransportador, un nuevasangre, un gran hombre. ¿Cómo puede ser que haya muerto? Y no ha sido el único. No, es indudable que otros tendrán la prisión por tumba. Sólo lo sabremos cuando aterricemos y podamos ver quién más escapó en el Blackrun. Y aterrizaremos en el compuesto de la isla, no en una solitaria cueva en el bosque.

—¿Tu vidente te dijo esto? —éstas son las primeras palabras que pronuncia Farley desde que salimos de Corros. Aunque no ha llorado todavía, su voz suena ronca, como si hubiera gritado durante días enteros. Sus ojos son horribles, con el borde rojo y el iris de un vívido azul—. ¿El idiota de Jon, el que nos dijo que hiciéramos esto? —continúa y se vuelve hacia mí—. ¿Te dijo que Shade moriría? ¿Lo hizo? Supongo que fue un precio fácil de pagar para la Niña Relámpago, mientras significara más agentes nuevasangre bajo su control. Más soldados en una guerra que ella no tiene idea de cómo librar. Un miserable hermano a cambio de que más seguidores le besen los pies. No es un mal trato, ¿verdad? Especialmente si incluye a la reina como regalo. ¿A quién le importa un hombre muerto que nadie conoce cuando podías tener el cadáver de la soberana?

Mi bofetada le hace dar un paso atrás, de sorpresa más que de dolor. Se agarra de la sábana cuando cae, y al tirarla de un lado deja al descubierto la pálida cara de mi hermano. Por lo menos sus ojos están cerrados. Puede ser que sólo duerma. Vuelvo a poner la sábana en su lugar —no puedo mirarlo mucho tiempo—, pero ella me da un golpe con el hombro y aprovecha su considerable altura para ponerme contra la pared.

La puerta de la cabina se abre al instante y los chicos salen corriendo, atraídos por el escándalo. En un momento Cal derriba a Farley. Golpea el revés de su rodilla para que caiga. Kilorn es menos elegante y me envuelve en sus brazos para alzarme del suelo.

—¡Era mi hermano! —le grito.

—¡Era *mucho más que eso*! —grita ella en respuesta.

Sus palabras despiertan un recuerdo.

Cuando ella dude. Jon me dijo que le dijera algo. *Cuando ella dude.* Y es un hecho que ahora duda.

—Jon me reveló algo —espeto mientras trato de zafarme de Kilorn—. Algo que tú debías saber.

Vuelve a arremeter contra mí y Cal la derriba de nuevo. Recibe un codazo en la cara por su molestia, pero no deja de controlar firmemente los hombros de Farley. Pese a que no va a ninguna parte con eso, ella no cesa de forcejear.

No sabes nunca cuándo parar, Farley. Antes admiraba eso de ti. Ahora sólo me das lástima.

—Me dijo la respuesta a tu pregunta —esto la para en seco, con la respiración entrecortada de temor. Mira con los ojos bien abiertos. Casi puedo oír latir su corazón—. Dijo que era sí.

No sé qué significa eso, pero arrasa con ella. Se deja caer, se inclina sobre sus manos y baja la cabeza detrás de un corto telón de cabello rubio. Veo sus lágrimas de todas formas. *No peleará más.*

Cal lo sabe también y se aleja de su figura temblorosa. Casi tropieza con el brazo deformado de Elara y huye de él, atemorizado.

—Déjala en paz —murmura y me agarra demasiado fuerte del brazo.

Casi me arrastra, pese a mis protestas.

No quiero dejarla. No me refiero a Farley, sino a Elara. A pesar de sus heridas, sus quemaduras y sus ojos vidriosos, no confío en que su cadáver continúe muerto. Es una preocupación absurda, pero la siento.

—¿Qué te sucede, por mis colores? —gruñe al tiempo que cierra detrás de nosotros la puerta de la cabina y deja afuera los callados sollozos de Farley y el ceño fruncido de Kilorn—. Sabes lo que Shade significaba para ella...

—Y tú sabes lo que él significaba para mí —replico. Ser cortés no está en lo más alto de mi lista, aunque lo intento. Me tiembla la voz de todas formas. Él era el hermano con el que más intimaba. *Ya lo perdí una vez, y ahora lo he perdido de nuevo. Esta vez no volverá. No habrá retorno*—. Y no por eso le ando gritando a la gente.

—Tienes razón. Sólo la matas.

Mi aliento sisea entre mis dientes. ¿Acaso todo se reduce a eso? Casi me río de él.

—Al menos uno de nosotros puede hacerlo.

Supongo que terminaremos en un duelo de gritos. Aunque lo que obtengo es peor. Cal da un paso atrás y choca con el tablero de instrumentos al tratar de poner la mayor distancia entre nosotros. Por lo general soy yo la que se aleja, pero ya no. Algo se quiebra en el fondo de sus ojos, lo cual exhibe las heridas que oculta bajo su piel en llamas.

—¿Qué te ocurrió, Mare? —susurra.

¡Qué no me ocurrió! Un solo día sin preocupaciones, eso. Todo para prepararme para esto, para el destino que gané con las mutaciones de mi sangre y los muchos errores que he decidido cometer, Cal entre ellos.

—Mi hermano acaba de morir, Cal.

Sacude la cabeza sin dejar de observarme. Su mirada arde.

—Mataste a esos sujetos en el centro de mando, junto con Cameron, mientras *suplicaban*. Shade no había muerto todavía. No lo culpes de esto.

—Eran Plateados...

—*Yo* soy Plateado.

—Y *yo* soy Roja. No te comportes como si no hubieras matado a cientos de nosotros.

—No por gusto, no como lo haces tú. Fui un soldado que seguía órdenes, que obedecía a su rey. Y ellos eran tan inocentes como yo lo fui cuando mi padre vivía.

Las lágrimas se acumulan en mis ojos y piden ser derramadas. Un gran número de rostros flota ante mí, de soldados y agentes asesinados, demasiados para contarlos.

—¿Por qué me dices eso? —susurro—. Hice lo que tenía que hacer para salvar la vida, para salvar a incalculables personas; para salvarte a ti, príncipe tonto y obstinado que no gobiernas sobre *nada*. Tú más que nadie deberías conocer la carga que pesa sobre mis hombros. ¿Cómo te *atreves* a hacerme sentir más culpable de lo que ya me siento?

—Ella quería convertirte en un monstruo —inclina la cabeza en dirección a la puerta y el cadáver retorcido que hay detrás—. Sólo trato de asegurarme de que eso no suceda.

—Elara está muerta —estas palabras son dulces como la miel. *Se ha ido, no puede lastimarme*—. Ya no puede controlar a nadie.

—De todas formas, no sientes remordimiento por los muertos. Haces todo lo que puedes por olvidarlos. Abandonaste a tu familia sin decir una sola palabra. No puedes controlarte. La mitad del tiempo rehúyes el liderazgo y la otra mitad actúas como una mártir intocable, nimbada por la culpa, la única persona de verdad entregada a la causa. Mira a tu alrededor, Mare Barrow. Shade no fue el único que murió en Corros. Tú no eres la única que hace sacrificios. Farley traicionó a su padre. Tú obligaste a Cameron a que se nos sumara; decidiste ignorar todo menos la lista de Julian. Y ahora quieres abandonar a los chicos de la Muesca. ¿Para qué? ¿Para pisarle el cuello al coronel? ¿Para subir a un trono? ¿Para matar a quienquiera que te mire de la manera incorrecta? —me siento una niña regañada, incapaz de hablar, de discutir, de hacer otra cosa que llorar. Tengo que armarme de todo mi valor para contener mis chispas—. Y sigues aferrada a Maven, una persona que no existe.

Él podría igualmente poner una mano en mi cuello y apretar.

—¿Has hurgado entre mis cosas?

—No estoy ciego. Te vi extraer los mensajes de los cadáveres. Creí que los romperías. Como no lo hiciste, quise ver lo que harías con ellos. Quemarlos, tirarlos, devolverlos mojados en sangre Plateada, pero no guardarlos. No leerlos mientras yo dormía a tu lado.

—Dijiste que tú también lo echabas de menos. ¡Lo dijiste! —murmuro.

Tengo que refrenarme para no azotar el pie en el suelo como una niña frustrada.

—Es mi hermano. Lo echo de menos de una forma *muy* distinta.

Algo agudo raspa mi muñeca y me doy cuenta de que me rasco en medio de mi desdicha, de que produzco un dolor físico para encubrir mi agonía interior. Él observa, con emociones encontradas.

—Tú estuviste detrás de todo lo que hice —le digo—. Si me estoy convirtiendo en un monstruo, tú también.

Baja la mirada.

—El amor ciega.

—Si ésa es tu idea del amor...

—Ni siquiera sé si amas a alguien —espeta—, si ves algo aparte de instrumentos y armas. Personas que manipular y controlar, que sacrificar.

No hay ninguna defensa posible contra esa acusación. ¿Cómo puedo demostrarle que está equivocado? ¿Cómo puedo hacerle ver lo que he hecho, lo que trato de hacer, aquello en lo que me he convertido para mantener a salvo a todos los que me importan? ¡Qué terrible ha sido mi fracaso! ¡Qué mal me siento! ¡Cómo me duelen las cicatrices y los recuerdos! ¡Qué hondo me ha herido con esas palabras! No puedo demostrar mi amor por él, ni por Kilorn, ni por mi familia. No puedo poner esos sentimientos en palabras, ni debería hacerlo.

Así que no lo hago.

—Después del atentado en Arcón, Farley y la Guardia Escarlata se valieron de un informativo Plateado para atribuirse la responsabilidad —doy lenta, metódica y tranquilamente mi explicación. Es lo único que me mantiene cuerda—. Haré lo mismo ahora con el cadáver de la reina. Le enseñaré a cada ciudadano de este reino la mujer que he matado, y las personas a las que ella mantenía presas, agentes nuevasangre y Plateadas. Ya no permitiré que Maven controle este juego y propague sus mentiras por todo el reino. Lo que hemos hecho no bastará para derrocarlo. Debemos dejar que el reino lo haga por nosotros.

Se queda boquiabierto.

—¿Hablas de una guerra civil?

—Casa contra Casa, Plateado contra Plateado. Sólo los Rojos se mantendrán unidos. Y ganaremos por eso. Norta caerá, y nosotros nos levantaremos, Rojos como el amanecer —un plan simple, oneroso y letal para ambos bandos. Pero es un paso que tenemos que dar. *Ellos nos obligaron a seguir este camino hace mucho tiempo. Yo sólo hago lo que debe hacerse—*. Puedes recoger a los chicos de la Muesca después de que aterricemos en Tuck. Necesito al coronel, y necesito sus recursos para poner esto en marcha. ¿Lo entiendes? —apenas asiente—. Después iré al norte, al Obturador, con aquéllos a los que de tan buena gana abandoné. Usted puede hacer lo que quiera, su alteza.

—Mare...

Coge mi brazo y me suelto. Casi me choco contra la pared.

—¡No vuelvas a tocarme!

Estas palabras suenan como un portazo. Supongo que lo son.

Tuck está tranquila y ofensivamente radiante. Sin nubes ni viento, sólo el fresco otoño y el sol. Shade no debió haber muerto en un día tan hermoso, pero lo hizo. Han muerto demasiados.

Soy la primera que baja del avión de carga, con dos camillas cubiertas atrás. Kilorn y Farley revolotean junto a una de ellas y cada uno de ellos posa una mano en Shade. La otra es la que me interesa ahora. Los hombres que la sostienen parecen tenerle miedo al cadáver, justo como yo se lo tenía. Las últimas horas de silenciosa reflexión mientras miraba el frío cadáver de Elara me han dado un extraño consuelo. Ella no despertará. Y Cal no volverá a hablarme nunca, después de todo lo que nos hemos dicho. No sé en qué parte de la fila se halla, o si bajará siquiera. Me digo que no importa. Pensar en él es una pérdida de tiempo.

Tengo que proteger mis ojos para poder ver el despliegue del coronel al otro lado de la pista. Él se yergue sobre un vehículo médico y está rodeado de enfermeros con uniformes blancos. Seguro que Ada se comunicó previamente por radio para hacerle saber que necesitábamos con urgencia su ayuda. Su Blackrun ya está aquí, y es la única sombra a la vista. Cuando el primero de los prisioneros pisa detrás de mí la pista de aterrizaje, desciende la conocida rampa negra del otro jet. Bajan menos individuos de los que pensé, detrás de Ada. Ella encabeza la briosa marcha hacia la muralla de Lacustres armados, vigilantes imperturbables y curiosos. Me maldigo en secreto. Mi familia estará de vuelta aquí, a la espera de ver a sus hijos, pero sólo hallará a uno de ellos.

Tu familia no te importa. Tal vez Cal estaba en lo cierto, porque es verdad que la olvido más de lo que alguien en su sano juicio debería hacerlo.

—¡Deténgase, señorita Barrow! —vocifera el coronel y alza una mano. Hago lo que pide y me detengo a cinco metros de él. A tan corta distancia, veo que las armas apuntan hacia nosotros, pero reparo sobre todo en los hombres que se hallan detrás de las balas. Están alerta, aunque no nerviosos. No tienen órdenes de matar todavía—. ¿Ha venido a devolver lo que robó?

Suelto una risa forzada que nos relaja a ambos.

—Le traigo un regalo, coronel.

Una de las comisuras de su boca se eleva.

—¿Es así como llama a estos... —busca la palabra correcta para describir a la turba andrajosa que me sigue— sujetos?

—Estuvieron presos hasta esta mañana, en un centro secreto llamado Corros. Fueron encarcelados por órdenes del rey Maven, para hacer experimentos con ellos, torturarlos y asesinarlos —miro a mis espaldas y supongo que veré corazones y mentes destrozados. En cambio, contemplo orgullo inquebrantable. La niña que estuvo a punto de caer del pasadizo parece estar al borde del llanto, aunque tiene cerrados sus pequeños puños a los costados. No llorará—. Son nuevasangre como yo —detrás de la niña, una adolescente protectora de piel demasiado pálida y cabello naranja se erige como su guardiana—. Y Plateados también, coronel.

Reacciona como lo esperaba.

—¿Ha traído Plateados aquí, *idiota*? —exclama, lleno de pavor—. ¡Preparen armas!

La fila de Lacustres, de dos de fondo y probablemente veinte de ancho, cumple la orden. Sus armas chasquean al unísono y las balas se deslizan en las recámaras. Están listos para disparar. A mis espaldas, los prisioneros retroceden estremecidos. Pero nadie ruega. Ya han dejado de suplicar.

—Amenazas huecas.

Contengo el impulso de sonreír.

Las manos de él vuelan a la pistola de su cadera.

—No me ponga a prueba.

—Conozco sus órdenes, coronel, y sé que no son las de matar a la Niña Relámpago. La Comandancia me quiere viva, ¿no es así?

Recuerdo a Ellie Whistle, una de las muchas integrantes de la Guardia a quienes se instruyó para ayudarme en mis labores. Ella no era digno rival del coronel, pero éste no lo es tampoco de la Comandancia, sean quienes sean los que la componen.

Él pierde parte de su ventaja, pero no da marcha atrás.

—Tráiganla —espeto en dirección a los camilleros.

Los dos hombres siguen mis indicaciones lo más rápido que pueden. Ponen a mis pies la camilla de Elara. Las armas siguen cada uno de sus inciertos pasos. Siento las mirillas incluso ahora, en mi corazón, en mi cerebro, en cada palmo de mi ser.

—Éste es su regalo, coronel —pateo la camilla y muevo el cuerpo bajo la sábana blanca—. ¿No quiere verlo?

Su ojo sano destella, casi demasiado rápido para notarlo. Ve a Farley entre la muchedumbre, y la arruga en su frente se desvanece un poco. Con una sacudida de desagrado, comprendo por qué. *Pensó que yo la había matado.*

—¿Qué es eso, Barrow? ¿El príncipe? ¿Ha acabado con la mejor carta de negociación que tenía?

—¡Ya lo creo! —dice una voz entre la multitud.

Cal.

No me vuelvo a mirarlo, prefiero concentrarme en el coronel. Sostiene mi mirada sin vacilar. Poco a poco, con una mano elevada y la otra extendida, retiro la sábana, y expongo a la reina para que todos la vean. Sus extremidades se han puesto rígidas. Los dedos se le han torcido demasiado, y fragmentos de hueso asoman bajo la carne de su mano derecha. Los tiradores son los primeros en reaccionar, y bajan sus armas un poco. Uno o dos ahogan incluso una exclamación y se cubren la boca. El coronel guarda absoluto silencio. Permanece inmóvil y mira con satisfacción. Después de un largo momento, parpadea.

—¿Es quien creo que es? —pregunta con voz ronca.

Asiento.

—Elara de la Casa de Merandus, reina de Norta. Madre del rey. Muerta por los nuevasangre y los Plateados en la cárcel que construyó para ellos.

Esta explicación debería contener su mano por el momento. Su ojo rojo brilla.

—¿Qué piensa hacer con eso?

—El rey y este reino merecen una oportunidad de despedirse de ella, ¿no lo cree?

Tiene el mismo aspecto que Farley cuando sonríe.

—Otra vez—ordena el coronel Farley y se arrellana en su sillón.

—Me llamo Mare Barrow —digo a la cámara y trato de no parecer ridícula. Después de todo, ésta es la sexta vez que me presento en los últimos diez minutos—. Nací en Los Pilares, una aldea situada en el valle del río Capital. Mi sangre es Roja, pero debido a esto... —extiendo mis manos para que dos esferas de electricidad se eleven— fui llevada a la corte del rey Tiberias VI, donde recibí un nuevo nombre y una nueva vida, donde fui convertida en una mentira. Me llamaron Mareena Titanos y le dijeron al mundo que había nacido Plateada. Eso es falso —me estremezco cuando paso el cuchillo por la palma de mi mano, sobre la carne ya desgarrada. Mi sangre emite destellos como si fueran rubíes bajo la intensa luz del hangar vacío.

"El rey Maven os dijo que esto era un truco —algunas chispas ondulan sobre la herida—. No lo es. Como no lo son tampoco las demás personas iguales a mí, todas las que son Rojas de nacimiento y poseen extrañas habilidades Plateadas. El rey sabe que existís y os persigue. Por eso os digo: huid. Buscadme. Buscad a la Guardia Escarlata —junto a mí, el coronel se endereza con orgullo. Lleva cubierta la cara con una pañoleta roja, como si su ojo inyectado en sangre no fuera identificación suficiente. Pero no me quejo. Aceptó recibir a los nuevasangre, tras admitir que el trato que les daba antes era un error. Ahora sabe del valor (y la fuerza) de personas como yo. No puede permitirse convertirnos en sus enemigos también a nosotros.

"A diferencia de los reyes Plateados, nosotros no vemos ninguna división entre nosotros y los demás Rojos. Lucharemos y moriremos por vosotros si esto implica vivir en un nuevo mundo. ¡Abandonad el hacha, la pala, la aguja y la escoba y tomad las armas! Uníos a nosotros. Luchad. ¡Levantaos, Rojos como el amanecer! —la siguiente parte me revuelve el estómago, y preferiría frotar mi piel con ácido. Cuando mis dedos se enredan en el raído cabello de la reina para elevar su cabeza frente a la destartalada y chisporroteante cámara, contengo mis lágrimas. Por más que la odie, odio más esto. Siento que es contrario a la naturaleza, contrario a todo lo bueno que pueda restar dentro de mí. Ya he perdido a Cal (lo eché de mi vida, en realidad), pero ahora siento que pierdo mi alma. Y pese a todo, pronuncio las palabras que debo decir. Creo en ellas, y me alivian un poco.

"Peleamos y vencimos. Ésta es Elara, reina de Norta, y nosotros la hemos matado. Esta guerra no es imposible de ganar, y con vosotros puede ser ganada para siempre —mantengo mi postura y hago todo lo posible por no pestañear. Si lo hago, derramaré más lágrimas. Pienso en todo menos en el cadáver que tengo en las manos—. Incluso en este momento, muchos miembros de la Guardia Escarlata salen de sus fortalezas a la espera de quien responda a nuestro llamado.

—Armaos, hermanos y hermanas —dice el coronel y da un paso al frente—. Sois más numerosos que vuestros amos, y ellos lo saben. Lo temen. Os temen a vosotros y a aquello en lo que os convertiréis. Buscad a los Whistles en el bosque. Ellos os llevarán a casa.

Después de seis intentos, terminamos por fin al unísono.

—¡Levantaos, Rojos como el amanecer!

—Plateados de Norta —hablo rápido y aprieto la cabeza de Elara—, vuestro rey y vuestra reina os mintieron y os traicionaron. La Guardia Escarlata liberó una prisión esta mañana, en la que hallamos tanto a Rojos como a Plateados. A miembros desaparecidos de las casas de Iral, Lerolan, Osanos, Skonos, Jacos y más. Ellos fueron injustamente encarcelados, torturados con roca silente y abandonados a su muerte por crímenes que no han cometido. Ahora están con nosotros, y viven. Vuestros desaparecidos viven. ¡Levantaos para ayudarlos! ¡Levantaos para vengar a aquéllos que no pudimos salvar! ¡Levantaos y uníos a nosotros! Porque vuestro rey es un monstruo —miro directo a la cámara, a sabiendas de que él verá esto—. Maven es un *monstruo*.

El coronel exclama ante mí, ofendido. La cámara se detiene. Él se quita la pañoleta movido por su ira.

—¿Qué hace, Barrow?

Le devuelvo la mirada.

—Le facilito la existencia, coronel. Divide y vencerás —señalo hacia el equipo de camarógrafos, sin molestarme en recordar sus nombres—. Vayan a los cuarteles Plateados, fílmenlos. No muestren a los guardianes. Oigan bien lo que les digo: esto hará que el reino arda en llamas, y ni siquiera Maven podrá impedirlo —no hace falta que hablen para indicar que están de acuerdo. Me doy la vuelta—. Eso es todo.

El coronel me sigue y me pisa los talones incluso cuando salgo del hangar.

—Yo no he dicho que esté de acuerdo, Barrow... —gruñe, pero al detenerme de golpe, él también lo hace.

No necesito el relámpago para asustar a la gente. Ya no.

—Hágame volver, coronel —extiendo mi brazo y lo reto a tirar de él. Lo reto a ponerme a prueba—. Adelante.

Una vez, este hombre metió a Cal en una celda. Dirige a quién sabe cuántos soldados y ha matado a muchos más. No sé cuántas batallas ha presenciado ni en cuántas ocasiones ha engañado a la muerte.

No tiene motivos para temerle a una chica como yo, pero me teme. He regresado a Tuck como su igual, *mejor* que su igual, y lo sabe.

Me vuelvo lentamente para enfrentarme a él, sólo porque ahora me conviene hacerlo.

—¿Qué le ha hecho cambiar, coronel? Porque sé que no ha sido su buen juicio, y ni siquiera las órdenes de la Comandancia.

Tras un largo y tortuoso momento, asiente.

—Sígame. Hay unas personas que quieren conocerla.

VEINTIOCHO

Tuck parece más pequeña de lo que recordaba cuando los trescientos prófugos de Corros y los refuerzos del coronel se apiñan en la isla. Él me hace pasar entre todos ellos y fija un paso que tengo que esforzarme para poder seguir. Muchos de los nuevos soldados son Lacustres y han llegado de contrabando del remoto norte, igual que las armas y los alimentos que arriban al puerto, aunque hay un gran número de refugiados de Norta también. Agricultores, sirvientes, desertores e incluso algunos tecnos tatuados que hacen ejercicios físicos en el espacio descubierto entre los cuarteles. Muchos han llegado en los últimos meses. Son los primeros de una multitud que huye de las Medidas, y es indudable que habrá más. Yo sonreiría ante esta idea, pero sonreír se ha vuelto muy difícil en estos días. Me duelen las cicatrices y me duele la cabeza. En la pista ruge un avión conocido y el Blackrun asciende al cielo. Apuesto a que se dirige a la Muesca, con Cal en los controles. Tanto mejor. No necesito que ande merodeando por aquí ni que mire y juzgue cada uno de mis pasos.

El Cuartel 1. La última vez entré en secreto a él. Ahora lo hago a plena luz del día, con el coronel a mi lado. Atravesamos los angostos pasajes del búnker submarino y sus Lacustres se apartan a un lado para dejarme pasar. Conozco muy bien este lugar —alguna vez estuve presa en él—, pero ya no temo nada de lo que hay aquí. Seguimos el mismo curso del tubo que está fijo en el techo, hacia el corazón palpitante del cuartel y la isla entera. La sala de control es pequeña, y está llena de pantallas, equipo de radio y mapas en cada superficie plana. Doy por supuesto que veré dar órdenes a Farley, pero no aparece por ningún lado. En cambio, hay una sana mezcla de Lacustres azules y miembros de la Guardia rojos. Dos hombres se diferencian de ellos, vestidos en gruesos uniformes de un verde desvaído con bordes negros. Ignoro a qué reino representan.

—Despejen la sala —murmura el coronel.

No tiene motivo alguno para gritar, le obedecen al instante.

Salvo por el par de verde. Tengo la sensación de que estaban a la espera de esto. Ambos se mueven extrañamente al unísono y se vuelven hacia nosotros en perfecta sincronía. Portan insignias en sus uniformes, un círculo blanco con un triángulo verde oscuro adentro. Es la misma marca que vi en varias cajas de contrabando la última vez que estuve aquí.

Son gemelos, del tipo inquietante. Idénticos, aunque por alguna razón son más que eso. Los dos tienen el cabello negro rizado y peinado hacia atrás como una gorra, los ojos color lodo, la piel morena y la barba inmaculada. Una cicatriz es lo único que los distingue; uno tiene una línea dentada en la mejilla derecha, el otro en la izquierda. *Para diferenciarlos.* Con un escalofrío, me doy cuenta de que incluso pestañean al mismo tiempo.

—Es un placer conocerla por fin, señorita Barrow —Cicatriz Derecha extiende la mano, pero me resisto a estrecharla. Parece que a él no le importa y prosigue—: Me llamo Rash, y mi hermano…

—Tahir, para servirle —tercia el otro. Inclinan la cabeza con elegancia, otra vez asombrosamente al unísono—. Hemos hecho un largo viaje para conocerla a usted y a los suyos. Y hemos esperado...

—...lo que parece más tiempo todavía —termina Rash por él. Mira al coronel, en cuyos ojos percibo un aleteo de profundo disgusto—. Le traemos un mensaje y un ofrecimiento.

—¿De quién?

Se me va el aliento y me siento casi mareada. Estoy segura que estos hombres son nuevasangre (el lazo que los une no es natural), y no provienen de Norta ni son Lacustres. Dicen que han hecho *un largo viaje*. ¿De dónde vendrán?

Responden en un coro melódico:

—De la República Libre de Montfort.

De repente querría que Julian estuviera a mi lado, para recordarme sus lecciones y los mapas que él tenía tan cerca. Montfort es una nación montañosa tan lejana que podría estar al otro lado del mundo. Aunque Julian me dijo que era como las Tierras Bajas al sur, gobernada por una serie de príncipes, todos ellos Plateados.

—No entiendo.

—Ni el coronel Farley... —dice Tahir

Rash lo interrumpe:

—... porque nuestra República está muy bien protegida, oculta por montañas...

—... nieves...

—... murallas...

—y su arquitectura.

Esto es sumamente irritante.

—Mis disculpas —añade Rash cuando advierte mi incomodidad—. Nuestra mutación une nuestros cerebros. Esto puede ser muy...

—Desconcertante —termino por él y les arranco una sonrisa. Pero el coronel continúa con el ceño fruncido y su ojo rojo relumbra—. ¿Así que ustedes son nuevasangre también? ¿Como yo?

Asienten al mismo tiempo.

—En Montfort nos llaman los Ardientes, aunque esto difiere de una nación a otra. Nadie puede ponerse de acuerdo sobre cómo llamar a los Rojos y Plateados —contesta Tahir—. Somos muchos en todo este mundo. Algunos al descubierto, como en nuestra República; otros ocultos, como sucede en su reino —se vuelve hacia el coronel, pues habla en doble sentido—. Pero nuestros lazos son más firmes que las fronteras de las naciones. Nosotros protegemos a los nuestros porque nadie más lo hará. Montfort ha estado escondida veinte años, periodo durante el cual hemos construido nuestra República desde las cenizas de la brutal opresión. Creo que usted comprende esto —así es. Ni siquiera me importa sonreír, pese al dolor que me causa—. Pero ahora ya no estamos ocultos. Tenemos un ejército y una flota propios, y no estarán ociosos durante más tiempo mientras reinos como Norta, la comarca de los Lagos y el resto sigan en pie. Mientras haya Rojos que mueran y Ardientes que enfrenten destinos peores aún.

¡Ah! Así que el coronel no nos acepta por bondad, y ni siquiera por necesidad, sino por temor. Al juego se ha sumado otro participante, que él no comprende. Comparten un enemigo al menos, eso está claro. *Los Plateados. Las personas como Maven. Nosotros compartimos un enemigo también.* Pero no puedo ignorar el escalofrío que se apodera de mí. *Cal es Plateado, Julian es Plateado. ¿Qué piensan de ellos?* Al igual que el coronel, debo recostarme en mi asiento y ver qué es lo que realmente desean estas personas.

—El premier Davidson, el líder de nuestra República, nos envió como embajadores para tender una mano amiga a la Guardia Escarlata —dice Rash al tiempo que mueve nerviosamente su propia mano sobre su pierna—. El coronel Farley aceptó gustosamente esta alianza hace dos semanas, como lo hicieron también sus superiores, lo generales Rojos de la Comandancia —*La Comandancia*. Las crípticas palabras de Farley están muy cerca ahora. Aunque ella no explicó jamás a qué se refería, empiezo a ver ya un poco más de la Guardia. No he oído hablar nunca de los generales Rojos, pero mantengo una cara inmutable. Ellos no saben cuánto (o cuán poco) se me ha confiado. A juzgar por la forma en que hablan, creen que soy un líder también, con relativo control sobre la Guardia Escarlata. ¡Cuando apenas tengo control sobre mí!

—Nos hemos aliado con algunos grupos y subsectas similares en naciones de todo el continente, para integrar una compleja red semejante a los radios de una rueda. Nuestra República es el eje —los ojos de Rash perforan los míos—. Así pues, ofrecemos a todos los Ardientes que residen aquí un tránsito seguro a un reino que no sólo los protegerá, sino que también les brindará libertad. No tienen por qué pelear. Lo único que necesitan es vivir, y vivir libres. Ése es nuestro ofrecimiento.

Mi corazón late con desenfreno. *Lo único que necesitan es vivir*. ¿Cuántas veces he deseado eso? Demasiadas para contarlas. Incluso en Los Pilares, cuando creí que yo era penosamente normal, cuando no era nada. Sólo quería vivir. Los Pilares me enseñaron el valor, y la rareza, de una vida ordinaria. Aunque también me enseñaron una lección más valiosa: *que todo tiene un precio*.

—¿Y qué piden a cambio? —murmuro, sin querer oír su respuesta.

Rash y Tahir intercambian miradas elocuentes y entrecierran los ojos como parte de una muda comunicación. No dudo que puedan hablar entre sí sin palabras, con susurros, como lo hacía Elara.

—El premier Davidson solicita que usted escolte a los suyos —dicen juntos. Una *solicitud*. Eso no existe—. Usted es una activista por derecho propio, y será de gran ayuda para la guerra venidera —*No tienen por qué pelear*. Debí saber que eso no se aplicaba a mí—. Usted tendrá su propia unidad, sus Ardientes selectos a su lado...

Un rey nuevasangre se sentará en el trono que tú levantaste.

Cameron me dijo eso hace unos días, cuando la obligué a sumarse a nosotros. Ahora sé exactamente cómo se sintió, y lo horriblemente ciertas que pudieron ser sus palabras.

—¿Pero sólo Ardientes? —replico mientras me pongo firmemente en pie—. ¿Sólo agentes nuevasangre? Díganme, ¿cómo es realmente su República? ¿Simplemente cambiaron a sus amos Plateados por otros?

Los hermanos permanecen sentados y me miran con ojos perspicaces.

—Usted nos malinterpreta —dice Tahir. Se da un ligero golpe en la cicatriz bajo el ojo izquierdo—. Somos como usted, Mare Barrow. Hemos sufrido por lo que somos, y sólo deseamos que nadie más tenga que enfrentarse a ese destino. Ofrecemos un santuario para nuestra especie. Especialmente para usted.

Son un par de mentirosos. No ofrecen otra cosa que un escenario más en el cual yo me suba y actúe.

—Estoy bien donde me encuentro —miro al coronel y dirijo mi atención a su ojo sano. Ya no frunce el entrecejo—. No huiré, al menos por ahora. Hay algunas cosas aún pendientes de resolverse aquí. Problemas Rojos en los que ustedes no deben molestarse. Llévense a los nuevasangre que quieran irse con ustedes, yo no iré. Y si quieren obligarme a hacer algo contra mi voluntad, los freiré a ambos. No me importa de qué color sea su sangre o cuán libres aseguren ser. Díganle a su líder que nadie puede comprarme con promesas.

—¿Y qué pasa con la acción? —sugiere Rash y levanta una cuidada ceja —. ¿Eso la pondría a usted del lado del líder?

Ya he andado por este camino. Ya he tenido mi dosis de reyes, se llamen como se llamen. Escupirles a estos gemelos no me llevará a ninguna parte, así que únicamente me encojo de hombros.

—Muéstrenme acción y veremos —me doy la vuelta entre risas para marcharme—. Tráiganme la cabeza de Maven Calore y su líder podrá usarme como escabel.

La respuesta de Tahir me hiela la sangre.

—Usted mató a la loba. No será difícil matar a la cría.

Salgo de la sala de control a paso ligero.

—Es extraño, señorita Barrow.

—¿Qué? —repongo y miro hacia el coronel.

Ni siquiera puede dejarme salir en paz de este cuartel. Su expresión franca me desconcierta, pues exhibe algo parecido a la comprensión. Él es la última persona que espero que me *entienda*.

—Llegó aquí con muchos más seguidores, pero perdió a aquéllos con los que se fue —levanta una ceja y se apoya en la fría y húmeda pared del pasaje—. El aldeano, su príncipe y mi hija: todos la evitan. Y desde luego, su hermano… —un rápido paso al frente lo para en seco y lo reduce al silencio—. Reciba mis condolencias —murmura después de un largo momento—. No es fácil perder a un miembro de la familia.

Recuerdo la fotografía en sus habitaciones. Tuvo otra hija, y una esposa, dos personas que no están ahora aquí.

—Todos necesitamos un poco de tiempo —le digo, con la esperanza de que sea suficiente.

—No les dé demasiado. No es bueno dejar que se entretengan en los pecados de uno —no tengo ánimo para discutir, porque tiene razón. Ahuyenté a la gente más cercana a mí y le enseñé el monstruo que dormita bajo mi piel—. ¿Y qué pasa con ese problema Rojo que usted mencionó? —continúa—. ¿Es algo que yo debería saber?

En el jet le dije a Cal que iría al norte. La mitad de mí lo dijo por cólera, para demostrarle algo a él. La otra mitad lo aseguró porque eso es lo que debe hacerse. Porque he ignorado algunas cosas durante demasiado tiempo.

—Hace unos días interceptamos una orden de marcha. La primera legión de menores de edad está a punto de ser enviada al Obturador —se me corta la respiración cuando recuerdo lo que dijo Ada—. Serán masacrados, pues se les ha ordenado marchar más allá de las trincheras, justo a la zona de muerte. Cinco mil de ellos, sacrificados.

—¿Nuevasangre? —espolea el coronel.

Sacudo la cabeza.

—No que yo sepa.

Se lleva una mano a la pistola, se endereza y escupe en el suelo.

—Bueno, la Comandancia me ordenó ayudarle. Creo que ya es hora de que hagamos juntos algo útil.

La enfermería está en silencio, es un buen lugar para esperar.
Sara fue autorizada a abandonar el cuartel de uso exclusivo
para los Plateados y trabajó rápido con los heridos. Las camas
están vacías ahora, salvo una. Me acuesto de lado y miro la
larga ventana que hay frente a mí. El cielo engañosamente
azul se ha tornado en un gris plomizo. Tal vez ya está cayendo
otra tormenta, o mis ojos se han oscurecido. No puedo ver
más sol el día de hoy. Las sábanas son suaves, desgastadas de
tanto lavarse, y reprimo el impulso de taparme la cabeza con
ellas. Como si eso pudiera impedir que los recuerdos brota-
sen. Cada uno de ellos rompe como si fuera una ola de hierro.
El último momento de Shade, con los ojos muy abiertos, una
mano extendida hacia mí, antes de que manara sangre de su
pecho. Regresó para salvarme y por eso perdió la vida. Me
siento como me sentí hace muchos meses, cuando me oculté
en el bosque porque no podía enfrentarme a Gisa y su mano
deshecha. Ahora no soporto la idea de volver con mi familia
y ver el hueco que ha dejado Shade. Ella ciertamente se pregunta dónde estoy, la chica que le costó un hijo. Pero no es
un Barrow quien me encuentra aquí.

—¿Debo volver más tarde o ya has terminado de compade-
certe?

Me incorporo de súbito y veo a Julian al pie de mi cama.
Ha recuperado su color, y sus dientes, por cortesía de Sara. Es
el mismo de siempre pese a su ropa mal combinada, sobras
de las tiendas de Tuck. Espero una sonrisa, tal vez incluso un
agradecimiento, pero no un regaño. Al menos no de él.

—¿No puede una joven tener aquí un momento de paz?
—reclamo y me recuesto en la ridícula almohada.

—Según mis cálculos, llevas escondida casi una hora.
Creo que eso es más que un simple momento, Mare.

El viejo maestro hace todo lo que puede por ser amable. No lo consigue.

—Si quieres saberlo, espero al coronel. Tenemos una operación que planear. Él reúne voluntarios mientras tú y yo hablamos. *Ahí lo tienes.* Pero Julian no es nada fácil de disuadir.

—¿Y has decidido que echarte una siesta es mejor que, digamos, tratar con los demás nuevasangre, quizá tranquilizar a un montón de muy nerviosos Plateados, recibir un poco de atención médica o incluso hablar con tu familia en duelo?

—No echaba de menos tus sermones, Julian.

—Eres buena para mentir, Mare —dice y sonríe.

Acorta la distancia entre nosotros rápidamente y se sienta junto a mí. Huele a limpio, a fresco, después de una buena ducha. Así de cerca, veo que ha adelgazado demasiado y advierto el vacío en sus ojos. *Ni siquiera la propia Sara puede curar la mente.*

—Además, un sermón necesita a un oyente. Y es un hecho que tú ya no me oyes.

Baja la voz y me mueve la cara a un lado para que lo mire. Estoy demasiado cansada para permitirlo.

—Ni a nadie más, por cierto. Ni siquiera a Cal. ¿Me gritarás también a mí?

Sonríe tristemente.

—¿Lo he hecho alguna vez?

—No —susurro, desearía no tener que decirlo—. Nunca.

—Y no comenzaré a hacerlo ahora. Sólo he venido a decirte lo que debes oír. No te *forzaré* a escuchar, no te *forzaré* a obedecer. Dejo en ti la decisión. Como debe ser.

—De acuerdo.

—Una vez te dije que todo el mundo puede traicionar a cualquiera. Sé que te acuerdas —*por supuesto que lo recuerdo*—.

Y hoy te lo repito. Todo el mundo, todas las cosas, pueden traicionar a *cualquiera*. Incluso tu propio corazón.

—Julian...

—Nadie nace malo, así como nadie nace solo. Nos volvemos así, por decisión propia y a causa de las circunstancias. Estas últimas no podemos controlarlas, pero lo primero... Temo mucho por ti, Mare. Te han hecho cosas que ninguna persona debería padecer. Has visto cosas horribles, has hecho cosas horribles, y eso te hará cambiar. Temo mucho lo que podría ser de ti si se te diera la oportunidad equivocada.

—*Yo también* —permito que mi mano se cierre alrededor de la suya. El contacto es tranquilizador, aunque débil. Nuestro lazo está tenso en el mejor de los casos, y no sé cómo repararlo—. Lo intentaré, Julian —murmuro—. Lo intentaré.

En el fondo de mi mente me pregunto: ¿él contará algún día historias sobre mí? ¿Cuando me haya convertido en alguien tan malvado como Elara, con nada y nadie que me quiera? ¿Seré simplemente la joven que hizo el intento? *No. No puedo pensar así. No lo haré. Soy Mare Barrow. Soy fuerte.* He hecho cosas terribles y no merezco perdón por ellas. Pero lo veo en los ojos de Julian de todas formas y eso me llena de esperanza. No me convertiré en un monstruo, más allá de lo que deba hacer en los días por venir. No perderé lo que soy, incluso si esto me cuesta la vida.

—¿Quieres que te acompañe hasta tu familia o podrás hallar el camino tú sola?

No puedo menos que resoplar.

—¿*Conoces* el camino siquiera?

—Es de mala educación cuestionar a tus mayores, Niña Relámpago.

—Una vez tuve un maestro que me dijo que debía cuestionarlo todo.

Sus ojos brillan y él saca orgullosamente su débil pecho.

—Ese maestro tuyo era un hombre listo.

Noto que detiene su vista en mí y que su luz mengua. Mira mi clavícula expuesta y la marca impresa en ella. Me debato entre cubrirla o no y decido no moverme. No le ocultaré a Julian la *M* con que fui herrada.

—Sara puede remediar eso —murmura—. ¿Quieres que se lo pida?

Me pongo en pie sobre mis temblorosas piernas. Hay muchas cicatrices que me gustaría que ella curara, pero no ésta.

—No.

Que nos sirva de recordatorio a todos.

Salimos de la desocupada enfermería cogidos del brazo. Nuestras pisadas resuenan en la sala blanca que se dirige sostenidamente al gris. Afuera, una sombra se ha proyectado sobre el mundo. El invierno aguarda a nuestra puerta y llamará muy pronto. A mí me gusta el aire frío. Me despierta.

Mientras atravesamos el patio central en dirección al Cuartel 3, reparo en el recinto. Varias caras conocidas se combinan con los diversos grupos. Algunos entrenan, otros transportan bienes o simplemente pasean. Veo a Ada deslizarse debajo de un transporte roto, con un manual en la mano. Lory está arrodillada a su lado y ordena una pila de herramientas. Unos metros más allá, Darmian charla con un grupo de miembros de la Guardia, a quienes se une en una carrera. Son los únicos de la Muesca que veo por aquí y se me revuelve el estómago. ¿Dónde están Cameron, Nix, Nanny, Gareth y Ketha? Siento una náusea espantosa pero me la trago. Sólo poseo la fuerza para llorar a la persona que sé a ciencia cierta que está muerta.

Julian no tiene permitido entrar en el Cuartel 3. Me informa de esto con un labio tenso mientras sonríe, y sus palabras sugieren desdén. Aunque no es posible hacer cumplir esa orden, él la obedece de todas formas.

—Sólo trato de ser un *buen* Plateado —dice secamente—. El coronel ya ha sido muy *amable* al permitirnos salir de nuestro cuartel. No soportaría traicionar su confianza.

—Iré a buscarte después —aprieto su hombro—. Seguro que las cosas están muy mal por allá.

No hace más que encogerse de hombros.

—Sara avanza despacio con las curaciones. No necesitamos un gran número de Plateados sanos, mal alimentados y molestos en un espacio cerrado. Y saben lo que has hecho por ellos. No tienen ninguna razón para montar un escándalo... todavía.

Todavía. Aunque es una advertencia simple, resulta efectiva. El coronel no sabe cómo manejar a tantos refugiados Plateados, y sin duda tropezará pronto.

—Haré todo lo posible —suspiro, y agrego *Sofocar un posible disturbio* a mi cada vez más grande lista de asuntos pendientes. *No llorar frente a mamá, disculparme con Farley, pensar en cómo salvar a cinco mil muchachos, consolar a un montón de Plateados, atravesar una pared con la cabeza.* Parece posible.

El cuartel está igual que como lo recuerdo, lleno de vueltas laberínticas. Me pierdo una o dos veces, pero al final encuentro la puerta con la pañoleta morada atada al pomo. Está bien cerrada y tengo que tocar.

Me recibe Bree. Tiene la cara roja de tanto llorar y eso me hace polvo casi de inmediato.

—Te has tomado tu tiempo —se queja y retrocede para que pueda entrar.

Aunque su tono áspero me hace estremecer, no me desquito. Pongo una mano en su brazo. Él respinga, pero no la retira.

—Lo siento —le digo. Y agrego con una voz más fuerte dirigida al resto de la habitación—: Siento no haber venido antes.

Gisa y Tramy están sentados en sillas que no hacen juego. Mamá se halla enroscada en una de las camas y papá está plantado en su silla junto a ella. Mientras que ella desvía la mirada y esconde el rostro en una almohada, él me mira de frente.

—Tenías cosas que hacer —dice. Brusco como siempre, pero más ofensivo que nunca. Me lo merezco—. Lo entendemos.

—Debía haber estado aquí —me sumerjo más todavía en el cuarto. ¿Cómo es posible que me sienta perdida en un espacio tan reducido?—. He traído su cuerpo.

—Ya lo hemos visto —espeta Bree y toma asiento en la litera opuesta a la de mamá. El camastro se comba bajo su enorme peso—. Bastó que una aguja volara para que él se fuera.

—Lo recuerdo —murmuro antes de que pueda impedirlo.

Gisa se revuelve en su silla, en la que ha subido sus delgadas piernas. Flexiona su mano lesionada para distraerse.

—¿Sabes quién lo mató?

—Ptolemus Samos. Un magnetrón.

Cal pudo haber acabado en la plaza de combate con ese desgraciado. Y tuvo piedad. Su piedad mató a mi hermano.

—Me suena ese nombre —dice Tramy, sólo para tener algo con lo cual llenar el aire tenso—. Fue uno de tus verdugos. No pudo contigo, pero sí con Shade.

Parece una acusación. Tengo que mirar el suelo para examinar mis zapatos en vez del dolor que hay en sus ojos.

—¿Al menos lo vengaste? —Bree se pone nuevamente de pie, incapaz de estar quieto. Se eleva sobre mí e intenta mostrarse intimidador. Olvida que la fuerza bruta no me asusta ya—. ¿Lo hiciste?

—Maté a muchas personas —aunque se me quiebra la voz, prosigo—. Ni siquiera sé cuántas, sólo que la reina fue una de ellas.

Mamá se incorpora en la cama. Por fin decide mirarme. Tiene los ojos anegados en lágrimas.

—¿La reina? —susurra sin aliento.

—Trajimos su cuerpo también —digo, casi demasiado ansiosa.

Hablar de su cadáver es más fácil que llorar a mi hermano. Así que les hablo del mensaje televisado, de lo que esperamos hacer.

Esa cosa horrible debe aparecer esta noche, durante el informativo nocturno. Ahora son obligatorios, junto con las Medidas, de manera que cada persona del reino está obligada a cenar mentiras y propaganda. Un rey joven e impaciente, una victoria más en las trincheras y cosas por el estilo. Aunque mañana no, Norta verá hoy muerta a su reina. Y el mundo oirá nuestro llamado a las armas. Bree camina de un lado a otro y sonríe como un demente ante la idea de una guerra civil mientras Tramy lo sigue, como siempre. Bromean entre sí; ya sueñan con marchar juntos a Arcón y con plantar nuestra bandera roja en las ruinas del Palacio del Fuego Blanco. Gisa es menos entusiasta.

—Supongo que no estarás mucho tiempo aquí —dice con tristeza—. Te necesitarán en el continente, otra vez con las tareas de reclutamiento.

—No, no me dedicaré a reclutar, al menos por un tiempo.

La esperanza que brilla en todos, especialmente en mamá, me resulta insoportable. No se lo digo, pero la última vez me fui de manera demasiado repentina. No volveré a hacerles eso.

—Pronto iré al Obturador.

Papá ruge tan fuerte que temo que se caiga de su silla de ruedas.

—¡No lo harás! ¡No mientras yo siga respirando en este mundo! —resuella para enfatizar sus palabras—. Ningún hijo mío volverá jamás a ese sitio. ¡Nunca! Y no te atrevas a decir que no puedo detenerte, porque créeme que puedo hacerlo y lo *haré*.

El Obturador le arrebató un pulmón y una pierna. Le dio mucho a ese lugar. Supongo que ahora piensa que también me perderá ahí.

—No dudo que lo harías, papá.

Intento bromear con él, suele dar resultado.

Esta vez me rechaza con un gesto y rueda tan rápido hasta mí que me pega con su pierna en la espinilla. Me mira como un demonio y señala a mi cara con un dedo tembloroso.

—¡Dame tu palabra, Mare Barrow!

—Sabes que no puedo hacer eso.

Y le explico por qué. Cinco mil chicos, cinco mil hijos e hijas. Cameron tuvo razón desde el principio. Las divisiones de sangre son muy reales todavía, y ya no pueden ser toleradas.

—Que vaya otro —rezonga, mientras hace lo posible por no venirse abajo. Nunca me gustó ver llorar a mi padre, y ahora querría poder olvidar el espectáculo—. El coronel, ese príncipe, *alguien más* puede hacerlo.

Aprieta mi brazo como lo haría un hombre en el mar.

—Daniel —la voz de mi madre es suave, relajante, como una nube blanca en un cielo vacío—. Déjala ir.

Cuando quita su mano de mi muñeca, me doy cuenta de que yo estoy llorando también.

—Iremos con ella.

Bree no ha terminado aún de pronunciar esas palabras cuando yo ya le digo que no. La cara de papá se enrojece y su tristeza da paso a la ira.

—¿Queréis matarme de un infarto? —reclama iracundo y gira para encarar a mi hermano mayor.

—Ella no ha estado nunca en el Obturador, no sabe cómo es —se inmiscuye Tramy—. Nosotros sí lo conocemos. Entre ambos pasamos casi una década en las trincheras.

Sacudo la cabeza y extiendo una mano para detenerlo antes de que papá pierda el juicio.

—Irá el coronel, también ha estado en el Obturador, no hay necesidad de que...

—Tal vez él conozca el lado de los Lacustres —Bree ya está en su baúl y revuelve sus cosas. *Busca qué llevar*—. Pero las trincheras de Norta tienen otro diseño. Él se daría la vuelta en cuestión de segundos.

Eso es quizá lo más inteligente que le haya oído decir en la vida. Bree no se distingue por su cerebro, pero sobrevivió casi cinco años en el frente. Esto equivale a cuatro años más que la mayoría. El motivo no puede ser la suerte. Comprendo que esto es arrojo por parte de ambos, más del que les conocía. Una vez pensé que mis hermanos mayores se habían perdido gran parte de mi vida, y yo he hecho lo mismo. No son como los recuerdo. Son unos guerreros tanto como yo.

Mi silencio es todo lo que necesitan para empezar a hacer su equipaje. Me gustaría poder decirles que no me sigan. Y me escucharían si hablara en serio. Pero no puedo hacerlo. Los necesito, tanto como necesitaba a Shade.

Sólo espero no llevar a otro hermano a la tumba.

Después de un largo momento, me percato de que estoy temblando. Así que me subo a la cama junto a la de mi madre y dejo que ella me abrace mucho tiempo. Hago lo posible por no llorar. Pero no basta.

VEINTINUEVE

El comedor está abarrotado, pero no para un festín. El coronel emitió el llamado para una *operación de alta prioridad* hace apenas una hora y la sala hierve tanto de hombres selectos como de voluntarios. Los Lacustres son discretos, hábiles e imperturbables. Los miembros de la Guardia son mucho más alborotadores, aunque Farley es todo menos eso. Ha sido restituida como capitana, pese a lo cual no da muestra alguna de saberlo. Está sentada en silencio y, ensimismada, hace girar entre sus manos una pañoleta roja. Cuando entro al comedor flanqueada por mis hermanos, el ruido se apaga y todos se vuelven a mirarme. Menos Farley. Lory y Darmian hasta aplauden mientras cruzo la sala y hacen que me ruborice. Ada se les une y, para mi deleite, Nanny se pone de pie junto a ella, lo mismo que Cameron. *Se salvaron.* Exhalo y trato de sentirme aliviada. Aunque no hay todavía ninguna señal de Nix, Gareth y Ketha. *Quizá hayan decidido no venir. Ya han de estar hartos de peligros.* Eso es lo que me digo cuando me siento junto a Farley. Bree y Tramy me siguen y toman asiento detrás de mí, como si fueran mis guardaespaldas.

No somos los últimos en llegar. Harrick entra a hurtadillas, recién llegado de la Muesca, y me lanza una seca inclinación.

Mantiene abierta la puerta, para que Kilorn pueda entrar. Mi pulso se acelera al doble cuando veo que Cal le sigue muy de cerca, con Julian y Sara detrás. Mi entrada fue callada, ésta es lo contrario. A la vista de los tres Plateados, muchos se ponen de pie de un salto, la mayoría de ellos Lacustres. Entre el barullo, es difícil oír sus gritos, pero el significado es claro. *No os queremos aquí.*

Cal y yo cruzamos miradas en medio de la conmoción, así sea sólo durante un segundo. Él es el primero que aparta la mirada, en busca de un asiento al fondo de la sala. Julian y Sara no se separan de su lado e ignoran las pullas, en tanto que Kilorn se abre camino al frente. Arrastra consigo una silla y se desploma junto a mí. Me dirige una inclinación informal, como si acabáramos de sentarnos a comer.

—¿Qué hacemos aquí? —pregunta, con una voz lo bastante fuerte para imponerse sobre el ruido.

Miro a mi amigo, perpleja. La última vez que lo vi me zafó de Farley y parecía hastiado de mi existencia. Ahora casi sonríe. Incluso saca una manzana de su cazadora y me ofrece el primer mordisco. Temblorosa aunque segura, acepto el obsequio.

—Te sacaron de tus casillas —susurra en mi oído, recupera la manzana y le da un bocado—. Olvídalo. Pero si vuelves a explotar así, tendremos que arreglarlo al estilo de Los Pilares, ¿de acuerdo?

Mis cicatrices me duelen cuando sonrío.

—Sí —y añado con voz más baja para que sólo él pueda oírme—: Gracias.

Durante un segundo está quieto, extrañamente meditabundo. Luego agita una mano y sonríe.

—¡Por favor, te he visto ser mucho más antipática en el pasado! —es una mentira reconfortante, así que dejo que la diga—. ¿Qué es esto de la alta prioridad? ¿Fue idea tuya o del coronel?

Como si lo hubiera llamado, éste entra al comedor en ese momento y pide silencio con las manos extendidas.

—Mía —musito al tiempo que los murmullos se desvanecen.

—¡Silencio! —ordena con una voz que semeja el chasquido de un látigo. Los Lacustres obedecen en el acto y toman asiento con un movimiento estudiado. La mirada del coronel basta para hacer callar a los demás disidentes. Señala al fondo de la sala, hacia Cal, Julian y Sara—. Esos tres son Plateados, sí, aunque aliados reconocidos de la causa. Yo les he autorizado estar aquí. Ustedes los tratarán como lo harían con cualquier otro aliado, cualquier hermano o hermana de armas —esto los hace enmudecer a todos. Por ahora.

"Ustedes están aquí porque se han ofrecido para participar en una operación que no saben en qué consistirá. Eso es valentía de verdad y los admiro a todos por ello —continúa en tanto ocupa su lugar al frente de la sala. Tengo la sensación de que ya ha hecho esto antes. En este escenario, el cabello muy corto y su ojo rojo le dan tanto aire de autoridad como su voz de mando—. Como ustedes saben, la reducción de la edad para realizar el servicio militar ha dado como resultado soldados más jóvenes, desde quince años de edad. En este momento, una legión así va camino del frente de guerra. Consta de cinco mil elementos, todos con sólo dos meses de instrucción —un murmullo airado se extiende en el grupo—. Gracias a Mare Barrow y su equipo por darnos esta información —no puedo menos que estremecerme. *Mi equipo.* Lo era de Farley, o incluso de Cal, pero no mío—. La señorita Barrow fue también la primera que se ofreció para detener esta tragedia antes de que ocurra.

El cuello de Kilorn cruje de lo rápido que gira. Abre mucho sus ojos verdes y no sé si está molesto o impresionado. Quizás un poco de ambas cosas.

—Se le ha llamado la Pequeña Legión —digo y me pongo en pie para poder dirigirme apropiadamente al grupo. Todos me miran expectantes, y cada ojo es como un cuchillo. Las lecciones de Lady Blonos me serán de gran utilidad ahora—. De acuerdo con nuestra información, esos jóvenes serán enviados directamente al Obturador, más allá de las trincheras. El rey los quiere muertos, para someter a nuestro pueblo al silencio, y lo conseguirá si nosotros no hacemos algo. Propongo una operación doble, dirigida por el coronel Farley y por mí. Yo infiltraré la legión fuera de Corvium, con soldados que puedan pasar por chicos de quince años, para separar a los oficiales Plateados de los jóvenes. Después nos introduciremos en el Obturador.

Hago lo posible por mantener la vista fija en el muro del fondo, pero ella insiste en volver a Cal. Esta vez, soy yo la que tiene que apartar la mirada.

—¡Eso es un suicidio! —grita alguien.

El coronel se acerca a mi lado y sacude la cabeza.

—Mi unidad esperará en el norte, en las trincheras de los Lacustres. Tengo contactos en ese ejército y puedo ganar tiempo suficiente hasta que la señorita Barrow llegue allá. Una vez que me alcance, nos replegaremos al lago Edris. Dos cargueros de cereales deberán bastar para llevarnos al otro lado, desde donde entraremos en los territorios en disputa.

—Eso es ridículo —no hace falta que levante la mirada para saber que Cal se ha puesto en pie. Está rojo, tiene los puños cerrados y se muestra molesto por un plan tan torpe. Yo casi sonrío cuando lo miro—. En cien años ningún ejército de Norta ha cruzado nunca el Obturador. Nunca. ¿Ustedes creen que podrán hacerlo con un montón de muchachos? —se vuelve hacia mí como si implorara—. Tendrían más suerte si los llevaran de regreso a Corvium y los escondieran en el bosque, cualquier otra cosa que atravesar una maldita zona de muerte.

El coronel se toma con calma todo eso.

—¿Hace cuánto estuvo usted en las trincheras, su alteza?

Cal no titubea.

—Hace seis meses.

—Hace seis meses los Lacustres tenían nueve legiones en el frente, para igualar a las de Norta. Hoy tienen dos. El Obturador está despejado y su hermano no sabe nada de ello.

—¿Eso es una trampa o una distracción? —espeta Cal, como si explicara lo que eso puede significar.

El coronel asiente.

—Los Lacustres planean atacar por el lago Tarion mientras los ejércitos de usted defienden un trecho de páramo que nadie quiere. La señorita Barrow podría cruzar con los ojos vendados y no sufrir ni un rasguño.

—Eso es justo lo que pienso hacer —me hago fuerte lenta y firmemente. Confío en tener una apariencia valerosa, porque es un hecho que no me siento así—. ¿Quién vendrá conmigo?

Kilorn es el primero en incorporarse, como sabía que él lo haría. Le siguen muchos más: Cameron, Ada, Nanny, Darmian y hasta Harrick. Pero no Farley. Ella no se mueve de su asiento, y permite que sus lugartenientes se pongan en pie en su lugar. La pañoleta está tan apretada en su muñeca que la mano se le ha puesto levemente azul.

Intento no mirarlo. Lo intento con todas mis fuerzas.

Al fondo de la sala, el príncipe exiliado se pone en pie. Me sostiene la mirada, como si pudiera prenderme fuego con los ojos. ¡Qué desperdicio! En mí no queda nada que pueda arder.

Las tumbas en el cementerio de Tuck son nuevas, señaladas por la tierra recién removida y algunos fragmentos tejidos de plantas del mar. Unas piedras recolectadas hacen las veces de lápidas, cada una de ellas esmeradamente tallada por los seres queridos. Cuando, alrededor de la fosa donde nos hemos reunido todos los Barrow, bajamos el ataúd de madera de Shade, comprendo que somos afortunados. Al menos tenemos un cadáver que sepultar. Muchos otros no disfrutan de tanta suerte. Como en los casos de Nix, Ketha y Gareth. De acuerdo con Ada, ellos no llegaron al Blackrun ni al avión de carga. Murieron en Corros, junto a otros cuarenta y dos, según su impecable cuenta. Pero sobrevivieron trescientos. Trescientos a cambio de cuarenta y cinco. *Es un buen trato*, me digo. *Un trato holgado*. Estas palabras punzan, incluso en mi cabeza.

Farley se encoge contra el viento frío, pero se niega a ponerse un abrigo. El coronel está aquí también, esperando respetuosamente a cierta distancia. No ha venido por Shade, sino por su doliente hija, aunque no hace nada por consolarla. Para mi sorpresa, es Gisa la que se coloca junto a la capitana y rodea con un brazo su cintura. Me asombra tanto ver que Farley se lo permita que casi me desplomo. No sabía que se conocieran. Se tratan con mucha familiaridad. Bajo mi dolor, alcanzo a sentir un poco de celos. Nadie intenta consolarme, ni siquiera Kilorn. El funeral de Shade es demasiado como para que él lo pueda soportar, así que ha ido a sentarse en lo alto, lo bastante lejos para que nadie lo vea llorar. Hunde la cabeza de vez en cuando, y es incapaz de mirar cuando Bree y Tramy empiezan a arrojar tierra en la tumba con unas palas. No decimos nada. Es demasiado difícil. El rugiente viento me sacude, y anhelo sentir calor. Anhelo sentir un calor reconfortante. Pero Cal no está aquí. Mi hermano ha muerto y él no tiene el valor de venir a ver cómo lo enterramos.

Mamá arroja el último terrón con los ojos secos. Ya no le quedan lágrimas que derramar. Al menos tenemos eso en común.

Shade Barrow, se lee en su lápida. Las letras semejan garabatos, como si hubieran sido escritas por un animal salvaje, no por mis padres. No parece correcto sepultarlo aquí. Debería estar en casa, junto al río, en el bosque que tanto amaba. No en este sitio, en una isla desierta, rodeado de dunas y cemento, sin otra cosa que el cielo vacío por compañía. No se merecía este destino. *Jon sabía que esto ocurriría. Jon* permitió que *sucediera*. Una idea más siniestra se afianza en mí. *Quizás éste es otro intercambio, otro trato. Tal vez éste fue el mejor destino que él pudo tener.* Mi hermano más inteligente, el más cariñoso, el que siempre acudía en mi rescate, el que siempre sabía qué decir. ¿Cómo pudo ser éste su fin? ¿Cómo puede ser justo esto?

Sé mejor que la mayoría que en este mundo nada es justo.

Mi vista se vuelve borrosa. Miro la tierra apisonada durante quién sabe cuánto tiempo hasta que Farley y yo somos las únicas que quedamos en el cementerio. Cuando subo la mirada, ella me observa, y en su interior se desata una tormenta de ira y pesar. El viento agita su cabello. Se lo ha dejado crecer en los últimos meses, ahora le llega casi al mentón. Se lo aparta a un lado con tal violencia que temo que desprenda su cuero cabelludo.

—No iré contigo.

Las palabras le salen forzadas.

Sólo puedo asentir.

—Has hecho bastante por nosotros, más que eso. Lo comprendo.

Se ríe.

—No, no lo comprendes. No podría interesarme menos protegerme ahora —dirige sus ojos a la tumba. Se le escapa una lágrima, pero no lo nota—. La respuesta a mi pregunta —murmura, sin pensar más en mí. Sacude la cabeza y se aproxima—. Apenas era una pregunta, de todas formas. En el fondo lo sabía. Creo que Shade también. Él es, *era*, muy perceptivo. No como tú.

—Lo siento por todos los que has perdido —le digo, más brusca de lo que quisiera—. Lo siento...

Resta importancia a mi pésame con un gesto. Ni siquiera le importa preguntar cómo lo sé.

—Shade, mi madre, mi hermana. Y mi padre. Aunque él vive, lo he perdido también.

Recuerdo la zozobra en el rostro del coronel, el breve destello de inquietud cuando regresamos a Tuck. Temía por su hija.

—Yo no estaría tan segura de eso. Ningún padre puede estar realmente perdido para el hijo que ama.

El viento tiende una cortina de pelo en su cara, con lo que casi oculta su mirada de asombro. De asombro... y esperanza. Pasa una mano por su vientre, con singular delicadeza. Con la otra me da una palmada en el hombro.

—Espero que salgas viva de esto, Niña Relámpago. Después de todo, no eres tan mala.

Éste podría ser el mayor cumplido que me haya hecho hasta ahora.

Se vuelve sin mirar atrás. Cuando me marcho minutos más tarde, tampoco yo lo hago.

No hay tiempo para llorar a Shade como debería ni a nadie más. Por segunda vez en veinticuatro horas debo abordar el Blackrun, olvidar mi corazón y prepararme para la lucha. Fue idea de Cal que esperáramos hasta el anochecer, para salir de la isla al mismo tiempo que nuestro programa vicario atraviesa la nación. Cuando los perros de Maven lleguen tras nosotros, ya estaremos en el aire camino al campo de aviación oculto en las afueras de Corvium. El coronel continuará al norte, se servirá de la protección de la noche para cruzar los lagos y rodearlos. Por la mañana, si el plan se cumple, ambos estaremos a cargo de nuestras propias legiones, una a cada lado de la frontera. Y entonces marcharemos.

La última vez que dejé a mis padres fue sin previo aviso. Por alguna razón, fue más fácil que ésta. Es tan difícil despedirse de ellos que casi corro al Blackrun y su rutinaria seguridad. Pero me obligo a abrazarlos a ambos, a darles el pequeño consuelo que pueda, aunque sea una mentira.

—Los mantendré a salvo —susurro en tanto apoyo la cabeza en el hombro de mamá. Me pasa los dedos por el pelo, que trenza rápidamente. Las puntas grises han crecido y ya me llegan casi a los hombros—. A Bree y a Tramy.

—Cuídate tú también, Mare, por favor —susurra en respuesta.

Asiento sobre ella, sin querer moverme.

La mano de papá da con mi muñeca, que agarra suavemente. A pesar de su arrebato de hace unas horas, es él quien me recuerda que debo partir. Sus ojos se posan por encima de mi hombro, en el Blackrun a nuestras espaldas.

Los demás ya han bordado, y los únicos que quedamos en la pista somos los Barrow. Imagino que desean concederme algo semejante a la intimidad, aunque yo no sirvo para estas cosas. Viví los últimos meses en un hueco, y antes en un palacio repleto de cámaras y de agentes. Los espectadores no me importan.

—Esto es para ti —dice Gisa y extiende su mano sana. Hace oscilar frente a mí un paño de seda negra. El tacto es fresco y resbaloso en mi mano, como si fuera aceite tejido—. De hace tiempo.

Flores rojas y doradas decoran la tela, bordada con la destreza de un maestro.

—Lo recuerdo —murmuro y paso un dedo por esa perfección imposible. Ella cosió esto hace mucho tiempo, la noche antes de que un agente destrozara su mano. Está inconcluso, igual que su destino. Igual que Shade. Tiemblo mientras lo ato a mi muñeca—. Gracias, Gisa.

Meto la mano en mi bolsillo.

—Yo también tengo algo para ti, niña mía.

Una alhajita de burda factura. Son unos pendientes que hacen juego con el océano invernal que nos rodea.

Se le va el aliento cuando lo coge. Las lágrimas no tardan en brotar, pero no puedo verlas. Me aparto de todos y abordo el Blackrun. La rampa se cierra detrás de mí y cuando mi corazón deja de correr ya estamos en el cielo y nos remontamos sobre el mar.

Mis soldados son pocos en comparación con el abultado número de los que siguen al coronel a la comarca de los Lagos. Después de todo, sólo me fue posible aceptar a personas con un aspecto lo bastante joven para representar a la Pequeña Legión, y de preferencia a aquéllas que ya hubieran servido en el ejército y que supieran cómo se comportan los soldados. Dieciocho integrantes de la Guardia cumplieron esos requisitos y nos acompañan ahora en el cielo. Kilorn se ha sentado con ellos y hace todo lo posible por aclimatarlos a nuestro muy unido grupo. Ada no está aquí, tampoco Darmian y Harrick. Ya que no pudieron pasar por adolescentes, se fueron con el coronel para ayudar a nuestra causa como les fuera posible. Nanny no padece esas limitaciones, pese a su avanzada edad. Su apariencia fluctúa entre diversas iteraciones de rostros jóvenes. Desde luego que Cameron se ha integrado a nosotros; en realidad esta idea fue suya originalmente, y casi rebota de adrenalina. Piensa en su hermano, que perdió a manos de la legión. Descubro que la envidio. Tiene todavía la oportunidad de salvarlo.

Disfrazar a Cal y mis hermanos será lo más difícil. Bree tiene un rostro joven, pero es más corpulento que cualquier chico de quince años. Tramy es demasiado alto y Cal demasiado reconocible. Sin embargo, su valor no reside en su apariencia, y ni siquiera en su fuerza, sino en su conocimiento de las trincheras. Sin ellos, no tendríamos a nadie que nos ayudara a sortear este laberinto y entrar en el fantasmal páramo del Obturador. Lo he visto sólo en fotografías, en televisión y en mis sueños, Después de que mi habilidad fuera descubierta, pensé que no tendría que ir jamás. Que había escapado a ese destino. ¡Qué equivocada estaba!

—¡Son tres horas hasta Corvium! —grita Cal sin dejar de mirar sus instrumentos.

El asiento que está a su lado está evidentemente vacío. Lo reserva para mí. No lo acompañaré, después de haberme abandonado para enfrentar sola el funeral de Shade.

—¡Nos levantaremos, Rojos como el amanecer! —recitan al unísono los miembros de la Guardia mientras hacen resonar en el suelo la culata de sus armas.

Esto nos coge por sorpresa a todos, aunque Cal hace cuanto puede por no reaccionar. De todas maneras, veo señales de desagrado en la comisura de su boca. *Yo no formo parte de tu revolución*, me dijo una vez. *Se nota, su alteza.*

—¡Nos levantaremos, Rojos como el amanecer! —digo, con voz baja pero firme.

Cal frunce el ceño francamente y se asoma a la ventana. Esa expresión le da un aspecto semejante al de su padre, y pienso en lo que él podría haber sido. Un príncipe guerrero meditabundo, casado con la víbora de Evangeline. Maven dijo que no habría sobrevivido a la noche de la coronación, aunque yo no lo creo. El metal se forja en la llama, no al revés. Habría vivido y gobernado. Pero para hacer qué, no lo sé. Una vez creí que conocía su corazón, ahora me doy cuenta de que eso es imposible. Conocer un corazón es absolutamente imposible. Ni siquiera el propio.

El tiempo transcurre en medio de un silencio sofocante. En el jet estamos inmóviles, pero en tierra las cosas marchan. Mi mensaje resuena en las pantallas de vídeo de todo el reino.

Querría estar en Arcón, en pleno sector comercial, y contemplar el mundo mientras cambia. ¿Los Plateados reaccionarán como lo espero? ¿Verán la traición de Maven como lo que es o mirarán para otro lado?

—Ha habido disparos en Corvium —Cal se apoya boquiabierto en el cristal de la cabina—. En el centro del poblado y en los suburbios del río de la Ciudad —se pasa una mano por el pelo y no sabe qué decir—. Se registran disturbios.

El corazón me da un vuelco y se paraliza. *La guerra ha comenzado. Y no tenemos ni idea de cuál puede ser el precio.*

El resto del jet estalla en vítores, aplausos y demasiados apretones de manos para soportarlo. Casi caigo cuando abandono mi asiento y tropiezo conmigo misma. Nunca me tropiezo. Jamás. Pero apenas consigo llegar entera al fondo del avión. Me siento mareada y con náuseas, lista para vaciar contra la pared la cena que no ingerí. Una mano halla el metal, para permitir que su frescura me calme. Surte cierto efecto, aunque la cabeza me da vueltas todavía. *Tú quisiste esto. Lo esperabas. Hiciste que ocurriera. Éste es el trato.*

El control que tanto me he empeñado en mantener empieza a astillarse. Siento cada pulsación del jet, cada vuelta de los motores. Esto vetea mi cabeza, donde compone un mapa purpúreo demasiado brillante para soportarlo.

—¿Mare?

Kilorn deja su asiento y da un paso hacia mí con la mano tendida. Es idéntico a Shade en sus últimos momentos.

—Estoy bien —miento.

Es como si se tocara una campana. Cal mira desde su asiento y me busca en un instante. Cruza el avión con pasos fuertes y pausados. Sus botas golpean contra el suelo metálico. Los demás lo dejan pasar, demasiado asustados como están para detener al príncipe de fuego. Yo no comparto ese temor y le vuelvo la espalda. Él me hace girar sin molestarse en ser cortés.

—Cálmate —espeta. No tiene tiempo para berrinches. A mí me invade el impulso de empujarlo, pero entiendo lo que quiere hacer. Asiento y trato de aceptar, trato de hacer lo que dice. Esto lo apacigua un poco—. Cálmate, Mare —repite, esta vez sólo para mí, dulce como lo recuerdo. Salvo por la pulsación del jet, bien podríamos estar de nuevo en la Muesca, en nuestro cuarto, en nuestra cama, envueltos en nuestros sueños—. Mare.

La alarma suena segundos antes de que la cola del avión explote.

La fuerza me tira de espaldas, tan fuerte que veo las estrellas. Siento sangre en la boca y un calor ardiente. Si no fuera por Cal, el fuego me incineraría. En cambio, lame sus brazos y su espalda y es tan inofensivo como el tacto de una madre. Se desvanece tan rápido como aumenta, repelido por el poder de Cal, hasta reducirse a rescoldos. Pero ni siquiera él puede reconstruir el fondo de un jet o impedir que caigamos del cielo. El ruido amenaza con partirme la cabeza. Ruge como un tren, brama con la voz de un millar de gemidos Plateados. Me agarro a lo que puedo, carne o metal.

Cuando mi visión se aclara, veo el cielo negro y unos ojos broncíneos. Nos sostenemos uno a otro, dos jóvenes atrapados en una estrella en descenso. A nuestro alrededor, el Blackrun se hace pedazos y cada rasgón es otro chirrido espeluznante. Más partes del jet desaparecen a cada segundo, hasta que sólo quedan endebles barras metálicas. Hace un frío glacial, respirar es difícil y me resulta imposible mover nada por mi propia voluntad. Me prendo de la barra que está debajo de mí, a la que me sujeto con todas las fuerzas que me restan. A través de ojos entrecerrados veo el oscuro suelo que nos espera abajo, cada vez más aterradoramente cerca. Una sombra pasa volando. Tiene un corazón eléctrico y alas fulgurantes. *Es un Boca de dragón.*

Mi ánimo se desploma junto con los despojos del Blackrun. Ni siquiera tengo fuerza suficiente para gritar. Pero los demás sí. Oigo que todos vociferan, suplican, piden compasión a la fuerza de gravedad. La estructura entera retiembla, acompañada por un estruendo conocido. De metal que choca con metal. *Que cambia de forma.* Con una exclamación, me doy cuenta de lo que nos sucede.

Este avión ha dejado de serlo. Ahora es una jaula, una trampa de acero.

Una tumba.

Si pudiera hablar, le diría a Cal que lo siento, que lo amo, que lo necesito. Pero el viento y la caída me han robado el aliento. Ya no tengo palabras. Su tacto es dolorosamente conocido, una mano en mi cuello que me implora mirarlo. Como yo, no puede hablar tampoco. Pese a ello, oigo su disculpa y él comprende la mía. No vemos otra cosa que el uno al otro. No vemos las luces de Corvium en el horizonte ni el suelo que sube para recibirnos ni el destino que estamos a punto de hallar. No hay más que ojos. Incluso en la oscuridad, relumbran.

El viento es demasiado fuerte y se azota contra mi cabello y contra mi piel. La trenza de mi madre se desbarata y desaparece así su último vestigio. Me pregunto quién le dirá cómo morí, si acaso alguien conoce siquiera el fin que nos espera. ¡Vaya muerte con la que soñó Maven! Esto debe ser idea suya: matarnos juntos y darnos tiempo para comprender lo que viene.

Cuando la jaula se detiene de golpe, suelto un alarido.

Hay unas hierbas tiesas debajo de mis colgantes brazos, que besan apenas las puntas de mis dedos. ¿Dónde estamos?, me pregunto y me aparto. Es difícil hallar el equilibrio y caigo. La jaula se mece con mi movimiento, como si fuera un columpio colgado de un árbol.

—No te muevas —protesta Cal y pone una mano en mi nuca. Aprieta con la otra una barra de acero que despide un fulgor rojo en su puño.

Sigo su mirada al otro lado del claro del bosque, hasta las personas que forman un amplio círculo a nuestro alrededor. Su cabello argentino es difícil de confundir. Son los magnetrones de la Casa de Samos. Extienden los brazos y se mueven al unísono, con lo que la jaula baja lentamente. Cuando cae el último centímetro, nosotros dejamos escapar algunos quejidos.

—Suéltala.

La voz produce la sensación de un relámpago. Me zafo de Cal, me pongo de pie de un salto y corro a toda velocidad hasta el borde de la jaula. Antes de que me golpee de costado, las rejas se vienen abajo y mi impulso me lleva demasiado lejos. Caigo contra la hierba semicongelada y derrapo sobre mis rodillas. Alguien me patea la cara y hace que caiga en el lodo. Aunque disparo un rayo en su dirección, mi atacante es demasiado rápido. Un árbol se astilla en su lugar y se derrumba con un crujido que lo parte en dos.

La rodilla del coloso me da en la espalda, con tanta fuerza que me saca el aire de los pulmones. Dedos extraños con una cobertura de plástico que podría ser de unos guantes se cierran alrededor de mi garganta. Entierro mis uñas en esa mano y emito mis chispas, lo que al parecer no da resultado. Él me levanta sin el menor esfuerzo y me obliga a erguirme de puntillas para no estrangularme yo sola. Intento gritar en vano. El pánico me rebana como un cuchillo y mis ojos se abren demasiado, en busca de una salida. Lo único que veo es que mis amigos, confinados todavía en la jaula, tiran inútilmente de las rejas.

El metal chilla de nuevo, se curva y se retuerce, y cada barrote se convierte en una prisión. A través de un ojo amoratado, veo que unas serpientes metálicas ciñen a Cal, a Kilorn y a los demás, a quienes atan de manos, tobillos y cuellos. Ni siquiera Bree, que es tan grande como un oso, tiene defensa contra esas varas enrolladas. Cameron hace todos sus esfuerzos y silencia a un magnetrón tras otro, pero son demasiados. Cuando uno cae, otro ocupa su lugar. Cal es el único que resiste y quema cada barra que se aproxima. Pese a todo, acaba de caer del cielo. Está desorientado en el mejor de los casos, y un corte le sangra encima del ojo. Una reja lo alcanza en la nuca y lo deja fuera de combate. Bate los párpados y yo quisiera despertarlo. En cambio, las parras plateadas lo envuelven y lo aprietan a cada segundo. La que se enreda en su garganta es la peor de todas, ya que se hunde lo suficiente para estrangularlo.

—¡Alto! —grito y me vuelvo hacia la voz. Peleo ahora con mis magros músculos para zafarme del coloso a la antigua manera. Nada podría ser más infructuoso—. ¡Alto!

—No estás en posición de negociar, Mare.

Maven es evasivo y se protege en la oscuridad, en sus sombras. Veo que su silueta se acerca. Distingo la corona puntiaguda en su cabeza. Cuando llega bajo la luz de las estrellas, siento una breve punzada de satisfacción. Su cara no coincide con su tono confiado. Hay unos moretones bajo sus ojos y un lustre de sudor cubre su frente. La muerte de su madre ha impuesto su precio.

Las manos que me agarraron del cuello se aflojan un poco para permitirme hablar. Aunque cuelgo todavía, los dedos de mis pies resbalan sobre la hierba fría y el lodo helado.

No habrá trato alguno ni canje alguno.

—Es tu hermano —le digo, sin molestarme en pensar.

Eso no le importa nada.

—¿Y qué? —pregunta mientras alza una ceja oscura.

En el suelo, Kilorn intenta librarse de sus ataduras. Éstas se tensan en respuesta, y él jadea y resuella. A su lado, Cal agita los párpados. Recobra el conocimiento, tras lo cual Maven lo matará sin duda alguna. No tengo tiempo, nada en absoluto. Daría cualquier cosa por mantener con vida a estos dos, lo que fuera.

Con una última explosión de cólera, temor y desesperación, me suelto. Yo maté a Elara Merandus. Sin duda seré capaz de matar a su hijo y a sus soldados. Como sea, el coloso está preparado para enfrentarse a mí y persevera. Sus guantes resisten, protegen su piel contra mi relámpago y hacen justo aquello para lo que se les creó. Jadeo bajo su mano e intento invocar al cielo. Pese a todo, mi visión se nubla y una lenta pulsación suena en mis oídos. Me hará morir de asfixia antes de que las nubes se reúnan. Y los demás morirán conmigo.

Haré lo que sea para mantenerlo con vida. Para mantenerlo conmigo. Para no estar sola.

Mi rayo no ha parecido nunca tan débil o tan apagado. Las chispas se disipan lentamente, como el latido de un corazón agonizante.

—Tengo algo que intercambiar —susurro con una voz ronca.

—¿Cómo? —Maven da otro paso. Su presencia me eriza la piel—. Habla.

El cuello de mi blusa se afloja otra vez. Pese a todo, el coloso hunde un pulgar en la vena de mi garganta, como una franca amenaza.

—Combatiré contra ti hasta el final —le digo—. Todos lo haremos y moriremos haciéndolo. Incluso podríamos llevarte con nosotros, igual que a tu madre.

Sus párpados se mueven. Ésa es la única señal de su dolor.

—Serás castigada por eso, oye bien lo que te digo.

El pulgar reacciona y presiona más, es probable que deje un moretón espectacular. Pero éste no es, ni por asomo, el castigo del que Maven habla. Lo que nos tiene reservado será mucho peor.

Los barrotes en torno a las muñecas de Cal se enrojecen y brillan con su calor. Sus ojos entrecerrados reflejan la luz de las estrellas y me miran con ansiedad. Querría poder decirle que se mantenga quieto para que yo pueda hacer lo que debo. Para dejarme salvarlo como él me ha salvado a mí tantas veces.

A su lado, Kilorn se apacigua. Me conoce mejor que nadie y comprende perfectamente mi expresión. Poco a poco, su mandíbula se tensa y él sacude la cabeza de un lado a otro.

—Suéltalos, déjalos vivir —susurro. Siento las manos del coloso como cadenas. Imagino que avanzan centímetro a centímetro y que ondulan como serpientes de hierro.

—Mare, no sé si entiendes la definición de la palabra intercambio —dice Maven con un tono despectivo y presiona más—. Debes *darme* algo.

No volveré con él por nadie. Se lo dije a Cal una vez, después de sobrevivir al resonador, y él comprendió el significado de mis palabras.

Rendíos, decía la nota de Maven en la que me suplicaba regresar.

—No pelearemos. Yo no pelearé —cuando el coloso me suelta, mis paredes se desintegran. Agacho la cabeza, soy incapaz de alzar la vista. Parece una reverencia. Éste es mi trato—. Suelta a los demás… y seré tu prisionera. Me rendiré. Volveré.

Dirijo mi atención a mis manos apoyadas en la hierba. La frescura de la escarcha me resulta conocida. Apela a mi corazón, y el hueco que aumenta ahí. Siento la mano de Maven caliente bajo mi mentón y quema con un calor espantoso. El hecho de que se atreva a tocarme es un mensaje claro. No teme a la Niña Relámpago, o al menos quiere dar la impresión de que es así. Me obliga a mirarlo y no veo nada del chico que él fue alguna vez. Sólo hay oscuridad.

—¡No, Mare! ¡No seas idiota! —oigo apenas a Kilorn, que ruega.

El chirrido dentro de mi cabeza es muy fuerte, muy doloroso. No es el silbido de la electricidad, sino otra cosa que se encuentra en mi interior. Son mis propios nervios, que gritan en son de protesta. Al mismo tiempo, siento un alivio enfermizo y retorcido. Tantos sacrificios que se han hecho por mí, por mis decisiones. Es apenas justo que tome mi turno y acepte el castigo que el destino me tiene reservado.

Maven me descifra bien y busca una mentira que no existe. Yo hago lo mismo. Aunque posa, *teme* lo que he hecho, las palabras de la Niña Relámpago y su efecto. Vino a matarme, a postrarme en la tierra. Ahora descubre una presa mayor. Yo se la he dado voluntariamente. Es un traidor por naturaleza, pero éste es un trato que él quiere honrar. Lo veo en sus ojos, lo oí en sus notas. Me quiere y hará lo que sea por sostener mi correa de nuevo.

Kilorn intenta librarse de sus ataduras, pero es en vano.

—¡Haz algo, Cal! —grita y arremete contra el cuerpo que yace a su lado. Las ataduras de ambos despiden un eco apagado—. ¡No permitas que ella haga eso!

No puedo mirarlo. Quiero que me recuerde de otra manera. De pie, con el control en la mano. No de este modo.

—¿Tenemos un trato? —he quedado reducida a una mera mendiga y le suplico a Maven que vuelva a meterme a su jaula de oro—. ¿Eres un hombre de palabra?

Por encima de mí, sonríe cuando cito sus palabras. Sus dientes relucen.

Los demás gritan y se sacuden bajo sus ataduras. No oigo nada. Mi mente se ha cerrado a todo menos al canje que estoy dispuesta a hacer. Supongo que Jon vio venir esto.

La mano de Maven pasa de mi mentón a mi cuello. Me aprieta. Menos que el coloso, pero de forma mucho más dolorosa.

—Sí, tenemos un trato.

EPÍLOGO

Los días transcurren. Al menos, pienso que son días. Paso la mayor parte del tiempo bajo una apagada ceguera, sujeta al resonador. Ya no duele mucho. Mis carceleros han perfeccionado la dosis y la usan para mantenerme inconsciente, aunque no bajo un dolor insoportable. Cada vez que salgo de ese estado, mi visión se aclara y muestra hombres con túnicas blancas que hacen girar el cuadrante y el dispositivo chasquea de nuevo. El insecto hurga en mi cerebro y chasquea, siempre chasquea. Algunas veces siento que tira de mí, aunque nunca lo suficiente para que yo despierte por completo. Otras, escucho la voz de Maven. Después la prisión blanca se vuelve rojinegra, y ambos colores son demasiado intensos para soportarlos.

Esta vez, cuando vuelvo en mí no chasquea nada. El mundo es demasiado brillante y levemente impreciso, pero no vuelvo a caer. Despierto.

Mis cadenas son claras, quizá de plástico o incluso de cristal de diamante. Sujetan mis muñecas y mis tobillos demasiado fuerte como para resultar agradables, pero lo bastante sueltas para permitir la circulación. Las esposas y los grilletes son lo peor, producen una sensación de punción y crispación contra la sensible piel. Mis heridas son añejas ya y punzan a flor de piel con la sangre supurante. El rojo parece morder en contraste con mi pálido vestido y nadie se molesta en limpiarlo. Ahora que Maven no puede ocultar lo que soy, debe mostrarlo a todo el mundo, pese al retorcido plan que tenga a continuación. Las cadenas tintinean y me doy cuenta de que me encuentro en un vehículo blindado en movimiento. Sin duda se le emplea para transportar a los prisioneros, porque no tiene ventanas y las paredes cuentan con argollas. Mis cadenas están enganchadas en una de ellas, que se mece ligeramente.

Frente a mí están dos hombres vestidos de blanco, son calvos como huevos. Guardan extrema semejanza con el instructor Arven. Quizá sean sus hermanos o sus primos. Eso explica la sensación de sofoco y la dificultad con la que respiro. Estos hombres silencian mi habilidad y me tienen como rehén bajo mi propia piel. Curiosamente, ellos también necesitan cadenas. Sin mi rayo, soy sólo una muchacha de diecisiete años, casi dieciocho ya. No puedo menos que sonreír. Pasaré mi cumpleaños presa por voluntad propia. Hace un año creía que el día de hoy marcharía al frente de guerra. Ahora me dirijo quién sabe adónde, encerrada en un transporte rodante con dos hombres que me matarían con sumo gusto. No es mucho mejor.

Supongo que Maven estaba en lo cierto. Me advirtió que pasaríamos juntos mi próximo cumpleaños. Al parecer, sí que es un hombre de palabra.

—¿Qué día es hoy? —pregunto, pero nadie responde.

Ni siquiera parpadean. Su atención está puesta en mí, en silenciar lo que soy, y es perfecta e inquebrantable.

Afuera empieza a aumentar un extraño y apagado rugido. No puedo situarlo ni quiero perder energía por tratar de hacerlo. Estoy segura de que lo descubriré muy pronto.

No me equivoco. Unos minutos después, el transporte se detiene y la puerta trasera se abre de golpe. El rugido procede de una multitud ansiosa. Durante un segundo aterrador, me pregunto si he sido traída de nuevo al Cuenco de los Huesos, la plaza donde Maven intentó hacerme matar. *Ha de querer terminar la tarea.* Alguien libera mis cadenas, tira de mí hacia adelante. Casi caigo del transporte, aunque uno de los silenciadores de Arven me sujeta en el último momento. No por bondad sino por necesidad. Estoy segura de que tengo una apariencia peligrosa, como la Niña Relámpago de antaño. Nadie se interesa en una prisionera débil. Nadie se mofa de una cobarde llorona. Quieren ver a un conquistador que porta un trofeo inferior y viviente. Porque eso es lo que soy ahora.

Entré por mi propio pie en esta jaula.

Así lo hago siempre.

Mi cuerpo tiembla cuando comprendo dónde estoy.

En el puente de Arcón. Una vez lo vi desmoronarse y arder, pero este símbolo de poder y fuerza ha sido reconstruido. Y debo atravesarlo con mis pies cortados y desnudos, encadenada y a la vista de mis captores. Miro el suelo, incapaz de alzar la vista. No quiero ver los rostros de tantas personas, tantas cámaras. No puedo permitir que me vean débil. Eso es lo que Maven quiere y no se lo daré.

Pensé que sería fácil participar en un desfile; después de todo, estoy acostumbrada a eso, pero esto es mucho peor que antes. Los temblores de alivio que sentí en el claro del bosque se han esfumado ya y han dado paso al temor. Todos los ojos se clavan en mí y buscan las grietas de mi semblante famoso. Encuentran muchas. Trato de no escuchar sus gritos y lo logro durante unos segundos. Luego me doy cuenta de lo que la mayoría de ellos dice y de las cosas horribles que sostienen en alto para que yo las vea. *Nombres. Fotografías. Todos los Plateados muertos o desaparecidos.* Yo intervine en el destino de todos ellos. Me dirigen sus gritos, arrojan contra mí palabras más dañinas que cualquier objeto.

Cuando llego al otro extremo del puente y a la abarrotada Plaza del César, las lágrimas acuden demasiado rápido como para detenerlas. Todos me miran. Mi cuerpo se tensa a cada paso. Busco lo que no puedo tener, la habilidad que no puede salvarme. Apenas puedo respirar, como si el nudo ya hubiera sido apretado alrededor de mi cuello. ¿Qué he hecho?

Hay muchas personas reunidas en las escaleras del Palacio del Fuego Blanco, impacientes de ver mi caída. Los nobles y los generales visten todos de negro luctuoso, en esta ocasión por la reina. El vestido de Evangeline es difícil de ignorar, de púas del cristal de medianoche que destellan conforme ella se mueve.

Una sola persona viste de gris, el único color que le va. *Jon.* Por alguna razón, está con ellos y me ve acercarme. Sus ojos, de color rojo sangre, contienen una disculpa que nunca aceptaré. *No debí permitir nunca que se marchara.* Me maldigo.

Dijo una vez que me elevaría sola. Ahora sé que mentía. Porque sin duda he caído.

El frente de la plataforma está vacío y se alza por encima de todo. Es un buen lugar para una ejecución, si Maven está tan decidido a consumarla. Ahí está, sentado, a la espera, en un trono que no reconozco.

Mis carceleros me acercan a él, me fuerzan junto al rey. Me pregunto si me matará frente a todos y pintará con mi sangre los escalones de su palacio. Me estremezco cuando se pone en pie. Comprendo que estamos frente a frente como lo harían unos novios, solos y escuetos ante una multitud de rostros. Pero esto no es una boda. Podría ser mi funeral, mi final.

Algo resplandece en su puño. ¿Es la espada de su padre? ¿El hacha de un verdugo? Siento un escalofrío cuando lo pone alrededor de mi cuello. *Es una gargantilla.* Tiene joyas engastadas, es dorada y con agudos filos, es un espanto de belleza. Mis desdibujadas lágrimas me dificultan ver, hasta que no estoy segura de nada que no sea el rey de negra armadura ante mí y la marca que cauteriza mi clavícula.

Hay una cadena adherida a la gargantilla. Es una correa. *No soy nada más que un perro.* Él la sostiene tensamente en su puño y supongo que me arrastrará desde la plataforma. En cambio, se mantiene firme.

Tira de ella con fuerza, para probar la cadena que lleva en la mano, y me hace tropezar hacia él. Las puntas de la gargantilla se clavan en mí. Casi me ahogo.

—Tú exhibiste su cuerpo —sus labios rozan mi oído mientras suelta entre dientes esas palabras. El dolor zumba en su voz—. Haré lo mismo contigo.

Su expresión es indiscernible, aunque el significado es claro. Señala con una mano sus pies. Sus dedos son más blancos de lo que recuerdo.

Hago lo que dice.

Me arrodillo.

AGRADECIMIENTOS

A ntes de comenzar, quisiera expresar mi gratitud a las sobras de pizza que estoy comiendo en este momento. ¡Están deliciosas!

Igual que la vez pasada, tengo una deuda de gratitud con muchas personas, pero haré lo posible por incluirlas a todas aquí. Primero, gracias a mis padres, Heather y Louis, que persisten en su indignante nivel de apoyo; francamente, sin vosotros yo no habría podido hacer esto, ni podría seguir haciéndolo. Y desde luego, gracias a mi hermanito, Andrew, que de un modo u otro ya es un adulto. No sé cuándo ocurrió esto, pero estoy muy orgullosa de ti, y muy emocionada de ver que continúas madurando. Mucho amor y muchas gracias a mis abuelos —George y Barbara, Mary y Frank—; significáis mucho para mí, y echo mucho de menos a dos de vosotros. Al resto del clan familiar, tías, tíos, primos, etcétera, gracias por su amistad y apoyo. Gracias y felicitaciones en especial a Michelle, que es una escritora que pronto será publicada.

Los agradecimientos del año pasado fueron muy largos, así que esta vez intentaré resultar menos farragosa. Gracias a todos mis amigos en ambas costas. Perdonad mis rarezas. Un sincero agradecimiento a Morgan y Jen, los cuales toleran y a veces alientan mis tonterías.

Muchas gracias al equipo de Benderspink, que sigue haciendo grandes progresos en la batalla por llevar *La reina Roja* al cine, y más aún por mantener a flote mi carrera como guionista: Christopher Cosmos, Daniel Vang, los Jakes, JC, David y todos los asistentes y su apoyo. Y, por supuesto, gracias a Gennifer Hutchinson y Sara Scott; muero de ganas de ver adónde llegaremos. Por último, a mi abogado, Steve Younger, que me respalda siempre, pase lo que pase.

Podría escribir páginas enteras para dar las gracias al equipo de New Leaf Literary, pero os las ahorraré y resumiré: ellos son, sin duda alguna, los mejores. Lo mires por donde lo mires, cada uno de los miembros de mi agencia es extremadamente talentoso, y agradezco a mi buena estrella por haberme encontrado con ellos. A Jo, Pouya, Danielle, Jackie, Jaida, Jess, Kathleen y Dave: gracias por existir, y por condescender al tratarme. A Suzie se lo digo continuamente, pero sólo porque es verdad: eres maravillosa e incomparable, y la razón de que yo pueda hacer lo que hago.

Por si mi efusividad no ha sido suficiente, continuaré. Creo de veras que el éxito de *La reina Roja* fue prácticamente un milagro, lo cual convierte en santos a quienes trabajan en HarperTeen. Antes que nada, gracias a Kari Sutherland, mi primera editora, la primera y única en hacerme una oferta, la cual creyó en mi manuscrito y lo convirtió en lo que fue. Gracias a mi otra joya de la edición, Kristen Pettit, una visionaria con un instinto para la narración todavía mayor; gracias por tu incesante trabajo y perseverancia para convertir mis ideas de arcilla en magníficas esculturas narrativas. También a Elizabeth Lynch (pin); eres muy trabajadora, y demasiado tolerante conmigo. El resto del equipo de Harper no se queda atrás: Kate Jackson (soy una asidua de tu blog de cocina), Susan Katz, Suzanne Murphy y Jen Klonsky, hechiceras todas ellas. En marketing, las incansables Elizabeth Ward y Kara Brammer, la auténtica superestrella de las celebridades, Margot Wood y el resto de Epic Reads; *La reina Roja* no habría causado tanto revuelo sin vosotros. A Gina, mi adorable agente de publicidad, la cual hace posible encontrarme con lectores más adorables aún. En la gestión editorial y la producción, mi gratitud a Alexandra Alexo, Lillian Sun, Stephanie Evans, Erica Ferguson, Gwen Morton y Josh Weiss; si no fuera por vosotros, *La reina Roja* y *La espada de cristal* serían un amasijo incoherente. En ventas, Andrea Pappenheimer, Kerry Moynagh, Kathy Faber, Susan Yeager y Jen Wygand. Y un hurra a Kaitlin Loss, que contribuye a la coordinación con mis editores internacionales. Por último, aunque no en importancia, gracias al equipo de diseño, cuyos miembros podrían ser, pienso yo, verdaderos seres mágicos. En serio, ¿habéis visto mis portadas? Es imposible que hayan sido ideadas por seres humanos. De verdad, gracias por el diseño gráfico, y sigo al tanto de todo lo que hacéis: Sarah Kaufman, Alison Donalty, Barb Fitzsimmons y Toby & Pete.

Habiendo publicado ya, y estando ahora oficialmente activa en el mundo de la literatura, me doy cuenta de lo extenso que es y de lo temible que puede ser. Muchas gracias a todas las personas que han hecho tan fácil y orgánica mi transición de autora en ciernes a escritora publicada. A los blogueros, *booktubers*, lectores y aficionados a las palomas mensajeras que siguen promoviendo *La reina Roja*, y que ahora lo harán con *La espada de cristal*, gracias, gracias, gracias. A mis colegas escritores que no han hecho otra cosa que apoyarme, muchas gracias por vuestra amistad; mencionaría vuestros nombres, pero son demasiados, y sinceramente parecería petulancia llamaros mis amigos. Y una vez más, a Emma Theriault, que se mostró siempre dispuesta a charlar sobre *La reina Roja*, y que fue generosa con sus mensajes y notas.

Como ya es tradición, quiero dar las gracias también a algunas cosas que no son precisamente personas. Bueno, la primera es un grupo de personas: los Patriots de Nueva Inglaterra. El año pasado les ofrecí mis agradecimientos y ganaron la Super Bowl; ¡conservemos esta tradición! Liberad a Brady. A Wikipedia, el Sistema Nacional de Parques, Escocia, Target, la San Diego Comic-Con, el cambio de estaciones, las bufandas de cachemira, mi excelente impresora nueva, los globos terráqueos, el café con mucha espuma, mis puntos Delta y el *brunch*. Y a mis inspiraciones personales: Tolkien, Rowling, Martin, Spielberg, Lucas, Jackson, Bay. Sí, me refiero a Michael Bay, dejadme en paz.

Ya casi he acabado. Éstas son sólo repeticiones, pero son importantes, así que si ya habéis llegado hasta aquí, bien podéis seguir leyendo. A Morgan. A Suzie. Y otra vez a mis padres. Esto empieza y termina con vosotros.

Esta obra se imprimió y encuadernó
en el mes de junio de 2020,
 en los talleres de Egedsa, que se localizan
en la calle Roís de Corella, 12-16, nave 1
C.P. 08205, Sabadell (España)